DESIGNMANAGEMENT

Designmanagement

Design effectief benutten om ondernemingssucces te creëren

Gert L. Kootstra

m.m.v. Jos van der Zwaal

www.census.nl

FT Prentice Hall
FINANCIAL TIMES

Een imprint van Pearson Education

PEARSON
Education
Benelux

ISBN-13: 978-90-430-1172-3
ISBN-10: 90-430-1172-X
NUR: 801
Trefw: designmanagement

Opmaak: BEELDVORM, Pijnacker
Omslag: Kok Korpershoek, Amsterdam
Fotokatern + auteursfoto: Vormplus, Vlaardingen

Dit boek is gedrukt op een papiersoort die niet met chloorhoudende chemicaliën is gebleekt. Hierdoor is de productie van dit boek minder belastend voor het milieu.

Voor Remco,

die erover denkt om ontwerper te worden

Over de auteurs

Gert L. Kootstra MBM (1962) is managing consultant van Census Design Management BV, een bureau dat organisaties adviseert over de vertaling van hun identiteit en strategie in een helder merken- en designbeleid en dat zich richt op het professionaliseren van de designfunctie in organisaties. Kootstra studeerde publiciteitsvormgeving aan de Academie voor Beeldende Kunsten en volgde een opleiding tot Master of Brand Management aan de Erasmus Universiteit. Na bijna vijftien jaar ervaring als designer, designteamleider, adviseur en partner van het Haagse ontwerpbureau Tel Design, richtte hij in 1999 Census op. Kootstra is als parttime *research fellow* verbonden aan het CBRD/ Centre for Applied Research in Brand, Reputation and Design Management van Hogeschool INHOLLAND. Daarnaast is hij ook *program director* en kerndocent van de EURIB-opleiding tot Master of Design Management. Ten slotte vervult hij een bestuursfunctie voor het Design Management Netwerk (DMN), is hij lid van diverse werkgroepen en verzorgt hij met regelmaat gastcolleges.

Jos van der Zwaal (1949) neemt deel aan diverse projecten, initiatieven en activiteiten op het gebied van design, designmanagement en merkontwikkeling. Opgeleid als ontwerper, deed hij als creatief- en later strategisch directeur bij verschillende designbureaus ruime ervaring op met huisstijl- en verpakkingsdesign. Vanaf 1988 was hij partner in Millford-Vanden Berg Design, het latere Coleman Millford en FutureBrand. In deze omgeving werkte hij voor bekende nationale en multinationale ondernemingen. Op dit moment is hij werkzaam als consultant, lecturer, trainer en gastspreker op het gebied van designmanagement en merkontwikkeling. Ook is hij als *research fellow* betrokken bij het CBRD. Daarnaast is hij in het vakonderwijs werkzaam als kerndocent binnen de Master of Designmanagement en als gastdocent binnen de INHOLLAND-postgraduate opleiding Communicatie & Designmanagement. Van der Zwaal vervult diverse bestuurlijke functies: hij is voorzitter van de Stichting NDP (Nederlandse DesignPrijzen) en voorzitter van het DMN (Design Management Netwerk).

Voorwoord Mathieu Weggeman

De leegte krijgt haar betekenis door de vorm die zij omsluit.
Designers in de industrie, in de dienstverlening, in de kunsten houden zich bezig met die betekenisgeving. Zij onttrekken vorm aan leegte.
Het is een *mooi vak* en degenen die zich ermee bezig houden zijn bevoorrecht, omdat zij ondermeer de beeld-, geluids- en tactiele kwaliteit mogen bepalen van de artefacten die ons omringen.

Het is een echt *vak* omdat het zowel een kunde als een kunst is. De ontwerper is even zo goed analytisch als intuïtief bezig waarbij beide disposities voortdurend op zoek zijn naar synergie. En het is een *mooi* vak omdat de designer als een van de weinigen in het productieproces, naast de gebruikelijke zorg voor functionele en operationele eisen, ook aandacht mag en moet hebben voor de esthetische waardering van ontworpen producten en processen.
Designers bepalen de artificiële schoonheid die ons omringt en zijn daar dus ook mede verantwoordelijk voor.

Door de wijze waarop Gert Kootstra de managers toespreekt die leiding moeten geven aan ontwerpers, merk je dat hij zich die grote verantwoordelijkheid van de designer goed realiseert. Analytisch en nauwgezet ontvouwt hij de kunde van het managen van vormgevingsprocessen; een kunde die het ontstaan van ontwerpkunst conditioneert. Kootstra's inzichten en aanbevelingen zorgen ervoor dat de designmanager zijn mensen op de snelweg naar die ontwerpkunst kan brengen. Want zoals iedere meester in het vak beseft, kun je de theorie pas laten voor wat die is, als je inhoudelijk begrepen hebt waar het over gaat. Alleen degene die de kunde voorbij is, kan de kunst ontwikkelen de vormen vrij te maken die in de leegte besloten liggen.

De vormgever geeft vorm; hij of zij brengt ons iets uit de categorie 'noch nie dagewesen', verrast ons met iets dat nieuw, anders, innovatief is.
Dit verrassende Rijnlandse 'geven' dat de bron is van Europa's creativiteit, verankert het ontwerpen in de rijke historische traditie van de gilden, waar vakmanschap en meesterschap vele malen belangrijker waren dan het maken van winst.
Daar komt de manager in het spel, de designmanager. Zijn of haar belangrijkste taak kan niet anders zijn dan het faciliteren van het werk van de ontwerpers, visionair, bescheiden en met meer liefde voor het vak dan voor het geld. Dat kan haast niet zonder zelf uit het vak afkomstig te zijn.

Als manager of ontwerper wens ik u met dit boek een inspirerende versnelling toe op de weg van ontwerpkunde naar ontwerpkunst. Een kunst die we in onze steeds meer door efficiency en money-making gedreven wereld, harder nodig hebben dan ooit.

Het is tijd voor het esthetische perspectief van de designer. De zorg voor de effectuering van dat perspectief ligt bij niemand anders dan bij de designmanager.
De ontwerpers, Gert en ik rekenen op u!

Mathieu Weggeman
Willemstad, november 2005

Voorwoord Rik Riezebos

Op het gebied van managementliteratuur verschijnen jaarlijks vele boeken die ons steeds weer op een andere wijze naar de oorzaken van succes (en soms ook falen) van ondernemingen proberen te laten kijken. In de meeste van deze boeken staan onderwerpen centraal die behoren tot het domein van strategisch management (zoals de organisatiestructuur van een onderneming, de wijze van leiderschap en de ondernemingscultuur). Naast deze algemene managementliteratuur zijn er sinds medio jaren negentig veel boeken verschenen waarin het merkenbeleid van ondernemingen centraal staat. Ook is er sinds circa vijf jaar een heuse stroom aan literatuur over reputatiemanagement op gang gekomen. Merkenbeleid en reputatiemanagement zijn twee toepassingsgerichte stromingen in de managementliteratuur die de identiteit van de organisatie (of het gevoerde product) als uitgangspunt nemen. Naast deze twee disciplines is er echter nog een derde stroming die de identiteit van een organisatie of (merk-) product centraal stelt, maar waarnaar relatief weinig onderzoek is gedaan en waar relatief weinig over geschreven is: *designmanagement*. Op zich is dit opmerkelijk, omdat het gebruik van vormgeving en symboliek een veel langere historie kent dan het actief gebruik van merken, of het op een professionele wijze managen van reputaties. Soms wordt als reden voor het gering aantal publicaties over designmanagement aangedragen dat vormgevers meer visueel dan tekstueel zijn ingesteld en daarom hun ideeën en inzichten minder snel aan het papier toevertrouwen. Des te meer is het toe te juichen dat Gert Kootstra met de hulp van Jos van der Zwaal een omvangrijk boekwerk heeft geschreven waarin 'state of the art' kennis en inzichten op het gebied van designmanagement zijn samengebracht.

Hierboven gaf ik aan dat designmanagement, merkenbeleid en reputatiemanagement in zekere mate met elkaar verbonden zijn; in alle drie de disciplines speelt het begrip *identiteit* een cruciale rol. De uitwerkingsvormen van dit begrip verschillen echter tussen de genoemde disciplines, simpelweg omdat de bij de vakgebieden behorende verschijningsvormen verschillen (bij merkenbeleid is dit onder andere de naam, bij designmanagement vormgeving en bij reputatiemanagement communicatie). Ondanks de verschillende verschijningsvormen zijn er in de vertaling van een identiteit naar een verschijningsvorm tussen deze disciplines ook overeenkomsten te ontdekken. Doordat Kootstra zich eerder door een master-studie heeft bekwaamd in het vakgebied merkenbeleid, is het voor u liggende boek niet een verhandeling die designmanagement in isolatie ten opzichte van merkenbeleid en reputatiemanagement beschrijft, maar eerder een werk waarin bruggen worden geslagen naar deze aanpalende disciplines. Daarmee is dit boek van onschatbare waarde voor een ieder die geïnteresseerd en/of werkzaam is in hetzij merkenbeleid, reputatiemanagement en natuurlijk ook designmanagement. Daarnaast dient opgemerkt te worden dat het te verwachten is dat het belang van design in de komende jaren sterk zal toenemen, omdat vormgeving in veel gevallen een nog niet volledig uitgeputte differentiatiefactor is. Dit betekent ook dat dit boek in meer bredere kring (lees: die van strategisch management) verplichte literatuur zou moeten worden.

Ten slotte wil ik kort stilstaan bij het proces dat ik heb mogen doormaken met zowel Gert Kootstra als Jos van der Zwaal. Ik heb Gert in 2001 leren kennen in de opleiding tot Master of Brand Management als iemand met een ongekende nieuwsgierigheid en een enorm doorzettingsvermogen. Zonder zijn persoonlijke passie om het vakgebied designmanagement op de kaart te zetten, was een boek als dit nooit tot stand gekomen. Jos heb ik leren kennen als iemand die in korte tijd tot de essentie van een probleem weet door te dringen en ordening in een soms ogenschijnlijke ongestructureerdheid weet aan te brengen. Deze combinatie van competenties heeft een naar mijn mening voortreffelijk boek opgeleverd. Ik hoop dat dit boek het vakgebied designmanagement niet alleen beter op de kaart zal weten te zetten, maar ook de brug met merkenbeleid en reputatiemanagement weet te verstevigen!

dr. Rik Riezebos (Brand Capital, EURIB)
Rotterdam, november 2005

Inhoud

Overzicht van boxteksten

Introductie

Designmanagement betreft een relatief jonge discipline, waarin expliciet wordt onderkend dat design een bijdrage kan leveren aan de bedrijfsperformance van een onderneming. Designmanagement staat niet op zichzelf en het is ook geen geïsoleerde discipline die tot alleen marketing, communicatie of productontwikkeling beperkt blijft. De meerwaarde ligt juist in het verbinden van deze afzonderlijke disciplines, zodat van een samenhangend en overtuigend design- en presentatiebeleid kan worden gesproken. Het realiseren van deze samenhang vormt een belangrijke uitdaging voor organisaties. In de eerste plaats om tot de gewenste perceptie en beleving door afzonderlijke stakeholdergroepen te komen. Maar ook om herkenbaar te blijven te midden van de informatie 'overload' waaraan mensen vandaag de dag bloot staan.

De centrale vraag in dit boek is: hoe kan de designmanagementfunctie worden georganiseerd teneinde het potentieel van design optimaal te benutten en met als einddoel concurrentieel voordeel te realiseren?
Om deze vraag te beantwoorden, plegen we een terreinverkenning. We proberen greep te krijgen op zowel de theorie (literatuur) als de praktijk, om de diverse invalshoeken, benaderingen en richtingen aan te geven, die van belang zijn voor een succesvolle toepassing.

De stelling die we in dit boek onderbouwen, is dat design een essentiële rol speelt in product- en merkontwikkeling en daarmee van groot economisch belang is voor organisaties en bedrijven. Design is in staat de perceptie en beleving door klanten, medewerkers en aandeelhouders te sturen. Door middel van design kan een aanbieder bovendien zijn producten en/of diensten differentiëren en waarde toevoegen aan zijn activiteiten. Om deze differentiebasis en waardetoevoeging te optimaliseren, is het noodzakelijk dat design op een professionele wijze wordt gemanaged. In dit boek willen we dan ook duidelijk maken hoe designmanagement de toegevoegde waarde van design kan vergroten. De zienswijze waar wij ons sterk voor maken, is dat effectief design geen kwestie van geluk is (een toevalstreffer) maar veel eerder van doeltreffende managementinspanningen.

Een tweede stelling is dat design vaak nog een onderbenut bedrijfsinstrument is. Eén van de oorzaken hiervan is dat bedrijfs- of marketingplannen meestal geen geformuleerde doelen voor design bevatten. Wanneer designactiviteiten geen deel uitmaken van het beleidsproces, zal het potentieel van design in de praktijk onderbenut blijven.
Wanneer wél sprake is van designbeleid, is het van belang dat de integratie met andere beleidsterreinen gestalte krijgt (product-/merkbeleid, innovatiebeleid, marketingbeleid et cetera). Zonder deze integratie zal het potentieel van design eveneens achterblijven. In de tekst behandelen we daarom de raakvlakken tussen de verschillende beleidsterrei-

nen en geven we tekst en uitleg over de relatie tussen designmanagement en strategisch management.

Design heeft vooral tot doel om de toegevoegde waarde van producten, diensten en consumentenervaringen te vergroten. Vanuit dit economische perspectief spreken we van design als *differentiator*. We kunnen echter design ook vanuit een organisatorisch perspectief verkennen. Daarbij gaat het om de rol van design bij verander-, innovatie- of integratieprocessen: design als *coördinator* en als *transformer*. Over het algemeen gaat de meeste aandacht uit naar design als differentiator; als instrument om producten, merken en organisaties te kunnen onderscheiden. Deze publicatie belicht echter beide kanten van design.
Daarbij behandelen we zowel de 'waarom-vraag' als de 'hoe-vraag'. Waarom is design belangrijk voor organisaties? Welke argumentaties en inzichten kunnen een rol spelen bij het antwoord op deze vraag? En hoe kunnen organisaties vervolgens design succesvol inzetten? De onderwerpen die we naar voren brengen, behandelen we in vier min of meer op zichzelf staande delen: 'design als bedrijfsinstrument', 'het managen van design', 'de organisatie van designmanagement' en 'integratie – de praktijk van designmanagement'.

Een van onze doelstellingen is het designbeleid binnen organisaties naar een hoger niveau te tillen. Designbeleid is niet alleen op klanten gericht, maar ook op financiële doelgroepen, de arbeidsmarkt en de eigen medewerkers. Doordat designbeleid zich richt op meerdere stakeholders, brengt dit de wenselijkheid van integratie met zich mee, teneinde consistentie en coherentie in de beeldvorming te kunnen realiseren.
Consistent designbeleid blijkt zeer relevant te zijn voor dienstverleners, overheidsorganisaties en non-profit organisaties die als kenmerkend en gemeenschappelijk probleem hebben dat hun diensten abstract en niet tastbaar zijn – en bovendien dagelijks door individuele medewerkers moeten worden geproduceerd en geleverd. Design wordt doorgaans binnen de corporate identity van dergelijke organisaties ingezet om de dienstverlening herkenbaar en tastbaar te maken. Producenten van duurzame consumentengoederen zullen daarentegen designbeleid vooral gebruiken om hun producten van die van concurrenten te onderscheiden. Ze beseffen steeds vaker dat designbeleid betrekking heeft op het vergroten van de omzet, het marktaandeel of de brutomarge, maar ook op het verlagen van de productiekosten en het verkorten van de *time to market*. Ook retailers en producenten van snellopende consumentengoederen zetten in toenemende mate designbeleid in, om hun merken te onderscheiden en te activeren binnen het kader van hun merkenbeleid.
Met dit boek willen we een bijdrage leveren aan de professionalisering van designbeleid. Professionalisering van designbeleid houdt ondermeer in de ontwikkeling van design met een 'kleine d' (design als output), naar design met een 'grote D' (design als strategische competentie van organisaties).

Prioriteit in het boek is de ontwikkeling van de designmanagementfunctie. Als nieuwe discipline en als specialistische functie. We veronderstellen dat, wanneer beschikbare kennis en inzichten doordringen tot organisaties, het besef zal groeien dat het managen van designactiviteiten (het totale designproces) een activiteit is die meer aandacht verdient. En dat daarvoor kennis en kunde vereist is.

Voor de acceptatie van design als managementactiviteit is het van primair belang dat er goede theorieën, instrumenten en modellen beschikbaar zijn. Tevens moet er zicht zijn op de aard van het designproces en de bijbehorende activiteiten. Dit boek geeft daarvan een uitgebreid en actueel overzicht.
Designmanagement kan beschikken over een aantal theorieën, modellen en instrumenten die we in dit boek presenteren. Zo worden diverse designmanagementmodellen geïntroduceerd alsmede een overzicht van het designmanagementproces. Tevens introduceren we de verschillende vormen die designmanagement in de praktijk kan aannemen. Door middel van losse boxteksten naast de hoofdtekst, maken we zo nu en dan kleine uitstapjes naar de praktijk. Hiermee demonstreren we de toepassing van designmanagement bij afzonderlijke organisaties in alle sectoren van de economie: overheid, industrie, handel en dienstverlening.

Designmanagement slaat een brug tussen twee disciplines, namelijk die van design en die van management. Deze opereren traditioneel min of meer gescheiden van elkaar, met geheel eigen opvattingen en een eigen cultuur. Om het potentieel van design te kunnen benutten is het nodig beide disciplines aan elkaar te verbinden. Veel ontwerpers zijn niet of onvoldoende geschoold op het terrein van strategisch management, productontwikkeling, marketing en communicatie. Ontwerpopleidingen stellen ambachtelijke vaardigheden en individuele expressie centraal in hun curriculum. Managers beschikken doorgaans wel over dergelijke kennis, maar zijn meestal niet getraind op het gebied van design. Om design succesvol in een bedrijfsomgeving te kunnen inzetten (als bedrijfsinstrument), moeten kennis en creativiteit aan elkaar worden gekoppeld. Zeker in situaties waarin innovatie en onderscheidend vermogen het verschil kunnen maken ten opzichte van het concurrentieveld.
In dit boek proberen we de kloof tussen kennis en kunde te verkleinen door beide werelden (design en management) met elkaar te confronteren, met als doel onderlinge raakvlakken bloot te leggen en deze te exploreren. We doen dat door inzichten uit de literatuur in confrontatie met de praktijk te brengen. Soms schieten deze inzichten tekort. Waar mogelijk presenteren we dan een conceptueel model waarmee de situatie kan worden verklaard en begrepen.

Een belangrijke motivatie om dit boek te schrijven, is dat we het vakgebied designmanagement meer basis willen geven. Door de designverantwoordelijkheid een heldere plek in organisaties te geven, de kloof tussen kennis en kunde te verkleinen en door een beter en meer eenduidig begrip te formuleren. We verwachten hiermee een bijdrage te kunnen leveren aan de erkenning van designmanagement als volwaardige managementactiviteit.

Al met al beogen we met dit handboek voor managers en studenten een degelijk, actueel, accuraat en compleet overzicht van de stand van zaken te geven, dat een goede wegwijzer zal zijn voor iedereen die met dit onderwerp aan de slag wil of moet. We hopen dat het zich in de praktijk zal bewijzen en dat het de lezer veel nut en plezier oplevert.

Gert L. Kootstra mbm
Den Haag/ Issy-l'Evêque, november 2005

gkootstra@census.nl

Dankwoord

In de eerste plaats wil ik Hogeschool INHOLLAND bedanken voor de ruimte die mij werd geboden om dit project te kunnen uitvoeren en in het bijzonder Susana Menéndez van het Institute of Advanced Studies and Applied Research (ASAR). In de uitdagende omgeving van het lectoraat CBRD vond ik de inspiratie om dit plan uit te voeren en de aanmoediging om door te zetten. Ook toen bleek dat het allemaal veel meer tijd en energie kostte dan verwacht.
Het was ook binnen het CBRD dat de samenwerking met Jos van der Zwaal vorm kreeg. In samenspraak werden de opzet en structuur van het boek ontwikkeld en een aantal lastige vraagstukken opgelost, die tijdens het onderzoek en het schrijven aan het licht kwamen. Jos beoordeelde de conceptteksten en gaf veelvuldig commentaar. Waar nodig redigeerde hij de tekst en deed hij voorstellen voor wijziging en aanvulling. Hij schreef ook enkele van de boxteksten op basis van interviews met de betreffende organisaties. Maar het belangrijkste was dat hij mij met zijn didactische inzicht en praktijkervaring weer op het juiste pad bracht, telkens als ik dreigde te verstrikken in de materie. Dit boek was zonder deze samenwerking dan ook niet in deze vorm tot stand gekomen en ik wil Jos daarom hartelijk bedanken voor zijn bijdrage.

Mijn dank gaat ook uit naar de andere collega's binnen het CBRD die tekstversies hebben becommentarieerd en bekritiseerd. In het bijzonder Rik Riezebos (lector), Kees van Wijk (associate lector), Jaap van der Grinten en Willy Geurts (research fellows). Rik toonde zich zoals altijd een kritische maar inspirerende mentor die mij het beste uit mezelf deed halen.
Uitgever Wardy Poelstra bedank ik voor zijn vertrouwen in dit project en de mensen van uitgeverij Pearson voor hun inzet. Joke van Beek (Utrechtse School voor Bestuurs- en Organisatiewetenschap) en Fennemiek Gommer (Spanners) bedank ik voor het uitgebreide becommentariëren van de eerste tekstversie en voor hun welkome adviezen. En Bas Kist (Shieldmark) en Pieter van Ginkel (Blauw Research) voor hun vaktechnische beoordeling van de teksten over respectievelijk, merkenrecht en marktonderzoek. En niet te vergeten alle organisaties en bedrijven (en vakgenoten) die hebben meegewerkt aan de totstandkoming van de boxteksten en het illustratiekatern.
Last but not least bedank ik Marije voor de tijd en ruimte die ik ter beschikking kreeg. Ze heeft me vaak vrijgehouden door werkzaamheden van me over te nemen en zowel thuis als op het werk veel zaken te regelen. Zonder haar begrip, steun en aanmoediging zou dit resultaat niet zijn bereikt.
Het schrijven van dit boek heeft gedurende twee jaar veel tijd gekost die ik niet aan andere zaken kon besteden. Vriendschappen en familierelaties hebben er ongetwijfeld onder geleden. Daarom ook aan hen een woord van dank voor het getoonde begrip en geduld, ik hoop het de komende tijd ruimschoots goed te kunnen maken.

Over het CBRD

Het CBRD/Centre for Applied Research in Brand, Reputation and Design Management is een lectoraat verbonden aan de Hogeschool INHOLLAND. Het CBRD is vanaf 2003 actief in het gebied tussen studie, wetenschap en bedrijfsleven. Het verbindt deze drie werelden door onderzoek te doen, vakpublicaties en artikelen te schrijven, cursussen en leergangen te ontwikkelen, colleges, lezingen, workshops en trainingen te geven en contact te leggen met het bedrijfsleven.

Het CBRD doet met name toegepast onderzoek naar de strategische en praktische betekenis van merken-, reputatie- en designmanagement voor bedrijven en organisaties. Het hanteert daarbij drie hoofddoelstellingen:

1. Het naar een hoger niveau brengen van toepassingsgerichte kennis op het gebied van merken-, design- en reputatiemanagement, en hun integratie.
2. Bijdragen aan het verhogen van de kwaliteit van professionele educatie (bachelor- en masteropleidingen).
3. Het ondersteunen van het bedrijfsleven – in het bijzonder MKB-bedrijven – bij het verbeteren van hun resultaten door bestaande en nieuwe kennis en inzichten in te brengen.

Het CBRD doet dit vanuit de volgende visie: *'Wij concentreren ons op de synergie tussen reputatie-, merk- en designmanagement, met een scherp oog voor de strategische en praktische rol die deze disciplines vervullen voor bedrijven en organisaties. In de praktijk worden managementgebieden vaak gezien als gescheiden van elkaar. In de visie van CBRD is het juist zo dat interactie tussen deze disciplines significant bijdraagt aan de vergroting van de goodwill van een onderneming, c.q. de meerwaarde van merkproducten. Hoewel er tussen merken-, reputatie- en designmanagement verschillen bestaan voor wat betreft de gebruikte concepten, modellen en technieken, is er ook sprake van een duidelijk gezamenlijk fundament: alle disciplines stellen de 'identiteit' van de organisatie centraal en zijn gericht op het vergroten van de immateriële waarde van een onderneming, een merk of een product. Designmanagement is in deze samenstelling een relatief jonge discipline. Het feit dat design een belangrijke bijdrage kan leveren aan business performance wordt hiermee expliciet onderkend. Net als merk- en reputatiemanagement, vervult designmanagement niet alleen een instrumentele rol, maar draagt het ook bij aan een langdurig competitief voordeel voor de onderneming of organisatie in kwestie. Het CBRD hecht er om al deze redenen waarde aan, kennis uit deze drie disciplines bij elkaar te brengen om zo tot nieuwe inzichten te komen. Naast het ontwikkelen van nieuwe inzichten en denkkaders op de gebieden merken-, reputatie- en designmanagement, heeft het CBRD als doel deze kennis inzichtelijk en hanteerbaar te maken, met nadruk voor bedrijven en organisaties.'*

Deel I
Design als bedrijfsinstrument

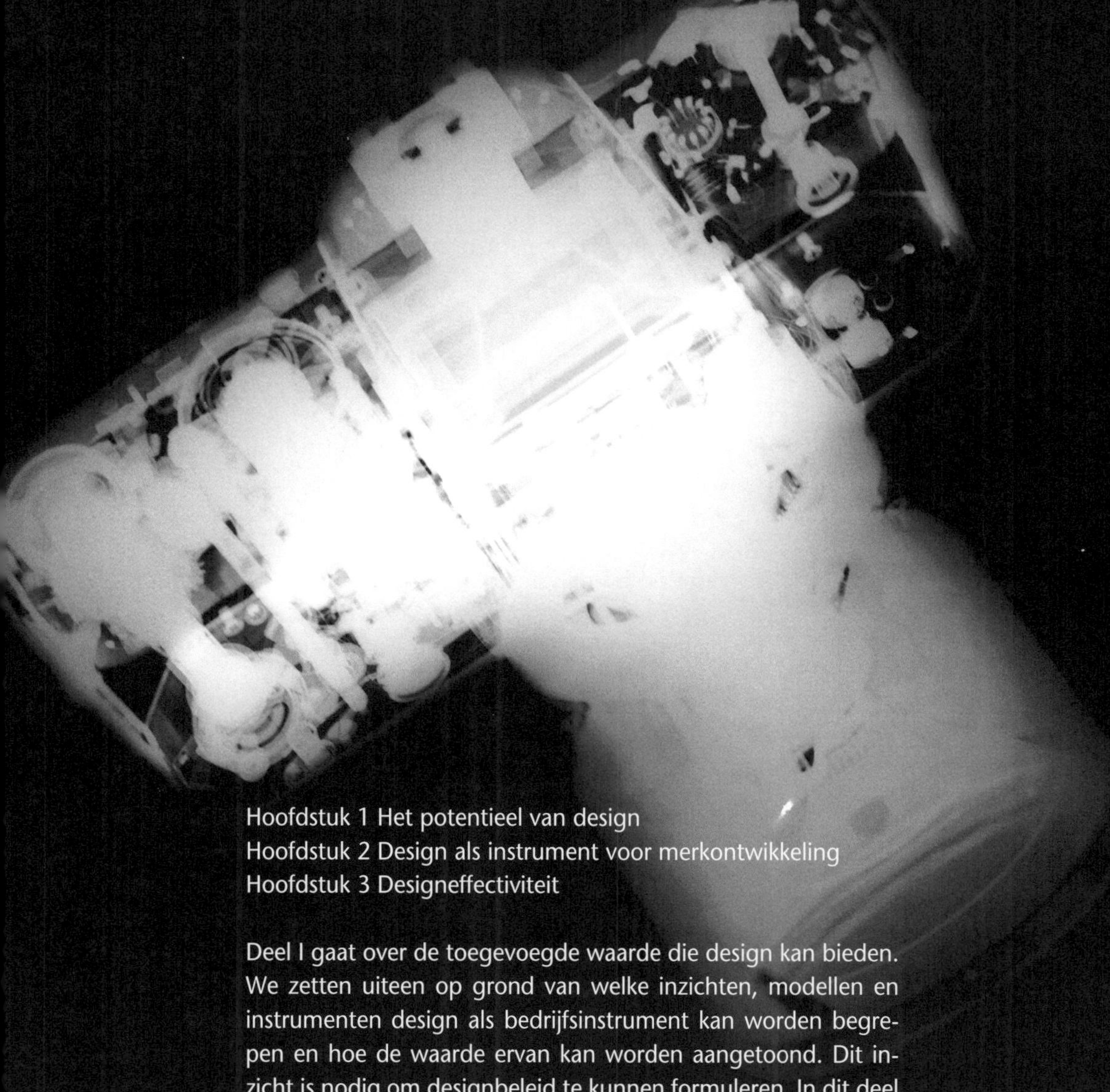

Deel I gaat over de toegevoegde waarde die design kan bieden. We zetten uiteen op grond van welke inzichten, modellen en instrumenten design als bedrijfsinstrument kan worden begrepen en hoe de waarde ervan kan worden aangetoond. Dit inzicht is nodig om designbeleid te kunnen formuleren. In dit deel komt het onderwerp designmanagement nog niet aan de orde, maar richten we ons op design 'an sich'. In hoofdstuk één beantwoorden we de vraag hoe design waarde kan toevoegen aan organisatieactiviteiten. In hoofdstuk twee staat de vraag centraal welke rol design vervult bij merkontwikkeling. In hoofdstuk drie gaat het om de vraag hoe de effectiviteit van design kan worden aangetoond.

1 Het potentieel van design

'Design is a significant, potentially powerful management resource, susceptible like every other management resource to intelligent direction and control.'
(Wally Olins)

In dit hoofdstuk bieden we de lezer inzicht in het belang van design als bedrijfsinstrument. Daarbij beantwoorden we de vraag naar de toegevoegde waarde die design kan bieden aan organisatieactiviteiten. We beginnen met een inleiding over het begrip design. Design is een veelzijdig fenomeen en beslaat een breed terrein. Dat is zowel een kracht als een zwakte; in 'designland' raakt men snel de weg kwijt. Voor een zinvolle bijdrage is het daarom nodig om te bepalen waar we het precies over hebben. We doen dit aan de hand van een overzicht van drie belangrijke betekenissen van het begrip design: als proces, als object en als stijl. Vervolgens beantwoorden we in paragraaf 1.2 de vraag hoe design waarde kan toevoegen aan organisatie- en ondernemingsactiviteiten. Een rode draad in ons verhaal is dat het belang van design niet iets is dat op zichzelf staat. De inzet van design als bedrijfsinstrument veronderstelt dat dit een bijdrage levert aan het oplossen van bedrijfsmatige problemen. Zoals een bepaald marketingvraagstuk, communicatievraagstuk, financieel of organisatievraagstuk. De stelling die we onderbouwen is dat design waarde kan toevoegen aan organisatieactiviteiten en door iedere organisatie kan worden gebruikt, ongeacht schaal, grootte, branche of sector. Design speelt een belangrijke rol bij het aanzien van onze economie en van individuele organisaties. Daarom kijken we nauwkeurig naar de aard van design. In paragraaf 1.3 belichten we op grond van welke trends het belang en de aandacht van organisaties voor design toeneemt. Ten slotte introduceren we in paragraaf 1.4 een overzicht van de verschillende ontwerptoepassingen in de waardeketen met behulp van een taxonomie.

1.1 Design; wat is het?

Volgens Van Dale (1999) is design: 'een (artistiek) industrieel ontwerp; de stijl, de vormgeving van een product.' Deze omschrijving koppelt design aan het productuiterlijk; een wat ons betreft veel te beperkte opvatting die niet helpt om de onduidelijkheid en verwarring, die er in de praktijk heerst over het begrip design, te verminderen. Uit een aantal interviews dat één van ons recentelijk afnam bij MKB-ondernemers, binnen het kader van een ander CBRD-onderzoek, bleek dat zij uiteenlopende associaties hebben met design en dat ze dit begrip vooral koppelen aan producten. Dominant waren associaties als luxueus, exclusief, prestigieus en duur. Het zou best wel eens kunnen zijn dat veel meer mensen dit idee hebben. Tegelijkertijd kunnen we vaststellen dat vrijwel alles om ons heen is vormgegeven: de talloze producten die we gebruiken en hun verpakkingen, de meubels, boeken en tijdschriften, apparatuur, vervoermiddelen, kleding, sportuitrustingen, et cetera. Vrijwel niets is toevallig ontstaan, maar is het gevolg van min of meer bewuste keuzen die zijn voorafgegaan aan de productie ervan. Is daarmee alles wat doelbewust is vormgegeven design? We zijn geneigd om hierop bevestigend te antwoorden, hoewel het begrip verder gaat dan dat.

Ook eenvoudige en goedkope producten kunnen als design worden aangemerkt. In vrijwel iedere prijsklasse treffen we het aan. Design heeft niet per definitie met duur en exclusief te maken, maar eerder met een bepaalde kwaliteit. Dit kunnen we duidelijk maken aan de hand van het voorbeeld van de mode-industrie. Deze opereert op drie niveaus: haute couture, prêt-à-porter en confectie. De echte vernieuwingen vinden plaats op het terrein van de haute couture, dat een zeer exclusief en prestigieus karakter heeft (vaak unica die met de hand zijn gemaakt). De creativiteit van de ontwerper staat hier centraal en haute couture fungeert dan ook als een soort laboratorium voor het prêt-à-porter-aanbod gericht op grotere groepen consumenten. Op dit niveau wordt al veel meer rekening gehouden met functionele aspecten zoals draagbaarheid en produceerbaarheid. De confectie vertaalt ten slotte de prêt-à-porter-collectie naar de grootschalige consumentenmarkt. Hierbij gaat het om massale en gestandaardiseerde industriële productie waardoor de kleding tegen een lagere prijs geproduceerd kan worden. Op alle drie niveaus wordt serieus ontworpen; men kan zeker niet stellen dat design alleen betrekking heeft op de haute couture.

Design is een begrip dat door iedereen op van alles en nog wat wordt geplakt, afhankelijk van iemands subjectieve perceptie en opvattingen: 'design is in the eye of the beholder'. Veel van wat als design wordt geafficheerd verdient die kwalificatie naar onze mening niet. Terwijl veel van wat *niet* als design wordt aangeprezen dit predikaat wél verdient. In deze laatste situatie wordt deze kwalificatie kennelijk als min of meer vanzelfsprekend gezien en iets dat niet apart benoemd hoeft te worden. Al met al is sprake van een verwarrende situatie die het zicht dreigt te ontnemen op het potentieel van design en de mogelijkheid om het beter te managen. Want als men de betekenis van het begrip niet eens kan definiëren; hoe kan men er dan verder iets mee uitrichten als bedrijfsinstrument?

Het begrip ontwerpen (iets uitdenken, maken of beramen) hangt nauw samen met het begrip creëren (iets scheppen). Men kan veel zaken ontwerpen, zoals een strategie, een procedure, programma of systeem. Of een gebouw, een product of dienst, voorwerp of voorstelling. Een ontwerp is de neerslag van dit denk- of maakproces (ook wel: het ontwerpproces) en wordt manifest in de vorm van een plan, een schets, een tekening of een model. In navolging hiervan kan het begrip design zowel verwijzen naar een idee of concept, naar de activiteit of het proces, als naar de uitkomst hiervan; de fysieke manifestatie in een document of object. Design betreft een concreet iets dat je kunt zien, aanraken en vasthouden – maar ook de gedachte er achter en het proces er naar toe (de wijze waarop het tot stand is gekomen). Het gaat dus niet alleen om de uiterlijke manifestatie, maar ook om het daarin vervatte idee of de creatieve visie; vorm en inhoud vormen een onlosmakelijk geheel. Een goed idee dat slecht ontworpen is, zal in de regel weinig waardering oogsten ('lelijk'), evenals een slecht idee dat goed ontworpen is ('oninteressant'

of 'niet relevant') of een mooi ontwerp zonder overtuigend idee ('leeg' of 'oppervlakkig'). Het idee zal meestal niet op zichzelf staan, maar voortkomen uit bepaalde doelen (bijvoorbeeld organisatie- of managementdoelen) en betrekking hebben op een bepaald vraagstuk. Het kan zelfs samenhangen met bepaalde overwegingen die voortkomen uit concepten zoals identiteit, missie of strategische positionering. Het betreft niet alleen het creatieve idee van de ontwerper in casu, maar ook het idee van de opdrachtgever dat voortkomt uit geformuleerd beleid of bijbehorende actieplannen.
Verder kunnen we beargumenteren dat de kwaliteit van het proces van invloed zal zijn op het resultaat. Tussen het stadium van concept en dat van realisatie kunnen verkeerde beslissingen worden genomen en compromissen worden gesloten die er toe leiden dat het resultaat niet meer dan een slap aftreksel is van het oorspronkelijke ontwerpconcept. De zienswijze waar we ons sterk voor maken in dit boek, is dat zowel de kwaliteit van het designbeleid als de kwaliteit van het ontwerpproces (de weg tussen idee en realisatie) van invloed is op de uiteindelijke ontwerpkwaliteit. In deel II zullen we hier uitgebreid op in gaan. In het vervolg van deze inleiding concentreren we ons op drie belangrijke betekenissen: design als proces, design als object en design als stijl.

1.1.1 Design als proces

De betekenis van het begrip 'design (afgeleid van het werkwoord *to design*) als proces' biedt een goed aanknopingspunt voor dit boek. Het is een algemeen bedrijfsmatig inzicht dat processen beheersbaar behoren te zijn en dat dit een taak van het management is. Een definitie van het begrip 'design' in deze context komt van de gezaghebbende marketing-auteur Philip Kotler (Cooper & Press, 1995):
'Design is the process of seeking to optimize consumer satisfaction and company profitability through the creative use of major design elements (performance, quality, durability, appearance and cost) in connection with products, environments, information and corporate identity'.
Wat in deze definitie als eerste opvalt is de rol van design bij het optimaliseren van de relatie tussen klanttevredenheid en winstgevendheid. Vanuit een bedrijfskundig perspectief vormt dit vrijwel altijd een spanningsveld. Het streven naar maximale klanttevredenheid zal in de praktijk worden beperkt door het rendement van de investeringen die hiermee samenhangen. In verband met de continuïteit van de onderneming zal ook de rendementseis gesteld moeten worden. Andersom zal het streven naar maximale winstgevendheid kunnen leiden tot verlies aan klanttevredenheid, hetgeen uiteindelijk de winstgevendheid onder druk zal zetten. Het tweede dat opvalt is dat Kotler naast verschijning, ook prestatie, kwaliteit, duurzaamheid en kosten als belangrijke designelementen aanwijst. Design heeft in deze definitie niet alleen betrekking op uiterlijke verschijning, maar op een heel scala van factoren.
De designelementen die Kotler in zijn definitie noemt zijn bekend geworden als de *designmix*. Design zal in de visie van de auteur effectief zijn wanneer de mix van designelementen optimaal op elkaar worden afgestemd. Wanneer de prijs, kwaliteit, duurzaamheid, prestatie en verschijning één samenhangend geheel vormen. Een product dat er bijvoorbeeld heel duur uitziet en dat ook is, maar niet duurzaam is of de verwachte prestatie levert, zal zelden succesvol zijn. Het derde element in de definitie is dat de

designelementen in relatie worden gebracht met zowel de producten (een goed, dienst of idee) als de verschillende omgevingen van waaruit een organisatie opereert, met de informatie die deze verspreidt en met de door de organisatie geprojecteerde identiteit. (Door Kotler aangeduid als *corporate identity*.) Bepalend voor het resultaat is de samenhang tussen deze vier dimensies.

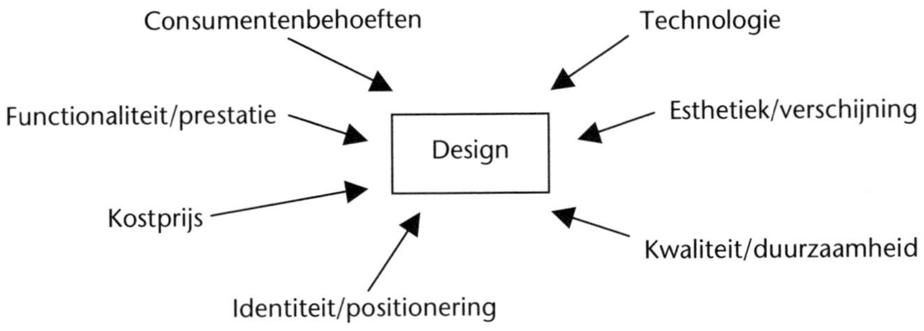

Figuur 1.1 Designbeslissingen

Een tweede definitie die we hier naar voren willen brengen – en die in het verlengde van de vorige ligt – is die van de Franse merkendeskundige Kapferer (2004): *'design is the added value process between the idea and the product in order to make it more functional, less costly to manufacture and nicer.'*

Waar Kotler design typeert als het zoekproces met betrekking tot optimalisering van zowel klanttevredenheid als winstgevendheid, spreekt Kapferer over design als waarde toevoegend proces. Het begrip toegevoegde waarde verwijst naar het gegeven dat een aantrekkelijk product meer waarde heeft voor consumenten dan een 'kaal' product, dat wil zeggen zonder de toevoeging van een aantrekkelijke vormgeving. Naar dit begrip wordt ook wel verwezen als meerwaarde. Om een dergelijke meerwaarde te creëren, dient het design voor consumenten de productfunctie te verbeteren of betekenisvol te zijn. Beide begrippen; functie en betekenis staan centraal in het denken over design.

Kapferer doelt in zijn definitie overigens op producten in de brede zin des woords; halffabrikaten, eindproducten, diensten, ideeën en belevingen. Verder gaat het hem niet alleen om het product op zich, maar om het product in al zijn verschijnings- en presentatievormen. Ook om de communicatie rondom het product en de omgeving waarin het wordt verhandeld; de gedachte is dat design niet alleen is gericht op afzonderlijke producten of boodschappen maar vooral op het vormgeven aan consumentenervaringen. Het heeft in deze context betrekking op productontwikkeling, marketing en communicatie.

De zienswijze om design als een waardetoevoegend proces op te vatten – en niet in de eerste plaats als een bepaalde stijl of vorm – is in onze visie juist en passend binnen ons verhaal. We kiezen daarom deze definitie als uitgangspunt voor dit boek.

Design wordt in de praktijk wel opgevat als een éénmalige activiteit in plaats van een langdurig proces tussen ideevorming en succesvolle exploitatie. Het designproces wordt dan beperkt tot het vervaardigen van een prototype of productie-instructie en begint bij het schetsproces. De benadering die wij voorstaan is dat ook planning, briefing, inkoop, productie, implementatie en marktintroductie onderdeel uitmaken van het designproces en invloed hebben op het eindresultaat. Het designproces is daarmee veel breder en wordt vooral opgevat als een organisatieproces waarbij niet alleen ontwerpers betrokken zijn. Het heeft dus niet alleen betrekking op het creatieve ontwikkelingsproces, maar vooral ook op het besluitvormingsproces met betekking tot de manifestatie van het product- of dienstaanbod, rekening houdend met de bedrijfsdoelen en consumentenverwachtingen. In hoofdstuk vijf gaan we nader in op het designproces in samenhang met het managementproces.

1.1.2 Design als object

Een tweede betekenis van het begrip 'design als object' betreft fysieke manifestaties (afgeleid van het zelfstandig naamwoord *a* design of *the* design). Het betreft een concreet iets dat je kunt zien, aanraken en vastpakken. Indien we met de term design verwijzen naar een voorwerp, doelen we op een tastbaar object dat is ontsproten uit een idee of plan. In de literatuur wordt hier ook wel naar verwezen als een artefact; iets dat door mensenhand is gecreëerd en als zodanig niet in de natuur bestaat. Het gaat hier om de creatieve visualisatie van concepten, plannen of ideeën en de productie van impressies, schetsen en modellen, bedoeld om iets te maken dat nog niet bestaat. Althans niet in die vorm. Zoals een auto, een fietsbel, een boek, een gebouw, een logo of een stoel. Design is in deze betekenis de kern van innovatie; het moment waarop een nieuw object is verbeeld en geschapen in de vorm van een prototype, en dat vervolgens door middel van reproductietechnieken gerealiseerd of vermenigvuldigd kan worden.
We merken wellicht ten overvloede op dat het bij 'design als object' niet alleen gaat om de uiterlijke verschijning, maar ook om de functie, het gebruik en de betekenis van het object. Het uiterlijk zal consumenten in de regel aanwijzingen geven over de te verwachten prestaties, het gebruik, het prijsniveau, de status die samenhangt met het gebruik ervan, of over de symbolische waarde ervan.

Kapferer stelt in zijn definitie dat de toegevoegde waarde van design samenhangt met het verbeteren van de functionaliteit, het realiseren van een lagere kostprijs en met een grotere esthetische waarde. Designbeleid zou zich moeten richten op deze drie aspecten, waarbij de functionaliteit ook betrekking heeft op het begrip ergonomie (de mate waarin een product is toegesneden op de mogelijkheden en beperkingen van gebruikers).
Hoewel men van mening kan zijn dat hedendaagse producten op deze punten voldoende zijn ontwikkeld, zijn er auteurs die er op wijzen dat de meeste producten onder de norm of niet naar behoren presteren. De Amerikaanse hoogleraar computerwetenschap en psychologie Donald Norman, schreef verschillende boeken waarin hij de stelling verdedigt dat veel producten niet of onvoldoende zijn afgestemd op gebruikers (Norman, 2004). Hij legt met name uit hoeveel winst er op het punt van functionaliteit nog te behalen valt.

Mooi, nuttig en interessant

Design heeft drie dienende functies, namelijk een utilitaire functie, een symbolische en een esthetische functie. Design kan daarom zowel worden opgevat als de kunst van het nut, de kunst om betekenis aan dingen te geven en de kunst om te verleiden of te plezieren. We willen hier wat langer bij stilstaan.

Het idee dat toegevoegde waarde ook samenhangt met het vergroten van de esthetische waarde is iets dat ontwerpers van harte zullen beamen als iets vanzelfsprekends, maar het is zeker geen gemeengoed onder managers. Het belang van esthetische waarde wordt lang niet altijd onderkend en wordt zelfs vaak genegeerd. Het inzicht dat objecten een emotionele impact kunnen hebben – en daarmee van invloed zijn op consumentenvoorkeuren – is inmiddels wel doorgedrongen tot de wetenschappelijke wereld. In zijn boek *Emotional Design* stelt Norman (2004) dat de emotionele kant van design zelfs kritischer kan zijn voor het succes van producten dan de meer praktische elementen. Hij beschrijft drie aspecten van design: *visceral, behavioral* en *reflective* design. Het eerste aspect (visceraal design) richt zich op de verschijningsvorm, het esthetische genoegen dat het productuiterlijk aan consumenten verschaft. Op dit onderbewuste niveau, kan design begeerte opwekken of verleiden. Het gaat over de directe emotionele impact van uiterlijk, kleur, materiaal en gevoel (de tactiele oppervlakte) die wordt aangeduid als aantrekkelijkheid. Soms kan deze het karakter van opwinding ('arousal') en plezier hebben. Het tweede aspect (gedragsdesign) richt zich op effectief gebruik, de mate waarin het utilitaire behoeften en functionele doelen vervult. Hier gaat het om functie, prestatie, gebruiksvriendelijkheid, begrijpelijkheid en ergonomie. Het derde aspect (reflectief design) richt zich op rationalisering en intellectuele bevrediging, het verhaal dat het design vertelt. Dit speelt zich af op het niveau van bewustzijn en heeft betrekking op zelfreflectie (het zelfbeeld), persoonlijke bevrediging en herinnering. Het gaat hier om de intellectuele en reflectieve beleving van schoonheid. En dit is iets anders dan de aantrekkelijkheid van visceraal design dat betrekking heeft op de oppervlakte. Schoonheid zit onder de oppervlakte en wordt beïnvloed door kennis, ervaring en cultuur.

De drie aspecten vallen samen in drie verschillende lagen van het menselijk brein waarop informatie wordt verwerkt, het viscerale niveau is het laagste niveau (het meest simpel, primitief en sensitief) en het reflectieve niveau is het hoogste dat alleen bij mensen wordt aangetroffen. Wanneer een activiteit (bijvoorbeeld koopgedrag) is geïnitieerd door het viscerale niveau, verloopt het verwerkingsproces *bottom-up* (richting het hoogste reflectieve niveau) en wordt het gedrag gestuurd door perceptie. Wanneer de situatie andersom is, verloopt het proces *top-down* en wordt het gedrag gestuurd door het denken. Ervaring, training en onderwijs kunnen dit niveau beïnvloeden, evenals culturele opvattingen en waarden. Dat wil zeggen dat de behoefte aan intellectuele bevrediging kan variëren tussen bepaalde mensen en dat producten die zijn afgestemd op deze behoefte niet primair esthetisch hoeven te zijn. Andersom zullen producten die tot doel hebben om mensen te verleiden op visceraal niveau, primair esthetisch moeten zijn. Bij een bottom-up situatie kan design bovendien snel verouderd raken als gevolg van veranderende mode-opvattingen.

De verschijningsvorm van een object dient te passen bij de desbetreffende doelgroep en het gebruik. Het gaat om een complex van afwegingen dat voortkomt uit gebruikerswen-

sen, de betreffende categorie, de marktomstandigheden en culturele opvattingen. Aan de keuze welke designaspecten belicht moeten worden, gaat daarom designbeleid vooraf.
Een bepaald designobject kan zich specifiek richten op één van de bovengenoemde drie functies, utilitair, symbolisch of esthetisch, of op meerdere tegelijkertijd. Een bepaald voorwerp hoeft niet per se mooi of nuttig te zijn, maar kan in principe ook voornamelijk interessant zijn – en daarmee van waarde voor consumenten. Of vooral mooi of juist nuttig. Volgens Norman is het niet mogelijk om van design te spreken zonder alledrie de designfuncties: een succesvol design moet excelleren op alledrie de niveaus. We kunnen dit nuanceren door aan te voeren dat dit mede afhankelijk is van de betreffende productcategorie; producten verschillen in hun aard en kunnen bijvoorbeeld een 'lust' of een 'must' karakter hebben. Afhankelijk daarvan zal 'mooi' of 'nuttig' voor consumenten prevaleren. Maar in algemene zin denken we dat de zienswijze van Norman juist is. Het is bijvoorbeeld prettig om te werken met een stuk gereedschap dat zowel mooi is, goed in de hand ligt, licht van gewicht is en de bedoelde utilitaire functie met gemak vervult.
Zoals gewoonlijk zijn er ook uitzonderingen en kan een designobject zich specifiek richten op één van de bovengenoemde drie functies. De bekende citruspers *Juicy Salif* van de Franse ontwerper Philippe Starck kunnen we als voorbeeld van visceraal design aanhalen. Het is een object dat een sterke expressieve vorm heeft, maar dat minder toegesneden is op praktisch nut; het is vooral een object om naar te kijken. Men kan ook beargumenteren dat er sprake is een tweede functie. Er zou ook sprake kunnen zijn van reflectief design omdat het voor gebruikers de waarde van cultuurobject vertegenwoordigt en een symbool van goede smaak is (mede omdat het is opgenomen in toonaangevende museale collecties).
De Dual Cyclone® stofzuiger van Dyson scoort wel op alle drie aspecten: de bijzondere en mooie vormgeving, de functionele kwaliteiten (een stofzakloze stofzuiger uitgerust met Dual Cyclone® technologie en pollenfilter; geschikt voor allergie-patiënten) en het bijzondere verhaal van de ontwerper James Dyson. De functionele kwaliteiten komen op een zodanige wijze tot uitdrukking in het productuiterlijk dat consumenten ook hierop kunnen reflecteren.
De drie designcomponenten zorgen voor een verweving van emotie en cognitie (het 'kennen'). Norman wijst erop dat emotie een onafscheidelijk en essentieel onderdeel van cognitie vormt; alles wat we doen en denken is met een tikje emotie geladen, meestal onderbewust. Eén van de manieren waarop emoties werken is door een neurochemische reactie in bepaalde delen van de hersenen, die perceptie, beslissingen en gedrag verandert. Hoewel het binnen managementkringen een gemeenschappelijk geloof is dat besluitvorming plaatsvindt op grond van rationele, logische denkpatronen, heeft onderzoek uitgewezen dat emoties (het affectieve systeem) dit proces sturen. Kennis helpt ons om de wereld om ons heen te begrijpen, terwijl emoties ons in staat stellen hierover snelle besluiten te nemen. Zonder emotie wordt het vermogen om besluiten te nemen aangetast. Emotie is altijd onderdeel van het beoordelingsproces en geeft ons direct informatie over de wereld om ons heen; 'dit is goed, dat is slecht' (vechten of vluchten). Hoewel we beslissingen kunnen rationaliseren (afwegen en doordenken), kan het zijn dat de automatische en lagere niveaus in het menselijk brein ons gedrag op een onderbewust niveau controleren.
In figuur 1.2 vatten we dit verhaal samen.

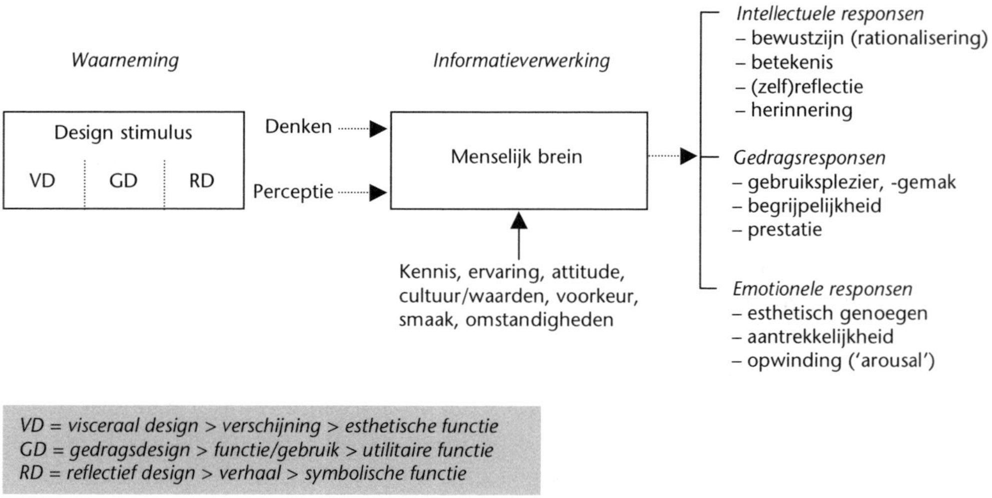

Figuur 1.2 De werking van design

1.1.3 Design als stijl

Wanneer de *design-output* zich niet beperkt tot een object, maar zich uitstrekt tot een samenhangend programma van producten, boodschappen en omgevingen, kan het begrip design ook opgevat worden als stijl. Onder stijl wordt een kenmerkende, eigen (unieke), onderscheidende en consistente vorm van uitdrukken verstaan. Stijl wordt gevormd door de kenmerkende eigenschappen van identiteitselementen (ook wel: stijlkenmerken) in een unieke combinatie. Dergelijke elementen kunnen zijn: beeld (kleur, vorm, typografie, illustratie), geluid, smaak en geur, taal (*tone-of-voice*) en gevoel (materiaal en textuur). Stijl is een multi-zintuiglijke waarneming, een unieke en kenmerkende combinatie van stijlelementen. Het op elkaar aansluiten van de afzonderlijke elementen is hierbij van belang: zowel de smaak en geur van een product als de productvorm én verpakking dienen een harmonisch geheel te vormen.
Stijl draagt in hoge mate bij aan de herkenning en het onderscheidend vermogen, maar kan ook worden ingezet om bepaalde betekenissen over te dragen. Zoals modern of klassiek, ruig of verfijnd, mannelijk of vrouwelijk. Het gebruik van een bepaalde stijl kan een krachtig punt van onderscheid worden als daarmee een positieve consumentenindruk wordt gecreëerd. Een industriële producent als Siemens is hiervan een goed voorbeeld. Producten, verpakkingen, brochures, reclame, transportmiddelen, fabrieken en vestigingen representeren allemaal een bepaalde esthetiek, resulterend in een herkenbare stijl die wel wordt aangeduid als 'Siemensness'.

De waarde van esthetiek

Naar het begrip stijl wordt ook wel verwezen als esthetiek: een bepaalde schoonheidsopvatting met als doel de beleving van schoonheid en genoegen. Een stijl kan esthetisch

genoegen verschaffen aan mensen en daarmee de aantrekkelijkheid van een product, merk of organisatie vergroten. Daarmee heeft esthetiek een waarde voor organisaties.
Deze waarde hangt ook samen met betekenisgeving en reflectie. Wanneer een stijl samenhangt met het wezen (de identiteit) van een organisatie, of hieruit voortkomt, kan deze stijl alleen *begrepen* worden op reflectief niveau door kennis van de organisatie (met betrekking tot haar doelen, idealen, waarden, positie en aanbod). Met andere woorden: wanneer de waardering voor een bepaalde stijl niet alleen het gevolg is van emotionele aantrekkingkracht, maar ook van een positieve evaluatie van de betekenissen die deze stijl representeert, zal de waarde toenemen. De stijl van mobiele telefonie aanbieder Orange® kunnen we als aantrekkelijk beoordelen op grond van het esthetische genoegen dat deze merkuitingen ons verschaffen. Maar we kunnen het ook als interessant en waardevol beoordelen wanneer we begrijpen hoe deze stijl samenhangt met het verhaal hierachter; de boodschap, opvattingen en waarden van het merk.
De omgeving waarin merken vandaag de dag opereren is multimediaal, multichannel en digitaal. Daarom biedt het gebruik van een bepaalde esthetiek, kansen aan organisaties om aantrekkelijk te zijn voor consumenten of afnemers, door een verscheidenheid aan zintuiglijke ervaringen. Iedere organisatie kan voordeel hebben van het gebruik van esthetiek, ook industrieën, overheidsinstellingen en non-profit organisaties. Een goed voorbeeld is de Belastingdienst die al jaren een bepaalde herkenbare, sobere, maar esthetische stijl voert. Deze komt tot uitdrukking in vrijwel alle uitingen van deze organisatie en is te herkennen aan het consequente en intelligente gebruik van bepaalde kleuren, materialen en typografie (lettergebruik).
De auteurs Schmitt & Simonson (1997) introduceren het begrip 'marketing aesthetics' (de 'marketing van zintuiglijke ervaringen') om aan te geven dat de traditionele opvattingen over marketing onder druk staan: '*Business processes do not provide value to customers. Core competencies do not. Even brands per se do not. Value is provided only by satisfying needs. In a world in which consumers have their basic needs satisfied, value is easily provided by satisfying customers' experiential needs – their aesthetic needs.*' Hiermee verbinden zij de functie van esthetiek aan inzichten dat het in onze economie steeds minder om bevrediging van fysieke behoeften gaat en steeds meer om mentale bevrediging en een gedenkwaardige zintuiglijke ervaring: '*not selling the steak, but selling the experience of consuming the steak.*'
Deze economische ontwikkeling is met name door Pine & Gilmore beschreven in hun boek *De beleveniseconomie* (Pine & Gilmore, 2000). Esthetische identiteitselementen hebben de potentiële mogelijkheid om gebruikers voldoening te geven. Zoals we dat ervaren in een mooi warenhuis, hotel of restaurant waarin alles voor ons gevoel klopt. Van het reserveren, de inrichting, de menukaart, de bediening en de muziek tot het geserveerde; we ervaren een zekere heelheid die ons een bijzondere ervaring geeft.
Esthetiek kan op verschillende manieren een tastbare waarde genereren voor organisaties:

- Esthetiek creëert loyaliteit: esthetiek is een van de belangrijkste *satisfiers* in de beleveniswereld van consumenten. De belevenis van esthetisch genoegen is of wordt daarom een belangrijk verkoopargument.

- Esthetiek maakt *premium pricing* mogelijk: wanneer een organisatie of product voorziet in specifieke ervaringen die consumenten of afnemers kunnen zien, horen, ruiken, proeven of voelen, voegt dit waarde toe die kan worden geprijsd.
- Esthetiek maakt bescherming mogelijk tegen aanvallen van concurrenten: hoe sterker de esthetiek en hoe meer deze tot uitdrukking wordt gebracht in verschillende identiteitselementen, des te meer neemt de beschermingsomvang toe.
- Esthetiek kan kosten besparen en productiviteit verhogen: richtlijnen met betrekking tot het visuele systeem, geven structuur en richting aan medewerkers en leveranciers en voorkomen dat kostbare ontwerptijd gaat zitten in het steeds opnieuw uitvinden van het wiel. Een attractieve stijl werkt door in de werkomgeving en is motiverend, het trekt ook getalenteerde medewerkers aan.

Ook Weggeman (2003) pleit vanuit een organisatiekundig perspectief voor meer aandacht voor het belang van esthetiek binnen organisaties: *'(...) datgene wat mensen beroert – het schone – blijft doorgaans in hoge mate buiten beschouwing. Wellicht omdat men vreest te zweverig of te romantisch gevonden te worden als men een esthetisch perspectief hanteert'*. In zijn gedachte moet, naast begrippen als kwaliteit, effectiviteit en efficiëntie, in organisaties ook een begrip als schoonheid bestaan. *'Mensen beschikken over het vermogen om samen schoonheid te produceren; zowel als het gaat om de schoonheid van het proces (de wijze waarop iets tot stand wordt gebracht) als de schoonheid van het resultaat. Aan dit vermogen ontlenen ze vaak vreugde en zingeving en door dit te doen realiseren zij hun hoogste potentieel'.*

Weggeman omschrijft het perspectief van de *esthetische* organisatie als *'mensen die elkaar gevonden hebben op het samen aandachtig willen produceren van schoonheid, in casu: van artefacten die het vermogen hebben anderen te ontroeren'.*

De esthetische waardering kan sterk variëren tussen mensen, omdat ze verschillen in hun sensitiviteit voor esthetiek; hun mentale vaardigheid om schoonheid te beleven. Schoonheid is gradueel en subjectief: niet iedereen vindt iets in dezelfde mate mooi. En wat de één mooi vindt kan de ander onverschillig laten. Weggeman: *'daarom is iets mooier naarmate het een meer indringende esthetische ervaring (= schoonheidsbeleving) bij een toeschouwer blijkt te kunnen veroorzaken en naarmate het dus meer blijkt te kunnen ontroeren'.*

In principe kunnen heel veel dingen een schoonheidsbeleving veroorzaken, maar of ontroering daadwerkelijk optreedt hangt ondermeer af van de kennis, ervaring, attitude en culturele achtergrond van de waarnemer en de omstandigheden waarin iets wordt waargenomen. Op grond van dergelijke factoren kan zich een esthetische preferentie voordoen, die vaak is te herleiden tot een bepaalde dimensie of groepering van criteria (zoals in figuur 1.3).

De esthetische waardering is de mate waarin een schoonheidsbeleving bij toeschouwers veroorzaakt wordt (laag, gemiddeld of hoog). Relevant voor ons verhaal is de uitspraak van Weggeman dat *'wanneer een organisatie streeft naar verhoging van de esthetische waardering, deze is gebaat bij medewerkers en klanten die beschikken over een hoge esthetische sensitiviteit.'* Dat is interessant: medewerkers en managers die verantwoordelijk zijn voor designbeleid zouden hier zelf over moeten beschikken.

A. In evenwicht, in harmonie, in rust, volmaakt
B. Eenvoudig, sereen, zuiver, authentiek
C. Spannend, avontuurlijk, provocerend, uitdagend
D. Innovatief, discontinu, verassend, vreemd

Figuur 1.3 Groepering van criteria voor het toekennen van esthetische waardering (bron: Weggeman, 2003)

Box 1.1 Designcase: HEMA

HEMA is een internationale retailorganisatie met ruim 280 winkels in Nederland, meer dan 40 in België en drie vestigingen in Duitsland. Het is een centraal gestuurde onderneming: vanuit het hoofdkantoor in Amsterdam zijn onder andere inkopers en stylisten bezig met productontwikkeling. Het oerhollandse warenhuis verkoopt namelijk uitsluitend artikelen onder eigen merk. Kenmerkend aan de unieke formule is de combinatie van goede kwaliteit, een actuele stijl en een relatief lage prijs. HEMA-producten bieden klanten hierdoor een relatief hoge toegevoegde waarde. De sobere, maar stijlvolle en zeer verzorgde productvormgeving en winkelpresentatie geven sturing aan de prijs/kwaliteitsperceptie van consumenten.
Voor haar consistente designbeleid kreeg HEMA de Sikkensprijs 2004 uitgereikt. Vanwege het opmerkelijk gebruik van vorm en kleur voor haar verpakkingen, publiciteit, winkelinrichting en website. Daarnaast kreeg het de NIMA/Marketing Jaarpijs 2004. De jury was van mening dat HEMA een voorbeeld is van consistente marketing en bovendien één van de mooiste Nederlandse merken. 'HEMA slaagt er in om betaalbare innovatieve assortimenten te voeren, met een eigen signatuur'. Het is met name het vormgevingsbeleid waarmee deze signatuur tot uitdrukking wordt gebracht.
Ook de HEMA-ontwerpwedstrijd is een begrip. Deze wordt sinds 1989 jaarlijks gehouden en is gericht op ontwerpstudenten. Hiermee wil HEMA een bijdrage leveren aan de praktijkvorming van studenten en vormgeving onder de aandacht brengen van een breed publiek. HEMA streeft er ook naar het winnende ontwerp op te nemen in het assortiment, hetgeen al geleid heeft tot een aantal bijzondere producten.

1.2 De toegevoegde waarde die design kan bieden

Al in de jaren tachtig stelde marketing 'guru' Philip Kotler dat het belang van design aantoonbaar is (Kotler & Rath, 1984). Er zijn vanaf die tijd – met name in Engeland, de Verenigde Staten en Frankrijk – zo'n vijftien onderzoeken gedaan naar de relatie tussen design en bedrijfsprestatie. Borja de Mozota (2003) geeft hiervan een overzicht.

De resultaten van deze onderzoeken wijzen uit dat design een positief effect heeft op concurrentiekracht, exportgraad, innovatie, consumptie en welvaart – en een pluspunt vormt voor bedrijfsprestatie.

Design kan resulteren in reputatie- of omzetwinst. De *indirecte* relatie tussen design en reputatie lijkt voor de meeste managers wel duidelijk te zijn. De *directe* relatie tussen design en omzet wordt door de meesten waarschijnlijk niet gelegd. Daarom willen we verder stilstaan bij dit belangrijke onderwerp. Wanneer de toegevoegde waarde die design kan bieden niet duidelijk is, zal de professionalisering van designbeleid niet van de grond komen, evenmin als de designmanagementfunctie.

De *indirecte* relatie tussen design en reputatie kunnen we als volgt beargumenteren. Organisaties manifesteren zich met hun producten en merken rechtstreeks in de vorm van productvormgeving, reclame-uitingen, sponsoring, *events*, jaarverslagen, wervingsadvertenties, promoties, personeel (bedrijfskleding), winkels en kantoren (interieur en exterieur), websites, jaarverslagen et cetera. Design is aanwezig op praktisch ieder contactpunt tussen een organisatie, haar omgeving en haar doelgoepen. Het beïnvloedt deze relaties en kan zelfs bepalend zijn voor de wijze waarop doelgroepen de organisatie zien en erop reageren. Mensen vormen zich een beeld op grond van alles wat men van die organisatie waarneemt. Ieder contact met een uiting van de organisatie laat geheugensporen na, die samen leiden tot een bepaalde geheugenvoorstelling – een imago. Men spreekt in dit verband ook wel van een mentale voorstelling van de organisatie. Dit imago draagt in belangrijke mate bij aan een goede reputatie die nodig is voor het succes van de organisatie. Het is daarom van groot belang dat de uiteenlopende middelen die worden ingezet in optima forma bijdragen aan het beeld dat een organisatie van zichzelf wil creëren. Design kan, wanneer het onderdeel uitmaakt van een bewust beleid op het gebied van de ondernemingsidentiteit, helpen om de geloofwaardigheid, herkenbaarheid en het vertrouwen bij zowel interne en externe relaties, afnemers en aandeelhouders te versterken. Dit betekent dat design niet alleen extern, maar ook intern een belangrijke rol kan spelen. Design kan er toe bijdragen dat medewerkers de waarden, opvattingen en kwaliteiten van een organisatie in verschillende contactmomenten kunnen herkennen en dat zij zich hiermee kunnen identificeren. De interne doelgroep is een belangrijke drager van deze waarden en opvattingen: identificatie vergroot hun betrokkenheid en geeft hen de mogelijkheid om deze actief uit te dragen.

De *directe* relatie tussen design en omzet is terug te voeren op drie principes: het verlagen van de kostprijs, het verhogen van de bruto marge of het vergroten van de omzet (door hogere verkopen of export). In de eerder gepresenteerde definitie van Kapferer wordt het vergroten van de toegevoegde waarde gekoppeld aan het verlagen van de kostprijs, maar we trekken dit hier wat breder. Design kan bijdragen aan het verlagen van de kostprijs door toepassing van gestandaardiseerde visuele componenten en uniformering, goedkopere materialen of reductie van het aantal productonderdelen of componenten. Het gaat dan om een verlaging van de inkoop- of de productiekosten. Design kan ook de kosten voor logistiek verminderen; door minder gewicht of omvang of een voordeliger verpakkingswijze. Het begrip kostprijs heeft betrekking op de kosten per eenheid product; de totale kosten gedeeld door de productieomvang.

Het verschil tussen de omzet (verkoopopbrengsten) en alle aan die omzet toe te rekenen kosten (voor inkoop, productie of verkoop) wordt ook wel aangeduid als winstmarge. Winstmarge is de bruto- of nettowinst per eenheid product uitgedrukt in geld of procenten. Design kan deze marge vergroten wanneer een prijspremium kan worden gerealiseerd. Dit is wanneer de prijs voor het eigen product (iets) boven het prijsniveau van concurrerende producten ligt. Consumenten kunnen bereid zijn een hogere prijs te betalen wanneer het product meer waarde voor hen heeft, bijvoorbeeld op grond van het design. De term design wordt wel gebruikt om een bijzondere kwalificatie aan producten mee te geven (denk aan designerjeans of designmeubelen). In deze context wordt het predikaat design gewoonlijk gebruikt voor de rechtvaardiging van een hogere consumentenprijs. Een Levi's jeans wordt doorgaans aangeboden voor zo'n vijfenzeventig euro, terwijl een designerjeans van het Italiaanse modemerk Dolce & Gabbana het tienvoudige kan kosten. Anderzijds is het begrip in deze betekenis ten prooi gevallen aan devaluatie waarbij het als aanprijzing wordt gehanteerd voor goedkope imitaties, nouveautés en gadgets. Design is dan inhoudelijk gedevalueerd tot trendy en oppervlakkig. Deze vorm van design zal gemakkelijk het verwijt krijgen oude wijn in nieuwe flessen aan te prijzen of een meerwaarde te suggereren die er niet is. (Vormgevers kunnen daar overigens zelf debet aan zijn door over-esthetisering of een gebrek aan inhoud.) Design kan ook de omzet verhogen wanneer meer consumenten belangstelling hebben voor een product en dit afnemen, hetgeen resulteert in een groter marktaandeel. Dit kan wanneer een product uitzonderlijke waarde heeft voor consumenten, bijvoorbeeld omdat het zich onderscheidt van vergelijkbare producten, excellente prestaties levert of betekenisvol is.

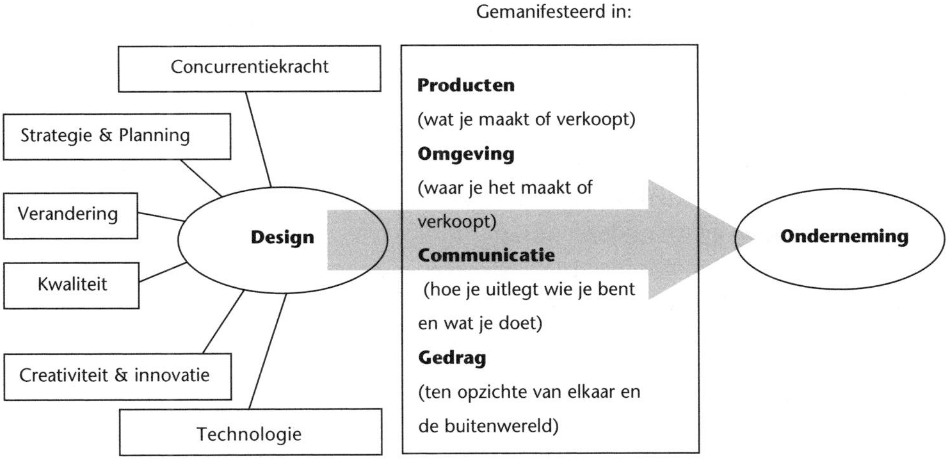

Figuur 1.4 De bijdrage van design aan de onderneming (naar: Wolff Olins, 1995)

Een product kan door middel van vormgeving ook worden afgestemd op meerdere marktsegmenten (door diverse uitvoeringen) of op buitenlandse markten, zodat het voor meer mensen beschikbaar komt. Ook hierdoor wordt een omzetverhogend effect bereikt.

Samenvattend kunnen we stellen dat design de concurrentiekracht kan vergroten wanneer dit leidt tot winstverbetering, omzetgroei, het behouden of (her)winnen van het marktaandeel of tot een betere financiële performance. Onder andere door efficiencyvoordelen of een aantrekkelijker of meer wervende verschijning die leidt tot esthetische preferentie of een hogere *likeability*. Maar dit is niet het enige. In figuur 1.4 is weergegeven dat de mogelijke bijdrage van design zich over verschillende management-issues uitstrekt. In het vervolg van de tekst geven we een toelichting.

1.2.1 Concurrentiekracht – design beïnvloedt bedrijfsprestaties

In de tekst hiervoor gaven we al aan hoe design een positieve invloed kan hebben op de reputatie en omzet van een onderneming en daarmee op de concurrentiekracht. Ter onderbouwing van deze zienswijze presenteren we twee onderzoeken; een Nederlands en een Brits onderzoek.

De Nederlandse onderzoeker Gerda Gemser (1997, 1999) kwam tot de conclusie dat productvormgeving een positieve bijdrage kan leveren aan product- en bedrijfsprestaties door:

- Verbetering van de functionaliteit van een product; de mate waarin de utilitaire functie goed wordt vervuld (ook wel: de primaire gebruiksfunctie).
- Verhoging van de efficiency van de productie, bijvoorbeeld door toepassing van gestandaardiseerde visuele componenten, goedkopere materialen of reductie van het aantal productonderdelen of componenten.
- Verbetering van ergonomische aspecten (gemakkelijk en veilig te gebruiken, te bedienen en te onderhouden).
- Verkrijging van een aantrekkelijk productuiterlijk en een bepaalde stijl en imago.
- Verkrijging van uniciteit en originaliteit waardoor het product in de ogen van consumenten of afnemers zich onderscheidt van overige producten op de markt. Design wordt hier gebruikt om gepercipieerde verschillen te benadrukken.
- Een rol te spelen in het totale bedrijfsimago en als zodanig invloed uit te oefenen op de wijze waarop de onderneming wordt waargenomen door stakeholders (in verband met de reputatie van de onderneming).

Deze bijdrage van productvormgeving kan volgens Gemser bijvoorbeeld worden vertaald in een grotere omzet en hogere winstmarge in vergelijking tot producten waarbij geen specifieke investeringen in design zijn gemaakt.

Het Britse Design Council publiceerde in 2004 een onderzoek (onder 1.500 bedrijven) waarin werd aangetoond dat bedrijven die meer in design investeren, relatief succesvoller zijn op de beurs en hogere winstmarges genereren. Zo maken bedrijven die design zien als integraal onderdeel van hun activiteiten, melding van een direct positief effect op praktisch iedere maatstaf voor bedrijfsprestatie, inclusief verkoop, winst, kwaliteit, productontwikkeling en marktaandeel. Waar design *integraal* wordt ingezet ziet 44% van de ondernemingen een daaruit resulterende toename van concurrentiekracht en omzet. Het onderzoek toont verder aan dat bijna de helft van de bedrijven die design niet gebruikt, voornamelijk concurreren op prijs en gedwongen zijn hun marges te verlagen. Terwijl aan de andere kant, waar bedrijven wel gebruik maken van design, slechts eenvijfde voornamelijk op prijs concurreert. Een belangrijke conclusie van de onderzoekers is dan ook dat design er toe leidt dat de aandacht van consumenten verschuift van de prijs naar de toegevoegde waarde.

Vooral voor producerende bedrijven blijkt design van belang. Maar liefst de helft van de ondervraagde producenten bevestigt dat in de afgelopen tien jaar design belangrijker is geworden om hun concurrentiekracht te kunnen behouden. Nog enkele opvallende bevindingen:

- Eenderde van de Britse bedrijven gebruikt design als onderdeel van strategie-ontwikkeling.
- Meer dan 60% van de bedrijven betrekt geen ontwerpers in hun productontwikkelingsproces. Echter, 40% van de producerende bedrijven gebruikt wel ontwerpers in alle fasen van het productontwikkelingsproces. 63% hiervan zet een designmanager of designteam in om dit proces te begeleiden.
- Design is het op één na belangrijkste succesingrediënt voor snelgroeiende ondernemingen. Alleen marketing wordt door snelgroeiende ondernemingen nog hoger gewaardeerd.

(Bron: *Design in Britain 2004-2005*, **Design Council, 2004).**

Box 1.2 Designcase: BK Q-Linair®

Tot in de jaren negentig waren BK-pannen niet weg te denken uit de schappen van elke 'doorsnee' huishoudzaak. Maar toen kreeg het merk het zwaar te verduren van concurrerende producten uit het Verre Oosten. BK had veel moeite om zijn onderscheidend vermogen vast te houden, zeker als het ging om functionaliteit en materiaalgebruik. Niet omdat BK op die gebieden overvleugeld dreigde te worden, maar omdat het zijn sterke punten niet goed genoeg wist over te dragen. Nog steeds was de bodem van BK-pannen veel steviger, nog steeds waren de handvatten veel beter en nog steeds bood BK een veel evenwichtiger warmteverdeling dan de Aziatische concurrentie. Toch drongen de productvoordelen niet door tot de prijsgeoriënteerde kopers. Richard Freriks, destijds marketingmanager en inmiddels directielid van BK, besloot de negatieve ontwikkelingen het hoofd te bieden met een hooggepositioneerd designconcept. Hiermee wilde hij het merk BK niet alleen steviger verankeren, maar het ook op een hoger plan brengen. Hij was van zins om op een ander niveau het retailkanaal binnen te komen: naast Blokker ook de Bijenkorf en de kookwinkels. Nationaal en internationaal werd de pannenmarkt tot halverwege de jaren negentig gedomineerd door traditie en behoudzucht. *Schwung* werd eigenlijk alleen gebracht door de HEMA met de fluitketel van ontwerper Nicolaï Carels. Het succes van die fluitketel maakte één ding heel duidelijk: de markt stond open voor een designgerichte aanpak.

BK schakelde het Delftse ontwerpbureau Flex/the Innovationlab in dat een nieuwe productlijn ontwikkelde: Q-Linair®. De ontwerpers zagen mogelijkheden om het op dat moment gangbare roestvrijstalen beeld te doorbreken, met een rijker kleurgebruik en de toepassing van andere, 'warmere' materialen. De nieuwe productlijn werd verrijkt

door middel van houten snijplanken en keramische schalen. Ondermeer het aanbrengen van kleur in de handvatten (geel, blauw, groen en zwart) leidde tot veel belangstelling op handelsbeurzen. Maar er werden ook enkele innovaties in de nieuwe lijn verwerkt: een verbeterde bodemconstructie, een verfijnd afgietsysteem en ovenbestendigheid. Daarnaast werd veel aandacht besteed aan de productpresentatie en -communicatie die bijdroegen aan het kwaliteitsgevoel van BK Q-Linair®. Zo werd een fraai boekje ontwikkeld met productinformatie en een verpakking met een zekere *out-of-box experience* (het uitpakken is een aangename bezigheid die het gevoel geeft dat met zorg aan het product is gewerkt). Met als resultaat dat BK vanaf 1997 met groot succes een nieuwe exportmarkt veroverde. Dat kwam doordat het op dat moment een unieke propositie had en explicieter was in design dan enig ander merk toen aandurfde.
Sinds het succes van Q-linair heeft BK zelf een productontwikkelingsafdeling in het leven geroepen. Inmiddels heeft BK de serie omgedoopt tot Q-Linair® Classic en heeft het in 2001 met de Q-linair® Master serie, ontwikkeld in eigen huis, opnieuw een markante pannenserie op de internationale markt geïntroduceerd. Ook deze productlijn wist zich zodanig te profileren dat deze werd onderscheiden met internationale designprijzen, zoals de *Design Plus Award* 2002, de *Red Dot Award* 2003 en de *Grand Prix de l'Art de Vivre* in 2004. Het internationale succes van Q-Linair® creëerde ruimte voor de nodige *line* en *brand extensions*: Q-Linair® Smart (messensets), Q-Linair® Storage (voorraadbussen en –potten), Q-Linair® Utensils (pepermolens en zoutstrooiers) en Q-Linair® Textiles (schorten, ovenwanten enzovoort). Met 'Q-Linair® by BK' brengt BK innovatieve en complete concepten rondom pannen en koken. Zo is het merk synoniem geworden voor de 'kwalitatieve kookbeleving'.

(Bron: 'Design als oplossing voor marketingprobleem' door Dirk van Ginkel, *MarketingTribune, mei 2004, bijlage Brand Design.* **Overgenomen met toestemming van de auteur.)**

1.2.2 Strategie & planning: design beïnvloedt ondernemingsdoelen

Het zich tijdig aanpassen ten opzichte van hun omgeving, is van belang voor het voortbestaan van bedrijven en organisaties. Het succes van deze aanpassing wordt veelal bepaald door de mate waarin de juiste positie op de markt wordt ingenomen en de juiste producten en diensten worden ontwikkeld. De timing is hierbij van groot belang; het te vroeg of te laat zijn kan grote gevolgen hebben. Het belangrijkste is de keuze van waar een onderneming naar toe wil. Het aantal denkbeeldige keuzeopties is groot en ook de mogelijke invalshoeken kunnen variëren. Het is meestal een complex van factoren waarbinnen de strategische keuze moet worden gemaakt.
Het is de taak van het topmanagement (directie of raad van bestuur) om een strategie te formuleren voor een reeks van organisatieactiviteiten. Strategische beslissingen kunnen betrekking hebben op de richting waarin product- en merkportfolio's moeten worden ontwikkeld, in welke technieken of kennis moet worden geïnvesteerd of welke nieuwe markten moeten worden betreden. Vervolgens zijn doorgaans aanpassingen in de bedrijfsvoering of de organisatiestructuur nodig om dit te realiseren. Met een strategisch plan kan richting gegeven worden aan de toekomstige activiteiten van een organisatie.

Design is één van de instrumenten waarmee een strategie zichtbaar en deels gerealiseerd kan worden. Ontwerpers geven vorm aan strategie door het creëren van ideeën, producten en belevenissen. Design kan de kern van een differentiatiestrategie vormen of een belangrijke toevoeging aan de strategie zijn.
Design kan ook worden ingezet tijdens het proces van strategieformulering. Strategieformulering is niet alleen een intellectuele planningsactiviteit van het topmanagement, maar ook passie en creativiteit (intuïtie) horen thuis in dit proces (Mintzberg *et al.*, 2005). *'Designers provide passion in business (...) they bring energy to strategy'* (Bruce & Bessant, 2002). Sommige ontwerpers kunnen voorbij het niveau van probleemoplossing opereren en verder gaan dan het formuleren van antwoorden op bestaande vragen. Ze kunnen *out of the box* denken en nieuwe vragen, nieuwe gezichtspunten en nieuwe zienswijzen aandragen. Ze komen met verrassende toepassingen van nieuwe materialen, technologieën of productietechnieken, of brengen een nieuwe visie ter tafel over relevante economische, sociale of culturele ontwikkelingen.
Verder is van belang dat het in het strategieproces niet alleen gaat om analyseren en denken, maar ook om zien en visualiseren. Design verschaft als het ware ruw materiaal voor strategische keuzen. Centraal voor design is visualisatie; de vaardigheid om een beeld van een toekomstige realiteit op te roepen die vandaag niet bestaat. Men kan in dit verband bijvoorbeeld denken aan *artist's impressions* van productmodellen, gebouwen of omgevingen, die beslissers een beeld geven dat zo levendig is, dat het lijkt alsof het al werkelijkheid is.

De Engelse auteurs Cooper & Press (1995) onderzochten welke bijdrage design kan leveren aan strategische ondernemingsdoelen. Deze bijdrage is volgens hen gericht op vier mogelijke doelen:

- Het veiligstellen van een onderscheidende niche: door unieke styling, identiteit en productinnovatie. Denk hierbij aan Bang & Olufsen of het Nederlandse Bugaboo.
- Het overleven in een volwassen industrie met prijsconcurrentie: door het creëren van toegevoegde waarde met behulp van *product styling* (mode, trends) en/of met identiteit (symbolische betekenis). Apple doet dat in de computerindustrie, Renault in de auto-industrie en Alessi in keukenaccessoires.
- Het wereldwijd concurreren: door hun *corporate identity* in te zetten en door het coördineren van design *resources* gericht op doelmarkten in de wereld. Dit is typerend voor grote internationals zoals Canon, Samsung en General Motors.
- Het verlenen van diensten in concurrerende markten: door onderscheidend vermogen te creëren met behulp van *corporate identity* en *environmental design* (de kwaliteit van de omgeving waarin de dienst wordt aangeprezen, verhandeld of geleverd). Denk bijvoorbeeld aan de Rabobank.

Box 1.3 De strategische inzet van design

De toegevoegde waarde die design kan bieden, hangt samen met de strategische inzet van design. Deze inzet is afhankelijk van de te volgen ondernemingsstrategie. In de strategieklok (Johnson & Scholes, 1993) treffen we de mogelijke generieke ondernemingsstrategieën aan, afgezet tegen twee belangrijke dimensies: de door consumenten en afnemers gepercipieerde toegevoegde waarde en de hoogte van de prijs. Onderstaande tekst is een verklaring van het schema.

Voor prijsgebaseerde *lage kosten-* of *volumestrategieën* (1 en 2) is de inzet van design beperkt. Organisaties met een dergelijke strategie (zoals Zeeman, Dirk van den Broek en Easyjet) richten zich op een zeer prijsgevoelig segment. Het mag er daarom beslist niet duur uit zien: zonder franje ('no frills'). De lage marges bieden weinig ruimte voor designinvesteringen. In verband met de hoge kosten voor merkbouw, ligt het in deze situatie wel voor de hand om te kiezen voor een actieve rol van design om de prijs-/kwaliteitsperceptie aan te sturen. Gezien de relatief beperkte rol van design binnen deze strategieën zal designmanagement hier vooral zijn gericht op het behalen van maximale efficiencyvoordelen en kostenbeheersing, door bijvoorbeeld slim om te gaan met productiefaciliteiten en optimaal gebruik te maken van beschikbare technieken en materialen.

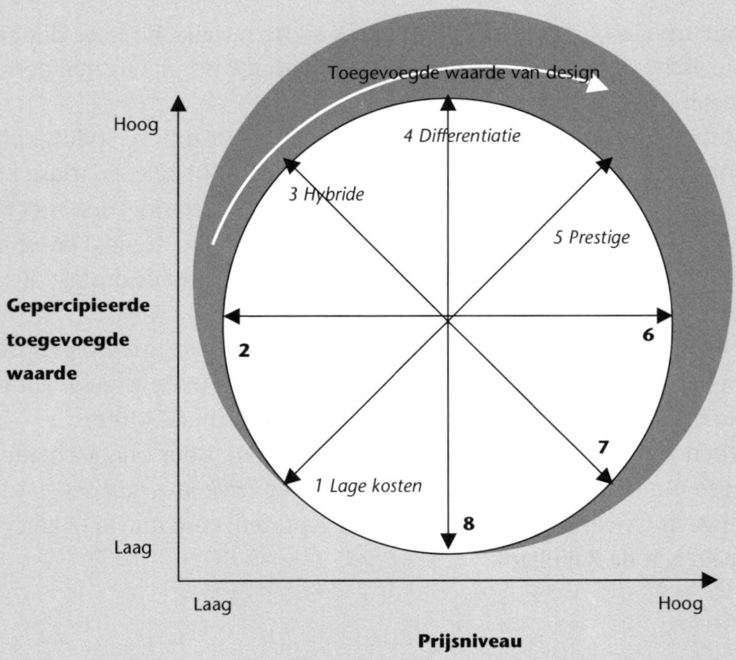

(Naar: 'The strategy clock' van Johnson & Scholes, 1993)

De *gemengde* of *hybride strategie* (3) is moeilijk te volgen voor anderen, omdat hier het schijnbaar onverenigbare wordt verenigd: een hoge gepercipieerde toegevoegde waarde en een lage prijs. Kenmerkend zijn een lage kostenbasis en herinvestering in lage prijs *én* differentiatie.

Voorbeelden zijn IKEA, HEMA en H&M. Het 'no frills' van 1 en 2, verschuift nu naar een verbijzondering en kwaliteitsbeleving die tot doel heeft de door consumenten gepercipieerde toegevoegde waarde te vergroten. Om te voorkomen dat de perceptie van lage prijs onder druk komt te staan, kenmerkt deze verbijzondering zich meestal door ingetogenheid en soberheid. Design speelt bij deze strategie een belangrijke rol in productuiterlijk, productpresentatie en merkbeleving. Het managen van design is voor deze strategie noodzakelijk en richt zich zowel op differentiatie als op het behalen van maximale efficiencyvoordelen en kostenbeheersing. Designmanagement vereist hier visie, veel creativiteit, en operationele vaardigheden.
Een *differentiatiestrategie* (4) kan zowel met als zonder prijspremium gepaard gaan. Een prijspremium wil zeggen dat een hogere prijs gerechtvaardigd is in de ogen van consumenten (resulterend in een hogere winstmarge). Een dergelijke strategie kan alleen succesvol zijn als het bijzondere van het product zichtbaar is (bijvoorbeeld de Bijenkorf, BMW, Rituals of Apple). Design moet dit bijzondere karakter onderstrepen, waarbij alle vormgevingsdetails rondom het product en merk zorgvuldig op elkaar afgestemd moeten worden. Deze zeggingskracht en een zorgvuldige regie en coördinatie zijn primaire taken voor designmanagement. De differentiatiestrategie heeft een passende designstrategie nodig. Ondermeer vanwege het afnemende verschil in gepercipieerde productprestaties (*product parity*) is design één van de beste nog overgebleven mogelijkheden om te differentiëren. Ook op tactisch niveau moet de thematische en actiematige invulling en uitwerking van het merk overtuigend zijn.
De *prestigestrategie* (5) (ook wel *focusdifferentiatie* genoemd) richt zich op een specifiek marktsegment en een gerechtvaardigd prijspremium. Voor de prestigestrategie is design elementair (denk aan Porsche, Louis Vuitton, Hilton of Rolex). De substantieel hogere prijs kan alleen worden gerechtvaardigd door unieke productprestaties, een uniek design en een unieke merkbeleving. Hierbij wordt een sfeer van luxe en exclusiviteit gecreëerd. Er gaat veel aandacht uit naar innovatie en nieuwe ideeën; het 'de eerste' zijn is van groot belang. Het spreekt vanzelf dat een succesvolle designstrategie hier de doorslag geeft. Het ligt tevens voor de hand dat bijzonder veel aandacht uit zal gaan naar het synchroniseren van alle uiterlijke manifestaties van het merk; alles moet tot in detail kloppen om te kunnen komen tot de gewenste beleving. Designmanagement speelt hier een cruciale rol.
Dan zijn er de zogenaamde *fiascostrategieën* (6, 7, en 8) die alleen gevolgd kunnen worden door monopolisten en speculanten. Deze brengen het risico van verlies van marktaandeel met zich mee. Design kan hier geen effectieve bijdrage leveren, maar dient slechts als '*window dressing*'. Designmanagement speelt hier een opportunistische rol.

1.2.3 Verandering: design beïnvloedt de acceptatie

Het belang en de kracht van design ligt ook in het feit dat het een verander- en integratie-instrument is voor organisaties. Organisatieveranderingen zijn het gevolg van strategische wijziging – ingegeven door gewijzigde omgevings- en marktomstandigheden – en uiten zich meestal in de structuur en de cultuur van de organisatie (en meestal ook in de inzet van technologie). Organisatieveranderingen komen vaak voort uit, of houden verband met de organisatie-identiteit. Deze vormt het hart van succesvolle verandering en uit zich op vier terreinen (Wolff Olins, 1995):

- producten: wat je maakt of verkoopt (ook diensten);
- communicatie: hoe je uitlegt wat je doet;
- omgeving: waar je het maakt of verkoopt;
- gedrag: ten opzichte van medewerkers en de buitenwereld.

Bij fusie, integratie na een overname, herpositionering of *rebranding* komen organisatiewaarden onder druk te staan en worden deze meestal gewijzigd. Design kan als onorthodox hulpmiddel worden ingezet om gevoelens over organisatiewaarden helder te krijgen en bij veranderingsprocessen een 'schilderijtje van de toekomst' te maken. Organisatiewaarden – zoals vastgelegd in de identiteit – uiten zich in de bedrijfscultuur. Dit is het geheel van geschreven en ongeschreven regels, dat het sociale verkeer tussen medewerkers, met leveranciers, klanten en overige partijen kanaliseert en vorm geeft. De relatie tussen cultuur, gedrag en waarden wijst uit waarom dit onderwerp relevant is. Cultuur is het geheel van opvattingen, normen en waarden in een organisatie dat bepalend is voor de houding en het gedrag van mensen. De sterkte van een organisatiecultuur wordt bepaald door de mate waarin gemeenschappelijke dan wel individuele waarden overheersen en er sprake is van een gemeenschappelijk belang. Omdat symbolen een belangrijke uitingsvorm van cultuur zijn, is het wenselijk dat deze aansluiten op de organisatiewaarden. Symboliek is de meest waarneembare en (relatief) meest eenvoudig te veranderen uiting van de organisatiecultuur. Op dit niveau kunnen de door het management gewenste veranderingen zichtbaar worden gemaakt, door een motiverende en inspirerende vertaling te maken van centrale waarden naar zichtbare uitingen. Organisatieleden kunnen deze veranderingen dan beter internaliseren.

Een krachtige symboliek verhoogt intern, als bindmiddel, de betrokkenheid van medewerkers, extern wekt het vertrouwen bij de werkrelaties en afnemers van de organisatie. Het vergroot de bekendheid met de organisatiedoelen en met de managementdoelstellingen.

1.2.4 Kwaliteit: design beïnvloedt kwaliteitsperceptie

Ontwerpers zien kwaliteit veelal als synoniem voor creativiteit, originaliteit of kunstzinnigheid. Deze aspecten kunnen van invloed zijn op de kwaliteit of het aanzien in de markt van een product, maar wat we hier bedoelen is toch iets anders. Kwaliteit is de mate waarin het ontvangen product overeenkomt met de verwachtingen, eisen en wensen van de klant. Die verwachting wordt ondermeer gewekt door het productuiterlijk en de productpresentatie (in feite door een breed scala aan attributen). Of het nu gaat om technische prestatie, stijl, betrouwbaarheid, veiligheid of gebruiksgemak: design maakt kwaliteiten zichtbaar. De vorm en stijl kunnen consumenten als externe aanwijzing duidelijkheid verschaffen over de interne kwaliteit van producten. Het productuiterlijk kan de verwachtingen van de consument ten aanzien van de productprestaties aansturen en het vertrouwen vergroten.

De kwaliteit van de meeste producten kan alleen door het gebruik ervan vast worden gesteld, ná aankoop. Voor sommige productcategorieën (met name diensten) geldt dat zelfs na het gebruik geen zekerheid verkregen kan worden over de geleverde kwaliteit. Bijvoorbeeld bij consultancy of verzekeringsproducten spreken we daarom wel van geloofskwaliteiten (*credence qualities*). In deze situatie geeft het productuiterlijk en de presentatiekwaliteit richting aan de kwaliteitsperceptie en het vertrouwen in de geleverde kwaliteit.

1.2.5 Creativiteit & innovatie: design beïnvloedt het vermogen om te vernieuwen

Het belang en de kracht van design ligt mede in het feit dat het als innovatie-instrument fungeert. Design heeft betrekking op het doelbewust toepassen van creativiteit in het proces van innovatie. Creativiteit en innovatie worden steeds meer erkend als belangrijke concurrentiefactoren die leiden tot economische en productiviteitsgroei. Innovatie is de succesvolle praktijktoepassing van nieuwe ideeën in de vorm van nieuwe of verbeterde producten, diensten en bedrijfsprocessen. Daarvoor is het nodig om situaties of problemen op een nieuwe manier te bekijken, waarbij geaccepteerde waarheden en patronen worden doorbroken. Creativiteit is de vaardigheid om ideeën te combineren op nieuwe manieren, teneinde vraagstukken op te lossen en mogelijkheden te benutten. Florida (2002) legt ook een verband met de bereidheid om risico's te nemen en ambiguïteit te accepteren. Creativiteit is in deze zin iets anders dan het zo snel mogelijk imiteren van successen van concurrenten. Een 'me too' benadering zal in de praktijk eerder leiden tot prijsdruk, geringere marges en voorspelbaarheid, dan tot succesvolle vernieuwing.

Hoewel creativiteit zeker niet alleen is voorbehouden aan ontwerpers, kunnen ze een belangrijke bijdrage leveren aan innovatie. Ontwerpers zijn getraind in het tot stand brengen van nieuwe combinaties. Het zijn nieuwsgierige, zoekende mensen met een brede belangstelling die het gewend zijn om ideeën en inzichten uit verschillende gebieden met elkaar te combineren. Om een vraagstuk in een steeds wisselend kader te plaatsen, op onverwachte manier van perspectief te wisselen en grenzen tussen vakgebieden te overschrijden. Deze benadering is door De Bono (1993) lateraal denken genoemd.

Hoe een onderneming designactiviteiten begrijpt en organiseert kan een diepgaande impact hebben op het innovatievermogen. Om te innoveren is creativiteit cruciaal en door design te integreren in de kernactiviteiten van een organisatie kan het innovatiepotentieel beter worden benut. Designers kunnen nieuwe componenten, materialen of productiemethoden in bestaande producten toepassen en technologische concepten vertalen naar de markt.

Design kan een bron zijn voor lineaire productinnovatie (ook wel: incrementele innovatie). Het kan dan gaan om productaanpassing in de vorm van styling (een nieuw model of uitvoering), redesign (een ander productuiterlijk) of productverbetering (verbetering van de functionele prestaties of gebruiksvriendelijkheid). Een nieuwe techniek kan worden toegepast wanneer het product hierdoor beter in staat is aan de wensen van gebruikers te voldoen, bij voorkeur tegen lagere kosten. Het toepassen van een nieuwe techniek op zich, leidt echter zelden tot een succesvolle innovatie. De nieuwe techniek moet zodanig worden toegepast dat consumenten de voordelen hiervan begrijpen en het product graag willen gebruiken; het product moet aantrekkelijk worden gemaakt. Het productuiterlijk speelt daarom een belangrijke rol om een innovatie geaccepteerd te krijgen in de markt. Daarnaast spelen *engineering design* en ergonomie een rol bij het toepassen van de nieuwe techniek op een gebruiks- en onderhoudsvriendelijke manier. Het gaat hier om de constructieve uitwerking, ofwel de componenten waaruit een product is opgebouwd. Aspecten zoals het gewicht, het formaat, schoonmaakgemak of een onderhoudsvrij karakter hangen hier mee samen. De rol van design gaat in deze situatie dus beslist verder dan alleen het productuiterlijk.

Wanneer geen nieuwe techniek wordt toegepast, kan men spreken van een stijlinnovatie. Het gaat dan om vernieuwing van het productuiterlijk, het merkdesign of de verpakking. De relatie tussen design en stijlinnovatie is hierbij evident. De meeste innovaties betreffen stijlinnovaties, maar de economische betekenis hiervan kan nauwelijks worden onderschat. Het gaat in werkelijkheid om een continue stroom innovaties die ervoor zorgt dat producten en merken relevant blijven voor consumenten. Consumenten zijn altijd op zoek naar iets nieuws; nieuwe modellen, dessins, kleuren of materialen die aansluiten op hun persoonlijke behoefte om zich te onderscheiden of zich uit te drukken door middel van de producten of merken die ze gebruiken. Jacobs (2005) wijst erop dat *'hoe meer de technologie in een bepaalde categorie gestandaardiseerd raakt en daardoor niet langer een onderscheidende factor is, hoe meer bedrijven zich proberen te onderscheiden door producten met een speciale 'look and feel'. Als ze dit niet zouden doen, zou de economische groei dalen tot het niveau waarop uitsluitend vervangingsaankopen zouden plaatsvinden'.*

Design kan ook als bron fungeren voor non-lineaire innovatie. Dit wordt meestal aangeduid met de term 'new product development'. Het gaat hier om nieuwe concepten, technologieën en ervaringen die ondermeer tot uitdrukking komen in het productuiterlijk en de productbeleving. Apple zag door de introductie van de iPod in combinatie met de interactieve dienst iTunes, kans om marktleider Sony in deze categorie van zijn plaats te stoten. Een succesvolle innovatie die sterk werd gedreven door het geavanceerde productdesign. Designers creëren waardeconcepten. Soms zelfs door iets te leveren dat een potentiële consument niet eens begeert; tot het moment dat deze er daadwerkelijk mee in aanraking komt. Een vernieuwende vormgeving kan in deze zin voorwaardenscheppend zijn. Dat wil zeggen dat de behoefte eraan pas ontstaat wanneer een potentiële klant ermee wordt geconfronteerd. Het daadwerkelijk zien van een nieuwe mogelijkheid leidt er in dit geval toe dat de criteria voor evaluatie tijdens een koopproces direct worden gewijzigd, de vormgeving schept als het ware haar eigen voorwaarden voor behoeftebevrediging (Hultink & Schoormans et al., 2004). Het succes van 'gadgets' als de iPod en de uitklapbare telefoontjes van Samsung hangt hier waarschijnlijk deels mee samen.

Box 1.4 **De invloed van design, innovatie en creativiteit**

Het Britse Design Council deed in 2001 een nationaal onderzoek om te achterhalen in hoeverre design, innovatie en creativiteit hadden bijgedragen aan verschillende organisaties. Onderstaand overzicht vermeldt het percentage bedrijven dat van mening was dat deze attributen een positieve invloed hebben gehad op:

Toegenomen omzet	51%
Verbeterd bedrijfsimago	50%
Toegenomen winst	48%
Toegenomen werkgelegenheid	46%
Verbeterde communicatie met klanten	45%
Verbeterde product-/dienstkwaliteit	44%
Toegenomen marktaandeel	40%
Ontwikkeling van nieuwe producten	40%
Verbeterde interne communicatie	28%
Verminderde kosten	25%

Als vervolg hierop verscheen in 2003 het DTI Innovation Report 'Competing in the Global Economy: The Innovation Challenge' van het Britse *Department of Trade & Industry*. Daarin staan drie belangrijke conclusies ten aanzien van de invloed van design bij innovatie:

- *'Research shows that design skills are vital to innovation and can significantly enhance a company's financial performance'.*
- *'Unfortunately, not enough business use design to connect new ideas with market opportunities, and lack of design ingenuity usually indicates static or poor overall business performance'.*
- *'In short, the most successful and imaginative companies use design to enable innovation'.*

(Bronnen: Borja de Mozota, 2003 en Design Council, 2004)

1.2.6 Technologie: design beïnvloedt de acceptatie van nieuwe technologie

In veel bestaande producten en diensten worden nieuwe technologieën toegepast waardoor de functionaliteit wordt uitgebreid, maar ook de bediening vaak complexer wordt. De digitalisering van onze samenleving brengt ook de komst van geheel nieuwe producten en diensten met zich mee. Denk bijvoorbeeld aan sms, umts, mp3, dvd of internetbankieren. Het succes van al deze vernieuwingen wordt vooral bepaald door de acceptatie van gebruikers en dit is een kritische succesfactor; consumenten kunnen de snelheid van introducties (ook financieel) nauwelijks bijbenen.
Wanneer nieuwe technologieën worden toegepast op een wijze die als gebruiksvriendelijk en begrijpelijk wordt gezien, kan de waardering en de acceptatie toenemen. Een bedrijf als Philips heeft dit goed begrepen en er zijn motto van gemaakt: 'sense and simplicity'. In de vorige paragraaf introduceerden we het designaspect *behavioral design* dat zich richt op effectief en plezierig gebruik. Het gaat hier om een breed scala van de-

signaspecten. Denk bijvoorbeeld aan de ergonomie van de *user interface* of een heldere en beknopte gebruiksaanwijzing. 'Goed design' op dit punt veronderstelt het gebruik van onderzoeksmethoden die op consumentenbehoeften zijn gericht, zogenaamd *user centered research*. Door opeenvolgende cycli van testen en redesign kunnen producten zodanig worden ontwikkeld dat ze de gebruiker veel genoegen verschaffen. In de praktijk worden veel marktintroducties gedaan zonder dat afdoende rekening wordt gehouden met gebruikers. Deze producten kunnen consumenten ergernis en frustratie bezorgen.

1.3 Design brengt differentiatie en concurrentievoordeel

Design is een heel goede – vaak de beste en soms zelfs de enige – mogelijkheid om een product eruit te laten springen. Door middel van design kunnen producten en diensten zeer goed worden onderscheiden van andere producten. Producten kunnen heel divers worden vormgegeven waardoor duidelijk wordt gemaakt dat ze verschillen van andere. Vooral wanneer producten qua prestatie en instrumentele werking sterk overeenkomen, kunnen ze zich door middel van hun productuiterlijk beter onderscheiden.

De differentiatiemogelijkheden die design biedt zijn onuitputtelijk. Ze beperken zich – in tegenstelling tot wat vaak wordt verondersteld – niet tot uiterlijk en stijl, maar betreffen nog zeven andere productdimensies, namelijk; functie, prestatie, toepassing, duurzaamheid, betrouwbaarheid, herstelbaarheid en service (Borja de Mozota, 2003). We kunnen verder een onderscheid maken ten aanzien van de mogelijke input op drie productniveaus:

- Het basisproduct (ook wel: *core product*); de concrete producteigenschappen die nodig zijn om het primaire voordeel te bieden.
- Het commerciële product (ook wel: *enhanced product*); het basisproduct aangevuld met merknaam en merktekens, verpakking, kwaliteitsverwachting en gebruiksaanwijzing.
- Het uitgebreide product (ook wel: *augmented product*); het commerciële product aangevuld met bijzondere eigenschappen op het terrein van krediet en levering, installatie, garantie of after sales service.

De toegevoegde waarde vinden we in de verschillende ontwikkelingsstadia: van kernproduct tot het uitgebreide product. Design kan op al deze drie niveaus producten (waren én diensten) differentiëren, een unieke verkoopropositie creëren, nieuwe gebruikersbehoeften aanwakkeren, consumenten inspireren en emoties opwekken.

Design heeft niet alleen betrekking op de manier waarop productconcepten worden ontwikkeld en producten worden geproduceerd, maar ook op het productuiterlijk en de wijze waarop ze worden gepresenteerd, hun functionele prestaties en de wijze waarop ze worden gebruikt. De reden dat bedrijven desondanks soms toch geen gebruik hiervan maken, is dat ze er tegen opzien om de samenwerking met ontwerpers aan te gaan wegens onbekendheid, onvoldoende ervaring of omdat ze de risico's hiervan te groot achten. Een andere reden is de noodzaak om veranderingen als gevolg van designwijziging vroegtijdig in te plannen in het productontwikkelings- en productieproces. Veranderingen in vormgeving vergen doorgaans veel voorbereidingstijd (Hultink & Schoormans, 2004).

Box 1.5 **Designcase: Bugaboo**

Het succesvolle Nederlandse Bugaboo slaagde er in om de gevestigde kinderwagenmarkt open te breken door in 1999 een sterk vernieuwend model te introduceren. Inmiddels is het bedrijf (ondanks een significant hoger prijsniveau) uitgegroeid tot een toonaangevende nichespeler en exporteert het zijn producten naar 21 landen over drie continenten. Er werken in totaal bijna 100 mensen bij Bugaboo: op het internationale hoofdkantoor in Amsterdam en op kantoren in Londen, New York, Los Angeles, Milaan en Barcelona. In de fabriek in Taiwan werken nog eens 100 mensen. Een designafdeling waar acht industrieel ontwerpers werken vormt het kloppend hart van de onderneming: designgedreven productontwikkeling vormt de kernactiviteit van het bedrijf.
Aan de basis van dit succes stond een duidelijke ontwerpvisie. Max Barenbrug (1964) studeerde in 1994 cum laude af aan de Design Academy in Eindhoven met een ontwerp voor een functionele kinderwagen. Het bestaande concept van de kinderwagen was in zijn ogen dringend toe aan een grondige revisie, mede omdat ouders in zijn optiek een veronachtzaamde gebruikersgroep vormden en de bestaande kinderwagens niet voldoende aansloten op hun mobiliteitswensen.
Het ontwerp van Barenbrug heeft als kenmerk dat de kinderwagen zowel in de stad als recreatief te gebruiken is en de ouder centraal stelt; ook vaders moeten zich in het product kunnen herkennen. De kinderwagen is modieus, sportief, flexibel, licht en uit duurzame materialen opgebouwd. Door het innovatieve design is de Bugaboo kinderwagen functioneel, simpel te bedienen en verassend in zijn toepassingen, waardoor de bewegingsvrijheid van ouders met een klein kind wordt vergroot. De wagen kan worden veranderd in een rugzak, hij kan op twee wielen rollen om over het strand te gaan en kan zelfs als een fietskarretje worden gebruikt.
Aanvankelijk wilde Barenbrug het ontwerp verkopen maar de gevestigde producenten vonden het revolutionaire concept te risicovol; te vooruitstrevend en niet levensvatbaar. Omdat Barenbrug sterk geloofde in zijn vinding, besloot hij samen met arts en zwager Eduard Zanen de kinderwagen zelf in productie te nemen. Na nog twee jaar aan zijn tekentafel te hebben gewerkt aan het concept, werden de eerste prototypes in 1997 vervaardigd. In datzelfde jaar vond de eerste presentatie plaats op een internationale beurs in Keulen waar het product enthousiaste reacties kreeg. Maar het zou nog tot 1999 duren voordat het bedrijf Bugaboo werd opgericht en het product, vijf jaar na Barenbrugs afstuderen, verscheen op de Nederlandse markt: de Bugaboo Classic. Enige tijd later gevolgd door een nieuwe versie met een uitgebreide en verbeterde functionaliteit: de Bugaboo Frog. Deze werd direct uitgeroepen tot 'product van het jaar'. Introductie in Japan, Duitsland, Frankrijk, Italië en Spanje volgden in 2002 en het Verenigd Koninkrijk en de Verenigde Staten in 2003. Toen de Amerikaanse verkoopdirecteur op het idee kwam een Bugaboo Frog aan te bieden voor gebruik in de populaire tv-serie 'Sex and the city', werd de kinderwagen wereldberoemd.
In 2004 wordt 'Bugaboo by' gelanceerd: limited edition uitvoeringen door jonge modeontwerpers die op uitnodiging een geheel eigen identiteit aan een Bugaboo kin-

derwagen geven. En in 2005 worden de Bugaboo Gecko en de Bugaboo Cameleon als opvolgers van de Bugaboo Frog geïntroduceerd. Het is ongetwijfeld niet de laatste introductie: het ligt in de lijn der verwachting dat de designafdeling zal komen met meer verassende en innoverende mobiliteitsproducten.

1.3.1 De opkomst van design

Het belang dat aan design als differentiatie- en concurrentie-instrument wordt toegekend neemt toe, omdat zich verschillende trends in de omgeving van organisaties voordoen. In deze subparagraaf staan we stil bij vier ontwikkelingen die we signaleren: de toename van 'product parity', de informatie 'overload', het afnemend effect van reclame en internationalisering/globalisering.

Product parity

Het belang van productuiterlijk is de laatste jaren toegenomen, omdat er steeds meer producten en aanbieders komen en omdat het steeds moeilijker wordt een duurzaam onderscheid te realiseren op grond van een technologische voorsprong of tastbaar productvoordeel. Een onderscheid in functionaliteit (functionele productprestaties) wordt steeds lastiger, omdat vrijwel alle producten voldoen aan een algemeen geaccepteerd prestatieniveau. Functionele producteigenschappen worden vaak snel door concurrerende aanbieders gekopieerd of geïmiteerd.
Dit verschijnsel van afnemend onderscheid wordt aangeduid met het begrip 'product parity'. Een verschil in vormgeving kan er bijvoorbeeld toe leiden dat het product meer opvalt, bepaalde emoties oproept bij consumenten, meer status verleent aan gebruikers of beter functioneert. Design kan leiden tot een heel scala aan productvoordelen, zowel met een materieel als met een immaterieel (psychologisch) karakter. Veel van deze voordelen zijn echter wel subjectief, ze worden niet door iedereen op dezelfde wijze waargenomen en beoordeeld.
Design is een krachtig instrument voor het verwezenlijken van de bedrijfs- en organisatiedoelstellingen en neemt aan betekenis toe in een economie die steeds meer om informatie-uitwisseling en onderscheidend vermogen draait en steeds minder om het vervullen van basisbehoeften. Naarmate in de basisbehoeften van mensen is voorzien, vragen consumenten om aparte, aantrekkelijke producten en diensten die hen een bijzondere belevenis bieden. Producten worden dan niet meer alleen beoordeeld op hun functionele waarde, maar in toenemende mate ook op hun esthetische en expressieve waarde. De vormgeving, de opinie die daaruit spreekt, de manifestaties van het merk; alles weegt mee in de aankoopbeslissing.

Informatie 'overload'

De media-uitgaven blijven exponentieel stijgen en het wordt als gevolg daarvan steeds moeilijker om door de informatie overload (ook wel: *clutter*) heen te breken (o.a. Van Wijk, 2003). Door een explosieve groei aan impulsen is echter het effect van traditionele verleidingstechnieken als *advertising* afgenomen. Design is echter altijd aanwezig; de werking ervan is veel minder afhankelijk van een bepaalde *media exposure*. Met zijn 'stille kracht' als non-verbaal communicatiemiddel wordt design steeds vaker gezien als een effectief en betaalbaar alternatief voor reclame en direct marketing, of als een aanvulling hierop.

Afnemend effect van reclame

Door de sterk groeiende hoeveelheid reclame- en mediaboodschappen is sprake van een afnemend niveau van gepercipieerde productdifferentiatie. Dit betekent dat consumenten steeds minder het verschil zien tussen producten die tot dezelfde productcategorie behoren. Producten worden steeds meer als inwisselbaar gezien, hetgeen leidt tot prijsoriëntatie. Met de inzet van design kan de toegevoegde waarde worden vergroot en daarmee kan tegendruk worden gegeven aan deze ontwikkeling.
Maar er speelt hier ook nog iets anders. Door de sterk groeiende hoeveelheid communicatiemogelijkheden (rtv-kanalen, internet, e-mail, sms, tijdschrifttitels, buitenmedia, sponsoring, events, product placement et cetera) is het moeilijk om onder de aandacht te komen van relevante groepen afnemers. Toenemende kosten staan hier tegenover afnemende effectiviteit. Door design doelbewust in te zetten om via eigen media (producten, verpakkingen, displays, informatiemateriaal, website, gebouwen, wagenpark, maar ook medewerkers) een consistente boodschap uit te zenden, kunnen communicatiedoelstellingen effectief bereikt worden.

Internationalisering/globalisering

Ondernemingen opereren steeds grootschaliger en bieden een steeds breder en veelzijdiger pakket aan producten en diensten aan. Ondermeer door vervanging van individuele productmerken door het organisatiemerk. We zien dat design wordt ingezet als middel om meer samenhang in het totale aanbod aan te brengen, evenals in de relatie tussen de aanbieder en het aanbod.

Een praktisch gevolg van de ontwikkelingen die we hier schetsen, is dat design de afgelopen jaren een steeds belangrijker positie is gaan innemen binnen de marketingcommunicatiemix (Floor & Van Raaij, 2002). De branchemonitor van de designbranche in Nederland laat een gemiddelde jaarlijkse groei zien van bijna 20% over het tijdvak 1998-2001 (Bron: BNO, 2003). Uit de 'Eye-poll 2004' – een jaarlijkse opiniepeiling door het vakblad Eye op het gebied van consumententrends – komt naar voren dat 64% van de ondervraagden van mening is dat design belangrijker wordt dan reclame.

Box 1.6 De Nederlandse designbranche

Een kwantitatieve analyse van de vormgevingssector in Nederland, door het CBS, wijst uit dat naar schatting ruim 46 duizend vormgevers werkzaam zijn. Opmerkelijk is dat de helft van deze vormgevers jonger is dan 35 jaar en dat maar liefst 41% van de beroepsgroep als zelfstandige werkt. De discipline waarin de meeste vormgevers en

ontwerpers werken is visuele communicatie: meer dan 27 duizend personen. In productontwerp zijn bijna 14 duizend personen actief en in ruimtelijk ontwerp een veel kleiner aantal van bijna vijfduizend personen. Opmerkelijk is dat daarmee het aantal werkzame vormgevers vergelijkbaar is met bijvoorbeeld het totaal aantal mensen (53 duizend) dat werkzaam is binnen het verzekeringswezen en de pensioenfondsen (Bron: Premsela/CBS, 2004).
De resultaten van het onderzoek staan ter discussie in verband met definitieproblemen. Ondermeer omdat het beroep 'vormgever' ruim is gedefinieerd tot ook groepen die een lagere of middelbare beroepsopleiding hebben gevolgd. De Beroepsorganisatie Nederlandse Ontwerpers (BNO) hanteert als voorwaarde voor het lidmaatschap een voltooide universitaire of HBO-opleiding op het gebied van vormgeving of een gelijkwaardig niveau. In het CBS-onderzoek zou een aanzienlijk aantal mensen 'vormgever' worden genoemd, die zelf geen ontwerpactiviteiten verrichten. Het gaat dan om ondersteunende functies binnen designafdelingen en ontwerpbureaus.
Eveneens is in opdracht van de Premsela Stichting voor Nederlandse Vormgeving, door TNO de waarde van de vormgevingssector voor de Nederlandse economie en de rol van design in de dynamiek van innovatie onderzocht (Rutten *et al.*, 2005) De gedachte achter dit onderzoek is dat het economisch belang van vormgeving in Nederland onderbelicht is. Het resultaat wijst uit dat de Nederlandse vormgevers in 2001 verantwoordelijk zijn voor een geschatte toegevoegde waarde van in totaal 2,6 miljard euro als bijdrage aan de Nederlandse economie. Dat is gelijk aan 0,7% van het Bruto Nationaal Product. Deze waarde is – aldus de onderzoekers – *'gelijk aan het Nederlandse luchtvervoer en zelfs groter dan de aardolie-industrie die 2,1 miljard per jaar toevoegt'.*
TNO stelt dat verder dat het overgrote deel van de vormgevingsactiviteiten in Nederland bij bedrijven 'in huis' plaats vindt, met name op het terrein van productontwerpen. In de ontwerpsector zelf (de bedrijven die ontwerpdiensten aanbieden) is een kleine zeventien duizend vormgevers actief. Deze zijn gezamenlijk verantwoordelijk voor een toegevoegde waarde van 635 miljoen euro.
Een andere indicatie over de omvang van de Nederlandse designsector geeft de branchemonitor, die sinds 1997 door de BNO jaarlijks onder haar leden wordt gehouden. De BNO schat de designsector als volgt in: *'Aannemend dat de organisatiegraad van HBO/WO-opgeleide ontwerpers ongeveer 70% is, zou de bruto omzet over 2002 ruim 1,1 miljard euro bedragen'* (BNO, 2003).
We merken overigens op dat dit genoemde omzetbedrag voornamelijk bestaan uit ontwerphonoraria die samenhangen met creativiteit (ideevorming, conceptontwikkeling en het uitwerken en documenteren van een eindontwerp). De omzetten van toeleverende, uitvoerende en producerende partijen zijn niet ingecalculeerd. Wanneer we de gehele waardeketen in ogenschouw nemen (inclusief actoren zoals de grafische industrie, en de matrijzen- en componentenindustrie), wordt duidelijk dat de totale uitgaven die samenhangen met designinvesteringen vele malen groter zijn. Dit besef lijkt ook door te dringen tot de overheid die de creatieve industrie tot één van de speerpunten van haar innovatiebeleid heeft gekozen. De creatieve industrie is groter dan de ontwerpindustrie en strekt zich uit tot de media-industrie, de grafische industrie, de ICT en de mode-industrie.

De onderzoekers hebben de rol van vormgeving voor innovatie ook onderzocht en zijn tot de conclusie gekomen dat vormgeving aantoonbaar een belangrijke rol in innovatie speelt. Van de bedrijven die technologische vernieuwing combineren met vernieuwingen in vormgeving, ziet 58% een sterk effect van hun innovaties op hun marktaandeel, tegenover 47% van de bedrijven die deze combinatie achterwege laten.
De onderzoekers zijn van mening dat op basis van de huidige stand van kennis de conclusie getrokken kan worden dat *'een grensverleggende vormgevingssector een sterkte is voor een nationale economie. In interactie met het bedrijfsleven kan ze de nationale concurrentiekracht verhogen, als sector kan ze de internationale markt ontwikkelen en zorgen voor hoogwaardige werkgelegenheid en toegevoegde waarde'.*

(Bron: website Premsela en TNO-rapport 33553 'Vormgeving in de Creatieve Economie', 2005).

1.4 Designtoepassing in de waardeketen

Eerder in de tekst brachten we naar voren dat design moet worden opgevat als het waarde toevoegende proces tussen idee en product. Deze toegevoegde waarde van design vinden we in praktisch alle stadia waarin een product of dienst wordt geproduceerd, verpakt, onder de aandacht gebracht, verkocht, geleverd en onderhouden. Design is in de gehele waardeketen (de waardetoevoeging in de opeenvolgende activiteiten in de bedrijfsprocessen) aanwijsbaar aanwezig.
Als we de diverse toepassingen van design door een onderneming in kaart willen brengen, is de taxonomie van Bruce & Cooper (1997) een handig hulpmiddel. In dit model in sprake van vier stadia. We kunnen bij ieder stadium designactiviteiten onderscheiden: met betrekking tot het eigenlijke product, de verpakking, de promotie en de marktexploitatie. Elk stadium resulteert in attributen waaraan moet worden vormgegeven. De productvormgeving, verpakking, productinformatie, reclame en winkelinrichting zijn signalen voor de consument en zeggen iets over het product. Het design kan een product bijvoorbeeld een exclusieve, luxe of juist eenvoudige, toegankelijke uitstraling geven. Daarom is het van belang dat de signalen in alle vier de stadia op elkaar zijn afgestemd en als een coherent, passend geheel worden ervaren.
Omdat het om zeer uiteenlopende attributen gaat, zijn in de praktijk meerdere ontwerpspecialisten nodig. Ontwerpers in verschillende gebieden hebben bepaalde gemeenschappelijke vaardigheden zoals visualiseren en het toepassen van een beeldtaal, maar kunnen verschillen in vaardigheid ten aanzien van twee- of drie-dimensionale toepassingen. Ze verschillen verder in kennis van toepassingsgebieden, productiemethoden en -processen, technische kennis en marktkennis. Er zijn in de praktijk zeer veel uiteenlopende ontwerpspecialismen; auto-ontwerpers, lichtontwerpers, letterontwerpers, formulierenontwerpers, modeontwerpers, interfaceontwerpers et cetera.
In het onderstaande schema zijn de belangrijkste specialismen per stadium weergegeven; elk specialisme draagt bij aan het proces van waardetoevoeging. Niet alle vier de stadia behoeven te zijn ingevuld. Dit is afhankelijk van de betreffende productcategorie. In de

meeste gevallen zal de inzet van design beperkt blijven tot twee of drie stadia. Bij sterk gedifferentieerde producten met een expressief karakter kan design wel in alle vier de stadia worden ingezet, zoals bij het merk Rituals. We geven een toelichting op de rol van design in de vier stadia.

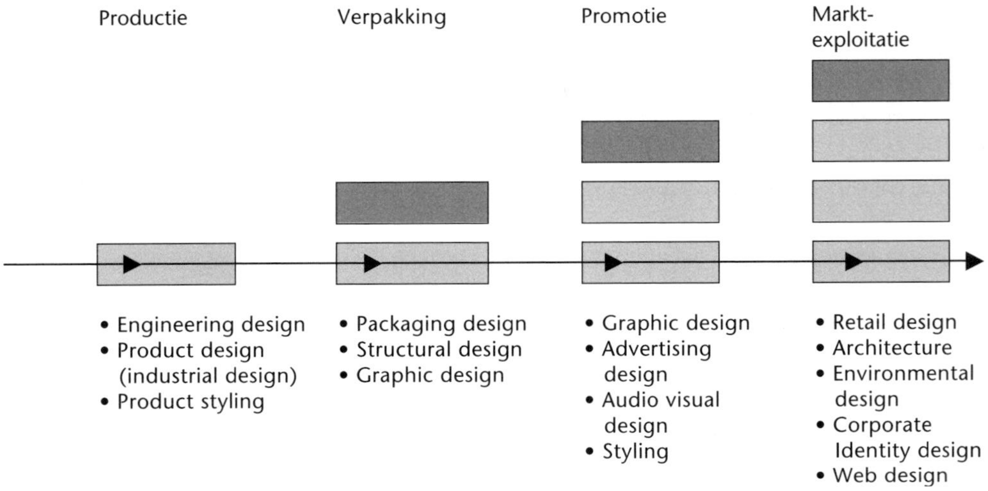

Figuur 1.5 Stadia van ontwikkeling waarin verschillende vormen van design een rol kunnen spelen (naar: Bruce & Cooper, 1997)

1.4.1 Productie

Door middel van productvormgeving kan een voor consumenten duidelijk en relevant onderscheid ten opzichte van concurrenten worden gecreëerd. Onder productvormgeving verstaan we de vormgeving van een tastbaar goed. Het gaat hier om de vormgeving van het product zelf en niet om de vormgeving van de verpakking. Het productuiterlijk wordt gezien als een belangrijk middel in het creëren van concurrentievoordeel. Het bevat alle eigenschappen van een product die visueel waarneembaar zijn, zoals de productvorm, de kleur, en het materiaal waarvan het product gemaakt is (Creusen, 1998). Productvormgeving is met name relevant bij duurzame gebruiksgoederen zoals een koffiezetapparaat, computer, mobiele telefoon, horloge of auto. Bij dergelijke producten, die technisch sterk overeenkomen met die van andere aanbieders, kunnen producenten zich onderscheiden door middel van het productuiterlijk. Productvormgeving kan ook relevant zijn bij verbruiksgoederen. Denk bijvoorbeeld aan specifieke productvormen bij snoep, koekjes, pasta, snacks en ijsjes. De onderscheidende kracht van productvormgeving wordt het meest optimaal benut als de vormgeving langdurig wordt gebruikt en daarmee een integraal onderdeel van de productbeleving wordt.
In de literatuur wordt doorgaans een onderscheid gehanteerd in *engineering design, product design* (ook wel: *industrial design*) en *product styling* als verschillende designspecialis-

men. *Engineering design* heeft betrekking op de technologische component en de functionele prestatie van een product, ofwel de utilitaire werking. Daarnaast is het sterk procesgericht; de wijze waarop de productie tot stand kan komen, rekening houdend met logistieke en kostentechnische aspecten. Het gaat hierbij om het inrichten van de productielijn, en het aantal en de samenstelling van (technische) componenten waaruit een product is opgebouwd (de constructieve uitwerking van het productconcept). *Product design* heeft betrekking op de uiterlijke vorm; de expressiviteit en de aantrekkelijkheid van het product. We gaven een definitie van wat onder productuiterlijk moet worden verstaan. In het verlengde hiervan houdt *product styling* zich bezig met de materiaalkeuze, kleurstelling, oppervlaktebehandeling en decoratie. Product styling is ondermeer van belang bij productseries (bijvoorbeeld onder invloed van trend- of seizoenswerking) of -varianten afgestemd op uiteenlopende marktsegmenten.

1.4.2 Verpakking

Bij het ontwerpen van verpakkingen spelen tal van functionele, ergonomische, juridische en economische aspecten een rol. Het heeft zich daarom ontwikkeld tot een specialisme dat aangeduid wordt als *packaging design*. Binnen dit specialisme onderscheiden we een verdere onderverdeling in *structural design* (door industrieel ontwerpers) en *graphic design* (door grafisch ontwerpers). Dit onderscheid betreft de vorm (structural design) en de bedrukking (graphic design) van datgene waarin een product is verpakt en dat als communicatie- en presentatiemedium tijdens transport, verhandeling, verkoop of gebruik door consumenten ingezet kan worden.

De vorm van de verpakking kan een product onderscheiden van de concurrentie. Een succesvol voorbeeld hiervan is WC-Eend. De blauwe knijpflacon met gebogen hals en rode dop is een sterk onderscheidend productkenmerk dat bijdroeg aan de marktleiderspositie die WC-Eend in zijn categorie wist op te bouwen. Maar denk bijvoorbeeld ook aan de Grolsch-beugelfles of aan het tot icoon uitgegroeide Coca-Cola-flesje. Of aan de opvallende 'Pak en bel'-verpakking van Telfort dat een melkpak gebruikte voor een mobiele telefoonabonnement. In feite zijn er talloze voorbeelden van producten die door middel van structural design hun onderscheidend vermogen proberen te vergroten. We kunnen in eigen land bijvoorbeeld de verpakkingsvorm van de zuiveldrank Breaker (van Friesche Vlag) noemen, of de met designprijzen bekroonde schoonmaakartikelen en verse sappen van Albert Heijn. De bedrukking van de verpakking (graphic design) betreft meestal de grafische stijl van het etiket of de 'sleeve' (een krimpfolie die op of over de productvorm is aangebracht), of de directe bedrukking van de vorm zelf; een zak, doos, flacon of fles. Voor verpakking is een belangrijke communicatieve rol weggelegd als *silent salesman* (Pilditch 1972), als verleider, en als 'drager' van de productidentiteit of propositie. Bij aankoopbeslissingen die voornamelijk in de winkel worden genomen, fungeert de verpakking als baken, met het oog op productherkenning of onderscheidend vermogen. Het besef dringt steeds meer door dat verpakkingsontwerp niet alleen dient voor het opwekken van impulsaankopen, maar dat het in wezen een strategisch merkinstrument vormt. In de markt van parfums, cosmetica en frisdrank is de waarde van de fysieke verpakking onmiskenbaar erkend. Verpakking is hier een integraal onderdeel van de

productervaring geworden, te meer omdat onderscheid op productniveau vrijwel onmogelijk is (denk aan blinde smaak- en geurtests waarbij verschillen niet of nauwelijks worden waargenomen).
Ook huismerken en *private labels* hebben in hun concurrentie met A-merken de kracht van verpakkingsdesign ontdekt. We noemden in dit verband al Albert Heijn dat een aantal ontwerpen bekroond zag. Vroeger imiteerden huismerken vooral het leidende fabrikantenmerk; vandaag de dag gebruiken huismerken design ook als een manier om zich te onderscheiden en om er merkmeerwaarde aan te ontlenen. De ervaring heeft hen inmiddels geleerd dat men met een goed verpakkingsontwerp, samen met navenante verbetering van de productkwaliteit, de prijs van A-merken dichter kan benaderen. En dat men op deze wijze hogere marges kan realiseren.
Soms is het moeilijk om door middel van verpakkingsdesign onderscheidend vermogen te creëren, met name als er afspraken tussen fabrikanten bestaan omtrent een uniforme verpakking (30 cl. bierflesjes, 33 cl. blikjes en plastic petflessen in Nederland) of als er in een markt categoriecodes bestaan. Het afwijken hiervan kan onderscheidend vermogen opleveren, maar het gaat meestal ook gepaard met hogere logistieke kosten. Het afwijken van categoriecodes op het gebied van grafische stijl (zoals kleurcodes bij zuivel en chocola) heeft ook als gevolg dat hoge bedragen uitgetrokken moeten worden om de consument door middel van marketingcommunicatie de afwijkende code voor dat ene product aan te leren.

1.4.3 Promotie

Reclame, direct marketing, sponsoring en events zijn promotie-instrumenten om een product onder de aandacht van consumenten te brengen. In het stadium van promotie kunnen we een breed scala aan attributen onderscheiden: productbrochures en folders, displays, websites, advertenties, rtv-commercials, maar ook relatiegeschenken en *give aways*. Traditioneel wordt in Nederland ook een onderscheid tussen reclame en design gehanteerd, maar deze scheidslijn is soms dun en discutabel wanneer het gaat om visuele uitingen. Het kan integratie van communicatiemiddelen in de weg staan, evenals een coherente merkbeleving.
Design heeft in het stadium van promotie vooral een communicatieve functie: het visueel uitdrukking geven aan de gekozen identiteit en propositie, aan het beoogde kwaliteitsniveau of aan de passendheid van een promotie. Een ander aspect is het leggen van een visuele relatie tussen het product en de producent. De rol van design als nonverbale communicatie varieert van zuiver dienend en onopvallend tot complementair en autonoom: de vormgeving draagt dan een geheel eigen boodschap uit, apart van de inhoud van de tekst (de verbale communicatie). Denk in dit verband bijvoorbeeld aan de bewust gehanteerde stijlverschillen tussen reclame-uitingen van Heineken of Amstel. Of aan de 'sprekende' nonverbale boodschap die de promoties van KLM uitdragen, door de kenmerkende 'blue skies' en de krachtige symboliek van wilde zwanen. Iedereen kent uit zijn of haar dagelijkse omgeving dit soort voorbeelden die aantonen dat design, dat niet gehoord of gelezen kan worden, wel degelijk geZIEN wordt – en effect sorteert.

De designspecialismen die in dit stadium worden ingezet zijn grafisch ontwerp, *art direction* en styling. Grafisch ontwerp richt zich op de inhoud en rangschikking van beeld- en tekstelementen in een bij het merk passende stijl, met de bedoeling de boodschap kracht bij te zetten of optimaal over het voetlicht te brengen. Kleur, typografie, beeld en compositie zijn de belangrijkste attributen voor grafisch ontwerp. Bij art direction gaat het met name om concept, thematiek en de keuze van visuele uitdrukkingsmiddelen die in samenhang met tekst gekozen worden om de boodschap mee vorm te geven, bijvoorbeeld de keuze voor een passende sfeer en fotografie-, illustratie of animatiestijl. Bij styling gaat het om de setting waarin het product wordt gepresenteerd; de stijl van de omgeving, de modellen, kleding en inrichting. Deze stijlkeuze kan bijvoorbeeld verwijzen naar de propositie, merkbeleving, productkwaliteit of een specifieke gebruikersgroep en heeft tot doel dat consumenten hierdoor kunnen identificeren of het product bij hen past qua opvatting, smaakbeleving of leefstijl.

1.4.4 Marktexploitatie

Uiteraard is ook de plaats waar en de wijze waarop een product wordt aangeboden van belang. Schappresentatie, artikelpresentatie (display) en winkelinrichting dragen bij aan de beleving van consumenten en bevorderen de perceptie van productkwaliteit en -identiteit. Vooral voor retailers en dienstverleners is marktexploitatie van essentieel belang. Denk aan Albert Heijn, ABN-AMRO Bank of Primafoon van KPN. Maar ook voor producenten van expressieve en duurzame gebruiksgoederen kan design een belangrijke rol vervullen in het stadium van marktexploitatie. Zoals voor bijvoorbeeld Swatch en Apple die met eigen winkels opereren. Alle winkels van Swatch worden ingericht door de Italiaanse topontwerper Mendini in zijn opvallende, kleurrijke en kenmerkende stijl. De Apple Stores zijn niet alleen opgezet als *point of sale*, maar ook als *point of information*: er worden presentaties, workshops en events gehouden. De stores zijn daartoe uitgerust met een theater en een 'genius bar' waar vragen aan experts kunnen worden gesteld.
Retail design is ook belangrijk voor automobielmerken met een eigen dealernetwerk en showrooms. We kunnen in het bijzonder het merk Smart noemen met haar opvallende glazen torens, waarin de automodellen worden getoond en opgeslagen. Een dergelijke presentatievorm onderstreept het eigenzinnige karakter en versterkt de consumentenbeleving.
Voor consumentengoederen ligt de inzet van design in het stadium van marktexploitatie wat minder voor de hand. Hoewel Douwe Egberts, Bertolli, Unox en de grote biermerken eigen verkooppunten en horecagelegenheden exploiteren en daarmee een bij het merk passende belevingswereld zichtbaar en tastbaar maken.

Wanneer het gaat om het ontwerpen van gebouwen, of de inrichting daarvan, zullen in de regel architecten, interieurarchitecten, lichtontwerpers en landschapsarchitecten worden ingezet. Gevelbelettering, lichtbakken en bewegwijzering zijn onderdelen die specifieke ervaring vereisen. In de praktijk zijn vooral grafisch ontwerpers op dit terrein actief.

Voor winkelinrichting wordt retail design gezien als een specialisme. Het is een ontwerpdiscipline die architectuur verbindt met grafisch ontwerp en het gebruik van een bepaalde ruimte verbindt met communicatie- en marketingdoelstellingen. Hierbij gaat het om het ontwerpen van winkelschappen, de routing, de ordening van winkelfuncties, de materiaalkeuze en de verdere aankleding van de winkelruimte, met als doel te komen tot de beoogde merkbeleving (Van Tongeren, 2002). Styling kan ook hier een rol spelen wanneer het gaat om etalage-inrichting, productpresentatievormen en het gebruik van 'props' om de winkel verder aan te kleden.
Ook webdesign is een aparte discipline bij marktexploitatie wanneer er sprake is van een virtuele markt- of winkelomgeving (via het internet). Soms is er zelfs alleen een digitale winkelomgeving, zoals bij de online boekhandel Bol.com en bij Dell, die alleen via de eigen website Dell-computers verkoopt. Webdesign (ook wel: 'interaction design') is dan een kritische functie. Het wordt steeds vaker gezien als een specialisme (een deeldiscipline) binnen grafische vormgeving, waarin tal van technische en ergonomische aspecten een rol spelen naast de consumentenbeleving. Bij ergonomische aspecten kan gedacht worden aan gebruiksvriendelijkheid in verband met de kwaliteit van de *user interface*, de kwaliteit van afbeeldingen, een eenvoudige navigatiestructuur en de snelheid van de site.

1.5 Conclusie – design is belangrijk omdat het percepties beïnvloedt

In dit hoofdstuk is het antwoord verkend op de vraag hoe design toegevoegde waarde kan bieden aan organisatieactiviteiten. We hebben daarbij gezien dat design een breed vakgebied is waarin verschillende ontwerpspecialismen en toepassingen kunnen worden onderscheiden. Design heeft betrekking op alle visueel waarneembare uitingen van een organisatie of bedrijf. Niet alleen op communicatie-uitingen, maar ook op presentatie-uitingen en bedrijfsmiddelen, zoals het materieel dat wordt ingezet en de omgeving van waaruit de organisatie opereert. Uit iedere visuele confrontatie die stakeholders met deze uitingen hebben, zullen zij kunnen opmaken hoe de onderneming haar business en klanten ziet, maar ook in welke mate en op wat voor manier de onderneming is betrokken bij medewerkers, de samenleving en bijvoorbeeld het milieu. Daarnaast heeft design ook betrekking op producten (zowel waren als diensten). Uit de visuele confrontatie die consumenten met een product hebben, zullen zij kunnen opmaken wat de eigenschappen en voordelen zijn die met het gebruik ervan samenhangen, welke waarden het vertegenwoordigt of op welke gebruikersgoep het is gericht. Zo gezien draait het bij design om perceptie en associatie. De geheugenvoorstelling die mensen hebben ten aanzien van organisaties en producten is van invloed op iemands houding en het gedrag, en het is daarom logisch dat organisaties dit beeld proberen te beïnvloeden. Dat brengt ons bij het volgende onderwerp dat we in hoofdstuk twee zullen belichten; de rol van design bij merkontwikkeling. Hierbij gaat het met name om de vraag hoe met behulp van design, sturing kan worden gegeven aan een merkimago.

2 Design als instrument voor merkontwikkeling

'In de vorm van een boodschap toont zich de essentie van het merk. We kunnen de essentie van een merk niet langer losmaken van zijn uiterlijke manifestaties – de manier waarop het merk in geschrift, beeld en geluid van zich laat horen.'
(Jean-Noël Kapferer)

De inzet van design als *brand building* instrument veronderstelt inzicht in de wijze waarop design de marktpositie kan versterken en waarde kan toevoegen aan het merk. In dit hoofdstuk beantwoorden we de vraag welke rol design kan vervullen bij merkontwikkeling, omdat deze relatie veel potentie heeft. We maken duidelijk dat design de basis vormt voor het succes van merken en dat daarom design- en merkenbeleid in elkaars verlengde liggen. Over merkontwikkeling en merkenmanagement is sinds de jaren tachtig veel geschreven, maar de rol van design is daarbij tot op heden onderbelicht gebleven. We beginnen dit hoofdstuk met enkele belangrijke begrippen op een rijtje te zetten. We doen dit aan de hand van een theoretisch raamwerk waarmee het basisprincipe van de rol van design bij *branding* kan worden begrepen. Vervolgens zetten we in dit hoofdstuk uiteen op grond van welke inzichten, theorieën en modellen een designbeleid geformuleerd kan worden. In paragraaf 2.2 beantwoorden we de vraag hoe door middel van design de merkwaarde kan worden verhoogd. We introduceren daarvoor het concept *design equity* en we gaan in op de rol van design bij de juridische bescherming van merken. In paragraaf 2.3 worden vier hoofdrollen van design gepresenteerd, in relatie tot de verschillende functies die merken voor consumenten kunnen vervullen. In paragraaf 2.4 gaan we in op een actieve versus een passieve rol van design bij merkontwikkeling. Met behulp van het DesignSpectrum-model kan dit fundamentele verschil in benadering worden begrepen. In paragraaf 2.5 werken we dit verder uit tot het concept van 'design als lowbudget route van merkontwikkeling'. In paragraaf 2.6 geven we tenslotte een overzicht van redenen voor designwijziging en gaan we in op de risico's die hierbij kunnen optreden. Uit dit overzicht wordt duidelijk dat beslissingen ten aanzien van designwijziging op uiteenlopende en meer objectieve gronden kunnen worden genomen.

2.1 Wat is een merk en wat is de relatie met design?

Het gaat bij het merk niet zozeer om het design van het merkteken zelf (een bepaald logo of symbool), maar vooral om de betekenissen die gerepresenteerd worden door dit merkteken. Deze verwarring kan zijn basis hebben in de bekendste merkdefinitie van the American Marketing Association (in: Kotler, 1994): *'a name, term, sign, symbol, design or a combination of them, intended to identify the goods or services of one seller or group of sellers and to differentiate them from those of the competitors in the eyes of the customers.'* De definitie van Riezebos (2002) is wat dit betreft veel bruikbaarder: *'een merk is ieder teken dat in staat is waren of diensten van een onderneming te onderscheiden en dat in materiële dan wel immateriële zin een zekere betekenis kan hebben voor consumenten.'* Kapferer (1996) voegt daar aan toe dat: *'een merk dus niet een op een overhemd genaaide krokodil is, maar het geheel van betekenissen waaraan de koper denkt zodra hij dit teken ziet, en die verwijzen naar de tastbare kenmerken van het product en naar meer immateriële, meer psychologische of sociale eigenschappen.'*

In dit boek houden we de definitie aan dat een merk een oproepbaar associatienetwerk is in het menselijk geheugen dat van invloed is op iemands houding en gedrag in een ruilrelatie, en dat gedeeltelijk ontstaat door doelgerichte beïnvloeding door middel van betekenisgeving. Die 'doelgerichte beïnvloeding door middel van betekenisgeving' is waar designbeleid in het verlengde van merkenbeleid om draait.
Merkenbeleid heeft als doel de verwachtingen en percepties van relevante doelgroepen te beïnvloeden in de voor het merk gewenste richting. Het succes van dit proces wordt bepaald door zowel de strategische keuzen die worden gemaakt als de operationele invulling. Er zijn verschillende instrumenten beschikbaar om richting te geven aan dit proces, waarvan design er één is. Het is echter wel een belangrijk instrument: design heeft tot in de kleinste details invloed op de perceptie van organisaties, producten en merken (Peters, 1995). Men kan zich zelfs afvragen wat een merk überhaupt is zonder design. We willen hier vier elementaire aspecten naar voren halen:

- Design is essentieel om betekenis aan een merk te geven. Visuele *cues* maken het in algemene zin mogelijk om ons een mentale voorstelling van het merk te maken en ze bepalen in belangrijke mate onze associaties (percepties, verwachtingen, gevoelens et cetera.) ten aanzien van het merk. (*Cues* zijn kenmerken die aanknopingspunten bieden aan consumenten bij het vaststellen van de mate waarin een merk bepaalde behoeften kan bevredigen.)
- Design heeft invloed op de verschijningsvorm van het merk in de brede zin van het woord. Het betreft hier de zintuiglijk waarneembare component van het merk. Hoewel merken uiteindelijk psychische fenomenen zijn, is de oorsprong daarvan altijd de perceptie van hun fysieke realiteit in de meest brede betekenis: datgene dat we kunnen zien, aanraken en vasthouden (Franzen & Van den Berg, 2001).
- Visuele stimuli hebben een relatief sterke invloed op het beoordelingsproces van klanten en daarmee ook op het koopgedrag. Designattributen kunnen namelijk vóór aankoop beoordeeld worden, in tegenstelling tot veel andere merkattributen (Riezebos, 2002).
- Design draagt in hoge mate bij aan herkenning (identificatie) en differentiatie van merken, maar kan ook worden ingezet om de bij het merk horende betekenissen – op een voor klanten herkenbare wijze – over te dragen. Het kan de toegevoegde waarde van het merk vergroten, wanneer het bijdraagt aan de naamsbekendheid van het merk, de gepercipieerde kwaliteit en prestatie en/of de psychosociale betekenis

van het merk. Het kan als zodanig een belangrijke bijdrage leveren aan de ontwikkeling van merkeffecten zoals merkbekendheid, merkkennis, merkimago en merkvoorkeur.

Design heeft betrekking op alle visueel waarneembare uitingen van een merk. Het merk is het totaal van beloften en percepties dat een organisatie haar klanten over een bepaald producten- of dienstenaanbod wil laten ervaren. Designbeleid heeft als doel de verwachtingen en percepties te beïnvloeden in de voor het merk gewenste richting. Merken kunnen een bepaalde eigenheid of uniciteit creëren, waardoor ze anders (lijken te) zijn dan andere, bijvoorbeeld door middel van een opvallende communicatiestijl. De creatieve strategie speelt hierin de hoofdrol voor het merk, die tot uiting komt in de manier waarop het merk zich presenteert; in de dingen die het doet en die het zegt. Creativiteit heeft hier betrekking op het ontwikkelen van een bepaalde eigenheid en opvallendheid.
Differentiatie op merkniveau betekent dat het merk aan bepaalde symbolische betekenissen (waarden, persoonlijkheidskenmerken of een gebruikersimago) wordt gekoppeld, waardoor het een symbolische betekenis krijgt (zoals bij Diesel of Gucci). Onder meer door de behoefte om op merkniveau onderscheidend te kunnen zijn, werden begrippen als merkidentiteit en merkpersoonlijkheid centrale concepten in de merktheorie. Bij het waarneembaar maken van dergelijke concepten door middel van expressie en projectie, speelt vormgeving een doorslaggevende rol.
De inzet van design voor merken is gericht op het identificeren en opwekken van consumentenbehoeften en het beïnvloeden van de waardeperceptie van consumenten. Het kan een belangrijke bijdrage leveren aan het proces van associatievorming (informatieverwerking en geheugenopslag), resulterend in imago- en reputatie-ontwikkeling. Vanuit een managementperspectief kunnen we de toegevoegde waarde van design als merkinstrument en marketingcommunicatie-instrument als volgt formuleren: design geeft vorm aan de relatie tussen de *concrete* situatie (dit is de door consumenten gepercipieerde realiteit) en de *geprojecteerde* situatie (de door het management gewenste realiteit). Het kan helpen om deze actuele percepties te verbeteren en de gewenste realiteit te (re)construeren.

2.1.1 Design en 'branding': een theoretisch raamwerk

Het hiernavolgend framewerk (figuur 2.1) is een zogenaamd *input-throughput-output* model, waarbij de aanbieder probeert sturing te geven aan de gewenste output door middel van de kwaliteit van de input. De input-kwaliteit hangt nauw samen met de kwaliteit van de signalen die de aanbieder uitzendt en die door een ontvanger worden verwerkt. In deze context heeft throughput betrekking op het gewenste merkimago, dus de associaties met een merk die in het menselijk geheugen worden opgeslagen. De output is het resultaat in termen van prestaties en relaties. Het gaat immers om het bereiken van einddoelen in termen van zakelijk succes.
In het vervolg van deze paragraaf lichten we de werking van het model toe.

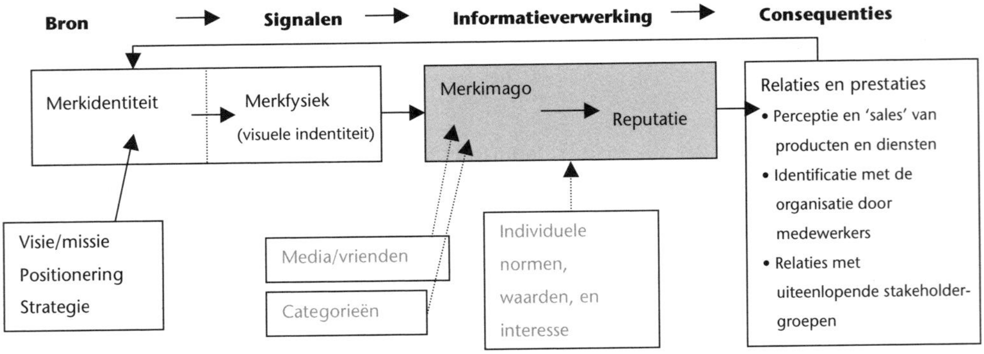

Figuur 2.1 Invloed van merkfysiek op imago en reputatie (naar Maathuis, 1999)

De bron: merkidentiteit

In het framewerk wordt de bron voor de input gevormd door het concept merkidentiteit. Met de inzet van de identiteit kan sturing worden gegeven aan het gewenste imago. Organisaties en ondernemingen streven er daarom doorgaans naar om een heldere, aansprekende en relevante identiteit te projecteren, zodat een helder en positief imago en daarmee samenhangend, een goede reputatie kan ontstaan. Een goede reputatie vormt de basis voor het succes van de organisatie. Deze komt tot uitdrukking in de waardering door klanten, medewerkers en de samenleving.

Het concept merkidentiteit heeft een belangrijke plaats ingenomen in de theorie en praktijk van merkenmanagement. Identiteit wil zeggen het totaal aan indrukken, kennis en verwachtingen dat iemand van zichzelf heeft betreffende zijn persoonlijkheid, de sociale omgeving waarin hij verkeert en de relaties die hij heeft. Het is een *self*-concept dat mede de basis vormt voor het menselijk handelen. Dit concept wordt echter ook op het niveau van organisaties, producten en merken toegepast.

Merkidentiteit wordt als een interne constructie gezien en als de keuze van het management. Het is een opvatting van de zender, een gekleurd beeld dat in veel gevallen een ideaalbeeld is. Het bevat de gewenste identiteit van de zender, maar volgens de heersende opvatting van de zender vaak ook het zelfbeeld en het imago van de ontvanger. De gewenste identiteit komt voort uit de geformuleerde visie- en missie-statements. Het bevat de maatstaven waaraan de merkidentiteit naar de opvatting van het management zou moeten voldoen. Designbeleid moet erop gericht zijn deze maatstaven om te zetten in controleerbare standaarden. Onder identiteit in relatie tot design verstaan we alle mogelijke visuele uitingsvormen vanuit de organisatie, die haar eigenheid (haar culturele opvattingen, kenmerken en waarden zoals geformuleerd in de visie, missie, identiteit en positionering) tot uiting brengen. Succesvol design is vrijwel altijd geankerd in het begrip merkidentiteit. Volgens Kapferer (1995) is *'creatieve inspiratie alleen nuttig als het resultaat binnen het legitieme gebied van het merk valt. Het merk definieert vanuit zijn innerlijke realiteit een gebied van legitieme mogelijkheden en beperkingen.'* Bij sterk designgedreven ondernemingen zoals BMW of Apple, zien we dan ook dat de strategische inzet van design wordt afgekaderd door de merkidentiteit.

Signalen: merkfysiek en visuele identiteit

Design heeft invloed op de verschijningsvorm van het merk in de brede zin van het woord. Het betreft hier de zintuiglijk waarneembare component van het merk die we aanduiden als merkfysiek. Het merkfysiek is het waarneembare gedeelte van merkidentiteit en omvat alle uiterlijke en lichamelijke kenmerken. Het merkfysiek is daarom een belangrijke bron van associatievorming. Aaker (1996) wijst erop dat alhoewel merkidentiteiten verbaal gedefinieerd worden, de meeste communicatie non-verbaal is (70-90% volgens de meeste schattingen) en dat deze veel krachtiger is gebleken dan de verbale communicatie in het beïnvloeden van percepties en associaties.

Binnen het onderwerp van dit boek beperken we de zintuiglijke waarneming tot de visueel waarneembare verschijningvormen. In de eerste plaats de uiterlijke kentekens van het merk: naam, logo, kleur, stijlkenmerken, verpakking, vestigingen, materieel, et cetera. Daarnaast, de fysieke kenmerken van de producten waaraan het merk verbonden is: het productuiterlijk. In de praktijk is er echter een kloof tussen productvormgeving dat als een aparte competentie wordt gezien en de visuele identiteit die meestal strikt grafisch wordt geïnterpreteerd. Dit visueel waarneembare onderdeel van het merkfysiek noemen we de visuele identiteit. Deze ligt als het goed is in het verlengde van de gekozen merkidentiteit en representeert deze op visuele waarneembare wijze of zoals Kapferer (1996) het uitdrukt: *'outward formal appearance – the look of the thing – is the expression of the deep-routed identity of a brand.'*

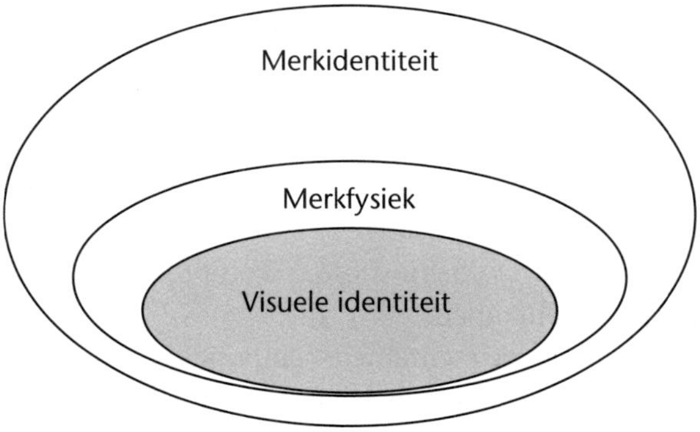

Figuur 2.2 Visuele identiteit als uitingsvorm van merkidentiteit

De visuele identiteit – als samenstel van uiterlijke kenmerken – is een belangrijk onderdeel van de externe realiteit, het objectief waarneembare geheel van zintuiglijk waarneembare objecten dat door de zender tot stand is gebracht. De fysieke component wordt direct waargenomen en kan daarom ook het gemakkelijkst worden beïnvloed. Het is daarom niet verwonderlijk dat op dit niveau veranderingen tot uitdrukking worden gebracht. Producten, diensten, huisstijl (ook wel: bedrijfsstijl), reclame, verpakkingen, events, gebouwen, winkels, interieurs, enzovoort, zijn in principe allemaal 'kneedbaar' en kunnen ook allemaal als merkuiting worden ingezet.

Idealiter zijn alle visuele manifestaties van een merk een samenhangende reflectie van de merkidentiteit. Het is in de praktijk echter geen eenvoudige opgave om de vaak abstracte begrippen waarin een merkidentiteit is geformuleerd, visueel waarneembaar te maken en tot leven te wekken. Denk bijvoorbeeld aan de kernwaarden van het merk Orange: informeel, ontspannen, optimistisch en toekomstgericht ('The future is bright, the future is Orange'). De concretisering van de begrippen die centraal staan in de merkidentiteit naar zintuiglijk waarneembare merkuitingen, is een cruciaal aspect van merkontwikkeling. Met name voor merken die in toenemende mate los komen te staan van fysieke producten, en waarbij bepaalde persoonlijkheidskenmerken van het merk doorslaggevend zijn voor de consumentenvoorkeur en -keuze, is een integratie van merkwaarden met de visuele identiteit een kritische succesfactor.

Design heeft invloed op de niet direct waarneembare merkcomponenten, de persoonlijkheid, *tone-of-voice* en stijl van het merk. Deze invloed betreft de perceptuele waarneming van het merk. Stakeholders ervaren slechts de fysieke verschijningsvormen van een merk en vormen zich op basis daarvan een beeld van de achterliggende mentaliteit (de mentaliteit als component van de merkidentiteit). Ze zullen nooit iets van deze mentaliteit bemerken, als men er niet in slaagt deze door te laten klinken in de fysieke verschijningsvorm. Voor wat betreft het voorbeeld van Orange vinden we overigens dat het merk hierin uitstekend is geslaagd.

Soms is een visueel (en vaak tot grafische vormgeving beperkt) identiteitshandvest geformuleerd zonder eerst de essentie van de merkidentiteit te definiëren. De formele praktische voorschriften van een dergelijk designprogramma staan dan los van de fundamentele betekenis van het merk. Ook Kapferer wijst hierop: *'het werkelijke probleem van een ontwerpopgave is niet de mate van aantrekkelijkheid, maar betreft de vraag wat de essentie is van hetgeen in beeld moet worden gebracht. De uiterlijke kant van de zaak dient de wezenlijke identiteit van het merk tot uitdrukking te brengen. (...) we moeten dus eerst een heldere definitie hebben van de betekenis van het merk'* (Kapferer, 1995).

Franzen & Van den Berg (2001) diagnosticeren drie problemen die we in de praktijk vrijwel dagelijks kunnen tegenkomen:

- *Merken met mentale armoede*: de mentaliteitscomponent ontbreekt in het merksysteem of is slecht ontwikkeld. Deze merken hebben geen persoonlijkheid, waarden of visie.
- *Merken waarbij de link tussen de mentaliteit en merkfysiek ontbreekt of onduidelijk is*: er is (op papier) wel een mentaliteit geformuleerd, maar men is er onvoldoende in geslaagd deze te transformeren naar het merkfysiek waardoor deze niet waarneembaar is voor stakeholders.
- *Merken met een ongeïntegreerde verschijningsvorm*: de fysieke verschijningsvorm van het merk hangt als los zand aan elkaar. De verschillende verpakkingen, communicatie-uitingen en presentatievormen vertonen weinig of onvoldoende samenhang en het merk is daardoor slecht herkenbaar en weinig overtuigend.

Onder toenemende druk vanuit de markt zijn er steeds meer organisaties die het commerciële belang van een goede samenhang tussen de verschillende uitingen van de merkidentiteit inzien – en die er in slagen om een hoge mate van integratie te bewerkstelligen tussen de mentaliteitscomponent en het merkfysiek. Merken met een mentale rijkdom die geïntegreerd is in het merkfysiek zijn Orange, Diesel en het vroegere Ben®.

Informatieverwerking: merkimago

Alle fysieke verschijningsvormen van het merk laten sporen na in het geheugen. Dit resulteert in een bepaalde geheugenvoorstelling die wordt aangeduid als merkimago. Door middel van designattributen kunnen bepaalde merkassociaties worden versterkt, afgezwakt of toegevoegd teneinde de positie van het merkimago te versterken. Het merkimago beschrijft de merkassociaties en wordt ook wel associatienetwerk of merkschema genoemd. We benoemen vijf belangrijke aspecten van merkimago (Maathuis, 1999 en Riezebos, 2002):

- Merkimago is een door een groep consumenten en andere stakeholders gedeeld, subjectief voorstellingsbeeld van een merk.
- Merkimago is voornamelijk een perceptueel fenomeen – opgeslagen in het langetermijngeheugen – dat is gevormd door de interpretatie van consumenten en andere stakeholders, rationeel of emotioneel onderbouwd.
- De merkidentiteit speelt een significante rol in het vormen van een merkimago door consumenten en andere stakeholders.
- Hoe mensen een merk interpreteren en welke betekenis(sen) ze er aan toeschrijven wordt ook bepaald op basis van persoonlijke kennis, ontwikkeling en ervaring. En mede onder invloed van hun sociale omgeving en de media.
- De perceptie van de realiteit is belangrijker dan de realiteit zelf.

Volgens Keller (1993 in: Riezebos, 2002) kunnen we verder drie componenten onderscheiden in een merkimago: de inhoud (de associatie zelf), de richting (positief of negatief) en de kracht (de mate waarin de associatie als positief of negatief wordt ervaren). Merken bestaan in ons geheugen vrijwel altijd uit een combinatie van betekenissen. Deze merkbetekenissen kunnen voortvloeien uit iedere waarneming of ervaring met het merk. Ieder contact kan resulteren in associatievorming met het merk. Verder vermelden we nog dat de aan een merk verbonden waarden en betekenissen, die kunnen leiden tot een merkimago, kunnen variëren van concreet (tastbare productkenmerken) naar abstract (niet tastbare imago-aspecten). In de merkenleer worden vijf soorten onderscheiden:

- Functionele betekenissen: associaties met de betreffende productcategorie, producteigenschappen of toepassingen.
- Symbolische betekenissen: associaties met persoonlijkheid, menselijke waarden en emoties, maar ook gebruikerskenmerken en gebruikssituaties.
- Herkomst en geschiedenis: associaties met historie en herkomst (ook organisatie-associaties).
- Prijs: ten opzichte van alternatieven.
- Kwaliteit: ten opzichte van alternatieven.

Informatieverwerking: reputatie

Reputatie kan aangeduid worden als de *overall* evaluatie van een organisatie op het gebied van veronderstelde bekwaamheden en verantwoordelijkheden in vergelijking met concurrenten (Van Riel, 2003). De input voor deze totaalindruk wordt gevormd door

imago's: percepties van deelaspecten. Dus niet alleen het merkimago als zodanig, maar ook het productimago, het winkelimago of het organisatie-imago, waaronder het sociaal imago. Deze komen voort uit de indruk of de gebruikervaring die we hebben met producten, met de winkel, de medewerkers of de manier waarop de organisatie zich maatschappelijk gedraagt.
De fundamenten van een sterke reputatie zijn zichtbaarheid, onderscheid, authenticiteit, transparantie en consistentie (Fombrun & van Riel, 2004). Organisaties bouwen een sterke reputatie op wanneer zij expressief zijn: hoe groter de expressiviteit, des te sterker de emotionele aantrekkingskracht op stakeholders. Expressiviteit heeft betrekking op de bereidheid van organisaties om zich te laten zien en duidelijk te maken wie ze zijn, wat ze doen en waar ze voor staan. Reputatiemanagement vraagt dan ook om de expressie van een geprononceerde identiteit via de producten en diensten, de werkomgeving en de visuele communicatie.

Consequenties: prestaties en relaties

Goede bedrijfsresultaten hangen samen met de mate waarin klanten, medewerkers en de samenleving de organisatie waarderen. In modellen van kwaliteitsmanagement komen we de waardering door deze drie groepen als de belangrijkste resultaatgebieden tegen; de mate van waardering heeft een voorspellende waarde ten aanzien van het succes van de onderneming.
Klantwaardering hangt samen met de mate waarin klanten vertrouwd zijn met het product- of serviceaanbod. Klantwaardering kan betrekking hebben op uiteenlopende merkaspecten; van bekendheid met het merk, kennis over het merk, merkimago, de voorkeur die men voor een merk heeft, en het gedrag ten aanzien van het merk (ondermeer koopgedrag) dat daar het gevolg van is. Met kennis over het merk (ook wel: merkkennis) doelen we op bekendheid met de eigenschappen en de daaruit voortvloeiende voordelen van het desbetreffende merk. Design kan ervoor zorgen dat mensen het merk snel kunnen herkennen en eenvoudiger een aankoopbeslissing kunnen nemen. Maar ook dat ze bepaalde functionele prestaties of een bepaalde symbolische betekenis aan het merk(artikel) kunnen toeschrijven. We gaan hier verderop in de tekst nader op in, aan de hand van de vier hoofdrollen van design.
De *waardering van medewerkers* hangt ondermeer samen met de mate waarin zij zich met de organisatie kunnen identificeren. Hier komen we het identiteitsconcept weer tegen, de mate van identificatie zal grotendeels gebaseerd zijn op de waarneming, evaluatie en beoordeling van de door de organisatie geprojecteerde identiteit. Deze zal door medewerkers worden verwerkt tot een intern imago. Dit proces verloopt niet anders dan bij externe doelgroepen, behalve dat medewerkers hun beoordeling baseren op meerdere bronnen; zowel externe (gericht op externe doelgroepen) als interne boodschappen en hun dagelijkse ervaringen (met onder andere het management). Naarmate ze hierbij een incongruentie ervaren zal hun oordeel negatief kunnen uitpakken (wanneer de mooie voorstelling naar buiten gelogenstraft wordt door de eigen ervaringen).
De *waardering door de samenleving* hangt vooral samen met de gepercipieerde mate van maatschappelijke verantwoordelijkheid, het sociale imago, het milieu-imago et cetera. Wat dit betreft leven organisaties in een glazen huis. Zoals we eerder in de tekst aan-

gaven, zullen stakeholders uit iedere visuele confrontatie met de organisatie-uitingen (producten, omgevingen en boodschappen) kunnen opmaken hoe deze haar business en klanten ziet, maar ook in welke mate en op wat voor manier de onderneming is betrokken bij medewerkers, de samenleving en het milieu.

2.1.2 Classificatie in strategisch, tactisch en operationeel design

Bij discussies wordt doorgaans nauwelijks of geen onderscheid aangebracht tussen de verschillende soorten design en hun te onderscheiden functies en doelen. Het maakt echter nogal wat uit of het een logo, een brochure of een gebruiksaanwijzing betreft; alledrie zijn onvergelijkbare grootheden die ieder een geheel eigen functie hebben binnen merkontwikkeling. Om meer greep te krijgen, stellen we een classificatie voor, al kan een dergelijke indeling de verscheidenheid aan omstandigheden in de werkelijke wereld enigszins geweld aandoen. Een classificatie fungeert als model om de vaak complexe werkelijkheid te kunnen ordenen en is bedoeld om meer inzicht en een betere grip op het managementvraagstuk te kunnen krijgen.
We stellen een indeling in drie klassen voor:

- Strategisch design: gericht op merkverschijning
- Tactisch design: gericht op merklading
- Operationeel design: gericht op merkcontact

In figuur 2.3 zijn deze drie vormen van design samengevat aan de hand van relevante criteria en bijbehorende media (Kootstra in: Riezebos, 2002).

Strategisch design – merkverschijning

Dit heeft betrekking op al die uitingsvormen van design die worden ingezet om op lange termijn duurzaam aan een merkimago bij te dragen. Naar deze uitingsvormen wordt ook wel verwezen als permanente media die, vergeleken met tactisch en operationeel design, het meest sterk vanuit de identiteit worden gevoed. Hiermee bedoelen we dat deze vorm van design nauw dient aan te sluiten bij de waarden en opvattingen die ten grondslag liggen aan de geformuleerde merkidentiteit.
Met permanente media doelen we op toepassingen als het logo en de productvorm. Maar men kan ook denken aan duurzame toepassingen als gevelbelettering, gebouwinrichting, bedrijfskleding of het wagenpark. Het belangrijkste doel van dit type design is consistentie in merkverschijning en daarmee herkenning van het merk (de organisatie of het product).
Het gaat bij strategisch design eveneens om de identiteitsstructuur (Olins, 1990). Met dit begrip wordt gedoeld op de visuele structurering van de logo's van diverse bedrijfsonderdelen binnen een concern (dochterondernemingen, divisies en business-units). De wijze waarop logo's onderling worden gestructureerd en naar elkaar verwijzen, beïnvloedt het beeld dat de buitenwereld heeft ten aanzien van de eigendomsstructuur of de wijze van samenwerking binnen de organisatie. Het aanbrengen van een logische visuele structuur zal leiden tot de waarneming van een transparante organisatie.
Op dit niveau is uiteraard ook de juridische (merkrechtelijke) bescherming van logo's enorm belangrijk. Zonder deze bescherming kunnen anderen doelbewust verwarring

zaaien, of ten onrechte gebruik maken van de bekendheid of goede naam van de organisatie.

Tactisch design – merklading

Bij tactisch design gaat het om de inzet van producten en communicatie- of presentatiemiddelen gericht op specifieke doelgroepen of marktsegmenten. Tactisch design kan zowel betrekking hebben op specifieke producten of productvarianten (afgestemd op bepaalde doelgroepen of marktsegmenten), als op nonverbale communicatie- en uitingsvormen (afgestemd op specifieke communicatiedoelen, zoals informeren, voorlichten of werven). Als beoordelingscriteria voor tactisch design kunnen we noemen: een zekere coherentie, maar daarnaast vooral ook een zekere mate van flexibiliteit.
In feite gaat het hier om de grootste categorie designuitingen waar organisaties vrijwel dagelijks mee in de weer zijn. Anders dan beslissingen over strategisch design, die slechts zo nu en dan door de top van de organisatie worden genomen, worden beslissingen over tactisch design veelvuldig genomen door managers die verantwoordelijk zijn voor de dagelijkse operatie of de bedrijfsresultaten. Vreemd genoeg zijn designprogramma's op dit niveau meestal slecht ontwikkeld. Communicatiemanagers roepen dan dat de huisstijl een te krap zittend jasje is, waar ze niet of onvoldoende mee uit de voeten kunnen. Of er ontstaan in de dagelijkse praktijk voortdurend discussies over of een bepaalde vormgeving wel of niet als passend moet worden beoordeeld. Een andere situatie is dat het reclamebureau, het designbureau en het communicatieadviesbureau alledrie andere invullingen geven, die onvoldoende op elkaar aansluiten. Ook de vele projecten die organisaties doorgaans uitvoeren – en waarbij vaak een 'eigen' vorm van presenteren wordt ontwikkeld – kunnen er toe leiden dat de samenhang ontbreekt of de kosten de pan uitrijzen. Dergelijke projectstijlen kunnen ook worden aangemerkt als tactisch design.
Door een designprogramma (ook wel: huisstijl of bedrijfsstijl) goed uit te werken op het niveau van tactisch design kan aan deze situatie een einde worden gemaakt. Juist op het niveau van tactisch design bestaan goede mogelijkheden om samenhangende visuele product- of communicatiestijlen te ontwikkelen die zijn toegespitst op bepaalde doelgroepen, marktsegmenten of communicatiedoelen.
Tactisch design wordt overwegend voor externe doelgroepen ingezet. Deze vorm van design heeft een meer tijdelijk karakter en is relevant voor zogenaamde actuele media. Doorgaans worden voortdurend nieuwe producten of productvarianten in de markt gezet; er is sprake van een continue stroom. Tactisch design heeft als doel om ervoor te zorgen dat deze producten en uitingen door doelgroepen als betekenisvol en relevant worden ervaren. Zo is het niet alleen belangrijk dat consumenten de producten en uitingen van een organisatie kunnen herkennen, maar dat deze ook voldoende aansluiten bij de heersende tijdgeest en trends. Design heeft hier tot doel het merk 'bij de tijd' te houden. Dat geldt zeker voor promotionele uitingen of *limited editions*. Bijvoorbeeld de speciale U2-iPod van Apple heeft een aantal bijzondere kenmerken en verscheen naar aanleiding van het uitkomen van een nieuwe cd van deze rockband.
De sterke toename van communicatiemiddelen, media en kanalen (denk aan internet) en de versplintering van doelgroepen en marktsegmenten, dwingt tot een goede beheersing op tactisch niveau. Om verwarring en een verkeerd begrip te voorkomen is het

verder van belang dat alle visuele uitingen rondom de organisatie en haar producten, de identiteit actief en op een samenhangende wijze reflecteren. Ten slotte merken we op dat sommige vormen van design overwegend strategisch of tactisch van aard zijn, terwijl andere vormen juist beide kunnen verenigen. Verpakking is een vorm van strategisch design omdat het op de langere termijn herkenbaar moet zijn. Verpakking kan ook gebruikt worden als een uiting op tactisch niveau om een promotionele actie te communiceren, of om een nieuw voordeel, dat samenhangt met het gebruik van het product, te communiceren. Om de inzet van vormgeving te kunnen sturen, is het van belang te bepalen welke functie en doelen aan de orde zijn.

Operationeel design – merkcontact

Bij operationeel design kunnen we denken aan uitingsvormen die betrekking hebben op bedrijfs- en/of informatieprocessen. Zoals gebruiksaanwijzingen, user-interfaces, handboeken, correspondentiemiddelen en formulieren. Omdat organisaties gebruik maken van laag-geautomatiseerde werkprocessen (werken met de pc) zijn zogenaamde templates en macro's nodig om te komen tot de gewenste kwaliteit van de output. Ook deze vallen onder operationeel design. Verder maken organisaties veelvuldig gebruik van websites. Als het gaat om de vormgeving van praktische zaken die gebruikers van de site moeten ondersteunen (zoals de 'graphic interface', de navigatiestructuur en elektronische formulieren), spreken we ook van operationeel design.

Bij operationeel design is er sprake van concreet contact tussen een product en een gebruiker, of tussen de organisatie en een gebruiker (dit kan ook een werknemer zijn). Deze vorm van design heeft betrekking op services rond het gebruik van het product, waarbij informatie en functionaliteit van belang zijn. Operationeel design heeft tot doel om op een efficiënte, vriendelijke en klantgerichte manier informatieprocessen en gebruikersfuncties te faciliteren. Operationeel design is vooral relevant voor dienstverlenende organisaties en voor producenten van duurzame consumentengoederen.

Criterium	**Strategisch design**	**Tactisch design**	**Operationeel design**
Doel:	Merkverschijning	Merklading	Merkcontact
Sluit aan bij:	Merkidentiteit	Identiteit en actualiteit	Identiteit en functionaliteit
Focus:	Extern en intern	Overwegend extern	Overwegend intern
Tijdsspanne:	Lange termijn	Korte termijn	Middellange termijn
Media	**Permanente media**	**Actuele media**	**Informatiemedia**
	Logo (merkstructuur) Productvorm Verpakking Gebouwen/materieel Huisstijl	Reclame Verpakking Promotiemateriaal Productinformatie Events/sponsoring	Gebruiksaanwijzingen Formulieren/ correspondentie Handboeken (intern) Interfaces/templates

Figuur 2.3 Drie vormen van design met hun kenmerken en bijbehorende media

De classificatie van design in strategische, tactische en operationele uitingsvormen biedt een handvat voor organisaties. Door te bepalen in welke categorie een bepaalde designuiting thuishoort, kunnen gemakkelijker keuzen worden gemaakt aan welke criteria de uitingsvorm moet voldoen, wie waarover kan beslissen en welke expertise moet worden ingeschakeld. Ook voor designonderzoek biedt het model een mogelijkheid om niet alleen de totaalindruk van het ontwerp (een logo of verpakking) te meten, maar ook de verschillende designelementen te analyseren op hun afzonderlijke rol en betekenis. Operationele uitingen zullen vooral op functionaliteit ('usability') beoordeeld worden, terwijl tactisch design eerder op imago-aspecten zal worden onderzocht.

Design-beïnvloedende factoren

Bij *strategisch* design moeten we rekening houden met een aantal beïnvloedende factoren (Kootstra in: Riezebos, 2002):

- Visuele verwijzing naar de merkwaarden en de positionering van het merk:
  A. Het design kan materiële merkbetekenissen visualiseren (concrete, functionele producteigenschappen en daaruit voortvloeiende -voordelen).
  B. Het design kan een immateriële belevingswereld visualiseren (een toestand of persoonlijkheid).
- Categoriecodes: in diverse categorieën worden visuele codes gebruikt voor productherkenning (bijvoorbeeld: volle melk is donkerblauw, halfvolle melk is lichtblauw en karnemelk is rood). Bij strategisch design is het de vraag of men de standaard in de desbetreffende productcategorie kiest of juist voor een design dat die code doorbreekt.
- Merkeigenheid: door het design kan men een merk in meer of mindere mate onderscheidend maken. Een hogere onderscheidendheid is met name van belang voor een merk dat zich in de eerste fasen van de merklevenscyclus bevindt en/of een merk dat een hoog marketingcommunicatiebudget heeft.
- Concurrentiepositie van het merk (autoriteit): het design kan uitstralen dat een merk als beste in de productklasse ervaren moet worden.
- De vraag of er extensies op het merk zijn of worden geïntroduceerd. Met het begrip extensies wordt gedoeld op de uiteenlopende productvarianten en -categorieën die met het merk worden 'gelabeld'.

Ook bij *tactisch* design moeten we rekening houden met een aantal beïnvloedende factoren:

- Visuele verwijzing naar de merkwaarden en de positionering van het merk (zie strategisch design).
- Visuele verwijzing naar trends: tijdelijke aanpassing van het design als gevolg van marktontwikkelingen en consumententrends.
- Sales promotion: design kan helpen om duidelijk te maken dat een promotionele actie bij het merk past, waardoor het succes van de actie wordt vergroot.
- Beleveniscommunicatie: design kan helpen om, bijvoorbeeld bij een *event*, een belevingswereld te scheppen waarbij het merk verrast en uitnodigt.

Verscheidenheid binnen eenheid

Dit is een eeuwig en onvermijdelijk thema dat in de praktijk zorgt voor veelvuldige discussies. Meer flexibiliteit is vaak gewenst maar mag niet leiden tot onduidelijkheid of een afbrokkelende herkenning. Eenheid en flexibiliteit zijn daarom beiden belangrijk maar hoe verhouden zij zich tot elkaar? Met de gepresenteerde classificatie kunnen we een antwoord formuleren.

Merken hebben zowel autoriteit als relevantie nodig. Daarom stellen we dat strategisch design vooral tot taak heeft de autoriteit van een merk te vergroten, terwijl tactisch design tot taak heeft om de relevantie te vergroten. In figuur 2.4 visualiseren we deze twee hoofdfuncties van design. Wanneer toepassing van de strategische designelementen beperkt blijft tot een vaste regel (logo, kleur en lettertype), zal dit in de praktijk leiden tot een consistente presentatie op het niveau van merkverschijning. En dat is belangrijk; door de strategische designelelementen stabiel te houden, wordt voorkomen dat dit ten koste gaat van de herkenning en autoriteit van een merk. Het is ook een algemeen gegeven dat voldoende variatie nodig is om een merk relevant en aantrekkelijk (levendig en interessant) te houden. Om steeds nieuwe impulsen door middel van vormgeving te kunen geven is flexibiliteit geboden. Het alleen maar strikt toepassen van de vaste regel is daarom niet voldoende. Tactische designelementen kunnen fungeren om het merk te laden en relevant te houden. Denk aan een bepaalde kleuraanduiding, materiaaltoepassing, illustratiestijl of een kenmerkend vormelement. Hiermee kan de aandacht van consumenten getrokken worden, waardoor deze als het ware 'op zoek gaan' naar het product of merk.

Hiermee suggereren we dat strategische designelementen zoveel mogelijk structureel dienen te worden toegepast en dat variatie door middel van tactische designelementen dient te worden gecreëerd. We zien in praktijk echter dat ook op het niveau van strategisch design wel gewerkt wordt met meerdere varianten. Zo gebruikt Adidas drie varianten van zijn logo naast elkaar. En ook Nestlé gebruikt haar logo in verschillende kleur- en stijlvarianten op productverpakkingen, waarbij de vormgeving steeds aansluit op het desbetreffende productmerk. Vanuit onze gedachtenlijn is het in principe niet de taak van het strategisch design om te zorgen voor voldoende variatie; dit is veel eerder de taak van het tactisch design. Wanneer het tactisch design deze rol goed vervult, is er geen reden om risico's te lopen door in de merkverschijning te variëren. Het is daarnaast de vraag of variaties op het niveau van strategisch design wel zoveel waarde toevoegt voor consumenten. Wij zouden voorzichtig zijn met flexibiliteit op het niveau van strategisch design. Ook Carter (1999) concludeert: *'so, if you are looking to the visual styles of these companies to ask 'what makes a powerful brand', you won't find the answer. What makes a powerful brand? One answer is consistent use of the logo.'*

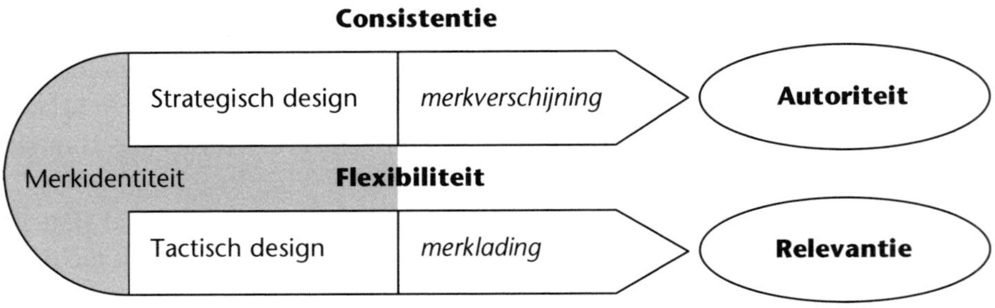

Figuur 2.4 De paradox tussen eenheid en verscheidenheid (naar: Van Thiel & Michels, 2002)

Hiermee is de discussie niet beëindigd. De Franse merkendeskundige Jean-Noël Kapferer (2001) stelt dat het strategisch design van corporate merken veel meer variatie zou moeten krijgen. Deze op zichzelf prikkelende stellingname geeft stof tot nadenken. Waarom zou een mate van variatie op het niveau van merkverschijning geen impuls kunnen geven aan de relevantie van het merk? Kapferer gaat ervan uit dat hiermee wel degelijk de aandacht van consumenten kan worden getrokken. Een argument zou kunnen zijn, dat zolang de merkherkenning (en herinneringswaarde) niet in gevaar komt, variaties op het niveau van strategisch design (de merkverschijning) eventueel zinvol kunnen zijn. Om dit risico te kunnen beheersen, dient het effect door middel van marktonderzoek gemonitord te worden.
Volledigheidshalve wijzen we erop dat variaties in strategisch design eventueel wél aanzienlijke juridische (merkrechtelijke) bezwaren met zich mee kunnen brengen. De variatie in merkverschijning kan de mogelijkheden van juridische bescherming verkleinen en eventueel de bestaande merkrechten verwateren. Wanneer de merknaam op zichzelf voldoende onderscheid biedt is dit risico gering, maar wanneer het onderscheidend vermogen verband houdt met de vormgeving, dient men op grond van juridische overwegingen uiterst terughoudend te zijn in het variëren van het strategisch design. We komen hierop terug in de volgende paragraaf.

Box 2.1 Coca-Cola en tactisch design

Merken moeten beweeglijk zijn om relevant te blijven voor consumenten. Die beweeglijkheid kan ontstaan door verschillende uitdrukkingsvormen te ontwikkelen, gericht op uiteenlopende segmenten en doelgroepen. Of door bepaalde thema's te verwerken en in te spelen op voor het merk relevante trends.
In het activeren van merken speelt tactisch design een doorslaggevende rol. De mogelijkheid om een merk te activeren met behulp van design kan worden opgevat als een alternatief voor reclame.
Een merk dat laat zien dat het vitaal en dynamisch is, en dat begrijpt hoe het design daarvoor ingezet kan worden, is Coca-Cola. Coca-Cola Nederland voerde in 2003 een

restyling van het merkdesign in. V-jay en kunstenaar Mischa Klein werd aangetrokken om de stijl van het merk te vernieuwen om een betere aansluiting te krijgen op de tijdgeest. Klein stelde: 'de sfeer is belangrijker dan het logo' en ontwikkelde vanuit de bestaande *dynamic ribbon* (de golvende lijn onder het logo) een nieuwe grafische stijl. De ribbon werd nu pas echt dynamisch met verschillende golflijnen, kleuren, puntrasters en 'bruisbolletjes'. En hij werd veel dominanter toegepast in de grafische stijl van het merk. Aan het logo zelf (het strategisch design) veranderde niets. De nieuwe beeldtaal van Klein, die we ondermeer in commercials zagen, is geïnspireerd op de dance-cultuur en laat een *go-with-the-flow* mentaliteit zien.
Daarnaast zette Coca-Cola ook andere thema's in. Het haakte in op Euro 2004 met een prominente rol voor Ruud van Nistelrooy op de frisdrankautomaten en blikverpakking. In de zomer van 2004 werd ook de productvariant Lemon Light gepromoot met een tijdelijk nieuw verpakkingsdesign. Het Braziliaanse carnaval stond centraal in de promotiecampagne: samba-danseressen werden afgebeeld op een speciaal voor de campagne ontworpen limited edition fles. Om de 'flirty' kant van het merk te onderstepen, stond aan de onderkant van de verpakking 'undress me'. Door de *sleeve* te verwijderen werd aan de binnenkant een code zichtbaar die de consument naar een actienummer kon sms'en om kans te maken op een prijs. Alledrie goede voorbeelden van hoe tactisch design kan worden ingezet om het merk te activeren, door dit emotioneel te laden en voor verschillende doelgroepen betekenis te geven.

2.2 Het verhogen van de merkwaarde door middel van design

De vraag hoe met design de waarde van het merk kan worden verhoogd, kan worden beantwoord aan de hand van drie concepten: merkmeerwaarde, merk *assets* en *design equity*. Onderstaand lichten we deze concepten nader toe. Daarnaast staan we stil bij wat een basisvoorwaarde voor het creëren van merkwaarde genoemd kan worden: de rol van design bij de juridische bescherming van merken.

2.2.1 Merkmeerwaarde

Wanneer er voldoende basis is voor differentiatie van een product of organisatie, kan een merk waarde toevoegen aan het product of de dienstverlening. Een dergelijk merkartikel heeft meer waarde voor een consument/afnemer dan een 'kaal' product, hetgeen zich doorgaans vertaalt in een prijspremium (resulterend in een hogere marge) of een grotere groep afnemers (resulterend in een hogere omzet). De manier waarop het merk waarde toe kan voegen wordt aangeduid als *brand added value*. Dit concept (in goed Nederlands: merkmeerwaarde) wordt gebruikt om aan te geven dat de toegevoegde waarde van een merk zowel functioneel als niet-functioneel kan zijn. Wanneer de toegevoegde waarde een niet-functioneel karakter heeft, spreken we over een psychologische waarde die verder strekt dan de functionele waarde met betrekking tot het gebruik van een merk. *'Merkmeerwaarde is de mate waarin een merk en de daaraan gerelateerde associaties bijdra-*

gen aan de waardering van de consument voor het merkartikel als geheel.' (Riezebos, 2002). Merkmeerwaarde gaat over de waardecomponent die aan bepaalde merkassociaties kan worden toegekend. We onderscheiden drie componenten: gepercipieerde kwaliteit en prestatie (functionele attributen), psychosociale betekenis (symbolische attributen) en naamsbekendheid van het merk. Dit is samengevat in figuur 2.5. Design kan de waardering van associaties met het merk in positieve zin beïnvloeden, en daarmee een bron van merkmeerwaarde zijn wanneer het design bijdraagt aan:

- de naamsbekendheid en merkherkenning;
- kennis van de functionele merkbetekenissen, op grond waarvan klanten de kwaliteit en prestatie van het merk kunnen percipiëren;
- kennis van de symbolische merkbetekenissen (bijvoorbeeld de merkpersoonlijkheid), op grond waarvan klanten een houding ten aanzien van het merk kunnen ontwikkelen.

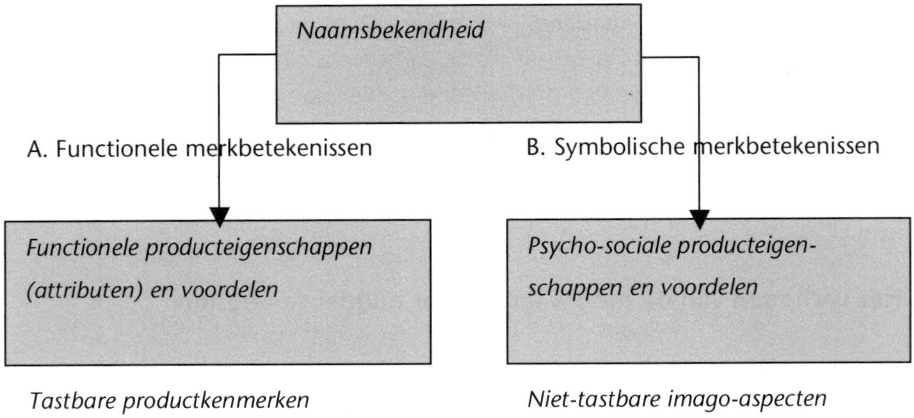

Figuur 2.5 Componenten van merkmeerwaarde

2.2.2 Visuele assets

De kenmerken van een merk die een positief effect hebben op de concurrentiepositie ervan worden aangeduid als merk *assets*. Franzen & Van den Berg (2001) omschrijven deze als betekenissen en kenmerken waarbij koopgedrag en marktpositie centraal staan. Het gaat om merkassociaties die het gedrag direct beïnvloeden. Riezebos (2002) spreekt niet over assets, maar over een hiërarchie van attributen: *'Iedere consument maakt bewust dan wel onbewust keuzes welke attributen hij/zij bij een specifiek product belangrijk vindt. In deze hiërarchie staat het belangrijkste attribuut bovenaan en het minst van belang geachte attribuut onderaan.'* Als bepaalde designattributen hoog in de hiërarchie geplaatst worden, kunnen we spreken van visuele assets. Riezebos onderstreept de mogelijkheid dat designattributen een hoge positie in deze hiërarchie kunnen innemen, omdat designattributen vóór aankoop beoordeeld kunnen worden (in tegenstelling tot veel andere attributen).

Daarom ligt het ook voor de hand dat designattributen een hoge mate van invloed hebben op koopgedrag.

Wanneer bepaalde designattributen een hoofdrol spelen in het evaluatieproces door consumenten, noemen we deze attributen visuele assets. Visuele assets kunnen logo's en symbolen zijn (het Louis Vuitton-logo, het appeltje van Apple of de Lacoste-krokodil), beelden of illustraties (de fotografie van Calvin Klein of de cartooneske illustratiestijl van Ben&Jerry's), bepaalde kleurcombinaties of patronen (het geel/rood van Shell of de Burberry-ruit) of merkkleuren (de lila kleur van Lila Pause of KPN Telecom-groen), een productvorm (de Senseo-koffiezetter), grafische vormen (de Heinz *keystone device*) of verpakkingsvormen (de Grolsch-beugelfles). Dergelijke visuele assets leiden er toe dat koopgedrag gestimuleerd wordt of dat een prijspremium kan worden gerealiseerd.

De status van design binnen een merkimago kan van merk tot merk verschillen. We onderscheiden daarbij drie betekenisniveaus (zie figuur 2.6):

- design vormt een *merkbetekenis*;
- design vormt de *kernbetekenis* van het merk;
- design vormt een *asset* van het merk.

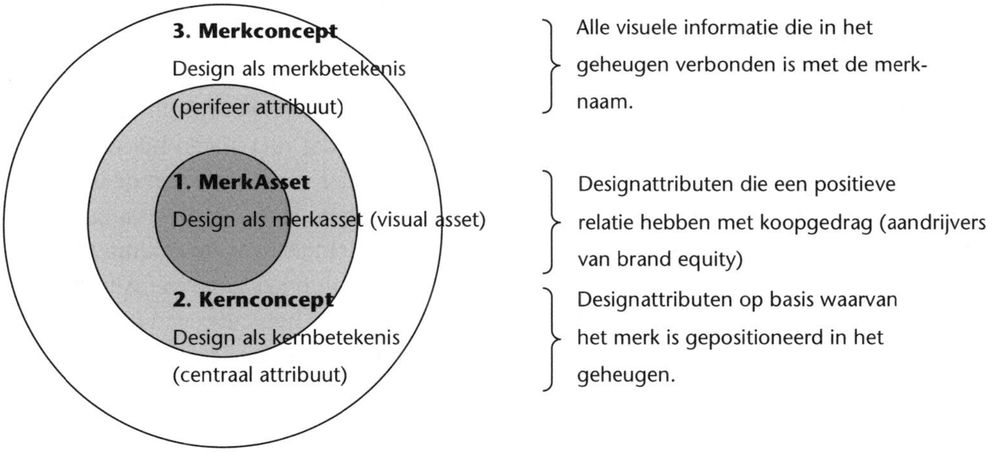

Figuur 2.6 De status van designattributen binnen de merkrepresentatie (naar: Franzen & Van den Berg, 2001)

Design als merkbetekenis

Design als zodanig vormt een onderdeel van het merkimago, dus van de geheugenvoorstelling die we van een bepaald merk hebben. Het kan gaan om een bepaalde merkkleur(combinatie), een bepaalde vormkarakteristiek of een gebruikte visual. Het merkenbureau Shieldmark doet jaarlijks een wedstrijd onder de lezers van haar nieuwsbrief. Aan de hand van fragmenten van merklogo's moeten deelnemers zoveel mogelijk juiste merknamen herkennen. Het is een leuke ontdekking om te ervaren hoeveel logo's op grond van hun karakteristieke vorm en kleur in staat zijn een merknaam op te roepen; een klein detail als afbeelding volstaat. Uiteraard heeft dit ook te maken met de frequentie waarmee we blootgesteld zijn aan deze merken. Verder is het zo, dat hoewel de visuele informatie in ons geheugen is opgeslagen, dit nog niet hoeft te betekenen dat dit een positieve relatie met ons koopgedrag heeft.

Design als kernbetekenis

Wanneer een bepaald design het eerste is waar we aan denken wanneer we aan een bepaald merk denken, kunnen we spreken van een kernbetekenis. Het merk is op basis hiervan gepositioneerd in ons geheugen. Met andere woorden, als de vraag gesteld wordt 'waar denkt u aan als u aan KPN denkt?' en het spontane eerste antwoord luidt 'groen', dan is deze merkkleur (als basiselement van het merkdesign) een kernbetekenis. Denk in dit verband ook aan de horloges van Swatch, de zwaan van KLM, de oranje 'worst-letters' van Easyjet of de blauwe Belastingdienst-envelop.

Design als merkasset

Merkasset is de hoogste mentale status die een bepaalde vorm van design kan krijgen in de context van merkontwikkeling. Designattributen of -elementen die de status van merkasset hebben (we spreken dan van visuele assets) dragen bij aan de ontwikkeling van *brand equity*.
Het productdesign van de Senseo-koffiezetter is overtuigend een merkasset, evenals de Burberry-ruit en het logo van Nike (de 'swoosh'). Dit laatste is een voorbeeld van een logo dat in staat is een koopimpuls op te wekken. Uiteraard is dat niet alleen het gevolg van het design op zichzelf (de intrinsieke designkwaliteit), maar vooral ook van de betekenis van het merk. Wanneer we het logo op een Nike-sportschoen zouden vervangen door een ander symbool, dan zou dat hoogst waarschijnlijk leiden tot een afnemend koopgedrag van consumenten. In de media hebben ook berichten gestaan over Albert Heijn dat haar logo als onderpand aan de banken heeft gegeven in het kader van omvangrijke kredietfaciliteiten. Een duidelijker bewijs van de erkenning van design als asset kunnen we niet aanvoeren.

Box 2.2 Designcase: de Senseo-koffiezetter

De Senseo-koffiezetter heeft de koffiemachinemarkt in Nederland ingrijpend verruimd en veranderd. In de jaren voor de introductie bedroeg het totaal aantal verkochte koffiemachines in Nederland per jaar zo'n één miljoen stuks, inclusief espressomachines. Senseo kwam begin 2001 op de markt en eind 2003 waren er al ruim twee miljoen apparaten verkocht. Dat is gemiddeld ruim 700.000 per jaar en gezien de omvang van deze markt een enorme verruiming. Vijf jaar na introductie staat op meer dan 50% van de Nederlandse aanrechten een Senseo. Inmiddels zijn er meer dan 10 miljoen apparaten in binnen- en buitenland verkocht.
Hoewel de machine vooral wordt gezien als een Philips-product, ontwikkelde Douwe Egberts het koffiesysteem in samenwerking met het Rotterdamse designbureau Waacs.

Douwe Egberts wilde binnen een dalende koffiemarkt een nieuw koffiesegment creeren, duidelijk verschillend van traditionele filterkoffie, espresso en oploskoffie. Daar is men bijzonder goed in geslaagd. Dit succes heeft ongetwijfeld te maken met het concept achter het innovatieve koffiesysteem (de koffiepads en het schuimlaagje), maar het opvallende productuiterlijk van de koffiezetter speelt evenzeer een doorslaggevende rol. Het design is gebaseerd op het begrip *serving*; het productuiterlijk verwijst hiernaar door middel van de gebogen vorm en roept associaties op met een buigende butler en met dienstbaarheid.
Dat de waardering voor het productdesign een impuls aan het koopgedrag heeft gegeven lijkt evident. We citeren uit een NetPanel®-onderzoeksrapport naar design: *'Het Senseo-koffiezetapparaat vindt men in het algemeen het apparaat met het beste design. Daarna worden genoemd Apple-computers, Siemens koffiezetapparaten (de Porsche Design-lijn) en de Alessi-apparaten.* Uit dit onderzoek naar design blijkt verder dat hoe luxer een product, hoe belangrijker consumenten het design vinden

(Bron: NetPanel® 'Het fijne van design', 2004).

Om vast te stellen in hoeverre een merk beschikt over visuele assets en welke dit zijn, moet de relatie tussen designattributen en keuzegedrag worden blootgelegd. Wanneer we weten over welke componenten en attributen we het precies hebben en in welke richting we deze voor het merk moeten ontwikkelen, kunnen we daadwerkelijk een effectief designbeleid ontwikkelen. Om er achter te komen wat de status is van de verschillende designelementen en -attributen in een bepaalde situatie, moet het merkdesign geanalyseerd worden door middel van onderzoek. Een geschikte methode hiervoor is de *conjuncte analyse*. Met deze onderzoeksmethode kan het relatieve belang worden achterhaald van iedere eigenschap. Het relatieve belang is het belang van de eigenschappen (in ons geval: designattributen) ten opzichte van elkaar. Bij conjuncte meting geven consumenten hun oordeel over een aantal concepten waarvan de eigenschappen systematisch gevarieerd zijn, bijvoorbeeld een variatie in kleur of lettertype.
Een argument om dergelijk onderzoek te doen naar gedragsaspecten hangt samen met het volgende: merken kunnen sterk worden geassocieerd met bepaalde designattributen, zonder dat deze attributen een rol spelen in de waardering van het merk. Gebruikers hebben vaak veel associaties met merken, maar gebruiken lang niet al deze associaties in dezelfde mate als evaluatiecriteria. Als bepaalde designattributen hierin wél een hoofdrol spelen, noemen we deze attributen visuele assets.
Door versterking van designelementen als merkbetekenis in de richting van een visuele asset, kan een sterkere merkresponse en -waardering gerealiseerd worden. De vraag naar designeffectiviteit in de context van merkontwikkeling begint dus met een analyse van de status van design binnen het merkimago. We kunnen deze status verhogen (lees: de waarde vergroten met het oog op een hogere return on investment (ROI) of brand equity) door specifieke designelementen te benoemen en deze vervolgens zodanig te ontwikkelen dat deze werkelijk bijdragen aan merkvoorkeur en koopgedrag.

2.2.3 Design Equity

Wanneer design koopgedrag in positieve zin beïnvloedt spreken we, naar analogie van het begrip brand equity, van *design equity*; de mate waarin design in staat is om merkvoorkeur te genereren en aankoopgedrag te stimuleren. In deze paragraaf zetten we dit nader uiteen.

Voor de aanbieder, de merkeigenaar, is het merk een instrument om de financiële positie van de onderneming te versterken. De mate waarin een merk daarin slaagt, bepaalt de waarde van het merk. Deze waarde kan worden bepaald door het meten van de sterkten van de merkresponsen. Deze relatieve merksterkte ten opzichte van concurrerende merken wordt uitgedrukt met de term brand equity (o.a. Riezebos, 2002). Met dit begrip wordt gerefereerd aan de economische waarde van merken. Merken worden steeds meer gezien als een belangrijk bedrijfsmiddel; de waarde bedraagt doorgaans tussen de 30 en 70% van de gekapitaliseerde ondernemingswaarde. Bij de grote wereldmerken kan dit zelfs oplopen tot meer dan 90%! Zo kocht eBay het Nederlandse Marktplaats.nl voor 225 miljoen euro, terwijl de nettowinst van Marktplaats.nl zo'n 5 miljoen bedroeg. Normaliter is de verkoopwaarde bij een overname zo'n drie tot zeven keer de jaarwinst, maar in dit geval 45 keer de jaarwinst. Dit enorme verschil kan ondermeer verklaard worden uit de equity van het merk.

We kunnen ervan uitgaan dat brand equity deels bestaat uit design. Merken worden immers zichtbaar door design. Omdat designattributen, zoals we al naar voren brachten, vóór aankoop beoordeeld kunnen worden in tegenstelling tot veel andere attributen, ligt het voor de hand dat zij een grote invloed hebben op koopgedrag – en daarmee op brand equity-ontwikkeling. Design kan een relatief sterke invloed hebben op het evaluatieproces van consumenten en daarmee op koopgedrag. In feite is er een flink aantal uiteenlopende designcriteria die dit gedrag kunnen beïnvloeden.

Om de economische waarde van design te kunnen identificeren introduceren wij daarom het concept 'design equity'. We kunnen alleen spreken van design equity wanneer design, consumentengedrag daadwerkelijk en aantoonbaar beïnvloedt. Hiervoor is het noodzakelijk het merkimago en de consumentenervaring te deconstrueren, om te kunnen achterhalen welke designelementen en ontworpen merkattributen een positief effect hebben op consumentengedrag en in welke mate. Men dient zich te realiseren dat wanneer geen meetbaar effect van design als *driver* van brand equity kan worden gevonden – dat wil zeggen; als er geen visuele assets blijken te zijn – dat er dan waarschijnlijk geen sprake is van toegevoegde waarde door design. Managers die hiervoor verantwoordelijk zijn moeten er daarom op gericht zijn dergelijke visuele assets voor het merk te ontwikkelen. De verantwoordelijkheid voor design binnen merkenmanagement heeft betrekking op de verantwoordelijkheid voor design equity als onderdeel van brand equity. We hebben dit in navolgend figuur gevisualiseerd.

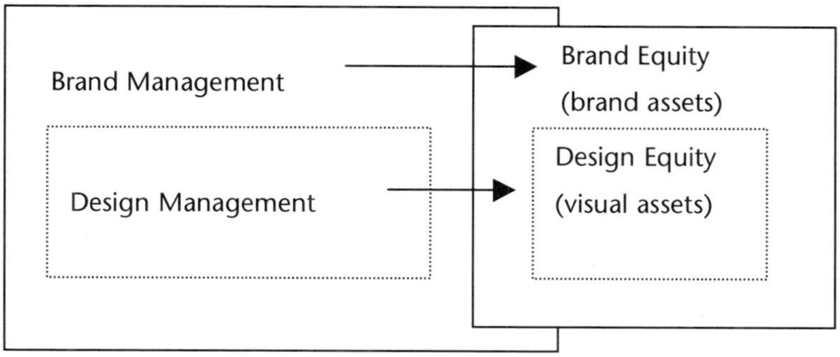

Figuur 2.7 De relatie tussen merkenmanagement en designmanagement

Door het benoemen van design equity als bedrijfsmiddel, zal de wens om het merkdesign effectief te managen toenemen. Vanuit een merkenperspectief kunnen we stellen dat de belangrijkste reden voor designmanagement ligt in het ontwikkelen en groeien van de design equity. Design behoort in deze visie simpelweg effectief te zijn door bij te dragen aan merkwaarde, merkbetekenis en brand equity; het moet als zodanig presteren en een bron van waarde voor de onderneming zijn.

De onderzoeksmethoden waarmee merkwaarde wordt gemeten, zoals die van gespecialiseerde bureaus als Interbrand en BrandFinance, of door middel van de Brand Asset Valuator van Young & Rubicam, onderscheiden design equity niet als component van brand equity. Helaas wordt er nog weinig aandacht besteed aan de strategische mogelijkheden om met behulp van design de brand equity te laten groeien, maar we kunnen verwachten dat dit in de toekomst zal veranderen. Er wordt vanuit gegaan dat vier componenten de hoogte van de brand equity van een merk bepalen:

- grootte van het afzetaandeel;
- stabiliteit van het afzetaandeel;
- prijsmarge van het merk voor de onderneming;
- de eigendomsrechten verbonden aan het merk.

Al eerder wezen we er op dat design van invloed kan zijn op het realiseren van een hogere marge door de mogelijkheid van een prijspremium. Daar lijkt sprake van een relatie. Maar ook de mogelijkheid om met design de beschermingsomvang van een merk te vergroten, laat een relatie met brand equity zien.

2.2.4 Design en merkrechtelijke bescherming

De economische waarde van merken is gebaseerd op het intellectuele eigendom, merken kunnen worden geëxploiteerd op grond hiervan. Daarom is het van elementair belang dat merken afdoende merkrechtelijk kunnen worden gedeponeerd om beschermd te kunnen worden tegen mogelijke inbreuk. Deponering vindt plaats in het Benelux-merkenregister, het Europees merkenregister of in landenregisters. Binnen deze registers is internationaal een warenclassificatie vastgesteld die bestaat uit 45 verschillende klas-

sen. Een depot heeft alleen betrekking op die registratieklassen (producten en diensten) waarin het merk daadwerkelijk opereert.
In juridische termen spreekt men over *beschermingsomvang*; de mate waarin een merk juridische bescherming geniet. Dit begrip beschermingsomvang wordt door Kist (in: Riezebos, 2002) als volgt beschreven: *'Hoe sterker het merk, dat wil zeggen hoe groter de onderscheidende kracht, hoe eerder een rechter overeenstemming met het merkteken zal aannemen. 'Sterke' merken hebben een ruime beschermingsomvang. (...) Daar staat tegenover dat zwakke merken een geringere beschermingsomvang hebben. Naarmate een merk een geringer onderscheidend vermogen heeft, moet tussen dat merk en het teken een grote mate van gelijkenis bestaan, wil er sprake zijn van merkinbreuk.'*
De eerste en belangrijkste juridische eis ten aanzien van design is de mate van onderscheidend vermogen die het heeft. Wanneer een bepaald merkdesign onvoldoende onderscheidende kracht heeft (er is dan sprake van een te generieke vormgeving) kan dit niet afdoende worden beschermd tegen partijen die dit imiteren of kopiëren. Onderscheid in design kan leiden tot merkeigenheid, een begrip dat verwijst naar de mate waarin het design afwijkt van wat gangbaar is in de betreffende productklasse of categorie. Hoe hoger de mate van merkeigenheid, des te beter inbreukmakers kunnen worden geweerd.
Eventuele wijziging van een merkdesign mag de beschermingsomvang, die het merk in de huidige situatie geniet, niet aantasten of verwateren. Een dergelijke verwatering kan optreden door de introductie van nieuwe merktekens of varianten daarvan. Door nieuwe kleurenvarianten voor submerken te introduceren kan een kleurmerk 'verwateren'. Bij merkuitbreiding zal daarom altijd eerst onderzocht moeten worden welke juridische beperkingen eventueel gelden voor design. Onze ervaring is dat hier in de praktijk te weinig rekening mee wordt gehouden.
Onder merktekens kunnen worden verstaan: grafische voorstellingen, inclusief woorden, persoonsnamen, tekeningen, kleuren en cijfers; vormen van waren (producten of diensten) of van verpakking. Het gaat dus niet alleen om woorden en afbeeldingen (zoals een logo). We kunnen in hoofdzaak vier soorten merken onderscheiden: (1) woordmerken, (2) beeldmerken, (3) kleurmerken en (4) vormmerken (zowel productvormen als verpakkingsvormen). Ook gebarenmerken, klankmerken, geurmerken en slagzinnen komen voor registratie in aanmerking, maar deze zijn voor ons onderwerp minder relevant.

Woordmerk

Woordmerken zijn alle merken die in de vorm van blokletters (en eventueel cijfers) zijn gedeponeerd. Daarmee claimt de deposant het woord, ongeacht de beeldelementen die hij eventueel rondom het merk gebruikt.

Beeldmerk

Beeldmerken kunnen betrekking hebben op zowel combinaties van woorden en beelden als zuivere beelden (symbolen). Wanneer sprake is van een zodanig specifieke schrijfwijze of lettervorm (typografie) – of wanneer de pictografische voorstelling in een zodanig specifieke stijl is getekend dat de visuele kenmerken door consumenten herkend kunnen worden, is registratie als beeldmerk mogelijk.

Ook de lay-out van een verpakking kan in feite beschouwd worden als een beeldmerk, een samenstelling van woorden en beelden. Wanneer de lay-out van een verpakking leidt tot herkenning van het product door consumenten, kan dit als beeldmerk beschermd worden. Elementen zoals kleur, compositie, lettergebruik of illustraties vormen dan een typerend kenmerk. Bekende voorbeelden zijn de Marlboro-verpakking en die van Zwaluw-lucifers. In deze roemruchte voorbeelden is de lay-out zelfs uitgegroeid tot een icoon van het merk. Fabrikanten doen er verstandig aan de lay-out van hun verpakkingen altijd te registreren als beeldmerk.

Kleurmerk

Kleurmerken kunnen leiden tot een hogere beschermingsomvang van het merk (zoals bij Zwitsal-geel, het paars van Milka's Lila Pause, Camping Gaz-blauw en het groen van KPN Telecom). Onder bepaalde omstandigheden (bijvoorbeeld na lang en intensief gebruik) kan een kleur of kleurcombinatie zo herkenbaar worden dat de kleur een merk wordt (Kist in: Riezebos, 2002). Een nieuwe merkkleur komt pas na een periode van gebruik (wanneer de nieuwe kleur is ingeburgerd) in aanmerking als merkdepot. Het Europese Hof van Justitie heeft in zijn Libertel-arrest van 2003 de mogelijkheden aanzienlijk ingeperkt, door aan te geven dat een merkenrechtelijke kleurenclaim alleen in uitzonderlijke gevallen, en meestal pas na langdurig gebruik, mogelijk zal zijn. Voor kleurcombinaties zal dit mogelijk iets makkelijker zijn dan voor een enkele kleur. Alleen door veelvuldig, intensief en consequent gebruik kan aan de vereisten voor inburgering van een kleurcombinatiemerk worden voldaan en kan eventueel een merkenrechtelijk claim op een kleur of kleurcombinatie worden gelegd.

De rechter motiveerde zijn uitspraak met de volgende overweging: *'Op dit punt moet in herinnering worden gebracht, dat kleuren weliswaar bepaalde gedachteassociaties kunnen oproepen of gevoelens kunnen opwekken, doch dat zij naar hun aard nauwelijks geëigend zijn om nauwkeurige informatie over te brengen. Dit laatste geldt te meer daar kleuren in de reclame en bij de verkoop van waren en diensten gewoonlijk en op grote schaal worden gebruikt wegens hun aantrekkingskracht, los van enige specifieke boodschap. Het zou echter onjuist zijn aan deze feitelijke constatering de conclusie te verbinden, dat kleuren als zodanig nimmer geschikt zijn om de waren of diensten van een onderneming te onderscheiden van die van andere ondernemingen. Het valt immers niet uit te sluiten dat er situaties bestaan waarin een kleur als zodanig de herkomst van de waren of diensten van een onderneming kan aanduiden. Derhalve moet worden aanvaard, dat kleuren als zodanig in de zin van artikel 2 van de richtlijn geschikt kunnen zijn om de waren of diensten van een onderneming te onderscheiden van die van andere ondernemingen.'*

Een kleurenclaim kent ook zijn beperkingen. Zo betekent een claim op oranje/blauw voor financiële diensten niet een claim voor elke kleur oranje/blauw. De mate waarin kleurtinten overeenstemmen (licht- of donkerblauw) speelt een belangrijke rol bij de vraag of er sprake is van een inbreuk, net als de mate van soortgelijkheid van de dienstverlening. In de Libertel-uitspraak van het Hof van Justitie zijn ook de technische eisen van een kleurmerkdepot vastgelegd. Eén van de voorwaarden voor geldigheid is dat bij de kleurmerkregistratie een internationale kleurcode is vermeld (de PMS-code uit het Pantone Matching System®).

Het introduceren van nieuwe merkkleuren of kleurcombinaties, naast reeds geregistreerde, zal in de praktijk de beschermingsomvang van het merk verkleinen. Dit betekent dat de mogelijkheden van succesvol verweer tegen inbreukmakers op grond van de gevestigde merkrechten kunnen afnemen. Door als organisatie niet een vaste merkkleurcombinatie als onderscheidend merkteken te hanteren, maar ook andere versies in gebruik te nemen, neemt het onderscheidend vermogen af. Zo is Robeco een aantal jaren geleden enigszins zwalkend met zijn kleurmerk Robeco-roze omgegaan. De ene keer adverteerde men tegen een paarse achtergrond, dan weer geel en dan weer Robeco-roze; een schoolvoorbeeld van hoe een bedrijf zijn kleurmerk om zeep kan helpen. De laatste jaren voert men weer een consequent beleid en gebruikt men altijd heel duidelijk Robeco-roze.

Vormmerk

We kunnen twee typen vormmerken onderscheiden:

- De productvorm: de vorm van waren of het industrieel ontwerp
- De verpakkingsvorm: het 'structural design'

Productvorm

Bij productvormen is niet de vorm van de verpakking, maar die van het product zélf een belangrijk onderscheidingsteken. We kunnen denken aan consumentenartikelen of aan farmaceutische producten. Bekend zijn de Viagrapil van Pfizer, Wokkels (zoutjes) van het merk Lays en snoepjes in de vorm van een reddingsboei van het merk Life Savers. Daarnaast kan de karakteristieke vormgeving van (onderdelen van) duurzame gebruiksgoederen worden geregistreerd. Denk aan de kenmerkende gril van een automerk (de nier-vormen van BMW) of de 'clickwheel' van de iPod (een onderscheidende bedieningsknop). Fabrikanten doen er verstandig aan hun productvormen altijd te registreren als vormmerk.

Verpakkingsvorm

De verpakkingsvorm van een merkartikel kan eveneens onderscheidend zijn en daarmee geregistreerd worden als merk. Voorbeelden zijn de beugelfles van Grolsch, de WC-eend-flacon met de bekende gebogen hals, het Orangina-flesje met de textuur van een sinaasappelhuid, de Perrier-fles en de Andrélon shampooflacon met de kenmerkende schubben.

Overigens zijn merkeigenaren zich soms onvoldoende bewust van de mogelijkheden om de eigenheid van het merk te vergroten met behulp van design. Zo werd de zogenaamde 'cirkante' yoghurtbeker van Mona niet geregistreerd als merk en werd deze eveneens toegepast door andere merken in het zuivelvak. Wat een onderscheidend element had kunnen zijn in de merkpresentatie werd op die manier uit handen gegeven. Een voorbeeld uit de zuivelcategorie waarbij de verpakkingsvorm wél werd geregistreerd, en die daarom ook succesvol kon worden verdedigd tegen een inbreukmaker, is het plastic emmertje waarin De Zuivelhoeve zijn yoghurt verpakt. Het gebruik van dezelfde emmertjes door een concurrerend yoghurtmerk werd door de rechter verboden, nadat bleek dat consumenten het emmertje identificeerden als een product van De Zuivelhoeve.

Europese modelregistratie

In 2003 is een nieuwe Europese beschermingsvorm geïntroduceerd die nog relatief onbekend is, maar voor design van groot belang is: de Europese modelregistratie. Voor modellen is het sindsdien mogelijk om met één aanvraag tegelijkertijd bescherming te regelen in alle 25 EU-landen, op een eenvoudige, snelle en relatief goedkope manier (de registratiekosten bedragen ongeveer 950 euro). Een mooi nieuw beschermingssysteem voor design in de breedste zin van het woord. In feite vallen alle twee- en driedimensionale voorwerpen en afbeeldingen onder deze definitie. Zolang het design maar *nieuw* is en een *eigen karakter* heeft, kan het beschermd worden.

De logo's van Total, Unilever en UPS bijvoorbeeld, zijn als Europees model geregistreerd. Een ander voorbeeld van de mogelijkheden van Europese modelregistratie is Philips, dat een registratie heeft laten verrichten voor een van de meest besproken designsuccessen van de laatste jaren: de Senseo-koffiezetter. Dit voorbeeld laat goed zien wat men allemaal kan doen met designbescherming. Philips heeft het productontwerp van de Senseo in acht varianten (van rond tot vierkant) laten registreren, waarbij de schuine naar voren gebogen vorm, het deksel, de positionering van de sluitclip, de schenktuit en het ronde 'tap-plaatje' als onderscheidende kenmerken gelden. Een mooi voorbeeld van een defensieve registratie, waarmee Philips na-apers op afstand kan houden. Een dergelijke omvangrijke registratie (waarbij het design voor tenminste vijf jaar is beschermd in maar liefst 25 landen) is voor vrijwel ieder bedrijf haalbaar; de registratiekosten bedragen naar schatting rond de tweeduizend euro. De eigenaar (depothouder) krijgt verder een officieel registratiebewijs van het Europese Modellenbureau en dat maakt het geven van licenties en het overdragen van rechten gemakkelijker; het design wordt hiermee goed exploitabel en verhandelbaar. (Bron: Nieuwsbrief Shieldmark, 2005. Overgenomen met toestemming.)

Samenvattend kunnen we stellen dat managers de merkwaarde kunnen vergroten door bij de ontwikkeling van merkdesign te sturen op de mate van onderscheidend vermogen en de hiermee samenhangende merkrechtelijke bescherming. Het lijkt ons van belang vooraf te bepalen wat de eisen en wensen op dit gebied zijn. Tegelijkertijd dient men na te gaan welke juridische risico's er bestaan bij eventuele designwijziging. Door vooraf in kaart te brengen welke ruimte er is voor design, kan achteraf een hoop narigheid worden voorkomen. Managers dienen zich te allen tijde bewust te zijn van de merkrechtelijke belangen, ook al kunnen die eventueel de creatieve ruimte beperken.

2.3 Vier hoofdrollen van design in relatie tot merkfuncties

Merken kunnen verschillende functies voor consumenten vervullen. Deze houden verband met de rollen die design kan vervullen. In het verloop van deze paragraaf werken we dit uit, maar we beginnen met het introduceren en toelichten van de vier hoofdrollen van design (Kootstra in: Riezebos, 2002):

- *Identificatie (categorisatie)*: met behulp van design wordt de eigenaar, producent of afzender van het merkartikel of een reclameboodschap duidelijk. Naast herkenning is hier een andere functie van design, 'categorisatie'; het design dient duidelijkheid te verschaffen over de betreffende productcategorie. (Het proces van categorisatie betreft de productherkenning, informatieverwerking en geheugenopslag.)

- *Differentiatie en saillantie*: design draagt er toe bij dat consumenten het merkartikel als onderscheidend zien ten opzichte van de concurrentie. Een afwijkend, opvallend uiterlijk zorgt ervoor dat een consument het merkartikel ziet (door aandacht te trekken).
- *Overdracht van materiële merkbetekenissen*: design draagt door middel van fysieke aspecten als vorm, grootte, kleur, materiaal, structuur en beeld actief bij aan de gepercipieerde prestatie van het merk. Design heeft tot taak om de functionele eigenschappen van het merkartikel te communiceren. Consumenten leiden uit het uiterlijk af waarvoor ze het merkartikel kunnen gebruiken en hoe ze het moeten gebruiken.
- *Overdracht van immateriële merkwaarden*: design draagt door middel van visuele expressie (stijl) bij aan de psychosociale betekenis van het merk, waardoor bepaalde waarden, emoties of persoonlijkheidseigenschappen aan het merk zullen worden toegeschreven. Mensen gebruiken het uiterlijk van een merkartikel ook om hun identiteit naar anderen te tonen (symbolische functie). Bovendien bepaalt het uiterlijk of mensen het merkartikel mooi vinden (esthetische functie).

De identificatie- en categorisatierol van design

Wanneer de rol van design gericht is op identificatie, zijn naamsbekendheid en merkherkenning de belangrijkste doelen. Identificatie kan worden beschouwd als de basisfunctie van design bij merkontwikkeling: de handelsmerkfunctie. Het handelsmerk is een teken dat in staat is waren of diensten van een onderneming te onderscheiden. Door producten of activiteiten van een onderneming te 'labelen' met het handelsmerk kan de afzender en/of producent worden geïdentificeerd en kunnen de producten/diensten worden gecategoriseerd. We zullen zo dadelijk uitleggen wat met dit laatste begrip wordt bedoeld.

De differentiatie- en saillantie-rol van design

Wanneer de rol van design gericht is op merkdifferentiatie, is het realiseren van onderscheid op basis van design en styling het belangrijkste doel. Differentiatie is één van de meest belangrijke functies van design in merkontwikkeling. Design draagt direct bij aan de mate van onderscheidendheid. Door middel van onderscheidend design kan een merk niet alleen opvallen, maar kan het ook zijn eigen territorium in de productklasse afbakenen en de relatieve positie ten opzichte van andere merken aangeven.

In praktijk wordt vaak ten onrechte over *differentiatie* gesproken wanneer het eigenlijk gaat om *saillantie*. We spreken van differentiatie wanneer 'anders zijn' is gebaseerd op een relevante behoefte of waarde van klanten. De taak van design is dan de differentiatie-grondslag van het merk op een herkenbare wijze tot uitdrukking te brengen. We spreken van saillantie wanneer alleen de unieke wijze waarop gecommuniceerd wordt (de mate van opvallendheid) een onderscheidend merkkenmerk is. Dit kan zich uiten in een bijzondere kleur, materiaal of grafische stijl.

De overdracht van materiële merkbetekenissen door design

Van overdracht van materiële merkbetekenissen is sprake als design wordt ingezet om *product*gerelateerde merkbetekenissen (functionele of psychosociale producteigenschappen en productvoordelen) zichtbaar te maken. Wanneer een merk is gepositioneerd op een bepaalde eigenschap of een daaruit voortvloeiend voordeel (ook wel: benefit), kan design worden ingezet om deze voor consumenten visueel waarneembaar te maken. Het is wenselijk dat deze onderscheidende aspecten zichtbaar worden in het uiterlijk. Goede voorbeelden hiervan zijn easyJet (goedkoop), Biotherm (puurheid) en Shell Pura (krachtiger en schoner). Vormgeving wordt hier actief ingezet om de gewenste productassociaties over te brengen, ten aanzien van functionele of mentale productprestaties.

De overdracht van immateriële merkwaarden door design

Wanneer design immateriële merkwaarden overdraagt, is het realiseren van de gewenste merkgerelateerde *associaties* het belangrijkste doel. Door een bepaalde mate van expressiviteit in het design kunnen namelijk bepaalde percepties, emoties en attitudes worden toegeschreven aan het merk. Consumenten kunnen, door esthetische informatie af te leiden uit een merkartikel, bepalen of ze het mooi vinden. Maar het uiterlijk van een expressief merkartikel moet ook kloppen met de sfeer die in reclames wordt opgeroepen.

Nadere toelichting: identificatie en categorisatie

Design speelt een belangrijke rol bij de (snelle) herkenning van een merk en draagt daarmee bij aan het succesvol maken van het merk. Betere zichtbaarheid en een sterker geprofileerd imago kunnen het consumentenbeslissingsproces positief beïnvloeden, waardoor deze factoren kunnen bijdragen aan een hoger marktaandeel en een hogere return on investment. Herkenning leidt tot vertrouwdheid (ook wel: *familiarity*) en vergemakkelijkt aankoopbeslissingen. Tevens vormt identificatie een basisvoorwaarde voor succesvolle extensies en *endorsements*. Consumenten moeten nieuwe productvarianten of producten die met het merk gelabeld worden, gemakkelijk kunnen herkennen en kunnen begrijpen dat deze bij het merk passen. We kunnen deze hoofdrol van design verbinden met de koopgedragfunctie van het merk; design draagt bij aan vereenvoudiging, zekerheid, vertrouwen en garantie. Om die reden wordt deze functie ook wel informatiereductiefunctie genoemd. We komen hier later in deze paragraaf nog op terug.

Uit de literatuur komt duidelijk naar voren dat design (de voor mensen waarneembare visuele eigenschappen en kenmerken) ook het categorisatieproces kan beïnvloeden. Dit proces betreft herkenning, informatieverwerking en geheugenopslag. Het menselijk brein ordent de enorme hoeveelheden informatie die het dagelijks waarneemt op grond van soortgelijkheid en overeenkomstige kenmerken. Deze rubricering van informatie in het geheugen noemen we *categorisatie*. Dit vindt plaats op grond van de voor de consument waarneembare eigenschappen en daarom heeft het productuiterlijk een belangrijk effect op dit proces. Om opgenomen te worden in het geheugen van de ontvanger, is het belangrijk dat een bepaald productuiterlijk of andersoortige visuele uiting snel herkend wordt als behorende tot een rubriek of categorie in het geheugen. Sommige producten (waren of diensten) herkennen we direct als 'voor kinderen', of 'de autobranche' of 'kleinschalig bedrijf', maar ook persoonlijke indelingen als 'chique', 'ordinair' of 'precies wat voor mij' vormen de basis voor allerhande categorisaties. Een belangrijke rol van design is om vorm, stijl en kleur zodanig toe te passen dat een product of merkuiting op grond van de waarneembare visuele informatie direct al naar een geëigende opslagplek in ons geheugen verwezen kan worden.

Wanneer een nieuw product niet herkenbaar is (omdat het uiterlijk teveel afwijkt van wat binnen de betreffende categorie gangbaar is), weten consumenten niet welke functies het product voor hen kan vervullen en treedt een verschijnsel op dat wordt aangeduid als *cognitieve dissonantie.* Hierdoor zal men de informatie niet of slecht verwerken en het betreffende merkartikel in de praktijk niet als alternatief in het keuzeproces opnemen. Voor designbeleid is het daarom belangrijk om te weten hoe sterk de overeenkomst tussen een nieuw design en het voor de categorie prototypische uiterlijk moet zijn om het categorisatieproces intact te laten (Hultink & Schoormans, 2004). Naarmate deze afstand groter is, zal een hoger marketingcommunicatiebudget nodig zijn, om tijdens de marktintroductie dit proces te ondersteunen en mensen te leren in welke categorie ze het product moeten plaatsen.

Mensen leren voortdurend nieuwe categorieën en subcategorieën (als gevolg van de komst van nieuwe producten en diensten) en verfijnen zo het proces van informatieverwerking en geheugenopslag. Hierbij worden twee processen onderscheiden; *assimileren* en *accommoderen.* We spreken van assimilatie als een nieuw product in een bestaande categorie wordt geplaatst doordat het (op grond van uiterlijke overeenkomsten) als onderdeel hiervan wordt gezien. Wanneer er een nieuwe categorie of subcategorie wordt gevormd in het geheugen, spreken we van accommodatie. Dit treedt op wanneer een product (op grond van uiterlijke overeenkomsten) als zodanig afwijkend wordt ervaren dat het niet in een bestaande categorie kan worden ingedeeld. Het kost consumenten veel moeite om te leren wat het nieuwe product is en welke functie het kan vervullen; een referentiekader ontbreekt vanuit de bestaande categorieën. En omdat consumenten hier lang over aarzelen is dit een risicovol traject.

Voor het succes van innovaties (zoals de MP3-speler) is het noodzakelijk dat consumenten een nieuwe (sub)categorie vormen. Om dit accommodatieproces te stimuleren is het belangrijk dat het productuiterlijk (de visuele kenmerken) dusdanig anders is dat inpassing in bestaande categorieën op grond hiervan als 'niet mogelijk' wordt gezien. Het design zal daarom in de regel een radicaal karakter hebben, zoals te zien is aan de succesvolle iPod van Apple. Men kan beargumenteren dat het Douwe Egberts met Senseo gelukt is om een nieuwe categorie in de koffiemarkt te vestigen, dankzij het echt 'andere' productuiterlijk van de Senseo-koffiezetter. Dit week af van alles wat op het introductiemoment bekend was in deze productklasse, waardoor het voor consumenten duidelijk was dat het hier echt om iets nieuws ging.

Design kan ook worden ingezet om het assimilatieproces te faciliteren, door visuele kenmerken die bij een *flagship* product (het kernproduct dat staat voor de categorie) horen, over te brengen op een nieuw product dat mogelijk als 'niet passend' in de categorie wordt ervaren, omdat het hiermee op gespannen voet staat. Een voorbeeld hiervan zien we bij Porsche. Ten tijde van de aangekondigde introductie van de Cayenne (het succesvolle SUV-model) was er een discussie in de marketingwereld of deze merkextensie wel zou lukken. Het merk Porsche viel immers samen met de productcategorie (snelle) sportauto's. De uitbreiding van het merk naar de nieuwe (SUV-)categorie werd ondersteund door de typische Porsche-kenmerken in het design te handhaven, van de koplampen en grille tot de lettering van de productnaam. Het werd daarmee in de beleving van consumenten toch een 'echte Porsche'. Een ander aspect is dat alle Porsches (dus ook de Cayenne) altijd in de kleur aluminium-zilver worden afgebeeld, waardoor het familiekarakter extra wordt ondersteund. Dit principe van visuele overeenstemming wordt wel aangeduid als *family resemblance*.

Box 2.3 Het MAYA-principe: 'Most Advanced, Yet Acceptable'

In verband met categorisatie-theorieën wordt ook wel gesproken van het MAYA-principe: 'Most Advanced, Yet Acceptable' (Hekkert, Snelders & Wieringen, 2003). Dit principe heeft vooral betrekking op productuiterlijk; een product moet zich zodanig onderscheiden dat het opvalt ('anders dan anderen'). Maar teveel afwijking van wat gangbaar is, leidt tot onduidelijkheid bij consumenten. De mate van opvallendheid kan er toe leiden dat consumenten op zoek gaan naar het product, maar wanneer het teveel afwijkt zal dit juist niet gebeuren, omdat men de functie ervan niet meer herkent en het product niet goed kan plaatsen.

Dit spanningsveld is van belang voor designbeleid. In de vaak overvolle markten is het noodzakelijk om aandacht trekken door opvallendheid en onderscheidende kracht (*most advanced*). Dit kan door emotionele producteigenschappen of expressieve informatie in het uiterlijk tot uitdrukking te brengen. Wanneer een product echter teveel afwijkt van andere soortgelijke producten, ontstaat een probleem. Consumenten herkennen het product dan niet en kunnen het niet in de juiste categorie indelen. Hierdoor zullen ze het product niet als alternatief in hun keuzeproces opnemen. Ondanks een geavanceerd uiterlijk moet het product voor consumenten nog steeds duidelijk herkenbaar zijn als behorend bij een bepaalde categorie. De functie van het product moet helder blijven voor consumenten. De Dyson stofzuiger week sterk af van wat gebruikelijk was binnen de categorie maar bleef wel duidelijk een stofzuiger. Ook de eveneens geavanceerde iMac bleef wel duidelijk een echte computer. De gekozen designstrategie was in beide gevallen volgens het MAYA-principe juist en bleek uiterst succesvol.

Het MAYA-principe is vooral van toepassing bij vernieuwing binnen bestaande categorieën (zogenaamde lineaire innovatie). Wanneer innovaties een meer radicaal karakter hebben, ligt de zaak anders. Wanneer het de bedoeling is een nieuwe (sub)categorie te vormen, is het noodzakelijk om een zodanig afwijkend (geavanceerd) uiterlijk te kiezen, dat consumenten de functie niet meer herkennen en het product niet meer in de juiste categorie kunnen plaatsen. Het *yet acceptable* staat in deze situatie in een geheel ander daglicht. De belangrijkste keuze is daarom of het categorisatieproces intact moet worden gelaten of juist niet. Categorisatie vindt plaats op grond van de voor de consument waarneembare eigenschappen en daarom is het productuiterlijk essentieel voor dit proces. Daarom is ook de keuze van een passende designstrategie evident.

Wanneer bedrijven minder budget hebben of wanneer er sprake is van een volledig nieuw merk (met een nieuwe merknaam), zouden ze rekening moeten houden met het MAYA-principe en moeten zorgen voor een duidelijke categorie-aanwijzing in naam en/of vorm. Wat dat betreft worden er soms belangrijke kansen gemist bij marktintroducties. Het merkdesign van Sandd ('het nieuwe postbedrijf') is vanuit het MAYA-principe geredeneerd geen geslaagde exercitie. De gebrekkige categorieverwijzingen in zowel naamgeving als visuele kenmerken, zullen het merk niet helpen in zijn missie als uitdager van TNT Post. De wens om anders te zijn is in dit geval niet goed begrepen en er zal waarschijnlijk een hoop tijd en geld nodig zijn om het nieuwe merk in de bewuste categorie op te laten nemen; het is eenvoudigweg te afwijkend en te onduidelijk.

Nadere toelichting: differentiatie en saillantie

In theorieën over concurrentiestrategie (onder andere Porter, 1996) en marketingstrategie (Ries & Trout, 1981 en Aaker, 1996) wordt sterk de nadruk gelegd op de noodzaak van (product)differentiatie. Voor zover dit het productuiterlijk betreft, moet dit leiden tot een duidelijk en houdbaar voordeel binnen de categorie. Dat kan wanneer dit zodanig onderscheidend en 'eigen' is dat imitators kunnen worden geweerd. Differentiatie in design kan leiden tot merkeigenheid; een begrip dat verwijst naar de mate waarin het design van een merk afwijkt van wat gangbaar is in de desbetreffende productklasse.

Bij merken die een design/stijldifferentiatie als centrale positioneringsstrategie hebben gekozen, draait het hele merkbeleid om design. Vaak is differentiatie door middel van design echter een toegevoegde dimensie binnen de gekozen strategie of wordt gekozen voor een saillantiestrategie als alternatief. Een dergelijke strategie is erop gericht om binnen de betreffende productcategorie zo sterk mogelijk aanwezig te zijn, door zich perceptueel op de voorgrond te plaatsen. Zichtbaarheid en opvallendheid vormen de belangrijkste strategie-elementen. Dit kan zich uiten in de mate waarop een verpakking er op een winkelschap uitspringt, zoals de lila-kleurige verpakkingslijn van Andrélon haarverzorgingsproducten. Design kan dus bijdragen aan de saillantie van het merk, door een unieke vorm of kleur binnen de betreffende productklasse, zonder dat sprake is van een communicatieve inhoud of betekenis van de desbetreffende visuele tekens. Saillantie verwijst naar het identificeren van de visuele tekens die consumenten zich herinneren en met welke kracht ze deze tekens met het merk associëren. Het gaat hier om de intensiteit waarmee visuele *cues* in iemands geheugen aanwezig zijn. Een ander voorbeeld van saillantie is de *keystone*-vorm van Heinz die wordt toegepast op vrijwel alle Heinz-verpakkingen, hoewel niemand kan aangeven wat de inhoudelijke betekenis van deze vorm is.

Differentiatie en saillantie zijn beiden krachtige merkgerelateerde effecten, die door middel van uiterlijke signalen bereikt kunnen worden. Met name voor nieuwe producten is het belangrijk dat het uiterlijk en de presentatie saillant zijn. Een opvallend merkartikel heeft zijn voordelen, omdat het de aandacht trekt en dit de kans op aankoop vergroot. Maar wanneer het teveel afwijkt van andere gelijksoortige producten ontstaat er, zoals we eerder aangaven, een categorisatieprobleem. Een product moet zich zodanig onderscheiden dat het opvalt, maar te veel afwijking van het gangbare leidt tot onduidelijkheid bij consumenten.

Nadere toelichting: immateriële merkwaarden

Wanneer een merk is gepositioneerd op immateriële merkwaarden, kan design worden ingezet om deze tot uitdrukking te brengen, op een zodanige wijze dat ze voor consumenten duidelijk waarneembaar zijn. Er is in deze situatie sprake van een symboolfunctie waarbij het merk mentale betekenissen toevoegt aan een product of dienst. We kunnen als voorbeeld Benetton aanvoeren. Bij het kopen van een trui van Benetton gaat het niet alleen om het kledingstuk als zodanig, maar ook om de meerwaarde die het merk als gedachtengoed aan de consument biedt. Bij dit type merkpositionering gaat het vooral om attributen die leiden tot een zogenaamde *mentale* beleving van het merk.
Immateriële waarden worden ook wel aangeduid als aspiratieve waarden. Dat wil zeggen dat dergelijke waarden een uitdrukking zijn van aspiraties die mensen kunnen hebben, gebaseerd op een bepaalde ideaalvoorstelling van het leven. Denk in dit verband aan waarden als harmonie, status, geluk of gelijkwaardigheid. We treffen dergelijke aspiratieve waarden aan bij bekende *lifestyle*-merken en *character brands* als Orange® en het voormalige Ben® (mobiele telefonie). Eigenlijk zijn vrijwel alle merken van dienstverleners op immateriële merkwaarden gebaseerd, zoals betrouwbaar, deskundig of innovatief. De associaties die mensen bij dienstverleners hebben, hebben dan ook eerder een immaterieel dan een materieel karakter.

Naast waarden kunnen we ook emoties en persoonlijkheidskenmerken onderscheiden als immateriële betekenissen. Volgens Govers & Mugge (in: Hultink & Schoormans, 2004) zal een merkartikel bij iemand passen wanneer er een overeenkomst is tussen de identiteit van deze consument en:

- de persoonlijkheid van het merk waarmee het merkartikel is gelabeld;
- het beeld dat hij heeft van de andere gebruikers van het merkartikel;
- de persoonlijkheid van het product.

Bij de overdracht van immateriële merkwaarden door middel van design, gaat het er om dat bepaalde waarden, emoties of persoonlijkheidskenmerken aan het merk kunnen worden toegeschreven. Persoonlijkheid is iets wat een mens onderscheidt van anderen. Het maakt ieder individu uniek en herkenbaar en is onveranderlijk en duurzaam; het betreft karakteristieke innerlijke eigenschappen en karakteristiek gedrag. Identiteit ligt daarom aan de basis van de ontwikkeling van persoonlijkheid. Persoonlijkheid wordt van binnenuit beleefd door de persoon zelf en van buitenaf beschouwd door anderen. Het is niet vreemd dat dit inzicht ook steeds meer op merken en producten wordt toegepast. Het is immers steeds moeilijker – en soms zelfs onmogelijk – om een duurzaam onderscheid te realiseren op grond van een technologie of tastbaar productvoordeel. Vrijwel alle producten vervullen de functionele behoefte van consumenten. De symbolische betekenis is voor consumenten een criterium om te kunnen kiezen uit de overvloed aan min of meer vergelijkbare merkartikelen. Ondernemingen en merken concurreren daarom in

toenemende mate met elkaar, gebaseerd op hun vermogen om uitdrukking te geven aan wie ze zijn en waar ze voor staan. Emotionele en symbolische expressiviteit wordt een belangrijk onderdeel van de ervaring van de transactie of van het zakendoen.
Persoonlijkheidseigenschappen zijn termen zoals serieus, vrolijk en eigenzinnig. Merkpersoonlijkheid geeft het merk een gezicht, voegt emotie toe en maakt de communicatie persoonlijker en meer aansprekend. Het geeft richting aan de inhoud, de toon en het uiterlijk van alle vormen van communicatie en bevordert daarmee de herkenbaarheid, de samenhang en de toegankelijkheid van het merk. Vanuit de doelstelling van de merkeigenaar wordt de merkpersoonlijkheid in de eerste plaats ingezet om het onderscheidend vermogen te vergroten en om te dienen als keuzegrond voor afnemers en gebruikers. De perceptie van merkpersoonlijkheid wordt gevormd en beïnvloed door alle vormen van direct of indirect contact die de consument met het merk heeft (Plummer, 1986 in: Franzen & Van den Berg, 2001). Deze contacten leiden tot associatievorming in het geheugen. De manifestaties van het merk leiden tot een personifiëring van het merk.

Box 2.4 Merk- en productpersoonlijkheid

Persoonlijkheid is onderdeel van de symbolische betekenis van merken en producten. Ieder mens heeft een zelfbeeld en gedraagt zich consistent met dat beeld. Mede daardoor hebben mensen een voorkeur voor merken en producten met een symbolische betekenis die overeenkomt met hun zelfbeeld. Consumenten evalueren producten en merken met een persoonlijkheid die overeenkomt met die van henzelf positiever. En ook de tevredenheid en gehechtheid aan het product of merk neemt toe (na aanschaf) wanneer sprake is van overeenkomst in persoonlijkheid. Dit interessante gegeven is op zichzelf voor designmanagement niet voldoende. Want als consumenten behoefte hebben aan een vrolijk of eigenzinnig product; hoe ziet dit er dan uit?
De Amerikaanse onderzoeker Jennifer Aaker (1997) ontwikkelde de *Brand Personality Scale.* Zij kwam tot de conclusie dat merkpersoonlijkheid uit vijf dimensies bestaat: oprechtheid, opwindendheid, competentie, distinctie en stoerheid. Elke dimensie is weer opgebouwd uit twee tot vier factoren (in totaal vijftien). Aaker verstaat onder merkpersoonlijkheid 'de menselijke karaktertrekken die worden geassocieerd met een merk'. Dergelijke associaties hebben een hoog abstractieniveau en zijn daarom vooral geschikt voor zogenaamde domein- en multi-domeinmerken (ook wel: herkomstmerken). Dit zijn brede merken die het niveau van een productcategorie (hypotheken of huidcrème) overstijgen tot het niveau van één of meerdere domeinen (financiële diensten of lichaamsverzorging). Naarmate merken zich verbreden, ontwikkelen ze zich namelijk tot een hoger abstractieniveau. Dit is omdat met het merk een steeds breder scala aan producten of diensten moet kunnen worden gelabeld.

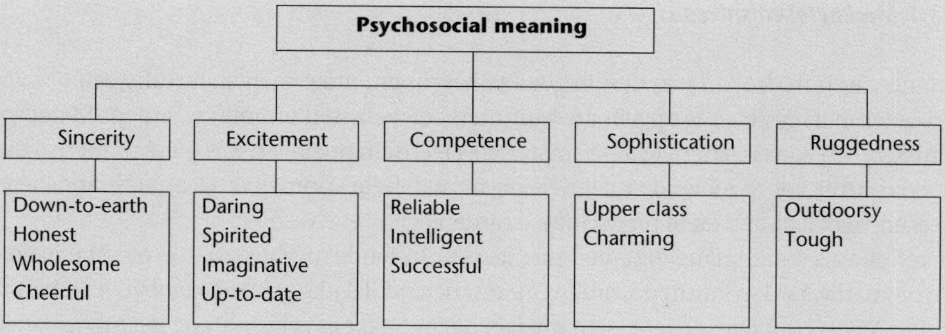

Figuur 2.8 Brand Personality Scale (Jennifer Aaker, 1997)

Naast *merk*persoonlijkheid kan ook *product*persoonlijkheid worden onderscheiden. Merkpersoonlijkheid verhoudt zich tot productpersoonlijkheid zoals een familie ten opzichte van individuele familieleden. Naast bepaalde familietrekken zijn er ook individuele trekken (mede onder invloed van de betreffende productcategorie) die in de productpersoonlijkheid tot uiting komen.

Pascalle Govers (2004) deed onderzoek en ontdekte dat uiteenlopende producten met dezelfde persoonlijkheid, overeenkomstige uiterlijke kenmerken hebben. Ze toonde aan dat productpersoonlijkheid in belangrijke mate bepaald wordt door het productuiterlijk. Productpersoonlijkheid kan ontworpen worden. Govers ontwikkelde de 'Product Personality Scale' waarmee op betrouwbare wijze de productpersoonlijkheid kan worden gemeten. Ze identificeerde achttien meetwaarden die gebaseerd zijn op een gevalideerde combinatie van woorden en beelden. We geven onderstaand alleen de woorden weer:

Afstandelijk: terughoudend, koel
Bescheiden: niet op de voorgrond, ingetogen
Dom: onnozel
Dominant: overheersend
Eerlijk: te vertrouwen, oprecht
Eigenzinnig: van het gewone afwijkend, eigenaardig
Interessant: prikkelt de nieuwsgierigheid
Kinderachtig: kinderlijk, onvolwassen
Leuk: aardig, aantrekkelijk, charmant
Open: sluit zich niet af voor omgeving, toegankelijk
Pittig: krachtig, energiek
Relaxed: niet overhaastig, ontspannen
Saai: eentonig
Schattig: erg lief, snoezig
Serieus: verstandig, volwassen
Slordig: rommelig, onzorgvuldig
Uitdagend: provocerend
Vrolijk: blij, opgewekt

2.3.1 Merkbetekenisniveaus

Om de vier hoofdrollen van design goed te begrijpen, moet men zich realiseren dat vrijwel ieder merksysteem is opgebouwd uit merkbetekenissen en merkwaarden. Merkbetekenissen zijn zowel materiële als immateriële eigenschappen van een merk of merkartikel en de daaruit voortvloeiende materiële en immateriële voordelen. Daarnaast appelleren merken vaak aan abstracte menselijke waarden.
De rollen van design hangen samen met de verschillende niveaus waarop merkbetekenissen en merkwaarden kunnen worden onderscheiden. Het laagste betekenisniveau bestaat uit het meest concrete: de representatie van de merktekens zelf, zoals de naam, het beeldmerk of logo, de kleur, visuele stijl, verpakking et cetera. Het hoogste (meest abstracte) niveau bestaat uit onze centrale waardeoriëntaties, het streven naar harmonie, geluk of macht. Het belang van waarden in dit verband is dat ze richting geven aan selectie of evaluatie van gedrag en gebeurtenissen. Waarden genereren specifieke behoeften, motiveren gedrag en beïnvloeden keuzeprocessen. Waarden zijn niet de enige beïnvloeders van gedrag. Gedrag is het resultaat van het relatieve belang van alle waarden die op dat moment een rol spelen. We kunnen concluderen dat waarden gedrag kunnen beïnvloeden en dat design deze waarden waarneembaar kan maken. Op deze wijze kan design invloed uitoefenen op gedrag.

In figuur 2.9 vatten we de verschillende betekenisniveaus samen. Dit theoretische onderscheid in verschillende betekenisniveaus wordt een *middel-doel-keten* ('means-end-chain' of ook wel: betekenisladder) genoemd. Met een middel-doel-keten wordt verklaard hoe het gebruik van een bepaald merk, het bereiken van een nagestreefde ultieme bestaanswijze dichterbij brengt, of het bereiken van een bepaalde eindtoestand vergemakkelijkt. De nadruk ligt bij deze modellen op de instrumentaliteit: in hoeverre dragen 'lagere' betekenissen bij aan 'hogere'? Welke betekenissen zijn instrumenteel in het realiseren van onze hogere doelen en waarden (aspiraties)? Het model toont de hiërarchische samenhang tussen concrete producteigenschappen (het middel) en de abstracte eindwaarden (het doel). Denk aan design als statusverhogend attribuut om sociale erkenning als einddoel te bereiken.

2.3.2 Rollen van design in relatie tot merkfuncties

Merken kunnen uiteenlopende functies voor consumenten en afnemers hebben. Deze functies geven een indicatie hoe door middel van design, de waarde van het merk voor consumenten vergroot kan worden. De verschillende merkfuncties vertonen namelijk een relatie met de gepresenteerde hoofdrollen van design (figuur 2.10). Franzen & Bouwman (1999) onderscheiden vier merkfuncties die wij koppelen aan de verschillende rollen van design:

- *Koopgedragfunctie* (ook wel: garantiefunctie): de stijl en het design kunnen als externe aanwijzingen, duidelijkheid verschaffen over de interne kwaliteit van producten waarvan consumenten een zeker risico ervaren.

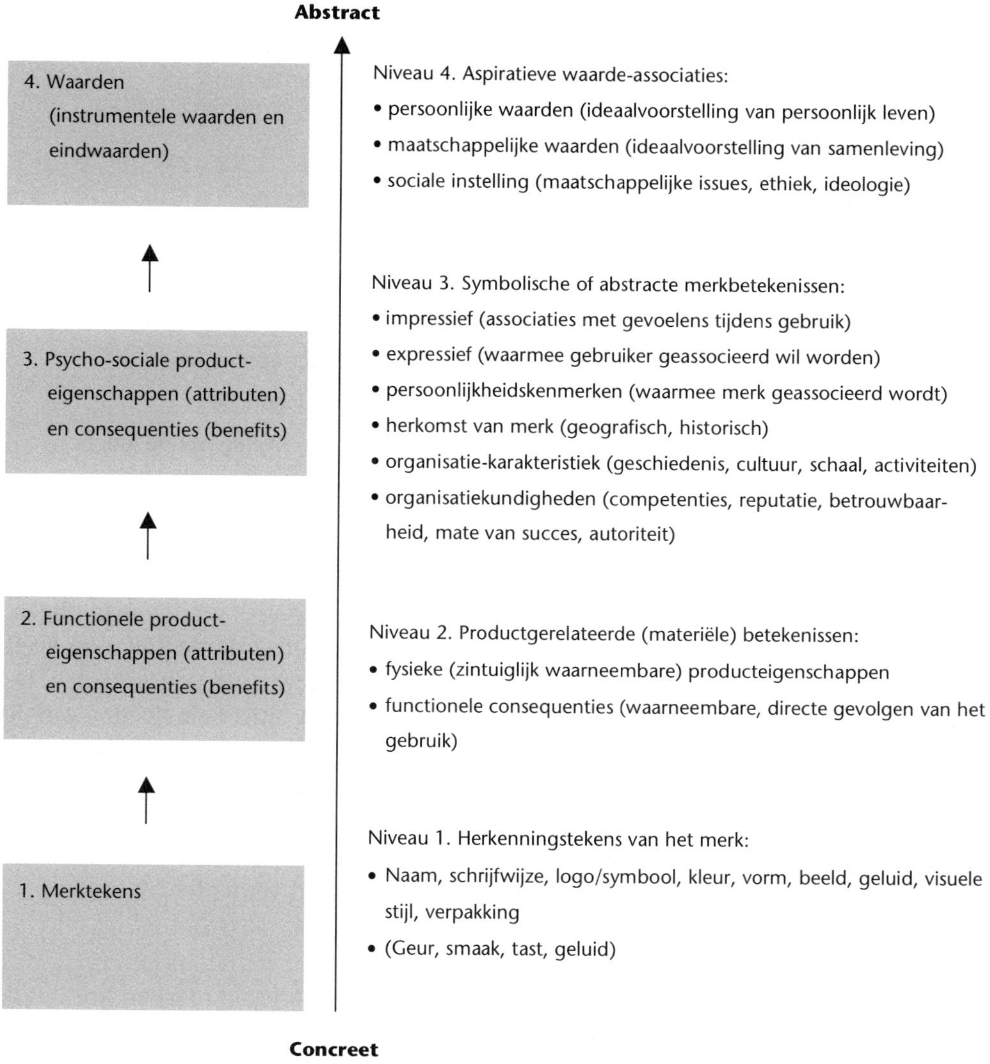

Figuur 2.9 Hiërarchische betekenisniveaus bij een merkrepresentatie

- *Productrepresentatiefunctie* (ook wel: instrumentele functie): design kan richting geven aan de perceptie van de productfuncties en evaluatie van de verwachte productprestaties (merkverwachting).
- *Symboolfunctie* (ook wel: emotionele functie): merken kunnen een symbolische functie voor klanten hebben. Klanten kiezen, kopen en gebruiken dergelijke merken primair om er hun identiteit mee uit te drukken. Aan de hand van de bij het merk behorende concrete symbolen en visuele stijl kunnen ze deze identiteit naar anderen overbrengen.
- *Relatiefunctie* (ook wel: zingevende functie): design kan de merkpersoonlijkheid zichtbaar maken in alle merkuitingen. Design kan een betekenisvolle rol spelen wanneer

de zingevende functie primair het bestaansrecht van een merk vertegenwoordigt, door de merkpersoonlijkheid en de daaraan ten grondslag liggende merkidentiteit op authentieke wijze tot uitdrukking te brengen.

Rol van design.	**Merkfunctie**
1. Identificatie en categorisatie	Koopgedragfunctie
2a. Saillantie	Koopgedragfunctie
2b. Differentiatie	Productrepresentatiefunctie
3. Overdracht van materiële merkbetekenissen	Productrepresentatiefunctie
4. Overdracht van immateriële merkwaarden	Symboolfunctie Relatie- of zingevende functie

Figuur 2.10 De relatie tussen designrollen en merkfuncties

Hoe design bijdraagt aan de koopgedragfunctie van merken

Bij merken waarvan associaties met koopgedrag de kernassociaties vertegenwoordigen, blijft de rol van design doorgaans beperkt tot identificatie en categorisatie. Het merk geeft richting aan koopgedrag en beïnvloedt met name het vertrouwen van consumenten. De gekozen designstrategie dient daarom gericht te zijn op het positief beïnvloeden van de perceptie ten aanzien van de afzender. Een ander aspect is dat de stijl en het design – als *externe* aanwijzingen – de consument duidelijkheid verschaffen over de *interne* kwaliteit van producten waarbij deze een zeker risico ervaart. Binnen de koopgedragfunctie kunnen vier aspecten worden onderscheiden: vereenvoudiging, zekerheid, vertrouwen en nazorg (Franzen & Bouwman, 1999). Hieronder lichten we dit verder toe.

A. Door vereenvoudiging van informatie

- *Identificatie*: Merken vertellen ons wat iets is (een shampoo tegen roos) en hoe iets is (hoge prijs/kwaliteit verhouding) en waar iets is (in het shampooschap). Zo kunnen we in een oogwenk onze afweging en keuze maken. Maathuis (1999) noemt deze functie 'identificatie van de bron' (ook wel: de handelsmerkfunctie). Het gaat hier primair om herkenning van de maker of afzender en van de desbetreffende productcategorie.
- *Herhaling*: merken maken het mogelijk een eerdere aankoop te herhalen, zonder dat daarvoor veel cognitieve inspanning nodig is. Merken besparen ons zo enorm veel tijd. Maathuis noemt deze functie *utility*- of informatiereductie. Consistentie en continuïteit in het design moeten leiden tot herkenning en vertrouwdheid. Deze functie maakt vergaande wijziging van het design vervelend voor consumenten en risicovol voor aanbieders. Hiermee vervalt de utility-functie tijdelijk, totdat de nieuwe cues zijn opgeslagen in het geheugen van de consument/afnemers. Graduele wijziging van het design (evolutie in plaats van revolutie) zorgt er voor dat deze functie wél intact blijft.

B. Door zekerheid te bieden

- *Functioneel*: risicoreductie door continuïteit van het aanbod. Samenstelling en kwaliteit, hoeveelheid en gebruikservaring zijn constant. Een consument weet precies wat hij van het merk kan verwachten. Vergaande wijziging van het product- of verpakkingsdesign kan deze functie aantasten.
- *Sociaal*: zekerheid over de goedkeuring door collega's of waardering door vrienden. Het gaat hier om reductie van het door consumenten gepercipieerde sociale (psychologische) risico van afkeuring. De autoriteit van het merk is in hoge mate bepalend voor de (inschatting en) beoordeling hiervan; de stijl en het design kunnen deze autoriteit (en daarmee het vertrouwen van consumenten) vergroten.

C. Door het vertrouwen in de maker en in de nazorg te vergroten

- *Vertrouwen in de maker*: bekendheid met een afzender die vertrouwen inboezemt kan het gepercipieerde risico reduceren of zelfs wegnemen. Dit kan vooral bij duurzame gebruiksgoederen en risicovolle diensten (eenmalige aanschaffingen) een rol spelen. Organisatie-associaties die verbonden zijn aan het merk, moeten hier zorgen voor vertrouwen. Design moet ertoe bijdragen dat potentiële kopers deze organisatie-associaties kunnen herkennen (de kernbetekenissen van het corporate merk of de corporate identity).
- *Nazorg*: retourgarantie, onderhoud en storingservice. Bij producten waar voorlichting, opleiding of training noodzakelijk zijn, is het de verwachting dat het merk daarin adequaat zal voorzien. Design kan worden ingezet om servicepunten en -faciliteiten saillant te presenteren, om daarmee het vertrouwen in de nazorg te vergroten. Denk aan het wagenpark van een servicedienst of aan de opvallende trailers van McDonald's waarmee recyclebaar afval wordt opgehaald.

Hoe design bijdraagt aan de productrepresentatiefunctie van merken

Merken waarbij deze functie centraal staat, zijn primair representanten van de specifieke producten waarmee ze verbonden zijn. Het merk valt dan samen met een product of een bepaalde productcategorie, zoals bij Grolsch (bier), Ray-Ban (zonnebrillen) of Bonne Maman (jam). De merkbetekenissen waarmee merken hier verbonden zijn, worden aan het product geattribueerd ('traditionele kwaliteit' bij Bonne Maman of 'Bier op z'n Grolsch'). De waarde van het merk voor consumenten wordt bij dit type merken voor een groot deel bepaald door de mate waarin het product aan de verwachtingen voldoet. We kunnen dit samenvatten als de instrumentele functie, hoewel de betekenis hiervan ruim opgevat dient te worden; een merk kan op veel verschillende manieren deze instrumentele functie vervullen. We kunnen maar liefst acht categorieën van waarde onderscheiden die een product (een merkartikel) voor consumenten kan hebben (Lai, 1995 in: Franzen & Van den Berg, 2001):

- *Functioneel*: deze vloeien voort uit de concrete, tastbare eigenschappen van het product als 'instrument' om bepaalde behoeften te voorkomen of op te lossen, of om de materiële toestand te verbeteren. Het gaat hier om functionele attributen op instrumenteel niveau.

- *Sociaal:* de culturele (symbolische) betekenissen die het gebruik van een product vervult. Het gaat om zichtbare producten waarmee consumenten een 'statement' aan hun omgeving kunnen afgeven.
- *Emotioneel:* het vermogen van producten om emoties te activeren en stemmingen te beïnvloeden.
- *Epistemologisch:* de rol die producten spelen bij kennisontwikkeling en intellectuele prikkeling; nieuwsgierigheid, nieuwe ervaringen, het verruimen van kennis.
- *Esthetisch:* het vermogen van een product om te voldoen aan ons gevoel voor schoonheid en stijlvoorkeuren. Dit vloeit voort uit de vormgeving en stijlkenmerken van producten.
- *Hedonistisch:* het vermogen van producten om zintuiglijk genot te verschaffen, plezier te geven of een gevoel van welbevinden op te roepen; de 'geneugten des levens'.
- *Situationeel:* de bijdrage die het product levert aan de beleving van specifieke gebruikssituaties. Producten die op hoogtijdagen gebruikt worden of tijdens bijzondere momenten.
- *Holistisch:* de waardering voor de harmonie van het product in al z'n aspecten; de gaafheid van het geheel. De ideale combinatie van voorgaande waarden, zoals die in de totale productconstellatie vorm gekregen hebben.

In producten kunnen uiteraard meerdere productwaarden tegelijkertijd samengaan, met als ultieme situatie het product met een holistische waarde. Een product kan meerdere instrumentele functies tegelijkertijd vervullen, wanneer een bepaalde esthetische waarde en hedonistische waarde worden gecombineerd.
Merken waarvan associaties met hun product of dienst de kernassociaties vertegenwoordigen, worden in het geheugen gepositioneerd op basis van deze productgerelateerde merkbetekenissen. De product-merkassociatie is bij dit soort merken van essentieel belang en dient in de communicatie en vormgeving zorgvuldig onderhouden en gevoed te worden. Het merk geeft richting aan de perceptie van de productfuncties en beïnvloedt de waardering voor de productprestaties. De gekozen designstrategie dient daarom gericht te zijn op het positief beïnvloeden van de perceptie van de productprestatie(s) van het betreffende merk. Goede voorbeelden hiervan zijn merken als Red Bull, Orangina, Bang&Olufsen en Alfa Romeo.

Hoe design bijdraagt aan de symboolfunctie van merken

Merken hebben een symbool- of emotionele functie wanneer ze door consumenten primair worden gekozen, gekocht en gebruikt om er hun identiteit mee uit te drukken. Aan de hand van de bij het merk behorende (uiterlijke) symbolen kunnen we deze identiteit naar anderen communiceren. Het is daarom evident dat design een belangrijke rol speelt bij deze merkfunctie.
Door hun symbolische betekenissen kunnen merken door mensen gebruikt worden om te communiceren naar hun omgeving. De betekenis van een merk voor een persoon wordt beïnvloed door zowel de persoonlijke betekenis die men eraan hecht, als de betekenis die anderen er aan geven. Consumenten zien hoe merken zich manifesteren, hoe anderen daarop reageren, hoe merken gebruikt worden en door wie, en leiden daar sym-

bolische betekenissen uit af. Merken kunnen op verschillende manieren een symbolische functie voor de consument hebben:

- Als *expressieve* functie: mensen gebruiken bepaalde merken om anderen te laten zien welke waarden ze belangrijk vinden. Het merk laat anderen zien wie je bent of waar je voor staat, wat je belangrijk vindt, wat je nastrevenswaardig of afkeurenswaardig vindt. Gemakkelijke voorbeelden zijn Porsche en Rolex, maar er zijn ook subtielere voorbeelden zoals Apple of Swatch. Een merk wordt dan alleen gekozen als het past bij het beeld dat iemand van zichzelf naar buiten wil brengen. Dit keuzetype wordt ook wel aangeduid als *outer-directed* of imagogericht.
- Als *impressieve* functie: gevoelens van tevredenheid, zelfvoldoening of zelfvertrouwen die voortkomen uit het bezit of het gebruik van een merk (zoals het dragen van ondergoed van Calvin Klein). Ook het kiezen van een merk op grond van maatschappelijke waarden kan onder de impressieve functie worden geschikt (bijvoorbeeld het drinken van Max Havelaar koffie). Let wel; alhoewel het in dit voorbeeld om een sociaal ideaal gaat, is het krijgen van een goed gevoel over de keuze die we maken, de belangrijkste keuze voor onszelf. Dit keuzetype wordt daarom ook wel aangeduid als *inner-directed*. Ook zintuiglijke en intellectuele bevrediging zijn voorbeelden van een impressieve functie. Een merk kan behagen door middel van de stijl of het design, de kleur, smaak of geur. Rituals doet dat in onze beleving heel knap onder het motto 'enrich your life'. Maar een merk wordt in deze situatie alleen gekozen als het past bij het zelfbeeld dat iemand van zichzelf heeft. Daarom wordt dit keuzetype aangeduid als *inner-directed*.

Dit onderscheid is van belang om goed te begrijpen wat de designopgave bij dit type merk zal inhouden. Wanneer het gaat om een impressieve functie zal het design vrijwel altijd een bepaalde ingetogenheid of soberheid weerspiegelen (eventueel ook luxueuze soberheid). Dit in tegenstelling tot merken met een expressieve functie waarbij de zichtbaarheid van groot belang is; anderen moeten het merk(artikel) kunnen opmerken. Een zekere mate van opvallendheid is hier geboden.

Er is tenslotte ook nog een *sociaal-adaptieve* functie aan te wijzen. Mensen gebruiken zoals bekend merken om anderen te imiteren. Door de symbolen over te nemen die in een bepaalde groep of (sub)cultuur belangrijk zijn, kan men de gewenste identiteit aannemen en zich zodoende aanpassen aan de normen van die groep, waardoor eerder acceptatie zal plaatsvinden. Het klassieke voorbeeld is het dragen van Nikes door schoolkinderen.

Merken waarvan symbolische betekenissen de kernassociaties vertegenwoordigen, worden in het geheugen gepositioneerd op basis van deze symbolische waarden. De symbolische merkassociaties zijn bij dit soort merken van essentieel belang en dienen daarom in het design en de communicatie zorgvuldig onderhouden en gevoed te worden. Het merk geeft richting aan de perceptie van de symbolische merkfuncties en beïnvloedt het begrip en de waardering hiervoor. De gekozen designstrategie dient daarom gericht te zijn op het positief beïnvloeden van de perceptie en het overdragen van de gekozen symbolische betekenissen van het betreffende merk.

Hoe design bijdraagt aan de relatiefunctie van merken

Merken krijgen een diepere betekenis wanneer de afnemers een idee hebben welke mensen (organisaties) erachter zitten en waar die voor staan. Met andere woorden; welke levenswaarden en principes een bepaald merk vertegenwoordigt. Mede onder invloed van de sterke groei van de dienstensector is de relatiefunctie in het laatste decennium in het centrum van de belangstelling komen te staan. Merken stellen de relatiefunctie centraal door zich rechtstreeks tot personen te richten en door zelf ook het karakter van een merkpersoonlijkheid te ontwikkelen. Voorbeelden zijn: Sony: 'go create', Siemens: 'be inspired' en Vodafone: 'how are you?'. Design heeft hier tot taak om de merkpersoonlijkheid (die voortkomt uit de merkidentiteit) zichtbaar te maken in alle uitingen van het merk.

Wanneer de relatiefunctie de kernfunctie is die primair het bestaansrecht van een bepaald merk vertegenwoordigt, stelt dit bijzonder hoge eisen aan creativiteit en design. Het is duidelijk dat een relatie alleen ontwikkeld kan worden door middel van een dialoog. Het merk moet relevantie bezitten en kunnen inviteren, uitdagen en inspireren. Een goed voorbeeld hiervan is het inmiddels overleden mobiele-telefoniemerk Ben® dat voortdurend wist te verrassen en te inspireren door de wijze waarop deze relatie zichtbaar werd gemaakt.

Bij deze merkfunctie spelen betrokkenheid en verbondenheid een rol. Betrokkenheid is het belang dat iemand aan een merk hecht. Van verbondenheid spreken we als er interne krachten zijn die de consument aan het merk bindt – onder andere tot uiting komend in een bereidheid om in de relatie met het merk te investeren.

De zingevingsfunctie van merken is een actueel onderwerp. De ontwikkeling naar zingeving door merken is al eerder aangehaald door de stelling dat het in onze economie steeds vaker draait om de unieke vervulling van persoonlijke, emotionele behoeften en steeds minder om die van fysieke behoeften (Pine & Gilmore, 1999). Het begrip merkidentiteit krijgt met deze ontwikkeling een veel bredere betekenis voor een brede groep stakeholders. Merken richten zich niet alleen meer tot consumenten, maar tot alle betrokkenen in en om de onderneming en vertellen hen wat ze geacht worden na te streven en waar te maken. In deze betekenis fungeert het merk als integratie-instrument. Zowel intern – ter sturing van ontwikkelingsprogramma's, competenties en persoonlijke oriëntaties – als extern: het ontwikkelen van gemeenschappelijkheid met afnemers, leveranciers en andere relatiegroepen.

Design kan een betekenisvolle rol spelen bij deze zingevende functie van merken, door de merkpersoonlijkheid en de daaraan ten grondslag liggende merkidentiteit, op authentieke wijze (uniek en consistent) tot uitdrukking te brengen. Maar ook wanneer het voortdurend weet te verrassen en te inspireren, zodat het merk relevant blijft in de ogen van stakeholders. Menselijke waarden en merkwaarden nemen daarbij een centrale plaats in, maar dergelijke abstracte en emotionele betekenissen kunnen alleen worden waargenomen wanneer ze tot uitdrukking worden gebracht door middel van design.

2.4 Een actieve versus passieve rol van design

In de vorige paragraaf introduceerden we een model dat de hiërarchische samenhang tussen verschillende merkbetekenisniveaus toont. Daarbij ging het om de vraag in hoeverre lagere betekenissen in een merksysteem (merktekens) bijdragen aan de perceptie van hogere betekenissen (eigenschappen of waarden). We kunnen vanuit dit model naar voren brengen dat de merktekens – als meest concrete betekenisdragers – idealiter 'actief' zouden moeten bijdragen aan associatievorming met betrekking tot de bij het merk behorende betekenissen. De vorm en stijl vertonen dan, op een voor consumenten herkenbare wijze, een begrijpelijk verband met de kernbetekenissen van het merk. Als consumenten geen relatie percipiëren tussen de concrete merktekens en de verdere eigenschappen of waarden die aan een merk verbonden zijn, kunnen we spreken van een 'gemiste kans' voor het design. Het design van de merktekens is dan niet instrumenteel, hetgeen wil zeggen dat de merktekens niet actief bijdragen aan de perceptie van hogere merkbetekenissen. Het is wel zo dat deze instrumentaliteit ook 'in de loop van de tijd' kan ontstaan, wanneer de merktekens bepaalde merkbetekenissen hebben geabsorbeerd (uit extrinsieke bronnen zoals reclame, de media of door productgebruik). Mensen associëren deze merkbetekenissen met het design, hoewel deze in feite niet voortkomen uit het design zelf. Het merkdesign fungeert dan als een doorgeefluik van associaties.

Riezebos (2002) stelt dat design op twee manieren merkwaarde kan genereren:

- *Passief*: het design absorbeert merkbetekenissen (merkwaarden) die door andere (extrinsieke) bronnen zijn aangedragen en wordt eventueel symbolisch voor die betekenissen. Dit effect doet zich voor over een langere tijd en kan er zelfs in resulteren dat het design een icoon van het merk wordt, zoals het Coca-Cola logo. De krokodil van Lacoste heeft niets met het product of de onderneming te maken, maar vertegenwoordigt wel een belangrijke waarde als merksymbool. En ook het merkdesign van Zwaluw lucifers draagt geen betekenissen van het product of de onderneming over.
- *Actief*: het design communiceert de merkbetekenisen door deze direct (intrinsiek) waarneembaar te maken. Het symboliseert deze merkbetekenissen van meet af aan. Voorbeelden zijn merksymbolen als het nestje van Nestlé, het bloemetje van Yoplait, de boom van Bull, de vier ringen (wielen) van Audi, de swoosh van Nike en vele andere. Deze symbolen zijn welbewust gekozen om de persoonlijkheid en cultuur van het merk weer te geven. In de richtlijnen voor een dergelijk actief design- en identiteitsprogramma worden merkpersoonlijkheid en bepaalde andere waarden van primair belang geacht. *'Het belang van deze symbolen is niet zozeer dat het merk zich hieraan laat herkennen. Het is veel eerder dat het merk zichzelf herkent in deze uiterlijkheden en de daaraan verbonden associaties'* (Kapferer, 1995).

Design kan dus een actieve rol spelen bij de ontwikkeling van merkkennis door het op een herkenbare wijze overdragen van functionele en/of symbolische merkbetekenissen. Bij een actieve rol van design draagt het designattribuut zelf bij aan het merkimago. Dit treedt op wanneer dit designattribuut (een productvorm, logo of verpakking) voor het merk relevante associaties oproept bij klanten.

Afhankelijk van de aard van een product (een waar of een dienst) zijn vijf merkattributen te onderscheiden waarin design een belangrijke rol speelt: (1) product/productvorm, (2) logo, (3) verpakking, (4) huisstijl of visuele identiteit en (5) retail design. Het ligt voor de hand dat een actieve of passieve rol van design, alle vijf individuele merkattributen kan betreffen. We behandelen ze hierna alle vijf op een rij.

2.4.1 Actief/passief productdesign

Productdesign kan zowel een actieve als een passieve rol vervullen bij merkontwikkeling. Productdesign wordt passief ingezet als het design geen voor het merk relevante associaties bij de consument oproept. Het product zal dan voornamelijk gericht zijn op functievervulling en minder op betekenisgeving. Wanneer voor ondersteuning door middel van marketingcommunicatie een laag budget beschikbaar is, wordt het belang van een veelzeggende productvormgeving groter. Het productuiterlijk zal dan bij voorkeur een actieve rol moeten spelen in het proces van merkontwikkeling.
In een aantal categorieën is de vormgeving van producten vrijwel generiek. Dit uit zich in het gegeven dat aan de vorm van het product het merk niet is te herkennen. Indien het logo op zo'n product wordt afgedekt, blijkt het moeilijk om het merk te benoemen. Als voorbeeld kunnen we stofzuigers noemen; het productuiterlijk is vaak zodanig generiek dat niet van merkeigenheid kan worden gesproken. Hier bleek innovatief en actief design een grote toegevoegde waarde te kunnen leveren: Dyson wist in de tweede helft van de jaren negentig met zijn DualCyclone® stofzuigers in het Verenigd Koninkrijk in korte tijd marktleider te worden, ondanks een significant hoog prijsniveau. In het productuiterlijk komen de unieke producteigenschappen en -voordelen op een herkenbare en onderscheidende wijze tot uitdrukking. Het productdesign draagt in dit voorbeeld actief bij aan de overdracht van materiële merkbetekenissen.

Arthur Eger (2004) wijst erop dat productontwikkeling vrijwel altijd zes fasen doorloopt in een vaste volgorde: functievervulling, optimalisering, detaillering, segmentering, individualisering en bewustwording (figuur 2.10). Door te analyseren in welke productfase een bestaand product zich bevindt, kan met behulp van dit model een designstrategie worden ontwikkeld en sturing worden geven aan het productdesign. Wanneer een product nieuw is (denk aan de eerste mobiele telefoon) zal de aandacht van ontwerpers vooral uitgaan naar de functionaliteit. In een later stadium – als er meer aanbieders komen – zal de aandacht verschuiven naar een groter bedieningsgemak of extra *features*, om het product daarmee te kunnen onderscheiden van andere aanbieders. Op een bepaald moment in de ontwikkeling van een product (tussen de fase van detaillering en segmentering) is functievervulling geen issue meer; op functionele gronden is niet langer een onderscheid mogelijk en in dit stadium is het product vaak overvoerd met mogelijkheden of accessoires (de zogenaamde 'performance oversupply'). De behoefte van consumenten verschuift nu van functionaliteit naar betekenisgeving. En dat is ook het moment waarop productdesign idealiter een actieve rol dient te (gaan) spelen. Vanaf deze fase moet door middel van betekenisgeving, aansluiting worden gezocht op de interesses van een doelgroep of op een bepaalde leefstijl. Het product moet door middel van expressieve informatie interessant worden gemaakt voor consumenten. De esthetische en symbolische functie van het productuiterlijk wordt nu dominant. Men kan in dit verband denken aan de Xelibri mobiele telefoons van Siemens, die als modeartikel – als bijoux – werden vormgegeven.

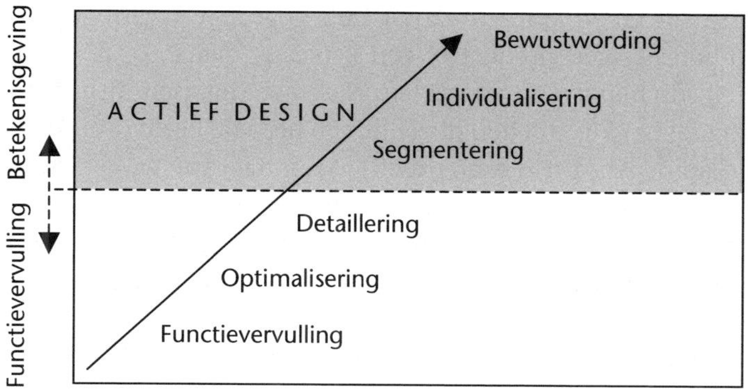

Figuur 2.11 De zes productfasen (naar: Eger, 2004)

2.4.2 Actief/passief logodesign

Het logo neemt een centrale plaats in de communicatie en presentatie van het merk in. We classificeerden dit type design als strategisch en als permanent medium. Een logo kan voor een snelle herkenning van het merk zorgen en kan door middel van haar vormgeving bepaalde associaties oproepen. We spreken van een actieve rol als het logo voor het merk relevante (materiële of immateriële) betekenissen overdraagt. Met andere woorden; als het design rechtstreeks contribueert aan de inhoud van het merkimago. Zoals eerder in de tekst aangegeven, zal daarbij doorgaans sprake zijn van een eenvoudige en herkenbare symboliek en figuratie. Denk aan de zonnebloem van BP of het schild van ABN-AMRO. De symboliek kan ook een meer abstract karakter hebben, op voorwaarde dat een dergelijk abstract symbool herkend en begrepen kan worden. We kunnen in dit verband de kaleidoscoop van SNS bank noemen of de pijlvorm van NS. Verreweg de meeste logo's hebben geen actieve rol; ze fungeren louter als signaal voor het merk (gericht op merkherkenning) zonder dat er sprake is van een begrijpelijke symbolische betekenis. Zoals de 'N' van Nationale Nederlanden. Veel logo's zijn non-descript; van een materiële of symbolische betekenis is geen sprake. Deze betekenis kan althans niet worden geduid op grond van de uiterlijke kenmerken van het logo. Als voorbeeld kunnen we het 'blokje-balletje'-symbool van de Publieke Omroep aanhalen, dat bestaat uit een blauw vierkant en rode cirkel. Hoewel het logo ertoe kan leiden dat mensen een bepaalde eigenaar of afzender van een product of dienst kunnen herkennen, of deze als 'anders' kunnen ervaren, is hier uiteraard sprake van een 'passieve' rol van het design. Het logodesign wordt in deze situatie niet geacht bepaalde merkbetekenissen 'actief' over te dragen (of daartoe in staat te zijn). In veel gevallen

wordt de rol van design voor het merk van ondergeschikt belang geacht. Er kan dan wel sprake zijn van een bewust en gepland merkenbeleid, maar de aandacht voor het logo als merkattribuut is beperkt. In andere gevallen is er geen sprake van een merk. Dat wil zeggen dat geen sprake is van een bewust nagestreefd merkimago met een sterke merkreputatie als doel. Er is slechts een bedrijfs- of productnaam die alleen bekend is in een kring van direct bij de organisatie betrokken mensen (afnemers, medewerkers en aandeelhouders). Alleen zij kunnen vanuit hun opgedane ervaringen de bedrijfsnaam associëren met een bepaald product of een bepaalde dienst, of deze naam associëren met bepaalde eigenschappen en voordelen. Naarmate mensen meer betrokken zijn bij de onderneming zal het logo bij hen mogelijk een bepaald beeld (imago) of een bepaalde emotie kunnen oproepen. Dit is echter niet het resultaat van een bewust geplande situatie waarbij het merk als bedrijfsinstrument wordt ingezet.
Soms wordt getwijfeld aan de mogelijkheden om met behulp van het logo als merkattribuut, de centrale merkbetekenissen actief over te dragen. Dergelijke betekenissen kunnen immers een abstract karakter hebben (zoals flexibel, betrouwbaar of professioneel). Andere begrippen kunnen heel moeilijk associatief tot uitdrukking worden gebracht of vrijwel alleen op cognitief niveau worden gebruikt (zoals integer of transparant). Hiermee bedoelen we dat een dergelijke betekenis beter door middel van tekst tot uitdrukking kan worden gebracht, dan door middel van beeld. Het kan in de praktijk moeilijk zijn abstracte waarden op een herkenbare wijze visueel tot uitdrukking te brengen. Al bij de selectie van centrale merkbetekenissen (doorgaans in de vorm van talige begrippen) zou daarom rekening gehouden moeten worden met de mogelijkheden van een begrijpelijke en onderscheidende visualisatie en verbeelding. Tenminste wanneer een actieve rol van het merkdesign wordt verwacht.
Verder hangt de actieve rol van logodesign uiteraard ook samen met het type logo dat wordt gekozen. Wanneer de keuze is gemaakt voor een woordmerk – zonder een symbool als beeldmerk – zal dat zeker lastig zijn, hoewel typografie op zichzelf goede expressieve mogelijkheden biedt. Een goed voorbeeld is de 'western'-lettering van de merknaam Jack Daniel's (bourbon whiskey), dat direct verwijst naar de waarden (en levensstijl) die centraal staan bij dit merk.
We spreken ook geen oordeel uit over de keuze voor een woordbeeld in plaats van een beeldmerk. Er zijn goede merkstrategische redenen denkbaar om geen beeldmerk als symbool te kiezen. Voor een actieve rol van het logodesign, gebaseerd op een woordbeeld als centraal merkteken, is het dan wel van belang dat de merknaam initiële associaties oproept die relevant zijn voor het merk. Dit wordt aangeduid als het 'Joyce-principe' (Riezebos, 2002). Wanneer dit niet het geval is, zal een hoger marketingcommunicatiebudget nodig zijn om consumenten te leren waarmee ze de merknaam moeten associëren.

We spreken ook geen waardeoordeel uit over de keuze voor een al dan niet veelzeggend logo; aan de keuze voor een neutraal logo, dat op zichzelf geen betekenis uitdraagt, kunnen valide merkstrategische overwegingen ten grondslag liggen. Zoals de wens om het logo breed in te zetten. Wanneer een logodesign een symbolische betekenis heeft die samenvalt met een bepaalde productcategorie, kan dit eventueel een beperking vormen voor toekomstige verbreding van het merk. De associatie die het logo met de desbetref-

fende categorie oproept, kan de acceptatie van het merk in andere categorieën mogelijk negatief beïnvloeden.
Wanneer een merk breed is (dat wil zeggen dat het gebruikt wordt in meerdere productcategorieën) verdient het de voorkeur de initiële associaties, die met het logodesign samenhangen, voldoende abstract te houden. Abstracte merkassociaties – zoals die kunnen worden afgeleid uit design – bieden meer ruimte voor een extensiebeleid. Een voorbeeld dat we in dit verband kunnen aanhalen is het logo van BP, de bekende geelgroene 'Helios' (energiebeeld van de Griekse zonnegod). Het symboliseert ondermeer de vier basisprincipes van BP: resultaatgericht, innovatief, progressief en groen. De CEO van BP, Lord John Browne: *'In a global marketplace, branding is crucially important in attracting customers and business. It's not just a matter of a few gasoline stations or the logo on the pole signs. It is about the identity of the company and the values which underpin everything that you do and every relationship that you have'.*

We sluiten dit onderwerp af door de belangrijkste criteria voor een goed logo-ontwerp kort samen te vatten (mede gebaseerd op Henderson & Cote, 1998):
- Identificatie: een logo moet de herkenning van het merk versnellen.
- Differentiatie: een logo moet onderscheidend zijn ten opzichte van andere logo's (uniciteit en merkeigenheid moeten leiden tot onderscheidend vermogen).
- Communiceren van merkwaarden: een logo moet een voor het merk relevante materiële en/of immateriële betekenis communiceren.
- Aantrekkelijkheid: een logo moet aantrekkelijk worden gevonden, waardoor het een positieve uitstraling op de merkbeleving heeft. Henderson & Cote noemen als aspecten van aantrekkelijkheid: mooi, goede kwaliteit en interessant.
- 'Familiarity': een logo moet een gevoel van vertrouwdheid kunnen geven.

Ten slotte merken we nog op dat een logodesign te allen tijde voldoende onderscheidend vermogen zal moeten bieden om als merkteken geregistreerd te kunnen worden, teneinde het merk adequaat juridisch te kunnen beschermen tegen merkrechtelijke inbreuk.

2.4.3 Actief/passief verpakkingsdesign

Bij actief gebruik van verpakkingsdesign, zoals bij Absolut Vodka waar de fles de merkwaarden *clean, pure* en *modern* symboliseert, zal de overdacht van merkwaarden veel sneller en efficiënter plaatsvinden dan bij passief verpakkingdsesign. Indien verpakking een actieve rol speelt, is het onderscheid tussen saillantie en contributie van designelementen van belang. *Saillantie* verwijst naar het identificeren van de visuele tekens die consumenten zich herinneren en met welke kracht ze deze tekens met het merk associeren. Het gaat hier om de intensiteit waarmee visuele cues in iemands geheugen zitten. *Contributie* verwijst naar de vraag in welke mate de designelementen actief bijdragen aan het merkimago. Het betreft hier de perceptie van de inhoudelijke merkbetekenissen.
Soms heeft een merk visuele waarden met een hoge saillantie, maar met een lage contributie (er is dan geen sprake van een communicatieve inhoud of betekenis van de desbetreffende visuele tekens). Het gaat dan om een opvallend vormelement dat bijdraagt aan het onderscheidend vermogen van een productverpakking (en daarmee aan de be-

schermingsomvang van het merk), terwijl geen consument zal kunnen aangeven wat de inhoudelijke betekenis van deze vorm is. Denk aan de lila-paarse flacons van Andrélon voorzien van de welbekende schubben. De paarse kleur heeft als zodanig geen inhoudelijke betekenis maar verschaft het product wel een hoge mate van opvallendheid.
Een voorbeeld van een verpakking met zowel een hoge saillantie als contributie is Southern Comfort (whiskylikeur). De afbeelding van een klassieke radarstoomboot en de western-typografie dragen 'actief' bij aan het overdragen van productkenmerken en merkwaarden als authenticiteit, traditie en de ontspannen levenshouding waar de zuidelijke staten zich op laten voorstaan.
We willen onderstrepen dat een passieve rol niet automatisch inhoudt dat de verpakking niet effectief zou kunnen zijn. Een hoge opvalwaarde (saillantie) in het schap kan immers de verkoop stimuleren en een bepaalde maatvoering of verpakkingsvorm kan leiden tot logistieke besparingen (in verband met gewicht en massa). Wanneer de verpakking losstaat van de merkidentiteit, zullen andere middelen (externe bronnen zoals reclame) moeten worden ingezet om betekenis te geven aan het merk. We komen hier in de volgende paragraaf nog op terug.

Als voor het verpakkingsontwerp een passieve rol is weggelegd, is er sprake van een geheel andere designstrategie dan wanneer voor een actieve rol wordt gekozen. De designeisen bij een actieve rol zijn dwingender; op de verpakking dient eenvoudig te communiceren symboliek gebruikt te worden die aansluit op stereotiepe denkbeelden. Als voorbeeld kunnen we het Franse merk Bonne Maman aanhalen. Het *instant appeal* van de Bonne Maman-verpakking is groot. Bovendien kunnen de merkwaarden (authentiek, traditionele bereiding en kwaliteit, 'faite maison') rechtstreeks uit het verpakkingsdesign worden afgelezen. Zowel de belettering die associaties oproept met een handgeschreven etiket, als de roodwit geblokte stofbedrukking op het deksel, verwijzen direct naar de genoemde merkwaarden. Het design draagt deze op een direct herkenbare, eenvoudige en sterk onderscheidende wijze over.
Een ander interessant aspect van dit voorbeeld, is dat de merkwaarden zodanig abstract zijn dat uitbreidingen (extensies) van het merk goed mogelijk zijn met gebruikmaking van dezelfde merkwaarden en hetzelfde merkdesign. Het verpakkingsdesign verwijst dus niet naar een bepaalde productcategorie, maar naar iets als een specifiek 'kwaliteitsgevoel'. Zo kunnen sinds enige tijd ook groenten in pot, koekjes en toetjes van dit merk in het Franse winkelschap worden aangetroffen. Allemaal in dezelfde herkenbare stijl. Een goed voorbeeld van actief design, dat nauwelijks communicatieve ondersteuning (reclame-inspanningen) behoeft en in belangrijke mate bijdraagt aan het succes van dit merk.

Verpakkingen kunnen uiteenlopende functies vervullen en in samenhang daarmee zijn er verschillende richtingen voor het design mogelijk. Koopmans (2000) noemt een zestal functies van verpakkingsdesign die we volledigheidshalve onderstaand weergeven:

- Beschermende en logistieke functie: het verdelen van een product in eenheden en het tijdens transport en opslag beschermen ervan.

- Concurrentiefunctie: het onderscheiden van een merk ten opzichte van concurrenten.
- Verkoopfunctie: beïnvloeden en vergemakkelijken van het keuzeproces door consumenten op de plaats van aankoop.
- Communicatiefunctie: het tot uitdrukking brengen van zowel expressieve informatie als productinformatie.
- Merkbouwfunctie: de verpakking als onderdeel van een merkstrategie (bijv. bij merkverbreding) en als uitdrukking van de merkidentiteit.
- Gebruiksfunctie: het vergemakkelijken van het gebruik door consumenten (ook wel: de ergonomische functie).

2.4.4 Actief/passief huisstijldesign

Veel huisstijlen staan in de praktijk los van de merkidentiteit. Een dergelijke passieve huisstijl is een formeel programma voor de uitvoering van visuele presentatie- en communicatiemiddelen, zonder dat daarbij sprake is van het actief overdragen van de bij het merk horende betekenissen. Vaak omdat deze betekenissen niet gedefinieerd zijn, of pas later zijn ontwikkeld – na implementatie van het huisstijlprogramma. De formele praktische voorschriften van een dergelijk designprogramma staan hiermee los van de merkidentiteit.
Wanneer de merkidentiteit niet bekend is, kunnen ontwerpers vrijwel niet anders dan een passief huisstijlontwerp maken. Met het oog op voldoende effectiviteit, zal het ontwerp dan wel tenminste in visueel opzicht onderscheidend moeten zijn en dienen te beschikken over een hoge mate van saillantie.
Bekende en sprekende voorbeelden van de toepassing van actief design zijn de karakteristieke huisstijlen van benzinemaatschappijen als Shell of BP. Op ieder niveau wordt design actief ingezet om producten, verkoopplaatsen en informatie op eigen en onderscheidende wijze te presenteren. Het directe verband dat wordt gelegd tussen onderneming, productaanbod en design is zó krachtig, dat ondersteuning door reclame en direct marketing vrijwel niet nodig is.
We merken ten slotte nog op dat de waarde van een huisstijlprogramma niet alleen betrekking heeft op het merk. Het uniformeren en standaardiseren van de uitvoering van communicatie- en presentatiemiddelen bevordert ook de efficiëntie en doelmatigheid van informatie- en werkprocessen binnen organisaties. Hetgeen in de praktijk vaak leidt tot aanzienlijke kostenbesparingen. Als kwaliteitsprogramma schrijft het voor in welke gewenste standaard presentatiemiddelen dienen te worden uitgevoerd. Het is niet zo dat de effectiviteit van een huisstijlprogramma staat of valt met de mate waarin de huisstijl de perceptie van bij het merk horende waarden mogelijk maakt.

2.4.5 Actief/passief retaildesign

Voor retailers is de plaats van verkoop en de service die daar geboden wordt het feitelijke productaanbod. In veel gevallen is de winkelinrichting een belangrijk attribuut om de

gewenste merkbeleving te realiseren. Retaildesign zal daarom het meest effectief zijn als de desbetreffende merkwaarden in het design tot uitdrukking worden gebracht.
Merkbeleving is op de plaats van verkoop zo sterk, dat ook veel productmerken met een expressief of exclusief karakter de mogelijkheid aangrijpen, om retaildesign een actieve rol te laten spelen in het verankeren van de merkbeleving in het denken van de afnemer. Een goed voorbeeld zijn de bijzonder kleurrijke en eigenzinnige, door de Italiaanse topontwerper en architect Alessandro Mendini ingerichte, winkels van Swatch. Andere voorbeelden zijn de Bertolli-lunchrooms (in Italiaanse stijl) en het Nederlandse merk Rituals dat staat voor lifestyle en design. Naast eigen productstellingen in warenhuizen (volgens het 'shop-in-shop' concept) zijn ook enkele Rituals Stores in de grote steden geopend. De winkels zijn zodanig vormgegeven dat productpresentatie, productinformatie en merkbeleving optimaal tot hun recht komen. Van de speciaal ontworpen verkoopschappen tot de gebruikte materialen, kleuren, belichting en aankleding; alles is zorgvuldig op elkaar afgestemd en ademt de sfeer van het merk.
KPN hanteert verschillende formules zoals i-mode en Primafoon. De zeer expressieve i-mode 'outlets' zijn uitstekende voorbeelden van hoe retaildesign actief kan worden ingezet om te komen tot een merkbeleving, terwijl de Primafoon-winkels typische voorbeelden van passief design zijn. De Primafoon-formule lijkt veel eerder gericht op merkherkenning en een bepaalde mate van saillantie (door het uitbundige gebruik van KPN Telecom–groen).

Samenvatting

Samenvattend kunnen we stellen dat de doelmatigheid en effectiviteit van design nauw samenhangt met de mate waarin design wordt gebruikt om *actief* de merkbetekenissen te communiceren. Ook Kapferer (2001) wijst op het belang van een actieve rol voor design: *'In today's marketplace it is no longer a question of challenging brand values, but of understanding how each of these values should be expressed and updated to meet evolving consumer taste. Brand values are therefore essential for designers. (...) It is important to convey the brand identity and its values. The trend is therefore towards a form of symbolic design (...).'* Hij voegt daaraan toe dat design ongetwijfeld in dienst staat van vorm en functie, maar dat het boven alles verantwoordelijk is voor het externaliseren van de innerlijke drijvende kracht van het merk: zijn intrinsieke missie.
Als we de verschillende merkfuncties (zie paragraaf 2.3.2) in ogenschouw nemen, valt op dat eigenlijk alleen een basis voor een passieve rol van design gevonden kan worden als er sprake is van de 'koopgedrag-of garantiefunctie' als primaire merkfunctie. De rol van design is dan gericht op identificatie. Wanneer één van de andere drie genoemde merkfuncties centraal staat, is de rol van design gericht op de overdracht van materiële merkbetekenissen of immateriële merkwaarden. In principe is een actieve rol van design in al die gevallen onmisbaar, tenzij deze overdracht door middel van andere instrumenten, zoals reclame, wordt gerealiseerd. In veel gevallen zal dit niet haalbaar blijken uit financiële overwegingen. De kosten van massamediale campagnes overstijgen doorgaans de hoogte van designinvesteringen ruimschoots.
Bovendien krijgen nieuwe merken vandaag de dag nog maar weinig tijd om zich te bewijzen. Er zal snel een overtuigend resultaat moeten worden neergezet, met uitzicht

op een aantrekkelijke return on investment. Het betekenis geven aan een merk via massamediale uitingen (reclamecampagnes) vereist een langere adem en brengt aanzienlijke investeringen met zich mee. Bij merkintroducties zou daarom ook het design actief moeten worden ingezet. De verschillende merkattributen (zoals productvorm, logo of verpakking) fungeren dan als betekenisdragers van het merk.

In onderstaand overzicht zetten we de eisen aan beide vormen van design nog eens op een rijtje.

Eisen bij een *passieve* rol van design:
- relatief neutraal en abstract ontwerp zonder initiële associaties;
- geen conflict tussen onderlinge door design en door reclame aangedragen assocaties;
- wél onderscheidend en saillant ontwerp.

Voordeel:
- flexibel (wijziging van positionering en merkuitbreiding zonder designaanpassing)
- beter houdbaar op termijn (minder invloed van trends en 'wear-out'-effect)

Nadeel:
- langere tijd en hoog marketingcommuniatiebudget nodig om betekenis te verwerven (via absorptie van door externe bronnen aangedragen betekenissen).

Eisen bij een *actieve* rol van design:
- eenvoudig te communiceren symboliek;
- beelden moeten aansluiten bij stereotiepe denkbeelden;
- beelden moeten een zekere aantrekkingskracht hebben ('appeal');
- initiële associaties van merknaam en merkbeeld zijn relevant en moeten onderling aansluiten.

Voordeel:
- minder tijd en budget nodig om betekenis te verwerven.

Nadeel:
- minder houdbaar op termijn (wanneer product- of categorieassociaties in het design een verbreding van het merk in de weg staan);
- minder flexibel; wijziging van merkbetekenissen maakt designvernieuwing eventueel noodzakelijk (bij herpositionering).

2.5 Design als 'low-budget route' van merkontwikkeling

Design kan verschillende rollen vervullen bij merkontwikkeling, vaak tegen een fractie van de kosten van reclame. In deze paragraaf gaan we hier nader op in. We introduceren het concept van de low-budget route om hiermee aan te geven in welke situatie design als primair *brand building instrument* overwogen zou moeten worden. De vraag of bij-

voorbeeld een logo een zekere betekenis moet communiceren, is met name afhankelijk van de vraag of het merk wordt ondersteund met een laag of hoog marketingcommunicatiebudget. Bij een laag budget is het wenselijk dat het logo zelf ('actief') bijdraagt aan de merkidentiteit: de merkidentiteit dient dan direct te kunnen worden afgeleid uit het logo-ontwerp.
Er zijn zeer uiteenlopende redenen waarom organisaties kunnen kiezen voor de low-budget route van merkontwikkeling. Onderstaand geven we een puntsgewijs overzicht van denkbeeldige argumenten.

- Onvoldoende return on investment op het reclamebudget door een te kleine doelgroep, door relatief hoge mediakosten of geen substantiële schaalvoordelen (bijvoorbeeld bij nichemerken).
- Het toepassen van een lage kosten strategie of een hybride strategie, waardoor zo kosteneffectief mogelijk gewerkt dient te worden (zie box 1.2).
- Het toepassen van een design-/stijldifferentiatie, waarbij de unieke vormgeving of het productuiterlijk de differentiatiegrondslag van het merk vormt. (Het ligt dan voor de hand het budget te verplaatsen richting designinvesteringen.)
- Het toepassen van een product-/servicedifferentiatie die een zodanig productontwikkelingsbudget vereist (R&D- en designbudget) dat er onvoldoende reclamebudget resteert.
- Ethische overwegingen als gevolg van een merkidentiteit die refereert aan maatschappelijke waarden of een sociale instelling, op grond waarvan het gebruik van reclame wordt afgekeurd (zoals Ben & Jerry's en The BodyShop).
- Onvoldoende financieel-krachtige onderneming; onvoldoende budget om 'share of voice' binnen de betreffende categorie te kopen (waardoor uitgeweken moet worden naar andere instrumenten dan reclame).
- Financiering uit publieke middelen (zoals overheids-, non-profit en charitatieve instellingen), hetgeen de wens van zo groot mogelijke doelmatigheid met zich meebrengt.

Een motivatie kan ook worden gevonden in de afnemende effectiviteit van reclame als merkinstrument. *'Door de toename van het reclamevolume is het moeilijk geworden om de beoogde reclame-effecten te realiseren. De mediatarieven zijn vaak sterker gestegen dan de bereikcijfers. Promoties hebben doorgaans een tijdelijk effect en het lange-termijneffect kan ook negatief zijn. De kosten van persoonlijke verkoop zijn eveneens sterk gestegen'* (Floor & Van Raaij, 1995). Hiermee willen we overigens niet suggereren dat reclame er niet toe doet. Het is in onze optiek echter wel een overbenut instrument; te vaak gaat het budget automatisch naar reclame. Het instrument design is zeker niet zaligmakend, maar zou vaker als alternatief overwogen moeten worden. De ontwikkelingen bij een mega-adverteerder als Procter & Gamble wijzen er op dat dit inzicht begint door te dringen; de aandacht voor design neemt binnen P&G sterk toe, met als gevolg dat ook budgetten anders verdeeld worden. En ook Porsche Nederland besloot in 2004 haar reclamebudget te verplaatsen naar design, met als doel alle showrooms optimaal in te richten om te komen tot de gewenste merkbeleving.

De vier gepresenteerde hoofdrollen van design kunnen verschillen waar het de low- of high-budget route betreft (Southgate, 1994 en Riezebos, 2002). Een low-budget route vereist een designstrategie die zich vertaalt in het actief inzetten van de mogelijkheden die design biedt als brand building instrument. Een concept dat we in de voorgaande paragraaf uiteengezet hebben.
Van de vier genoemde rollen zijn *overdracht van materiële merkbetekenissen* en *overdracht van immateriële merkwaarden* met name belangrijk bij merken die worden ontwikkeld volgens de low-budget route. Waar bij een high-budget route reclame wordt ingezet om materiële of immateriële betekenissen en waarden aan een merk te koppelen, zal bij een low-budget route dit grotendeels moeten worden bewerkstelligd door het design van de merkattributen. Door deze steeds te verbinden aan de actualiteit (acties en limited editions, sponsoring, events) en de resultaten van de onderneming, kan met behulp van PR, free publicity worden gecreëerd. Voorbeelden van merken die op deze wijze (vrijwel) zonder reclame groot zijn geworden zijn Dyson, Starbucks, Google, Amazon, The Body Shop, Ben & Jerry's en Apple. In Nederland herkennen we deze benadering bij merken als Australian Homemade, Rituals en Innocent. Design speelt bij deze merken aantoonbaar een belangrijke rol.

Bij een low-budget route moet design bijdragen aan het overdragen van de voor het merk relevante merkwaarden. Bij merkontwikkeling volgens de low-budget route zou daarom altijd gekozen moeten worden voor een actieve, contribuerende rol van design. Dat wil zeggen dat visuele signalen niet alleen krachtig (saillant) moeten zijn, maar ook inhoudelijk moeten bijdragen (contribueren) en richting moeten geven aan het merkimago.
Er bestaat geen wezenlijk verschil tussen de rol van design bij productmerken, organisatiemerken of retailmerken. De vier rollen van design kunnen vrijwel altijd worden onderscheiden, hoewel de mate waarin ze van belang zijn, kan variëren. In het onderstaande DesignSpectrum-model zijn de vier rollen van design samengevat.

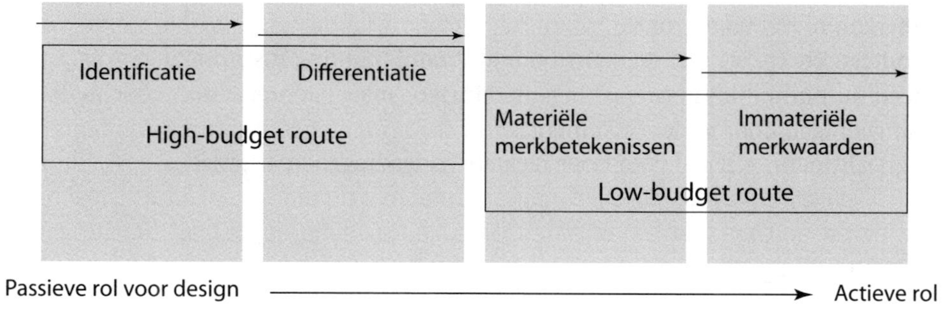

Figuur 2.12 Het DesignSpectrum (Kootstra in: Riezebos, 2002)

De vraag of een logo of verpakking een zekere betekenis moet communiceren, is dus met name afhankelijk van de vraag of het merk wordt ondersteund met een laag of hoog marketingcommunicatiebudget. Bij een laag budget is het wenselijk dat dergelijke merk-

attributen zelf (actief) bijdragen aan de merkidentiteit: de merkidentiteit dient direct te kunnen worden afgeleid uit het ontwerp (de symboolfunctie is hier van belang). Er zijn geen forse reclamebudgetten beschikbaar om het merk te laden met voor het merk relevante associaties. Het appellerend vermogen ('instant appeal') van de merkattributen moet daarom hoog zijn. Relevante merkwaarden dienen door consumenten direct uit de attributen te kunnen worden afgelezen. Zoals we eerder naar voren brachten, kan het design in deze situatie wel een beperkende factor worden bij merkverbreding. Dit geldt vooral wanneer een kenmerk van het flagship product of de productcategorie visueel in het design tot uitdrukking is gebracht. Merkassociaties op een hoger abstractieniveau – zoals die kunnen worden afgeleid uit het design – bieden meer ruimte voor een extensiebeleid. We noemden in dit verband het voorbeeld van Bonne Maman.
Bij een hoog budget zal het logo geladen worden door de boodschap die in marketingcommunicatie wordt aangedragen (het logo vervult een passieve rol en absorbeert aangedragen associaties en betekenissen). Een voorbeeld is het logodesign van LU dat volstrekt neutraal is vormgegeven en daarmee niet verraadt in welke productcategorie het wordt gebruikt. In dit soort gevallen is er geen sprake van een symboolfunctie, maar van een signaalfunctie. Het logo draagt *niet actief* bij aan het communiceren van merkwaarden, maar fungeert slechts als een 'doorgeefluik' voor door reclame aangedragen associaties. Een logo fungeert op deze wijze primair als herkennings- en beschermingsteken (met betrekking tot de koopgedragfunctie). We vatten de verschillen tussen beide routes ten slotte puntsgewijs samen in onderstaand overzicht.

Kenmerken low-budget route:
- bovengeschikte rol van merkattribuut als brand building instrument;
- autonome bijdrage aan betekenis van merk voor consumenten;
- inhoudelijke bijdrage aan merkimago (door relevante associaties op te roepen);
- symboolfunctie;
- (rechtvaardiging hoger designbudget).

Kenmerken high-budget route:
- ondergeschikte rol van merkattribuut als brand building instrument;
- geen autonome bijdrage aan het merkimago, maar 'doorgeefluik' voor associaties, aangedragen door andere bronnen;
- signaalfunctie (signaal voor door reclame aangedragen associaties).

2.6 Designwijziging

Een zorgvuldig gekozen design kan vaak langere tijd worden gebruikt. Toch kunnen er redenen zijn om over te gaan tot wijziging van het bestaande design. Veelal hebben deze veranderingen een evolutionair karakter, hetgeen vaak wordt aangeduid als 'restyling'. Bij herpositionering of een 'rebirth' van het merk kunnen deze veranderingen een revolutionair karakter hebben. Waneer er sprake is van een ingrijpende koerswijziging die consequenties heeft voor de bestaande identiteit van de onderneming of het merk, is heroverweging van het bestaande design vrijwel altijd aan de orde. Denk hierbij aan de situatie wanneer een onderneming haar aanbod naar de markt drastisch wijzigt, besluit zich op nieuwe markten te begeven, een overname pleegt of een alliantie aangaat om krachten te kunnen bundelen. De redenen achter designwijziging kunnen een dwingend karakter hebben; aan wijziging valt dan eenvoudigweg niet of nauwelijks te ontkomen. In andere gevallen lijken er meerdere opties te bestaan.

Er kunnen uiteenlopende redenen voor designwijziging worden gevonden die de basis vormen voor evenzoveel strategieën. Deze kunnen worden onderverdeeld in drie dimensies; grafisch, juridisch en merkstrategisch. De grafische dimensie heeft betrekking op repro-technische aspecten; zaken die samenhangen met grafische productietechnieken. Juridische redenen hebben betrekking op merkrechtelijke registraties; een onderwerp dat ook al in paragraaf 2.2.4 aan de orde kwam. Merkstrategische redenen om het design te wijzigen hangen samen met de keuze voor het gebruik van het organisatiemerk (corporate merk) dan wel met individuele merken. Het identiteitsbesef (de eigen visie, waarden en cultuur van de organisatie) heeft doorgaans een belangrijke invloed op deze keuze. Daarnaast is deze keuze afhankelijk van de juridische structuur, de bedrijfsfilosofie, het gekozen besturingsmodel en de mate waarin markten verschillen die door het merk worden bediend.

Box 2.5 Merkstrategie; merkbreedte en merkarchitectuur

De kern van een merkstrategie is de beslissing om één, dan wel meerdere merken te gebruiken. Dit bepaalt of stakeholders één merkimago ontwikkelen dat door het corporate merk wordt gelabeld, dan wel meerdere merkimago's, gelabeld door separate merken (Maathuis, 1999). Deze gelabelde merkrepresentaties kunnen volledig gescheiden opereren of aan elkaar worden gekoppeld. Hiertoe kan men drie generieke merkstrategieën onderscheiden (Olins, 1989; Kapferer, 1996; Kotler, 1994; Riezebos, 2002; Maathuis, 1999):

- *Monolithische of monomerk-strategie*: het gebruik van één naam en visuele stijl om de organisatie en alle constituerende elementen te identificeren (zowel business-units als producten/diensten). Deze strategie wordt ook wel multiproductstrategie genoemd; het product krijgt geen eigen merknaam, maar de corporate merknaam (Philips en Yamaha).
- *Endorsement* of *submerk-strategie* (ook wel: dualistische strategie): het gebruik van één of meerdere submerken (namen en visuele stijlen op business-unit- of product-niveau), geëndosseerd door het organisatiemerk (hoofdmerk). Deze strategie kan variëren van dominantie van het organisatiemerk tot dominantie van het business-unit- of productmerk. (Endorsement betekent letterlijk: sanctioneren, goedkeuren, aanbevelen en versterken.) Een belangrijke voorwaarde is dat het endorsement-merk (duidelijk) zichtbaar moet zijn op het product of de verpakking. Veel endorsement-merken voldoen hier niet aan en fungeren slechts als 'fingerprint' of 'legal sender'; een weggemoffeld, weinig zeggend grafisch element.

- *Multilithische* of *branded strategie* (ook wel: multi-brand strategie): het gebruik van individuele merken (namen en visuele stijlen) op business-unit- en productniveau zonder onderlinge verwijzing of verwijzing naar het organisatiemerk. Het corporate (hoofd)merk is voor klanten nauwelijks zichtbaar en wordt alleen gebruikt voor institutionele doeleinden (zichtbaar op gebouwen en in documenten). Andere merkstrategieën zijn 'co-branding' (ook wel 'dual branding') en 'ingrediënt branding' maar deze laten we hier verder buiten beschouwing.

Veel ondernemingen gebruiken een combinatie van deze strategieën. Ze onderscheiden delen van hun activiteiten door middel van twee of drie verschillende strategieën.

Een merkstrategie kent twee dimensies: merkbreedte en merkarchitectuur. De relatie tussen een merk en het aantal afzonderlijke productcategorieën waaraan het merk gekoppeld is, noemen we de breedte van het merk (de *horizontale* dimensie). We onderscheiden van smal naar breed: productmerken, categoriemerken, domeinmerken (ook wel: paraplu- of familiemerken), en multi-domeinmerken (ook wel: herkomstmerken). Domeinmerken zijn verbonden met verschillende productcategorieën die een onderlinge samenhang vertonen met tenminste één gemeenschappelijk kenmerk. De grote bankverzekeraars zijn hiervan een voorbeeld, zoals ING en Fortis. Afzonderlijke productcategorieën als sparen, lenen, beleggen en verzekeren worden hierbij met elkaar verbonden door het domein 'financiële dienstverlening'. Multi-domeinmerken zijn verbonden aan heel verschillende productcategorieën waartussen geen duidelijke samenhang bestaat. Sony bijvoorbeeld, verleent ook financiële diensten als Sony Bank. Dit staat ook wel bekend als merkdiversificatie. Hieronder verstaan we een extreme vorm van merkverbreding. Bekende voorbeelden van sterk gediversificeerde merken zijn Caterpillar, Harley Davidson en Virgin (Virgin Cola, Virgin Wodka, Virgin Hotels, Virgin Rail, Virgin Travel, Virgin Bride et cetera). Samenvattend kunnen we stellen dat een merk smal (Levi's) dan wel breed kan zijn. Voor het succes van verbreding (extensie) is de *leverage* van een merk in de nieuwe categorie van belang: het voordeel dat het in de perceptie van consumenten vertegenwoordigt ten opzichte van de reeds in die categorie gevestigde merken (Franzen & Van den Berg, 2001). De perceptuele *fit* tussen het merk en de nieuwe categorie wordt hierbij gezien als een randvoorwaarde.

Een merk kan zich ook ontwikkelen van smal naar breed. Een individueel productmerk kan zich in principe zelfs ontwikkelen tot een multi-domeinmerk. De consequentie hiervan is vrijwel altijd dat de kernbetekenissen van het merk zich naar een hoger abstractieniveau ontwikkelen. De betekenisladder verschuift van instrumentele merkbetekenissen, via impressieve of expressieve (symbolische) merkbetekenissen naar abstracte waarden (zie figuur 2.9). Logischerwijs heeft deze verandering in de merkidentiteit consequenties voor de visuele identiteit. Het bestaande design van het productmerk kan invloed hebben op de mogelijkheid van het merk om zich te verbreden ('stretchen'). Wanneer instrumentele product-/merkassociaties in het design tot uitdrukking komen, kan dit de horizontale stretch van het merk beperken. In vrijwel alle gevallen zal merkverbreding consequenties hebben voor het design. Een producent doet er daarom verstandig aan bij de keuze van de te volgen designstrategie rekening te houden met

de (lange termijn) merkstrategie. Of anders gezegd: de merkstrategie tijdig te vertalen naar een weloverwogen designstrategie.
De merkarchitectuur is de *verticale* dimensie. Hiermee wordt gedoeld op het verbinden van één of meerdere merken aan een product of reeks van producten. We onderscheiden hoofdmerken (corporate merk, divisiemerk of individueel merk) en merkcombinaties (duale merken, submerk, endorsement-merk of label). Deze gelaagde merkniveaus (onder- en bovengeschikte merken) voegen elk hun eigen specifieke betekenis aan een product toe. Het hoofdmerk fungeert daarbij als belangrijkste element in de merkarchitectuur. Er is een trend waarneembaar naar vermindering van het aantal niveaus met het oog op een betere beheersbaarheid. Vaak ontbreken de financiële middelen om op drie niveaus (organisatie-, business- en productniveau) voldoende bekendheid en betekenis voor afzonderlijke merken te ontwikkelen.

2.6.1 Tien redenen voor designwijziging

In sommige situaties zal er niet één reden, maar een combinatie van redenen zijn die de aanleiding vormen tot redesign. Het is in ieder geval verstandig deze vooraf in kaart te brengen, zodat er een goed begrip is en hierover geen misverstanden hoeven te ontstaan. Onderstaande tekst biedt daartoe een overzicht, dat niet pretendeert volledig te zijn. We onderscheiden tien mogelijke redenen voor designwijziging, onderverdeeld in drie dimensies:

Grafisch
1. Het 'bij de tijd' houden van het merkdesign; het vergroten van de relevantie
2. Innoveren van design door middel van nieuwe presentatietechnieken
3. Kostenbesparing door vereenvoudiging van het merkdesign

Juridisch
4. Vergroting van de beschermingsomvang van het merk
5. Gebruik van design in nieuwe categorieën

Merkstrategisch
6. Kostenbesparing door gebruik van het corporate merk op productniveau
7. Gebruik van design in meerdere geografische markten
8. Behoud van brand equity door middel van design
9. Herpositioneren, revitaliseren of 'rebirth' van het merk
10. Betere aansluiting op het hoofdmerk door 'family resemblance'

Onderstaand geven we steeds een korte toelichting, ondersteund met enkele voorbeelden.

Het 'bij de tijd' houden van het merkdesign; het vergroten van de relevantie
Een *eerste reden* voor designwijziging is het bij de tijd houden van het merk. In vaktermen wordt wel gesproken van esthetische levensduur: de periode dat een bepaald consumptie- of productiegoed qua vormgeving, stijl, uitstraling of beleving nog binnen een

bepaald tijdsgewricht past. Wanneer deze levensduur zijn einde nadert, wordt de visuele stijl aangepast om het merk weer op te frissen en relevant te maken. In de regel zijn dit evolutionaire veranderingen. De kernwaarden en de gewenste merkassociaties blijven in deze situatie gewoonlijk hetzelfde.
Bij een verandering van de visuele stijl dient vooraf vastgesteld te worden welke aspecten van de oude stijl gebruikt kunnen worden om de herkenbaarheid van de nieuwe stijl te vergroten. Het verdient aanbeveling om zorgvuldig om te springen met de opgebouwde designwaarde ('design equity').
Deze strategie wordt toegepast bij veel gerenommeerde merken, waaronder Braun, Ahrend, Douwe Egberts, Heineken, KLM en Shell. De geschiedenis van het Shell-logo met de herkenbare schelpvorm gaat terug tot 1900. Sindsdien vond een zevental designwijzigingen plaats. Opmerkelijk is dat sommige versies bijzonder lang stand hielden, terwijl andere versies na enkele jaren alweer werden gewijzigd. Hun leeftijd varieert van vier tot zelfs vierentwintig jaar.

Innoveren van design door middel van nieuwe presentatietechnieken

Een *tweede reden* voor veranderingen in design heeft te maken met veranderende presentatietechnieken. Hierbij kunnen we denken aan nieuwe verpakkingstechnieken of aan nieuwe (reprografische) weergavetechnieken. De komst van internet heeft er toe geleid dat de Postbank haar logo wijzigde in een minder gedetailleerde vormgeving. De liggende leeuw werd vervangen door een leeuwenkop met handhaving van de karakteristieke stilering en blauwe kleurstelling. Het lettertype en de afbeelding van het Postbank-logo zijn aangepast, maar behouden is de karakteristieke lijnvoering (stilering) en de blauwe merkkleur. Ook Philips koos ervoor om het schildembleem niet langer te gebruiken in merkuitingen, onder meer vanwege technische problemen.
Met de opkomst van internet bleken veel logo's en verpakkingen niet in de gewenste kwaliteit te kunnen worden weergegeven op beeldschermen (Van de Laar & Van den Berg-Weitzel, 2001). De resolutie van beeldschermen is beperkt tot 300 beeldlijnen per inch. Binnen dit grofmazige lijnraster worden beelden opgebouwd in de vorm van pixels. Bovendien worden afbeeldingen op internet doorgaans in het bestandsformaat GIF opgenomen, met een resolutie van slechts 72 dpi (dots per inch). Fijne lijnstukken en details in het ontwerp vallen weg of kunnen niet goed worden weergegeven. Ook bepaalde kleuren kunnen niet goed worden weergegeven, omdat het aantal beeldschermkleuren beperkt is. Het opnieuw styleren van het design leidt daarom meestal tot vereenvoudiging waarbij details komen te vervallen.
Het omgekeerde is ook het geval. Logo's worden in toenemende mate in full-color uitgevoerd en voorzien van drie-dimensionale effecten. Iets dat tot voor kort vrijwel niet mogelijk was in verband met de reprografische complexiteit en het daarmee samenhangende kostenniveau. Vandaag de dag zijn niet langer de analoge merkuitingen het belangrijkste, maar de digitale. En bij digitale media maakt het aantal drukkleuren niet uit; bij het ontwerp van een website is het aantal gebruikte kleuren geen kostenfactor. Ditzelfde geldt voor digitaal printwerk. De betrouwbaarheid en kwaliteit van digitale printers neemt toe en nadert soms het niveau van drukwerkkwaliteit. Binnen de analoge wereld is een ontwikkeling in de grafische industrie gaande, waarbij het prijsverschil

tussen 'zwart met één of twee steunkleuren' en full-color drukwerk sterk is afgenomen. Steeds meer drukpersen beschikken over vier kleurentorens en drukkerijen kiezen ervoor om hun productiecapaciteit zoveel mogelijk op dit dure full-color machinepark in te richten. Daarnaast zijn nieuwe digitale prepress-technieken als 'computer to plate' en digitale kleurproefsystemen een reden voor deze ontwikkeling. Het prepress-traject in full-color is tegenwoordig aanmerkelijk eenvoudiger dan vroeger.

Kostenbesparing door vereenvoudiging van het merkdesign

Een *derde reden* voor designwijziging is kostenbesparing wanneer het bestaande merkdesign te duur wordt gevonden. Het aantal gebruikte kleuren, de reprografische complexiteit van het logo, of de complexiteit van de grafische stijl kan tegenvallende kosten met zich meebrengen. Vooral voor het MKB kunnen de kosten van drukwerk nog steeds een belangrijke kostenpost vormen.

Vergroting van de beschermingsomvang van het merk

Een *vierde reden* voor designwijziging is wanneer er onvoldoende mogelijkheden zijn om een merkdesign juridisch te beschermen. Wanneer een merk is ingeschreven bij het Benelux-merkenregister is de beschermingsomvang beperkt tot deze drie landen. Uitbreiding hiervan, door registratie in het Europees merkenregister (geldend voor alle EU-landen) of in individuele landenregisters, kan er alsnog toe leiden dat de inschrijving wordt afgewezen op grond van gebrek aan onderscheidend vermogen. Of dat de inschrijving wordt aangevochten door reeds gevestigde merkdepothouders die van mening zijn dat het nieuwe merk inbreuk pleegt op hun merkenrecht op grond van visuele gelijkenis. Het beschikken over voldoende onderscheidend vermogen kan (mede) gerealiseerd worden door middel van een specifiek design. Wijziging van het bestaande merkdesign om meer onderscheidend vermogen te realiseren kan daarom noodzakelijk worden voor nieuwkomers.

Het uitvoeren van een merkgelijkenisonderzoek behoort tot de verplichte onderzoeksprocedure, alvorens een merkdepot te doen. Soms blijkt dan dat er veel soortgelijke logo's bestaan met a-specifieke vormen. Er is een enorm aantal geregistreerde merken dat bestaat uit een vierkantje. Denk aan Orange, 3M en Cassina. Omdat het er zoveel zijn, is weigering op grond van merkgelijkenis niet meer mogelijk. Wanneer het logo generiek van vormgeving is, zal de merknaam moeten zorgen voor voldoende onderscheidend vermogen. Wanneer een bestaand merkdesign juridisch gezien moeilijk is te beschermen – omdat de merknaam beschrijvend van karakter is – kan een specifieke vormgeving er juist voor zorgen dat het merk alsnog onderscheidend wordt en daarmee beter beschermbaar is. Redesign heeft dan als doel om de beschermingsomvang van het merk te vergroten.

Stichting Max Havelaar heeft in 2002 een nieuw keurmerk laten ontwikkelen. Een yin-yang-teken, waarbij het yin-gedeelte is vervangen door een groen blad. Alle internationale Fair Trade-keurmerkorganisaties hebben besloten dit logo gezamenlijk te gaan voeren, waarmee aldus Max Havelaar een nieuwe fase is gestart om de herkenbaarheid en beschermbaarheid van Fair Trade producten wereldwijd te verhogen.

Gebruik van design in nieuwe categorieën

Een *vijfde reden* is het gebruik van het logo in nieuwe registratieklassen dan waarin het merk tot dan toe is geregistreerd. Een merk kan in verschillende klassen worden geregistreerd; inschrijving is beperkt tot die klassen waarin het merk daadwerkelijk opereert. Wanneer het merkdepot – als gevolg van een extensiestrategie – moet worden uitgebreid naar nieuwe registratieklassen, kunnen soortgelijke problemen ontstaan als hiervoor beschreven. In de nieuwe registratieklasse(n) kunnen reeds merken gedeponeerd zijn die in uiterlijke kenmerken een zodanig gelijkenis vertonen, dat in die klasse(n) gevestigde depothouders met succes tegen de nieuwkomer kunnen opponeren. Bestaande depothouders kunnen zich verzetten tegen een door hun vermeende inbreuk op hun merk door de nieuwkomer, wanneer zij vinden dat een zodanige merkgelijkenis optreedt dat hierover verwarring kan ontstaan bij de consument. Wijziging van het bestaande design is gewenst of zelfs noodzakelijk wanneer de merkeigenaar toch een succesvol depot in die nieuwe klasse wil doen. Maar ook vanuit het standpunt van de merkeigenaar kan een gebrek aan onderscheidend vermogen van het huidige merk in de nieuwe productklasse, een reden zijn om uit eigen initiatief het bestaande merkdesign te wijzigen.

Kostenbesparing door gebruik van het corporate merk op productniveau

Een *zesde reden* is het aantal merken binnen de onderneming te verminderen om de kosten van merkexploitatie te reduceren. Het in de lucht houden van meerdere merken is vaak een kostbare zaak. KPN kondigde om reden van kostenbesparing in 2002 een rebranding van KPN Mobile aan. KPN Mobile werd gewoon KPN Telecom, ook omdat de oorspronkelijk geplande beursgang voor deze dochteronderneming niet meer in het vooruitzicht lag.

Merkenportefeuilles kunnen doorgeschoten zijn, hetgeen kan leiden tot de wens tot sanering (opschoning en rationalisatie). Er is dan ook een trend naar minder merken waarneembaar. Bedrijven kunnen ervoor kiezen om, in plaats van individuele merken, het corporate merk als hoofdmerk in te zetten om hun verschillende producten of diensten te labelen. Individuele productmerken of servicemerken gaan dan over in het corporate merk. In een aantal gevallen leidt dit tot designwijziging. Achmea en Fortis bijvoorbeeld, besloten tot redesign van hun bedrijfslogo omdat het bestaande design niet voldoende geschikt werd geacht voor deze nieuwe rol. Het oude logo fungeerde vooral als vlag op de financiële holding en als merk naar de financiële markt (en soms de arbeidsmarkt). Om het corporate merk ook succesvol in te kunnen zetten op de afzetmarkt (gericht op afnemers en consumenten) werd het bestaande logodesign, met een nogal institutioneel karakter, gewijzigd in een nieuw design dat als consumentenmerk kan functioneren. Zowel Achmea als Fortis wijzigden hun rol van 'leeg' holdingmerk tot hoofdmerk, dat wordt ingezet in een endorsement-strategie (de merken treden hierbij op als 'aanbeveling' naar een aantal werkmaatschappijen). Om deze rol te kunnen vervullen – en merkwaarde te kunnen overdragen – werd een nieuw design als onontbeerlijk gezien.

Ook het TPG-merk fungeerde eerst als beperkt corporate merk, gericht op financiële markten (TPG Holding). Later werd het ook als servicemerk geïntroduceerd. Hierbij werd het bestaande merk PTT Post omgebouwd in Koninklijke TPG Post, met een merkdesign dat verwantschap toonde met het moedermerk TPG Holding. Nog later werd het merk

TPG Holding gewijzigd in TNT Holding, en het merk TPG Post in Koninklijke TNT Post. Het brand design van het internationale TNT-merk werd daarbij doorgevoerd.
Ook de wijziging van het aloude Unilever-logo heeft een merkstrategische achtergrond. Unilever wil het aantal divisie- en businessmerken verkleinen en deze als Unilever-bedrijven presenteren. Daarnaast voert Unilever vanaf 2004 wereldwijd het corporate merk op een aantal afzonderlijke producten, als onderdeel van het vijfjarenplan 'De weg naar groei' dat in 1999 begon. De multinational streeft naar wereldwijde synergie, onder andere door het corporate merk zichtbaarder te maken. Deze strategie wordt wel aangeduid als 'legal sender' strategie. Aan de afbeelding van het logo wordt steeds een statement (een kort verhaal) over lokale initiatieven op het terrein van milieu of de samenleving gekoppeld. Het opvallende nieuwe logo is opgebouwd uit kleine vormen die alle aspecten van het bedrijf verbeelden.

Gebruik van design in meerdere geografische markten

Een *zevende reden* voor een onderneming om het logo te veranderen, is dat de merkeigenaar het design in meerdere geografische markten wil gebruiken. Er zijn verschillende voorbeelden van internationaal gestandaardiseerd merkdesign waarvan alleen de merknaam of de endorser per land verschilt.
Het wasmiddel Robijn heet in Duitsland Kuschelweich, in Frankrijk Cajoline, in Italië Cocolino en in Spanje Mimosin. Naast merknaamverschillen zal tussen landen ook het design vaak in geringe mate aangepast moeten worden als gevolg van lokale cultuurverschillen of landenspecifieke codes. Zeker bij adaptatie van een in het buitenland succesvol merk, kan het wenselijk zijn dit af te stemmen op de lokale marktbehoefte en cultuur. Bij een 'roll-out' van mondiale merken moet een omgekeerde weg worden bewandeld, waarbij de invloed van lokale culturen op design zoveel mogelijk wordt vermeden.
Het hartsymbool – in Nederland bekend van Ola-ijs – is volgens Unilever één van de best bekende symbolen in deze productcategorie wereldwijd. Het werd gelanceerd in 1997 om Unilevers ijsactiviteiten in meer dan 40 landen en diverse ijsmerken samen te brengen, met als doel het meest krachtige ijsmerk ter wereld te bouwen. Het hart-logo brengt ijsbedrijven onder verschillende namen samen, zoals Miko in Frankrijk, Frisko in Denemarken, Langnese in Duitsland, Ola in Nederland, Kibon in Brazilië, Streets in Australië, Algida in Italië en Wall's in het Verenigd Koninkrijk en Zuidoost-Azië.
In 2002 werd het nieuwe beeldmerk van Douwe Egberts wereldwijd ingevoerd; de 'aroma lady'. Het nostalgische koffievrouwtje sprak jonge moderne consumenten niet meer aan en bleek op de internationale markt achterhaald. Bovendien bleek het niet meer relevant voor de merkwaarden van Douwe Egberts. De nieuwe in 2002 geïntroduceerde Aroma Lady staat voor de emotie die Douwe Egberts wereldwijd wil uitdragen. In de merkidentiteit vinden we als kernbetekenissen 'genieten', 'verwennen' en 'verrijken' ('verrijken van het leven', 'verrijking van momenten' en 'verrijking van koffie'). Centraal staat de beleving van waardevolle momenten waarin 'je geniet' en 'je jezelf of anderen verwent'. Je 'thuis voelen is een rijk gevoel; thuis is warmte, thuis is vrij zijn'. Het gaat hier duidelijk om emotionele waarden, gekoppeld aan een sterk feminiene merkpersoonlijkheid. In de restyling van het merkdesign is design 'actiever' ingezet om deze betekenissen tot uitdrukking te brengen. Zodat consumenten deze emotionele merkbetekenissen kunnen

waarnemen en begrijpen. Het merkdesign is sterk geladen; het beeld 'gloeit' en je ruikt de koffie als het ware. Vergeleken met het oude merkdesign is er een veel betere aansluiting gevonden op de merkidentiteit.

Behoud van brand equity door middel van design

Een *achtste reden* voor designwijziging zijn fusies, acquisities en partnerships. Na dit soort gebeurtenissen wordt het design van de nieuwe onderneming gewoonlijk aangepast. Daarbij kunnen verschillende routes worden gekozen. Bij acquisities komt het voor dat de overgenomen merknaam tijdelijk achter die van de overnemende partij wordt geplaatst (zoals Rentokil Initial) om een proces van imagotransfer mogelijk te maken. Daarbij is het de bedoeling dat de bestaande *brand equity* van het geacquireerde merk overgaat op de nieuwe combinatie. Een dergelijke constructie kan voorkomen dat de bestaande merkwaarde van het geacquireerde merk in één klap verloren gaat, zoals het geval zou zijn bij directe integratie.

Soms wordt er voor gekozen om elementen uit twee merkidentiteiten te mengen. Zoals dat gebeurde bij de fusie van Van Ommeren en Pakhoed die leidde tot Vopak of die van KNP en Buhrmann-Tetterode tot KNP BT. Deze oplossing lijkt vooral voort te komen uit interne politieke doelen zoals een betere interne acceptatie door (deels) behoud van de bestaande eigen identiteit.

De joint venture tussen Sony en Ericsson leidde tot het nieuwe merk Sony Ericsson. Twee vertrouwde merknamen die werden gekoppeld aan een zeer onderscheidend beeldmerk; een geheimzinnig 'oogje' dat ook in drie-dimensionale vorm op de telefoontjes is gemonteerd.

Box 2.6 Designcase: revitalisering Randstad

In de inmiddels 45 jaar dat Randstad bestaat, is het bedrijf groot geworden met uitzenden. Het bedrijfje dat Frits Goldschmeding tijdens zijn studie economie startte is in die tijd uitgegroeid tot een succesvolle multinational met wereldfaam. Van meet af aan heeft Goldschmeding veel aandacht besteed aan het merk Randstad en de bijbehorende huisstijl. Ondermeer met behulp van een zorgvuldig vormgevingsbeleid bouwde hij een A-merk propositie. Ook in dat opzicht bleek hij een ziener. In een tijd waarin dit nog geen gemeengoed was, introduceerde Goldschmeding een merkdesign dat een geweldige ambitie uitstraalde en de belofte van kwaliteit in zich droeg. Sindsdien heeft Randstad in de snel groeiende markt steeds zijn eigen gezicht weten te behouden. En dat wordt intern gezien als een van de bouwstenen van het Randstadsucces.

Ben Bos (Total Design) ontwierp in 1967 het Randstad-logo. Frits Goldschmeding tegen de ontwerper: *"Kijk Ben, het is een chaos op deze wereld, ik wil er een kosmos van maken. Terwijl wij keihard met cijferfilosofieën zijn begonnen, ben ik tenslotte op de vraag uitgekomen: wat zijn nu de kernelementen van hoe mensen met elkaar omgaan? Toen kwam ik op drie dingen: kennen, dienen en vertrouwen".* Die kernwaarden zijn sindsdien bepalend voor hoe klanten Randstad ervaren in het dagelijks contact. Het vormgevingsbeleid heeft tot taak deze kernwaarden en de merkpersoonlijkheid tot uitdrukking te

brengen, met name in de communicatiemiddelen en de presentatie van de vestigingen. Het opvallende gebruik van portretfotografie vertegenwoordigt daarin een vaste waarde en benadrukt de mensen achter het merk: medewerkers, flexwerkers en 'inleners' (de inhurende bedrijven).
Met de internationale groei ontstond de behoefte aan één duidelijk en consistent merkbeeld. Aan een merkbeeld dat het leiderschap van Randstad onderstreept en waaraan het merk overal ter wereld kan worden herkend. Daarom werd besloten tot een merkrevitaliseringsoperatie. Het beleid was er tot dat moment op gericht om nationale adapties te maken, aansluitend op de culturele verschillen tussen landen onderling. Deze behoefte tot adaptie kwam voort uit het typisch Noord-Europese karakter van het Randstad-merkdesign. In een eigen publicatie verwoord als: 'kwalitatief ijzersterk, maar wel een tikje streng en sober. Zuidelijke landen als Spanje en Portugal voelden zich daar niet echt bij thuis'. Het gevolg was evenwel dat al die nationale varianten van het merkbeeld verwarrend werkten.
Afgeleide doelstellingen voor de merkrevitaliseringsoperatie waren het bereiken van meer efficiency (door centrale inkoop via een beperkt aantal leveranciers) en het sneller kunnen opzetten van vestigingen in het kader van de internationale groeistrategie. Via een internetapplicatie moesten de wereldwijde vestigingen 'self supporting' kunnen worden en alle benodigde materialen downloaden of online bestellen.
Voor de vormgeving werd in 2003 een Nederlands designbureau aangetrokken: Studio Dumbar. Deze kreeg als opdracht om met behoud van een aantal vaste waarden zoals het logo, de typografie en de blauwe merkkleur een nieuw programma te ontwikkelen. De speelruimte was beperkt gezien de opgebouwde design equity (de merkmeerwaarde van het brand design), maar ondanks dat diende een vernieuwd merkdesign een nieuwe impuls te geven aan de merkbeleving en te leiden tot een eenduidige en eenvoudig realiseerbare Randstad 'look and feel'. Het resultaat is een kleurrijk, helder en flexibel programma, gebaseerd op het gebruik van veel wit, vierkante kleurvlakken, typografie en een herkenbare portretfotografie.

(Bron: Randstad-publicatie 'Typisch Randstad'. Overgenomen met toestemming.)

Herpositioneren, revitaliseren of 'rebirth' van merk

Een *negende reden* voor designwijziging is herpositionering, revitalisering of 'rebirth' van een merk. Aan dit soort mutaties ligt een verandering van het merkconcept en de centrale merkwaarden ten grondslag. Het gevolg daarvan is in de regel dat ook het merkdesign wijzigt. Omdat het merkconcept verandert, heeft designwijziging in deze situatie eerder een revolutionair dan een evolutionair karakter. De geloofwaardigheid van de verandering kan toenemen wanneer gekozen wordt voor een meer radicale vernieuwing.
In de literatuur wordt in dit verband soms ook wel gesproken over imago-operaties. De veronderstelling is dat de wens van een nieuw imago, de aanleiding vormt tot invoering van een nieuw merkdesign. Als voorbeeld wordt wel de Britse oliemaatschappij BP genoemd, die haar imago van vervuilende oliemaatschappij naar milieubewust energieconcern wilde wijzigen en daarom besloot tot een vernieuwingsoperatie. De kleur geel en groen bleven behouden, maar het schildsymbool veranderde in een bloemvorm. BP

claimde daarnaast het wereldwijde marktleiderschap in zonne-energie. Het bleek een succesvolle operatie; inmiddels heeft BP samen met Shell het groenste imago in de oliebusiness. Toch zijn wij geneigd om in deze case niet van een imago-operatie te spreken, maar van herpositionering van het BP-merk. De merkwaarden zijn immers gewijzigd en het merk heeft met succes een nieuwe centrale merkbetekenis als 'milieuvriendelijk' weten in te voeren. Het nieuwe design heeft hierbij een actieve rol gespeeld; het aloude BP-schild had alleen een passieve rol kunnen spelen. Het schild vormde lange tijd een vaste waarde voor het merk. In 1919 werd het ingevoerd en sindsdien enkele malen gemoderniseerd. Maar een zoveelste restyling van het bestaande schild (zoals wel is onderzocht en overwogen) zou de herpositionering onvoldoende actief kunnen ondersteunen. De radicale designwijziging bleek een juiste beslissing en heeft er wellicht mede toe geleid dat de herpositionering werd geaccepteerd en het onderscheidend vermogen van BP binnen de categorie is toegenomen.

Box 2.7 **Designcase: herpositionering Albert Heijn**

Tot 2002 stond het designbeleid van Albert Heijn in het teken van differentiatie. Door de inzet van design diende een prijs-/kwaliteitsperceptie te worden gerealiseerd, die tenminste op het niveau van A-merken lag en die een navenant prijsniveau rechtvaardigde. Albert Heijn won er verschillende designprijzen mee en zag zijn huismerkreputatie tot grote hoogte stijgen.

Er was qua vormgeving geen consequent doorgevoerd designprogramma, maar steeds werd per product gekeken welke ruimte er in de betreffende categorie was om het huismerkartikel door middel van vomgeving optimaal te onderscheiden van andere aanbieders. Deze aandacht voor differentiatie door middel van verpakkingsdesign leidde in sommige productcategorieën soms zelfs tot een spanning tussen de prijs-/kwaliteitsperceptie en de daadwerkelijke productkwaliteit. Er ontstond soms een situatie die het karakter had van 'overpromising'. Zo was er geen segmentering in het huismerk aangebracht die het voor consumenten duidelijk maakte op welk kwaliteitsniveau een bepaald huismerkartikel moest worden gezien.

Het werd voor Albert Heijn gaandeweg duidelijk dat de propositie wellicht te ver doorgeschoten was richting een luxe aanbod voor een relatief klein publiek, gevormd door een bovenlaag van de bevolking. De problemen rond het concern in 2002 maakten eveneens duidelijk dat een koerswijziging noodzakelijk was. De directie van Albert Heijn besloot daarom in dat jaar tot een nieuwe strategie die in hoofdlijnen werd vastgesteld. De beslissing werd genomen om een nieuwe merkarchitectuur in te richten en daarbij het huismerk te segmenteren. Het was van meet af aan ook duidelijk dat een ingrijpende designwijziging nodig was om de herpositionering van het merk gestalte te geven. Design ondersteunde de verdere strategische besluitvorming door verschillende opties te visualiseren. De ontwikkeling van een bijpassende designstrategie kreeg, onder leiding van designmanager Loe Limpens, vervolgens vorm in een nauwe 'hands on' samenwerking met brandmanagement.

In december 2002 lag er een goedgekeurde ontwerpbriefing en de opdracht om de verpakkingen van 4.500 artikelen binnen twee jaar om te bouwen. Met een duidelijke kwaliteitsdoelstelling en een kostentarget. Een monsterklus... Binnen de bestaande 'preferred suppliers' werden drie bureaus geselecteerd, die de bijzondere opdracht kregen om designconcepten voor vier huismerksegmenten te ontwikkelen (naast het basishuismerk, ook de biologisch, excellent en express plusmerken). Met als uitgangspunt een prijs-/kwaliteitsperceptie afgestemd op de nieuwe prijsstrategie. En met de opdracht om dit in nauwe onderlinge samenwerking te doen, onder aansturing van het designmanagement van Albert Heijn.
In maart 2003 volgde de goedkeuring van een gedegen designplan waarin was vastgelegd volgens welke uitgangspunten, richtlijnen en normeringen de nieuwe verpakkingen moesten worden vormgegeven. De uitrol kon van start gaan en er brak een periode aan waarin intensief en gestructureerd werd gewerkt aan het nieuwe gezicht van de vele huismerkproducten in evenzoveel productcategorieën. Ditmaal was de designstrategie anders: onder het motto 'what you see is what you get' was het de opgave voor design om de geboden productkwaliteit eerlijk zichtbaar te maken. Daarnaast vormden de categoriekenmerken eveneens een voorwaarde bij de vraag hoe het huismerk voor de desbetreffende productcategorie kon worden 'ingevuld'. De gekozen segmentering van het huismerk leidde er bovendien toe dat het basishuismerk staat voor functionele kwaliteit, terwijl het excellent plusmerk meer inspiratiegericht werd vormgegeven. De klus werd ruim binnen de gestelde targets geklaard, waarna de ingezette vernieuwing ook werd doorgezet naar het totale merk- en winkelbeeld.

Betere aansluiting op het hoofdmerk door 'family resemblance'

Een *tiende reden* voor designwijziging is merkuitbreiding door middel van extensies. Het gaat hier om een uitbreiding naar andere productcategorieën dan waarin het hoofdmerk wordt gebruikt. Het mislukkingspercentage van merkextensies is hoog. Een jaar na introductie is vijftig procent dood of ligt op sterven. Eén van de belangrijkste oorzaken hiervoor is dat extensies onvoldoende aansluiten bij het hoofdmerk en daardoor verwarring zaaien (*MarketingTribune* nr. 18, 2004). Consumenten kunnen dan het hoofdmerk en de extensie onvoldoende met elkaar in verband brengen. Wanneer door middel van visuele kenmerken de aansluiting moet worden verbeterd, kan aanpassing van het design van de betreffende extensie een oplossing bieden.
Waneer er sprake is van visuele verwantschap over meerdere productcategorieën spreken we *van family resemblance* (Riezebos, 2002). Het gaat hierbij om een zekere consistentie in design; een gemeenschappelijke visuele stijl die is afgeleid van de identiteit van het hoofdmerk. We spreken van een hoge resemblance als door dezelfde visuele identiteit, associaties van het hoofdmerk makkelijker op het nieuwe product (de extensie) worden overgedragen.
Het kan ook zo zijn dat het hoofdmerk zelf moet worden aangepast om de acceptatie van de extensie te vergroten. Dit omdat het merkdesign van het hoofdmerk specifieke categorieaanwijzingen bevat die betrekking hebben op de productcategorie waarin het hoofd-

merk tot dan toe werd gebruikt. Dit betekent dat het design van het oorspronkelijke product (het zogenaamde flagship product) moet worden ontdaan van designelementen die een symboolfunctie hebben voor de productcategorie van het flagship product. Wanneer in het bestaande design een bepaalde aanwijzing naar een specifieke productcategorie is opgenomen – of naar een bepaalde instrumentele betekenis die verwijst naar het flagship product – kan wijziging van het merkdesign wenselijk zijn.

Het invoeren van een legal-sender of corporate endorsement merkstrategie (door het corporate merk van de producent te koppelen aan één of meerdere productmerken) stelt ook hoge eisen aan de grafische kwaliteit van het desbetreffende corporate logo. Het moet sterk verkleind kunnen worden toegepast, zonder 'dicht te lopen' (vormdetails blijven dan scherp en 'open'). De afbeelding dient altijd een goede grafische kwaliteit te behouden. Denk in dit verband aan de verschillende drukprocedés voor verpakkingen. Met het oog op herkenning dient het logo een duidelijke karakteristieke vorm te hebben. Bij verkleining mag het deze vormkarakteristiek niet verliezen, dat wil zeggen; het mag geen slecht herkenbare friemel worden. Het logo dient tenslotte ook in diapositief (uitgespaard in de achtergrondkleur), in zwart of in één kleur te kunnen worden afgebeeld. Kleur is daarom bij voorkeur niet bepalend voor de herkenbaarheid van het corporate logo. Bovendien moet de kleur geen problemen opleveren als het logo wordt toegepast op productverpakkingen in verschillende productcategorieën (met uiteenlopende grafische stijlen). Wanneer het corporate logo niet aan deze eis voldoet, kan het de ruimte voor individuele merken inperken als het gaat om het tot uitdrukking brengen van de eigen identiteit en positionering. Of om het aansluiten op eventuele geldende categoriecodes (merk- of categoriespecifieke kleurcodes).

2.6.2 Risico's van designwijziging

In deze paragraaf gaan we in op de eventuele risico's van designwijziging. Daarbij staat de in paragraaf 2.3.2 gepresenteerde koopgedragfunctie (ook wel garantiefunctie) van het merk centraal. We veronderstellen dat designwijziging veel impact kan hebben op deze functie. Tevens wordt ingegaan op de risico's die zich op langere termijn kunnen voordoen, wanneer het merk verder wordt uitgebreid. Deze risico's hebben betrekking op de merkstrategische afweging. Juridische risico's zijn er ook; het risico dat een nieuw design stuit op oppositie door gevestigde depothouders als gevolg van vermeende merkgelijkenis. Ten slotte is er een financieel risico; niet alleen het risico dat de designinvestering in het merk niet rendeert, maar ook het risico dat de kosten van designwijziging vele malen hoger uitpakken dan vooraf ingeschat.

Het risico van verlies van herkenning en/of betekenis

Bij een verlies van herkenning van het merk als gevolg van designwijziging kan de koopgedragfunctie in het geding komen. Het gaat hierbij om de basisfunctie van merken als bron van vertrouwen en garantie. Zoals eerder beschreven, vervult design een basisfunctie voor het merk; als de visuele tekens waarmee een bepaalde afzender van een boodschap of van een product kan worden geïdentificeerd en onderscheiden. Het design

kan ook een belangrijke drager van de aan het merk gekoppelde betekenissen zijn, afhankelijk van de mate waarin het merkdesign is geladen met de bij het merk behorende betekenissen.
Merktekens (zoals een logo) kunnen als stimulus soms volstaan om een merkimago (ook wel: associatief netwerk) in het menselijk geheugen te activeren, doordat de merktekens zelf – als uitdrukking van het kernconcept van het merk – de merkidentiteit op herkenbare wijze reflecteren. Of doordat deze de door andere bronnen en media aangedragen merkbetekenissen hebben geabsorbeerd. Mensen hebben in die situatie alles wat ze hebben geleerd en ervaren met betrekking tot het merk, verbonden aan de merktekens zelf. Wijziging van de merktekens kan daarom leiden tot een verlies aan herkenning of een verlies aan betekenis en relevantie. In het laatste geval is niet meer duidelijk of de associaties die we bij het ons bekende merk hebben, nog van toepassing zijn op het vernieuwde merk. Een proces van merkevaluatie komt dan opnieuw op gang. Dit kan vanuit het standpunt van de aanbieder gezien wenselijk zijn, omdat deze de positionering van het merk heeft gewijzigd. Maar het kan ook leiden tot een (eventueel tijdelijk) verlies van merkgebruik, met afzet- of marktaandeelverlies als gevolg.

De risico's van designwijziging zullen niet voor alle producten en merken hetzelfde zijn. De waarde en betekenis van het logo als uitdrukking van zekerheid, vertrouwen en garantie is het grootst wanneer consumenten en afnemers een hoog risico percipiëren. Radicale wijziging van het logodesign bij producten of diensten met een hoog gepercipieerd risico is daarom risicovoller dan radicale wijziging bij eenvoudige producten en diensten. We veronderstellen verder dat de risico's van radicale designwijziging het grootst zijn bij corporate brands omdat hier de garantiefunctie het zwaarst weegt, in verband met de zekerheid en het vertrouwen in de producent of leverancier. Consumenten kunnen bang zijn een verkeerde beslissing te nemen met mogelijke gevolgen voor henzelf. Deze negatieve consequenties kunnen betrekking hebben op een negatief imago binnen een sociale groep, het verlies van reputatie, negatieve financiële gevolgen of zelfs het verlies van een baan. Een tweede factor is de complexiteit van de aankoopbeslissing. Bij een lage complexiteit draait het vooral om prijs en kwaliteit. Bij een hogere complexiteit spelen ook andere factoren mee, zoals service, reputatie van de producent, het verloop van de relatie en het gepercipieerde vermogen om deadlines te halen.

Risico van cognitieve inconsistentie

Cognitieve consistentie is het centrale principe voor het accepteren van meerdere of vele productvarianten onder hetzelfde (hoofd)merk. Klanten zoeken naar een verband, een overeenkomst waardoor ze die verschillende producten in hun concept van het merk kunnen inpassen. Wanneer dit makkelijk is – door een visueel verband – kan het merkconcept bevestigd en versterkt worden; het wordt er toegankelijker door en de extensie wordt dan sneller geaccepteerd. Omgekeerd kan men redeneren dat cognitieve *inconsistentie* een risico vormt en er toe kan leiden dat een extensie niet goed wordt geaccepteerd. Design kan een bijdrage leveren aan cognitieve consistentie wanneer onderlinge samenhang de merkbeoordeling versterkt; bijvoorbeeld door het toepassen van overeenkomstige visuele stijlkenmerken.

Consumenten ontwikkelen hun idee over een merk gebaseerd op hun bekendheid en ervaringen. Dergelijke ideeën leiden tot bepaalde verwachtingen over de prestaties of voordelen van het merkartikel. Consumenten zullen zich bij hun aankopen deels laten leiden door dit verwachtingspatroon. Als ze het identieke merk kopen, zullen ze de hen bekende set productattributen verwachten. Als ze iets anders kopen dat wordt aangeboden met dezelfde visuele merkidentiteit, zullen hun gedachten over het nieuwe product nog steeds gekanaliseerd worden door hun vroegere ervaringen. Dit zou hen helpen te begrijpen wat het nieuwe product (de extensie) is en welke voordelen het biedt. Als het originele merkproduct bovendien al tot volle tevredenheid deze benefits heeft geleverd, zullen consumenten eerder geneigd zijn te geloven dat de nieuwkomer dat ook kan.

Risico van verlies van beschermingsomvang

Aan het ontwikkelen van een redesign zijn juridische risico's verbonden. Het aantal in omloop zijnde merkregistraties is enorm groot. In de praktijk wordt het steeds moeilijker om een nieuw design te bedenken dat niet teveel lijkt op reeds bestaande. Het risico van merkgelijkenis neemt toe. De beschermingsomvang van een merk neemt af, wanneer het steeds moeilijker wordt onderscheidend te zijn. Hoe groter het onderscheidend vermogen, hoe groter de beschermingsomvang. Met dit begrip wordt gedoeld op de mate waarin het merk beschermd kan worden tegen eventuele inbreuk.

Complicaties rond registratie van het merk in één of meerdere merkenregisters kan flink roet in het eten gooien. Niet zelden moet weer van voren af aan worden begonnen met het gehele proces van creatie en design. Hiervoor kunnen verschillende redenen zijn. Uit merkgelijkenisonderzoek kan blijken dat er in de betreffende registratieklassen merken met een bepaalde visuele gelijkenis zijn geregistreerd, waardoor het risico ontstaat dat bestaande merkhouders zich met succes zullen kunnen verzetten tegen de nieuwkomer. Of het risico op oppositie door bestaande merkhouders wordt op voorhand zo groot geacht, dat het advies van de merkgemachtigde is om van merkregistratie af te zien. In de praktijk is dit een schrikbeeld omdat de teleurstelling hierover groot is; het blijkt vaak een niet te nemen hindernis om met evenveel enthousiasme en inzet opnieuw te beginnen.

Een verplicht merkgelijkenisonderzoek maakt deel uit van de registratieprocedure. Een mogelijk risico is dat vaak wel de merknaam in een vroeg stadium op beschikbaarheid wordt onderzocht, maar niet het merkdesign. Terwijl visuele gelijkenis wel door de rechter wordt gehanteerd als beoordelingscriterium, wanneer een conflict tussen merkhouders uitmondt in een juridische procedure.

Risico van verlies van financiële controle

Er zijn verschillende financiële risico's verbonden aan designwijziging. Allereerst het risico dat de designinvestering in het merk niet rendeert. Na wijziging van het merkdesign zijn dan geen effecten merkbaar ten aanzien van merkbekendheid of reputatie. De bekendheid van klanten met de producten of diensten van de onderneming is niet gegroeid. Of de identificatie van management en medewerkers met de organisatie is niet versterkt. De waardering voor de onderneming door de samenleving is niet groter geworden, of er is geen toename van de brand equity. Designwijziging kan uiteraard ook

leiden tot een verlies aan brand equity. Wanneer een (tijdelijk) verlies van herkenning optreedt kan dit bovendien leiden tot verlies van afzet- en marktaandeel.
De designinvestering kan ook onvoldoende zijn gebudgetteerd. Met name de implementatiekosten kunnen in de praktijk zorgen voor onaangename verassingen. Het projectbudget kan onbeheersbaar blijken wanneer niet van tevoren de financiële consequenties van het gehele traject in kaart zijn gebracht (inclusief de kosten van implementatie, beheer en onderhoud). Vanuit financieel oogpunt is een zorgvuldige afweging alleszins te verdedigen. De kosten van doorvoering van een vernieuwd design bedragen een veelvoud van de ontwerpkosten, zeker wanneer de toepassingsschaal groot is – als gevolg van veel locale of internationale vestigingen. T-Mobile maakte, op de dag dat deze naam in Nederland geïntroduceerd werd, bekend dat invoering van de nieuwe naam (als gevolg van de rebranding van Ben®) vijftien miljoen euro zou bedragen. In dit bedrag was overigens wel een grote advertentiecampagne begrepen (bron: *NRC Handelsblad*, 25 februari 2003).
In vakkringen is bekend dat de investeringen in design vaak tien tot twintig maal hoger blijken dan de verwachting van het senior management. De reden hiervoor is dat design vrijwel overal in de bedrijfsketen aanwezig is; in praktisch alle stadia waarin een product of dienst wordt geproduceerd, verpakt, onder de aandacht gebracht, verkocht, geleverd en onderhouden. Inventarisatie van aanwezige designapplicaties binnen de organisatie levert vaak omvangrijke overzichtslijsten op. Het doorvoeren van een designwijziging is dan ook een omvangrijke en kostbare organisatie, die vraagt om een zorgvuldige voorbereiding en goed management.

Overige risico's

Deze paragraaf is geen volledige risico-inventarisatie. Er zijn uiteraard een aantal niet nader genoemde risicofactoren die te maken hebben met de wijze waarop designprojecten gemanaged worden. We noemen hier het risico van verkeerd begrip of verkeerde interpretatie door medewerkers, aandeelhouders, leveranciers, partners en de media. Hierdoor kunnen negatieve effecten optreden of kan zelfs het beoogde effect van een vernieuwingsoperatie geheel teniet worden gedaan. Denk aan negatieve berichtgeving in de pers of de spreekwoordelijke 'hakken in het zand' bij integratie van ondernemingen of bedrijfsonderdelen als gevolg van fusie of acquisitie. Of aan het mislukken van een herpositionering omdat management en medewerkers de nieuwe merkbelofte niet begrijpen en deze niet 'internaliseren'. Met als gevolg dat men er niet in slaagt het gewenste merkgedrag te manifesteren.
Merkafbreukrisico's als gevolg van onbeheerste of onvolledige implementatie kunnen ook optreden. Het naast elkaar bestaan van meerdere versies van oude en nieuwe logo's kan leiden tot aantasting van de geloofwaardigheid en het vertrouwen in het merk. We wijzen er in dit verband op dat consistentie in de merkverschijning doorgaans leidt tot een hogere autoriteit van het merk. Een sterk uiteenlopende kwaliteit in de inhoud en technische uitvoering van de verschillende designapplicaties (bijvoorbeeld door het ontbreken van kleurmanagement) kan er toe leiden dat de visuele identiteit als los zand aan elkaar hangt. Het ligt voor de hand dat dit de autoriteit van het merk geen goed zal doen.

Naast een verkeerde designkeuze, kunnen dergelijke effecten een grote impact hebben op het succes van designwijziging.

2.7 Conclusie – design kan betekenis geven aan een merk

In dit hoofdstuk hebben we uitgebreid stilgestaan bij een aantal begrippen waarmee de rol van design bij merkontwikkeling wordt verklaard. Het centrale thema in ons verhaal is de mogelijke rol van design om betekenis te geven aan een merk. Het gaat er daarbij om, om door middel van visuele cues de gewenste associatievorming tot stand te brengen. Het management is er op gericht dit proces te beïnvloeden in de voor het merk gewenste richting. De taak voor design is hieraan een bijdrage te leveren, door managementvisie en consumentenverwachtingen (als vertrekpunten voor merkenbeleid) te vertalen naar de zintuiglijk waarneembare componenten van een merksysteem. Dit staat bekend als de visuele identiteit. De merkidentiteit fungeert hierbij idealiter als bron en als verbindende schakel.
De concretisering van de merkidentiteit naar visueel waarneembare merkuitingen is een cruciaal aspect van merkontwikkeling en vraagt om specifieke kennis en ervaring. Daarnaast is het de kunst om alle verschijningsvormen van het merk op één of andere manier met elkaar te linken, zodat ze samen één geheel vormen waarvan de kracht groter is dan de som der delen. De synergie tussen alle verschillende fysieke onderdelen van een merk is een intensief en dynamisch proces. De verklaring voor de synergie kan alleen in het samenspel van het geheel worden gevonden en niet door bestudering van de afzonderlijke elementen.

We hebben naar voren gebracht welke mogelijkheden er zijn om met behulp van design, betekenis aan een merk te geven en het merkimago te beïnvloeden en te versterken. Deze noties kunnen richting geven aan adequaat designbeleid. Het is uiteraard ook van belang om de effecten hiervan te achterhalen. Daarom vervolgen we de tekst met het onderwerp designeffectiviteit. Daarbij focussen we op de mogelijke effecten van design op het merkimago.

RITUALS...
COSMETICS

auping | match

Belastingdienst

Belastingdienst **Douane**

Belastingdienst **Toeslagen**

Excellent
WANTAN
VOLGENS THAIS RECEPT
RIJK GEKRUIDE
Excellent
DIM SUM
VOLGENS CHINEES RECEPT
LICHT EN PURE
Excellent
APERO
VOLGENS THAIS RECEPT
PURE GARNALEN
In Thailand met de hand gemaakte
authentieke garnalenhapjes met
groenten en Thaise kruiden.
Eenvoudig te bereiden in oven of frituur

Excellent
SCHOTSE
ZALMFILET
OP EIKENHOUT GEROOKT
18-11-05

Excellent
Biologisch
Albert Heijn

Albert Heijn
water
Albert Heijn
water
zonder koolzuur
Natuurzuiver water
Zacht van smaak
Albert Heijn
water
zonder koolzuur
Natuurzuiver water
Zacht van smaak
paprika
CHIPS
CHIPS

ARTOLEUM
Rhapsody in colour
forbo
MARMOLEUM
ARTOLEUM
forbo
MARMOLEUM
forbo

bugaboo

hoogst
persoonlijk
randstad

een goede
vakantie
begint met
een
leuke baan
vol energie
de zomer door

Rabo Links
Contact
Sitemap
English
Zoek
Rabobank
Rabobank Groep over de volle breedte
Rabobank Groep
Maatschappij
Pers
Jaarverslagen
↓ Investor relations
Werken
Kennisbank
De Rabobank Groep voor investeerders.
Natuurlijk Leiderschap en Duurzaamheid: Raiffeiseniezing 2005
→ Lees meer
Presentatie Jaarcijfers Rabobank Groep 2004
→ Lees meer
Nieuw economisch kwartaalbericht maart 2005
→ Lees meer
Tentoonstelling De Weense Vermeer in Mauritshuis Den Haag
→ Lees meer
Grootste groenfinanciering ooit voor nieuwe Hoog Rendement Afvalenergiecentrale van Amsterdam
→ Lees meer
© Rabobank 2005 Disclaimer
Top

Welkom
Rabobank

Rabobank

Bij Rabo Vastgoed vragen we ons ook af hoe de lichtinval is

Rabobank

"Ik? Me vastleggen? Dacht het niet."
"Waarom doe je dat met je geld dan wel?"
Rabobank Private Banking heeft de hypotheek voor de toekomst.

MEXX

MEXX

Lumiance
2005
Lumiance

Heineken
HEINEKEN LAGER BEER
TRADE MARK
LAGER BEER
Heineken
LE FUT PRESSION
DRAUGHT KEG
TRADE MARK
Heineken
COMPLETE QUALITY DRAUGHT SYSTEM
TAPVAT
5L
CERVEZA DE
KRUPS
Heineken
Heineken

Q-linair

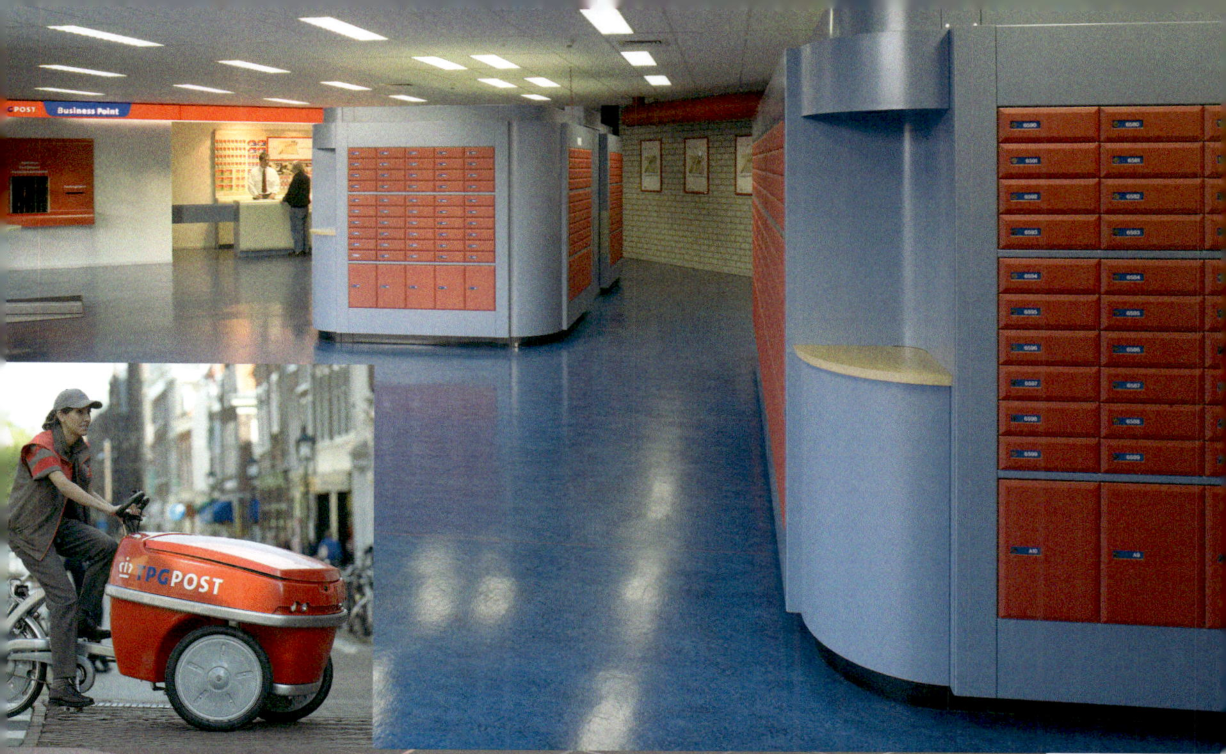
Business Point
TPGPOST

TPGPOST
Postzegels
Collect Club
Zakelijke post
TPGPOST

Gratis postzegels
bij 3 wenskaarten
www.wekenvandekaart.nl
TPGPOST

TPGPOST

English Zoek
NS Home
Nederland
Internationaal
Over NS
Voor bedrijven
Online shop
Alle NS sites
Mijn NS
Handig
NS Nieuwsbrief
Ontvang het laatste nieuws, reistips en treinreis-aanbiedingen per e-mail.
Veelgestelde vragen
Direct online antwoord op uw vraag.
Actuele reisinformatie
Actuele vertrektijden
Storingen
Gewijzigd treinverkeer
Concerten en evenementen
Treinplanner
Planner Plus
Treinplanner
Van
Naar
Datum 05 11 2004 dd-mm-jjjj
Tijd 12 28 uur Vertrek
Geef reisadvies
Meer en betere parkeervoorzieningen bij stations
NS heeft 33 verbeterde en uitgebreide parkeerterreinen voor treinreizigers officieel in gebruik gesteld.
Geert Mak wint NS Publieksprijs
In Amsterdam is donderdagmiddag 4 november de NS Publieksprijs voor het Nederlandse Boek uitgereikt. De prijs
Stuur 'n gratis e-card en ga samen herfsttoeren
Met deze leuke e-card nodigt u uw reisgenoot uit om samen op herfsttoer te gaan!
Verdere groei in waardering voor prestaties NS
De klantwaardering voor de dienstverlening van NS is ook in het 3e kwartaal van 2004 gestegen ten opzichte van 2003.
Northern Rail-concessie definitief naar NedRailways
NedRailways en partner Serco hebben met de Britse overheid de definitieve overeenkomst gesloten voor de exploitatie van de Northern Rail-concessie.
Treinen door de herfst
Ga treinen met 40% korting na 9.00 uur!

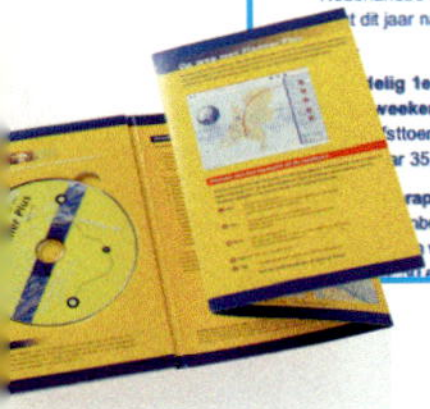

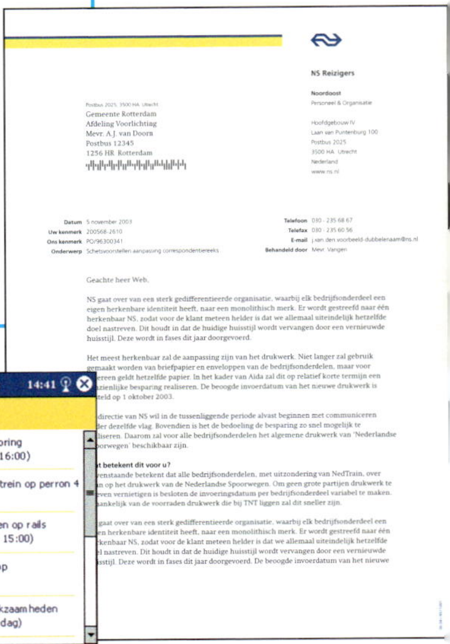

NS Reizigers
Gemeente Rotterdam
Afdeling Voorlichting
Geachte heer Weth,

Hoofdscherm 7:48
J.W. van Spooren
Hc Asd 946 - tel.: 06 5328 0709
asd-gd, seinstoring (15 min.)
Meer (4 verstoringen)...
Bladeroverlast melden via de ...
Meer (3 berichten)...
Briefing
(3 berichten, 2 updates)
Verslag meeting vrijdag 24 nov...
Re: Vraagje? (R. van Gaasteren)

Reisplanner 14:42
Actueel (14:41)
van Utrecht Centraal via
's Hertogenbosch naar Heerlen
wo 13-12-2003 vertrek 14:10
vertrek 14:04 14:34 15:04 15:14
aankomst 16:11 16:36 17:11 17:21
reistijd 2:07 2:02 2:07 2:17
overstap 1 1 1 1
V 14:34 Utrecht Centraal, 12a/b
Ic 951 naar Eindhoven
14:49 Hertogenbosch ('s)
A 15:24 Eindhoven, 2
V 15:29 Eindhoven, 1
Ic 4564 naar Heerlen
A 16:36 Heerlen, 5a

Reisinfo berichten 14:41
Spoorkaart
14:04 amf-apd: seinstoring
30 min. vertr. (tot ca. 16:00)
13:32 rtd-gd: defecte trein op perron 4 spoorwijziging
13:12 asd-dfg: bladeren op rails
15. min. vertr. (tot ca. 15:00)
brand uitgebroken op station Utrecht CS
gepland asd-amr: werkzaamheden
10 min. vertr. (gehele dag)

Tickets
Ik vraag de
Voordeel-urenkaart
aan
of
Ik ontvang
mijn Voordeel-urenkaart
of
Mijn gegevens
Voorletter(s)
Tussenvoegsel(s)
Achternaam
Geboortedatum
Man
Vrouw
Huisnummer
Toevoeging
Straat
Postcode
Woonplaats
E-mailadres

HERINNERING
LANDELIJK
DE TRADITIE
& chique

DOUWE EGBERTS
DOUWE EGBERTS

DOUWE EGBERTS
Select Arôme

DOUWE EGBERTS
ESPRESSO
Espressomaling

DOUWE EGBERTS
ANNO-1753
Aroma Rood
Volgebrande pittige koffiemelange

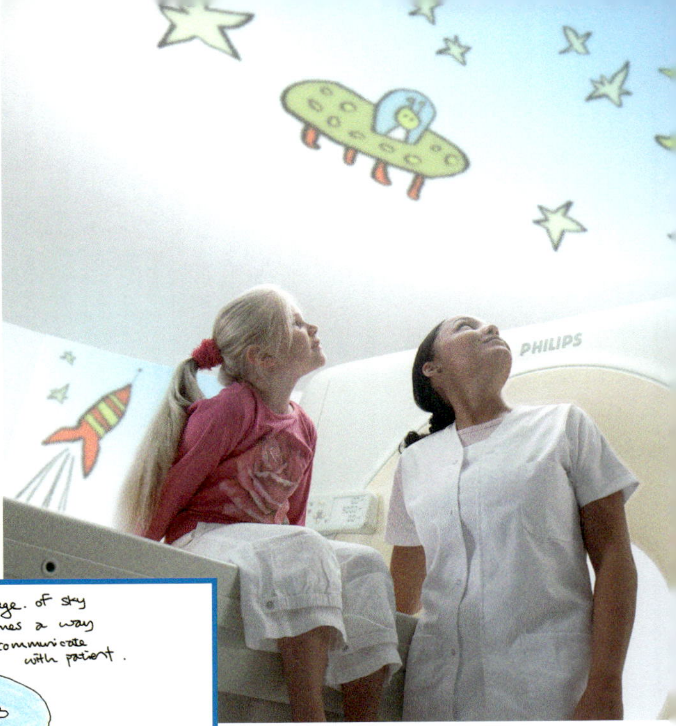
PHILIPS

projected image. of sky
sky becomes a way
to communicate
with patient.
coil
selection.
5
4
3
2
1
O.K
transforming clouds.

PHILIPS

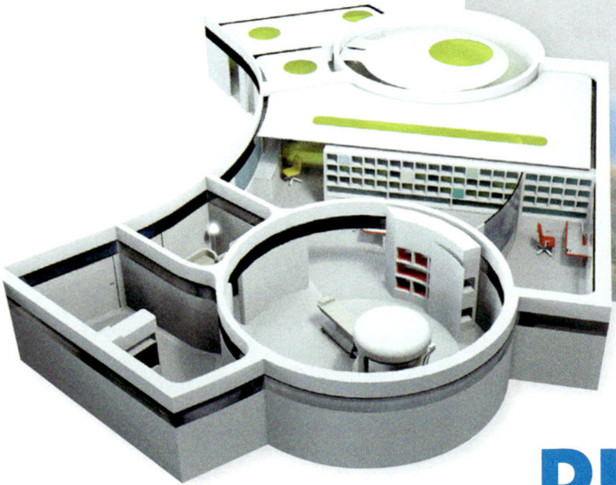

PHILIPS

3 Designeffectiviteit

'Evaluation of design effectiveness in the commercial world has typically fallen back on the curatorial (design awards and Time-covers), the anecdotal (conference presentations and cases) and the purely assertive.'
(Platt, Hertenstein & Brown)

In dit hoofdstuk verkennen we hoe designresultaten aangetoond en gevalideerd kunnen worden. Dit inzicht is nodig om beslissingen ten aanzien van designbeleid en -investeringen te kunnen onderbouwen. De centrale vraag die in dit hoofdstuk wordt behandeld is hoe effectiviteit van design kan worden aangetoond. We leiden het hoofdstuk in met de vraag wat onder effectiviteit moet worden verstaan. Daarbij zetten we uiteen dat het onderwerp weliswaar vanuit verschillende perspectieven kan worden benaderd, maar dat in dit hoofdstuk het klantperspectief centraal staat. Dit houdt in dat we het vooral zullen hebben over de invloed van design op de beoordeling door consumenten. We staan in deze inleiding ook stil bij drie belangrijke onderzoeksaspecten: de keuze tussen kwalitatief en kwantitatief onderzoek, het belang van een nulmeting en de samenstelling en validatie van een itemlijst. In paragraaf 3.2 belichten we de mogelijke effecten van design op externe en interne stakeholders. Het klantperspectief veronderstelt weliswaar een focus op externe stakeholders, maar externe inspanningen worden steeds vaker in relatie gebracht met interne inspanningen. Men kan in dit verband daarom ook spreken van managers en medewerkers als interne klanten. In paragraaf 3.3 presenteren we een theoretisch onderzoeksmodel waarmee de relatie tussen design- en merkeffecten kan worden begrepen. Dit model sluit nauw aan op de in het vorige hoofdstuk gepresenteerde vier hoofdrollen van design. Aan de hand hiervan belichten we de mogelijke merkeffecten van design.

Het beoordelen van design staat of valt met de geformuleerde doelen. We gaan daarom in paragraaf 3.4 nader in op de vraag hoe intenties en criteria ten aanzien van design kunnen worden gekozen. We bieden hiervoor enkele handvatten in de vorm van een overzicht van merkconcepten en een overzicht van designcriteria dat we in beide gevallen koppelen aan de vier designeffecten.

3.1 Wanneer kan men spreken over effectiviteit?

Organisaties kunnen om verschillende redenen behoefte hebben om de effectiviteit te onderzoeken, waarvan we risico-analyse en 'accountability' als de belangrijkste zien. Aan het introduceren van nieuwe producten of diensten zijn meestal aanzienlijke risico's verbonden en het is bekend dat de meeste introducties mislukken of niet het verwachte

succes bieden. De kosten van productontwikkeling en marketing zijn hoog en het kan daarom voor het verkrijgen van benodigde budgetten van belang zijn om de eventuele twijfel van het management weg te nemen. Effectiviteitsonderzoek heeft dan als doel om een betrouwbare voorspelling ten aanzien van het verwachte succes te kunnen doen.
Bedrijven stellen ook in toenemende mate de accountability vraag; ze willen weten wie op welk resultaat kan worden afgerekend. En met name op welke resultaten ze hun externe leveranciers kunnen afrekenen. Soms is een gedeelte van het honorarium voor leveranciers zelfs gekoppeld aan het bereikte resultaat. Daarvoor is het uiteraard wel nodig dat bedrijven zelf duidelijke doelstellingen hanteren en deze verwerken in hun opdrachtformulering en dat het eindresultaat wordt onderzocht en bepaald op grond hiervan. In de praktijk ontbreken concrete en meetbare doelstellingen voor design dikwijls. Waarschijnlijk omdat onvoldoende duidelijk is hoe dergelijke doelstellingen kunnen worden geformuleerd. Het komt er op neer dat er een soort vicieuze cirkel bestaat; door het ontbreken van dit inzicht vermelden veel creatieve briefings eerder communicatiedoelen dan designdoelen. En door het ontbreken van heldere designdoelen en criteria blijft ook het vaststellen van ontwerpresultaten vaak achterwege.
Bedrijven zijn erop gericht commercieel resultaat te realiseren. Voor effectief design geldt daarom dat er een geobjectiveerd, boven twijfel verheven verband aanwijsbaar moet zijn tussen het resultaat van een nieuw design en het succes van de onderneming. We kunnen dit resultaat beschouwen binnen een specifieke commerciële context of binnen een meer algemene en brede bedrijfscontext. Design kan een resultaat hebben in de zin van opbrengsten, zoals meer omzet, hogere winst of een groter marktaandeel (zogenaamde *bottom-line* effecten). Of een resultaat zoals een grotere naamsbekendheid, hogere waardering voor het merk of de verbetering van een bedrijfsproces. In deze laatste zin kan het gaan om kostenbesparingen of het verminderen van de druk op een service-organisatie. Omdat er minder onderhoud of herstel nodig is of een kortere doorlooptijd is van het productieproces als gevolg van een uitgekiend ontwerp. Resultaten kunnen ook gevonden worden in verderweg gelegen strategische doelen, bijvoorbeeld imagoverbetering en reputatiewinst.
Een ander aspect voor de beoordeling van het resultaat is de relatie tussen de hoogte van het designbudget (de investering of kostenpost) en de opbrengst (return on investment). Ook de terugverdientijd is een indicator voor designeffectiviteit, een korte terugverdientijd wijst in de regel op een hoge effectiviteit.
Ten slotte is het van belang dat resultaten binnen de context van de betreffende markt of categorie worden beoordeeld en binnen het perspectief van de wijze waarop deze zich ontwikkelt. Een significant resultaat in een *booming* markt is iets anders dan in een gevestigde markt waarin marktaandelen nauwelijks verschuiven. Dit laatste is uiteraard een bijzonder knappe prestatie.

In dit boek hanteren we de volgende definitie: designeffectiviteit betreft het strategisch en doeltreffend inschakelen van design voor een beter bedrijfsresultaat en wordt bepaald door de mate waarin de aan het design gestelde doeleinden worden bereikt. Effectiviteit veronderstelt het vooraf definiëren van meetbare en controleerbare doelstellingen; zonder duidelijke doelen kan niet geoordeeld worden over de doeltreffendheid van een

bepaalde oplossing. Om te beginnen moet er duidelijkheid zijn over de mogelijke effecten van design en de hieraan verbonden beoordelingscriteria.
In de praktijk ontstaat soms ook verwarring omdat men het over efficiencyeffecten heeft, maar hieronder moet toch wat anders worden verstaan. *Efficiency* is de mate waarin, met behulp van de beschikbare middelen, het beste resultaat kan worden behaald. Bij deze middelen doelen we op mensen (kennis, ervaring en houding), processen (werkwijzen en procedures) en systemen (documentatie en instrumenten). Men zou kunnen zeggen dat het bij effectiviteit gaat om 'het te bereiken doel' en bij efficiency vooral om 'de weg er naar toe'. Een bepaald design kan op een efficiënte wijze tot stand zijn gebracht en het kan met het oog op de beschikbare middelen als een optimaal resultaat worden gezien, maar dat wil uiteraard nog niet zeggen dat het voldoet aan de gestelde doeleinden en het daarmee ook effectief is.

Er zijn in hoofdzaak vier aspecten van belang bij de vraag naar designeffectiviteit:

- *Hoe kan ik het geplande resultaat van een designactiviteit vroegtijdig voorspellen? Pre-testing* van designconcepten kan gebruikt worden om in een vroegtijdig stadium het beste ontwerpvoorstel te selecteren en daarmee kosten en tijd uit te sparen.
- *Hoe kan ik het eindontwerp (prototype) evalueren vóór het stadium van implementatie?* Het onderzoeken van een prototype kan zinvol zijn alvorens te beslissen om het daadwerkelijk in productie te nemen. Wanneer de onderzoeksresultaten daartoe aanleiding geven, kan op dat moment nog worden besloten tot redesign. In een later stadium vallen beslissingen en investeringen moeilijk terug te draaien. In deze fase kan worden achterhaald in welke mate de geformuleerde doelstellingen zullen kunnen worden gerealiseerd. (Dat wil zeggen; welke kans op succes er bestaat.)
- *Hoe kan ik het eindresultaat (het eindproduct) achteraf meten of beoordelen?* Na marktintroductie zal designonderzoek vooral tot doel hebben om de bereikte resultaten te achterhalen. Omzetcijfers kunnen uiteraard een belangrijk indicatie vormen, maar niet altijd zijn dergelijke gegevens beschikbaar om het succes te kunnen bepalen. En bovendien blijft het de vraag in hoeverre het succes toegeschreven kan worden aan de factor design. Was het eventueel ook een gevolg van de goede prijsstelling, de distributie, de sales-inspanningen of de aandacht in de media? Om de effectiviteit van design te kunnen achterhalen moet het geïsoleerd worden uit dit complex van factoren.
- *Hoe kan ik het resultaat blijven monitoren?* Designonderzoek kan worden ingezet om periodiek de effectiviteit te meten. Wanneer het effect afneemt kan tijdig besloten worden tot vernieuwing. Ook kan de waarde van bestaand design worden achterhaald als input voor designbeleid gericht op verbetering.

Ondanks het feit dat er voldoende goede aanleidingen zijn om effectiviteitsonderzoek te doen, lijkt er in de praktijk vaak weinig aandacht voor te zijn. Uit onderzoek van het Britse Design Council blijkt dat slechts 3% van de bedrijven die investeren in design, hiervan de opbrengst meten. (Bron: Design in Britain 2004-2005, 2004). Raymond Turner (2002) zegt hierover: *'Experience shows that, invariably, the amount spent on design is the largest sum of money that company boards know least about!'*. Niet alleen vanuit financieel perspectief, maar ook vanuit strategisch perspectief is het op zijn minst merkwaardig dat organisaties bereid zijn zulke risico's te lopen. Het vertrouwen in design lijkt in de praktijk vooral een geloofskwestie. Er lijkt sprake te zijn van een zekere blindheid die gevoed wordt door het ontbreken van onderzoek. Men zou hier wellicht aan kunnen toevoegen; en door het ontbreken van professioneel management. Maar eventueel heeft deze situatie, waarvan we veronderstellen dat deze in Nederland niet veel zal afwijken van die in het Verenigd Koninkrijk, ook te maken met onvoldoende beschikbaarheid van specifieke methoden en goede, betaalbare instrumenten voor designonderzoek. Of met onbekendheid met beschikbare instrumenten.

Een belangrijk punt is uiteraard welke waarde aan designonderzoek moet worden toegekend. Onderzoeksbureaus wijzen erop dat alhoewel onderzoeksresultaten doorgaans een betrouwbare indicatie geven, deze resultaten niet met te grote stelligheid of te zwart-wit moeten worden gehanteerd, enig voorbehoud is altijd op zijn plaats. Verder geldt in het bijzonder voor design dat soms sprake kan zijn van een zekere gewenning aan een nieuw, afwijkend uiterlijk of presentatievorm. Dit effect wordt ook wel aangeduid als 'inertie'; er is dan sprake van een soort incubatietijd waarin de waardering naderhand toeneemt. Designonderzoek in het stadium van pre-testing kan dan zowel bijzonder hoge als lage waarderingsscores te zien geven. Ter vergelijking kunnen we het voorbeeld van een nieuwe cd aanvoeren, waarvan we na een aantal malen afspelen steeds meer onder de indruk raken van de geboden muziekkwaliteit. We herinneren ons ook de introductie van de Renault Avantime. Het model is maar heel kort in productie geweest, naar wij hebben begrepen ondermeer als gevolg van een achterblijvende vraag vanuit de markt. Dit bijzonder vooruitstrevende model zou wel eens te snel uit de markt gehaald kunnen zijn. Wellicht had de Avantime kunnen uitgroeien tot een succes (een echte designklassieker?). We wijzen er in dit verband op dat in de merkenliteratuur uniekheid als belangrijke *equity-driver* naar voren komt. Verschillende auteurs wijzen er op dat onderscheidendheid door onvervreemdbare eigen kenmerken, de basis is voor het succes van nieuwe merken en van hun bestaansrecht op langere termijn.

3.1.1 Designeffecten vanuit het klantperspectief

Omdat het begrip design, zoals we in hoofdstuk 1 naar voren brachten, verschillende betekenissen en raakvlakken heeft, kunnen verschillende designeffecten worden aangewezen. Het begrip design kan worden opgevat als een te onderscheiden activiteit of proces, maar ook als een bijzondere kwalificatie met betrekking tot een bepaald object. De werkgroep Design & Effectiviteit' die binnen het BNO-platform Creating Brands in het leven werd geroepen om zich over dit onderwerp te buigen, identificeerde vier dimensies waarop designeffectiviteit kan worden gemeten: tijd, geld, identiteit en relevantie (figuur 3.1). Sommige in het figuur genoemde effecten hebben vooral betrekking op 'design als proces' terwijl andere uitsluitend betrekking hebben op 'design als object'. Een voorbeeld van het eerste is bij de dimensie 'tijd': 'de bijdrage van het ontwerp aan kritische deadlines'. Een voorbeeld van de tweede situatie vinden we bij de dimensie 'geld': de bijdrage van design aan meer marktaandeel, marge of winst'.

Tijd	Geld
Tijd *Tijdsbesparing* – levert het ontwerp een tijdsbesparing? *Time-to-market* – draagt het ontwerp bij aan snellere productie, kortere ontwikkeltijd of doorlooptijd *First-to-market* – heeft het ontwerp bijgedragen aan het behalen van kritische deadlines?	**Geld** *Budget* – draagt het ontwerp bij aan kostprijsreductie of vermindering van andere kosten? *ROI (return on investment)* – draagt het ontwerp bij aan meer sales revenue, meer marge of meer winst? *ROI* – leidt het ontwerp tot een kortere terugverdientijd?
Identiteit *Positionering* – draagt het ontwerp bij aan een onderscheidende positie? Geeft het invulling aan de strategie? *Eigenheid* – draagt het ontwerp bij aan non-verbaal communiceren van visie en gedachtengoed en aan goede reputatievorming? *Cultuur* – draagt het ontwerp bij aan het communiceren van de eigen zienswijze in de organisatie en het bereiken van gewenst gedrag?	**Relevantie** *Persoonlijk* – draagt het ontwerp bij aan de fysieke en mentale kwaliteit van iemands bestaan? *Sociaal* – draagt het ontwerp bij aan actuele sociale issues?

Figuur 3.1 Dimensies van designeffectiviteit (Bron: werkgroep Design & Effectiviteit, 2003)

We kunnen het onderwerp designeffectiviteit vanuit verschillende richtingen benaderen: een financieel perspectief, een klantperspectief, een intern-procesperspectief of een intern-ontwikkelingsperspectief (zie ook 11.2.1). Vanuit het financieel perspectief kan effectiviteit betrekking hebben op verschillende financiële aspecten die reeds naar voren zijn gebracht in paragraaf 1.2. Het toepassen van een bepaald productuiterlijk of een verpakking kan bepalend zijn voor de kostprijs (prijs per eenheid/productie), maar kan ook de prijsperceptie van consumenten beïnvloeden. Met dit laatste komen we op het terrein van het klantperspectief. Dit hangt samen met het begrip klantwaarde; de waarde die het design vertegenwoordigt voor consumenten. En de betekenis die zij ontlenen of toekennen aan fysieke attributen zoals een bepaalde productvorm, verpakking, communicatie- of presentatievorm. Centraal daarbij staan waarnemingen, percepties en associaties die leiden tot imagovorming.
Vanuit het intern-procesperspectief kan men denken aan het effect op bepaalde bedrijfsprocessen, op een verbeterde werkwijze of tijdsbesparing als gevolg van het nieuwe design. Zo won enkele jaren geleden het vernieuwde verhuisbericht van de Britse Royal Mail een Design Effectiveness Award (een jaarlijkse prijsvraag in het Verenigd Koninkrijk). Het formulierontwerp leidde tot een aanzienlijke verbetering van de klanttevredenheid en een efficiëntere interne afhandeling, inclusief forse kostenbesparingen.
Het intern-ontwikkelingsperspectief hangt samen met het vermogen tot leren en groeien van een organisatie. Op dit terrein kunnen designeffecten samenhangen met verbeteren van de outputkwaliteit of met het versterken van de bedrijfscultuur. Medewerkers zijn vaak dagelijks bezig met het produceren van documenten en presentaties, waar-

bij geavanceerde digitale productietechnieken worden ingezet (pc's en software). Goed vormgegeven (huisstijl)hulpmiddelen kunnen ertoe leiden dat medewerkers hiermee beter kunnen werken en betere resultaten behalen. Ze kunnen dan gebruikmaken van op maat gemaakte en gestandaardiseerde digitale hulpmiddelen (zoals templates) voor het aanmaken van eenvoudige middelen, zoals documenten, nieuwsbrieven, e-mails en presentaties. De kwaliteit van deze output kan invloed hebben op de door klanten gepercipieerde kwaliteit van het dienstverleningsproces als zodanig, maar leidt doorgaans ook tot betere communicatie- en informatiestromen, snellere doorlooptijden en minder kans op (dure) fouten. Designeffecten met betrekking tot het versterken van de bedrijfscultuur kunnen optreden wanneer medewerkers zich beter kunnen identificeren met de waarden en doelen van de organisatie. Wanneer duidelijk is welke waarden ten grondslag liggen aan het gedrag in een organisatie – en welke veranderingen hierin nodig zijn, kan wijziging van de symbolen waarmee de organisatie wordt geïdentificeerd (ondermeer het logo) een positieve invloed hebben.
In het vervolg van de tekst staat de beoordeling vanuit het klantperspectief centraal; het gaat ons om de effectiviteit van design met het oog op het keuzeproces van afnemers en gebruikers. We zoomen daarom in op de dimensies identiteit en relevantie uit het overzicht. De drie andere perspectieven komen uitgebreid aan de orde in hoofdstuk elf, waar we ingaan op prestatiemeting en accountability van designmanagement. Het gaat dan vooral om de dimensies tijd en geld. Een bijdrage van het ontwerp aan kritische deadlines heeft immers niet zozeer betrekking op de ontwerpkwaliteit maar eerder op effectief management.

Als men de rol van design in het consumentenproces wil kunnen duiden en achterhalen, dan kan men dit het beste doen via het concept van het merk. Dit is niet de enige manier om designeffectiviteit aan te tonen (design gaat niet alleen over het merk), maar wel de beste vanuit het klantperspectief.
In het vorige hoofdstuk hebben we uitgelegd hoe door middel van design, functie en betekenis kan worden gegeven aan producten en merken. Omdat de meeste producten (zowel waren als diensten) als merkartikel onder de aandacht gebracht worden en veel organisaties gebruik maken van corporate branding, verdient de invloed van design op het merkimago onze bijzondere aandacht. Deze benadering van effectiviteitsonderzoek is gebaseerd op inzichten uit de psychologie en koppelt visuele waarneming aan het keuzeproces van consumenten. Het doel is te achterhalen of designdoelstellingen, uitgedrukt in veranderingen van de beoordeling of de perceptie van afnemers en gebruikers, daadwerkelijk gehaald zijn. Het proces van betekenisgeving en associatievorming dat in het merkconcept wordt gehanteerd vormt hiervoor het uitgangspunt. Voordat we deze mogelijke designeffecten verder uiteenzetten in de volgende paragraaf, willen we tot slot van deze inleiding nog kort ingaan op drie belangrijke onderzoekskwesties.

Kwalitatief of kwantitatief onderzoeken?

Er is zowel een kwalitatieve als kwantitatieve beoordeling van designeffectiviteit mogelijk. Middels *kwalitatief* onderzoek wordt inzicht gegeven in welke meningen, associaties of beeldvormingen er omtrent een design bestaan. Middels *kwantitatief* onderzoek wordt

in kaart gebracht in welke mate deze meningen, associaties of beeldvormingen bestaan onder een bepaalde doelgroep. Voor designeffectiviteit betekent dit dat middels kwalitatief onderzoek inzicht wordt gegeven in welke associaties het design oproept.
Kwalitatief onderzoek is meestal kleinschalig van opzet (10-15 respondenten), waarbij de waarneming niet in getallen wordt uitgedrukt. Kwalitatief onderzoek wordt in de praktijk vooral toegepast als vooronderzoek met als doel een bepaald probleem te structureren of een resultaat te begrijpen en te verklaren. Dit type onderzoek wordt bijvoorbeeld ingezet om consumenteninzichten te achterhalen, met als doel markten beter te segmenteren of input te verkrijgen voor productontwikkeling. Ook bij pre-testing of concept-testing wordt vaak gebruik gemaakt van deze techniek. Kwalitatief onderzoek kan een betrouwbare indicatie opleveren voor designeffectiviteit. Dergelijk onderzoek is vooral gericht op het verwerven van meer of nieuwe inzichten en het boven tafel krijgen van perceptie- en waarderingsaspecten. Een veel toegepaste vorm is die van halfopen vragen in semi-gestructureerde diepte-interviews. Een beperkt aantal respondenten wordt daarin gedurende langere tijd intensief bevraagd ten aanzien van de stimulus (het zintuiglijk waarneembare toonmateriaal met betrekking tot het onderzoeksobject).
Voor het meten van resultaten waarbij de waarneming in getallen wordt uitgedrukt, is kwantitatief onderzoek nodig. Het uitdrukken van onderzoeksinformatie in getallen maakt statistische analyse mogelijk, waardoor onderzoeksresultaten op verschillende momenten en/of plaatsen goed onderling vergeleken kunnen worden. Kwantitatief onderzoek is grootschaliger; het maakt gebruik van een veel omvangrijker steekproef (een veel groter aantal respondenten) dan kwalitatief onderzoek. Hierdoor neemt de betrouwbaarheid toe en heeft men meer zekerheid over het effect van de invoering van een bepaald ontwerp. Voor vergelijking met eerdere onderzoeken of met prestaties van concurrenten is dan een nauwkeurig scoreprofiel gewenst, bij voorkeur binnen een gestandaardiseerd onderzoeksinstrument.
Bij kwantitatief onderzoek wordt aan enkele honderden tot enkele duizenden respondenten een standaard vragenlijst voorgelegd. Het gebruik van open vragen wordt zoveel mogelijk beperkt omdat dit het rubriceren van data complex maakt en daardoor sterk kostenverhogend werkt. Vaak wordt gebruik gemaakt van semantische differentialen. Respondenten worden dan gevraagd een oordeel te geven aan de hand van een schaal waarop tegengestelde begrippen de beide uitersten vormen. Dit oordeel wordt gevraagd op een schaal van vijf tot zeven posities, waarbij de meest linkse positie een negatieve waarde heeft, de middelste een neutrale waarde en de meest rechtse een positieve waarde. 'Onaantrekkelijk' zal links zijn afgebeeld en 'aantrekkelijk' rechts. Een score in het midden houdt in dat de respondent neutraal is in zijn oordeel of geen mening heeft. Bij een 7-punts schaal zal het gevraagde oordeel variëren tussen 'bijzonder onaantrekkelijk' en 'bijzonder aantrekkelijk'.
Managers houden van cijfers, het maakt de vaak complexe werkelijkheid makkelijker hanteerbaar en bespreekbaar. Wanneer in korte tijd over essentiële zaken een beslissing door het management genomen moet worden, worden 'harde' cijfers meestal als onontbeerlijk gezien. Het is daarnaast vaak bijzonder overtuigend om harde gegevens te kunnen leveren. Ook kwalitatief onderzoek wordt doorgaans op waarde geschat. Vaak

geldt dat effectiviteit niet altijd kwantitatief kan worden gemeten of dat dit niet als zinvol wordt ervaren. In die gevallen zal een kwalitatieve beoordeling in de regel volstaan.

De nulmeting als belangrijk ijkpunt

Om het effect van een bepaald designobject (logo, verpakking, website, brochurelijn, interieur) aantoonbaar te maken, is volgens de heersende praktijkopvatting marktonderzoek in de vorm van een nulmeting onmisbaar. Een nulmeting is een onderzoek met als doel het vaststellen van een beginsituatie, om vervolgens in een effectmeting het effect van iets te kunnen meten. Bij het meten van designeffectiviteit is echter in principe geen sprake van een nulmeting, maar van een meting op enig moment.

Waar men in de praktijk op doelt, wanneer men wijst op de noodzaak van een nulmeting, is dat de meting dient te worden gedaan voor het moment van marktintroductie, wanneer nog geen (eventuele) massamediale ondersteuning heeft plaatsgevonden die de waardering van het design zou kunnen beïnvloeden. De gedachte hierachter is dat in het marktstadium designeffecten (deels) kunnen worden toegeschreven aan distributie, prijsvorming, media-aandacht, reclame enzovoort. Na het moment van marktintroductie zou het designeffect niet kunnen worden achterhaald, omdat het dan niet meer kan worden geïsoleerd van andere factoren. Onderzoeksspecialisten zijn echter van mening dat bij kwantitatief onderzoek het designeffect niet voor het moment van introductie hoeft te worden gemeten; het effect kan prima worden vastgesteld wanneer het design al lang is geïntroduceerd. Zo kan bijvoorbeeld het verschil tussen oud en nieuw design ook ten alle tijde worden gemeten. Wel bestaat de kans dat respondenten meer vertrouwd zijn met het oude design, maar uitzonderingen daargelaten, heeft dat weinig invloed op de onderzoeksresultaten. In uitzonderlijke gevallen (bijvoorbeeld bij veel media-aandacht) kan gekozen worden voor een afzonderlijke 0-meting en effectmeting. In de andere gevallen is het effect van andere beïnvloedende factoren minimaal, aangezien respondenten op het design zijn gefocust tijdens het onderzoek.

We merken wellicht ten overvloede op dat bij kwalitatief onderzoek wél sprake kan zijn van een beïnvloeding van het onderzoeksresultaat door andere factoren. Ondermeer vanwege het geringe aantal respondenten.

Wanneer men wil controleren of achterhalen in welke mate een bestaand merkimago eventueel invloed heeft op de waardering voor een bepaald design, dan kan men eventueel kiezen voor een 'split run'-opzet. Hiermee doelen we op de mogelijkheid dat gevestigde merkassociaties de beoordeling en waardering van het designobject positief of negatief kunnen beïnvloeden. Zeker bij de meting van een bestaand (oud) design geldt dat dit in de periode waarin het is gebruikt, geladen kan zijn geraakt met betekenissen die van andere bronnen afkomstig zijn, zoals reclame. Deze lading valt in een onderzoeksomgeving niet meer ongedaan te maken of te isoleren. Bij het onderzoeken van een nieuw design kan men twee steekproeven nemen, waarbij aan één steekproef het design zonder merkafbeelding (en merknaamvermelding) wordt voorgelegd en aan de andere het design met merkafbeelding. Door bij de ene steekproef het logo (en eventuele naamsvermeldingen) af te dekken, wordt de beoordeling gemeten zonder dat de respondent weet om welk merk het gaat. Door vervolgens beide steekproefscores te vergelijken,

kan worden achterhaald in hoeverre het merkimago invloed heeft op de waardering van het design.
Het kan ten slotte ook een optie zijn om het bestaande of vernieuwde design te vergelijken met dat van enkele concurrenten. Het effect van het design wordt dan zowel bepaald door de scores van het betreffende design, als door vergelijking met de scores van de concurrerende designs binnen het betreffende 'umfeld'.

Samenstelling en validatie van een itemlijst
Om te meten in welke mate design een positief effect sorteert, is een goede lijst van *items* nodig. Items zijn betekenissen of kenmerken op grond waarvan een stimulus wordt onderzocht (zie box 3.1). Deze lijst moet niet te lang zijn, omdat anders de tijdsduur en de kosten van het onderzoek oplopen, maar ook omdat er dan een repeterend karakter optreedt, waardoor respondenten zich niet meer goed kunnen focussen.
Een tweede criterium is dat de itemlijst gevalideerd moet zijn. Dit wil zeggen dat door middel van statistisch onderzoek (door het uitvoeren van analyses) de betrouwbaarheid van de itemlijst moet worden vastgesteld. Hierdoor is in principe altijd een vooronderzoek nodig tenzij met een gestandaardiseerd onderzoeksinstrument wordt gewerkt. Een groot deel van de inspanningen van de onderzoeker zit dan ook in de samenstelling en validatie van een beknopte en passende itemlijst.
Voor verschillende sectoren van het bedrijfsleven zal het bij designonderzoek steeds gaan om andere items. De aard van producten (waren en diensten) kan enorm verschillen, en daarmee samenhangend ook de behoefte van gebruikers van het product. Met name het betreffende type merk of product geeft richting aan de selectie van items. De kenmerken van een abstract dienstenmerk of een concreet, fysiek productaanbod zullen in de praktijk sterk verschillen. Datzelfde geldt ook voor verbruiksgoederen en duurzame consumentengoederen. En evenzeer voor de aard van de desbetreffende markt: wanneer het gaat om grote aantallen onbekende afnemers, beoogt men andere effecten dan wanneer men een specifieke branche als afzetgebied heeft, waarin al veel afnemers het merk of product kennen. Het ligt voor de hand dat daarom het designeffect in steeds andere termen beoordeeld zal worden. De voor het onderzoek geselecteerde items kunnen betrekking hebben op de perceptie van concrete functionele betekenissen of juist van aspiratieve waarden. Onderstaand overzicht is verre van volledig, maar is slechts bedoeld om een idee te krijgen van de verschillende functies en betekenissen die design kan hebben in enkele belangrijke productcategorieën. Deze functies en betekenissen leiden tot verschillende onderzoeksitems.

Algemeen	Voeding
Alledaags – speciale gelegenheden	Bijzonder smaakvol – flauw
Eigentijds – ouderwets	Scherp – mild
Modieus – tijdloos	Gemakkelijk te genieten – een verworven smaak
Hoog geprijsd – laag geprijsd	Geruststellend– opwindend
Slechte prijs/kwaliteit – goede prijs/kwaliteit	Authentiek – niet authentiek
Betrouwbaar – onbetrouwbaar	Royaal – pover
Algemeen gewaardeerd – een speciale smaak	Gezond – ongezond
Zoals andere producten – anders dan andere	Dikmakend – niet dikmakend (vet – mager)
Voor mij – voor andere mensen	Binnenlands – buitenlands
Gecompliceerd – eenvoudig	Voor volwassenen – voor kinderen
	Organisch – bewerkt
Duurzame goederen	**Diensten**
Robuust – breekbaar	Eenvoudig te begrijpen – moeilijk te begrijpen
Eenvoudig te gebruiken – moeilijk te gebruiken	Klantvriendelijk - klantonvriendelijk
Ontwerpen met gebruik in gedachten – niet ontworpen met gebruik in gedachten	Efficiënt – inefficiënt
	Complex – eenvoudig
Zonder zorgen – gaat altijd fout	Flexibel – inflexibel
Stijlvol – niet bijzonder stijlvol	Levendig – sloom
Economisch – buitenissig	Attent – officieel
Een luxe – een noodzaak	Beleefd – brutaal
	Formeel – informeel
	Warm – koud
	Individualistisch – sociaal

Figuur 3.2 Een beknopt overzicht van items (naar: Knight, 2000)

De eerder genoemde werkgroep 'Design & Effectiviteit' heeft samen met de marktonderzoeksbureaus Ruigrok MC en Blauw Research een gestandaardiseerd kwantitatief onderzoeksinstrument ontwikkeld: 'BNO/DesignEffect', waarmee designeffecten op een laagdrempelige en toegankelijke wijze kunnen worden onderzocht (BNO, 2005). Hiervoor heeft het onderstaande itemlijst ontwikkeld. Op grond van uitgebreid kwalitatief vooronderzoek is een groot aantal items gevonden. Door middel van statistische analyses en vervolgonderzoek is dit aantal teruggebracht tot uiteindelijk 28 items, verdeeld over zeven dimensies. De dimensies zijn onderverdeeld in waarden, persoonskenmerken en emoties. De afgebeelde itemlijst heeft betrekking op het onderzoeken van merksymbolen (logo's) en communicatiemiddelen zoals websites, verpakkingen, brochures en magazines. Het onderzoeken van producten valt hier buiten. Inmiddels hebben een aantal grote organisaties overigens al positieve ervaringen opgedaan met dit instrument, waaronder TNT Post, Randstad, IB Groep, Rabobank en Gemeente Amsterdam. Deze organisaties maakten met hun deelname aan het onderzoek de ontwikkeling van het DesignEffect-instrument mede mogelijk.

Waarden	*Persoonskenmerken*	*Emoties*
Dimensie: vooruitstrevend	**Dimensie: gedurfd**	**Dimensie: genieten**
Vooruitstrevend	Gedurfd	Genieten
Modern	Fantasierijk	Inspirerend
Innovatief	Creatief	Verrassend
Toonaangevend	Origineel	Bevredigend
Dimensie: traditioneel	**Dimensie: betrouwbaar**	
Traditioneel	Betrouwbaar	
Serieus	Precies	
Formeel	Zeker	
Klassiek	Efficiënt	
Dimensie: sociaal	**Dimensie: blij**	
Sociaal	Blij	
Menselijk	Opgewekt	
Persoonlijk	Vrolijk	
Optimistisch	Gezellig	

Figuur 3.3 Itemlijst 'BNO/DesignEffect' (BNO, 2005)

3.2 Effecten van design op externe en interne stakeholders

Het klantperspectief, dat in dit hoofdstuk centraal staat, veronderstelt een focus op externe klanten zoals consumenten, afnemers of opdrachtgevers (bij dienstverlening). Maar we kunnen het begrip klant breder trekken naar stakeholders, omdat ook aandeelhouders, leveranciers en medewerkers in zekere zin als klanten kunnen worden aangemerkt. Bedrijven moeten immers kapitaal, arbeid en grondstoffen tegen zo gunstig mogelijke voorwaarden kunnen aantrekken om succesvol te kunnen zijn. Medewerkers en managers worden daarom ook wel gezien als interne klanten.
In de literatuur wordt naast een extern imago, ook een intern imago onderscheiden. Het besef dringt steeds verder door dat beide imago's in één lijn dienen te liggen, men kan het één niet los zien van het ander. Steeds vaker worden daarom externe merkinspanningen (external branding) in relatie gebracht met interne merkinspanningen (internal branding). Recente inzichten rond internal branding laten zien dat kennis, houding en gedrag ten aanzien van de identiteit en waarden van een organisatie, onder interne medewerkers van eminent belang zijn voor het succes van organisaties, in het bijzonder voor dienstverleners en servicemerken (Ind, 2001 en Funcke, 2005). We kunnen dit visualiseren aan de hand van de driehoek 'bedrijf/merk, medewerkers en klanten'. Medewerkers moeten in staat zijn de belofte van de organisatie of het merk te vervullen, om te voorkomen dat er een kloof ontstaat tussen belofte en prestatie. Ook in bekende modellen voor kwaliteitsmanagement (bijvoorbeeld het INK-model; zie paragraaf 11.2) wordt uitgegaan van een causaal verband tussen klanttevredenheid, werknemertevre-

denheid en het bedrijfsresultaat. Ook Reichheld (1996) wijst daarop in zijn boek *The loyalty effect*.

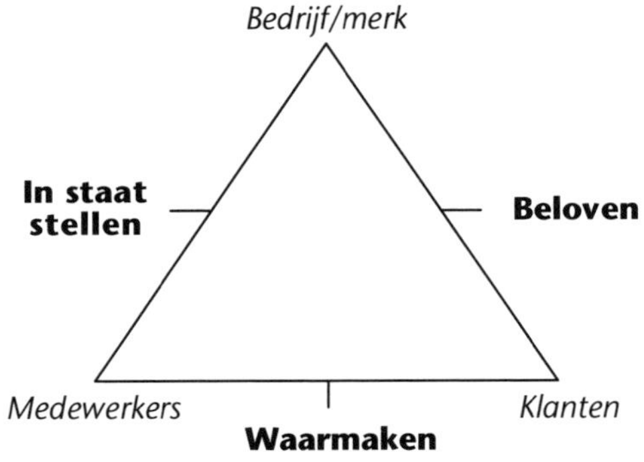

Figuur 3.4 Relaties en prestaties

De veronderstelling is dat design kan helpen om de geloofwaardigheid, herkenbaarheid en het vertrouwen bij zowel interne en externe relaties, afnemers en aandeelhouders te versterken. Dit betekent dat design niet alleen extern, maar ook intern een belangrijke rol kan spelen. Design kan er toe bijdragen dat medewerkers het merk in verschillende contactmomenten kunnen herkennen en dat zij zich met de bij het merk behorende waarden en identiteit kunnen identificeren. De interne doelgroep is een belangrijke drager van het merk, identificatie vergroot de betrokkenheid van medewerkers en geeft hen de mogelijkheid om de waarden en opvattingen zelf ook actief uit te dragen. Medewerkers zullen hun houding en gedrag mede baseren op de manifestaties van het merk; in de producten, de omgeving en de communicatie. En zoals bekend speelt design hierbij een rol. Met gedrag doelen we op het gewenste gedrag in samenhang met de geformuleerde merkidentiteit. Voor designeffectiviteit gaat het om vragen als: Wat brengt het design inhoudelijk over? Welke invloed heeft het op waarneembaar gedrag? Welke reacties roept het bij de interne stakeholders op?

3.2.1 Effecten op externe stakeholders

Riezebos (2002) stelt dat zowel intrinsieke als extrinsieke productkenmerken (ook wel: attributen) invloed hebben op de beoordeling door consumenten. Intrinsieke kenmerken zijn kenmerken van producten of diensten zelf. Bij producten kan men denken aan de geur, smaak en samenstelling, wanneer men deze wijzigt, verandert het product als zodanig. Het zijn attributen die betrekking hebben op de functionaliteit of het gebruik. Hierbij zijn twee aspecten van belang: de aanwezigheid (het feit dat een bepaald attribuut aanwezig is in het product) en de kwaliteit (de hoedanigheid). Extrinsieke attributen zijn alle overige kenmerken die aan het product zijn toegevoegd zoals de naam (het logo), de prijs, de productvorm, de verpakking of een specifieke verkoopomgeving. Deze leiden bij verandering niet tot aantasting van het fysieke product of de dienst. Dergelijke ex-

trinsieke attributen kunnen bij uitstek geschikt zijn om de perceptie van consumenten in positieve zin te beïnvloeden. Het is bijvoorbeeld bekend dat verschillend uitziende verpakkingen waarin eenzelfde product is verpakt, resulteren in verschillende kwaliteitspercepties. Het gebruik van bepaalde kleuren, vormen of materialen kan deze perceptie beïnvloeden. Men spreekt in de literatuur van een 'halo-effect' om de invloed van een extrinsiek attribuut op een intrinsiek attribuut te duiden. Wanneer de intrinsieke attributen (bijvoorbeeld de smaak) voor aankoop niet waarneembaar zijn is de invloed van de extrinsieke attributen hoog; deze kenmerken geven de consument aanwijzingen over de intrinsieke kenmerken. Men spreekt in dit verband ook wel van *experience* producten: alleen na aankoop van het product kan de geleverde kwaliteit worden beoordeeld aan de hand van de feitelijke gebruikerservaring. Riezebos wijst hier op het belang van verpakking en stelt dat een verpakking op twee manieren het merkimago kan beïnvloeden: de verpakking geeft ons een beeld van de intrinsieke attributen (de functionele kwaliteit), maar kan ook associaties aan het merk toevoegen die niet zijn gerelateerd aan deze intrinsieke productattributen. Het gaat dan om bepaalde materiële (functionele) of immateriële (symbolische) betekenissen.
Bij producten wordt ook wel onderscheid gemaakt tussen functionele, structurele en esthetische attributen (Riezebos, 2002). Met name de structurele en esthetische attributen zijn van belang voor designeffectiviteit. *Functionele attributen* verwijzen naar die intrinsieke attributen die het wezenlijke voordeel van gebruik opleveren. Dit kan een afstandsbediening zijn, of een eenvoudige programmeerfunctie op een videorecorder. *Structurele attributen* verwijzen naar de productvorm, de wijze waarop de functionele attributen zijn vormgegeven, bijvoorbeeld een platte, compacte en robuuste uitvoering, de omvang en vorm. *Esthetische attributen* verwijzen ten slotte naar kenmerken die een product visueel aantrekkelijk maken of het een bepaalde betekenis geven, zoals de gebruikte styling. Denk aan een minimalistisch vormgegeven recorder met tiptoetsen in 'titanium-look'.
Bij structurele en esthetische kenmerken gaat het om aspecten die men kan percipiëren op grond van de desbetreffende stimulus. Als dergelijke cues worden aangepast of veranderd, wordt een verandering bewerkstelligd in productwaarneming.

Designeffectiviteit kan ook samenhangen met het gevoerde designbeleid of een daarmee verband houdend (meervoudig) designprogramma. Veel organisaties voeren één of meerdere designprogramma's, bijvoorbeeld in de vorm van een productstijl, merkstijl of huisstijl/bedrijfsstijl. Wanneer sprake is van een productportfolio of meerdere merken (business- of productmerken naast een corporate merk) zal dit programma breed zijn, of bestaan uit afzonderlijke deelprogramma's. Bij een productstijl zal voor de verschillende productlijnen gebruik worden gemaakt van bepaalde vormkarakteristieken (productiemallen), bepaalde materialen, componenten en kleuren. Bij een bedrijfsstijl- of huisstijlprogramma zal het met name gaan om het op elkaar afstemmen van communicatie- en presentatiemiddelen. Zonder een dergelijk designprogramma, dat voorschrijft hoe producten en visuele uitingen moeten worden vervaardigd, zullen doelgroepen niet of nauwelijks een samenhang in het aanbod, de presentatie en de boodschappen van een organisatie kunnen ervaren. Het aansturen of beïnvloeden van een imago begint dan ook bij het ontwikkelen van een dergelijk designprogramma.

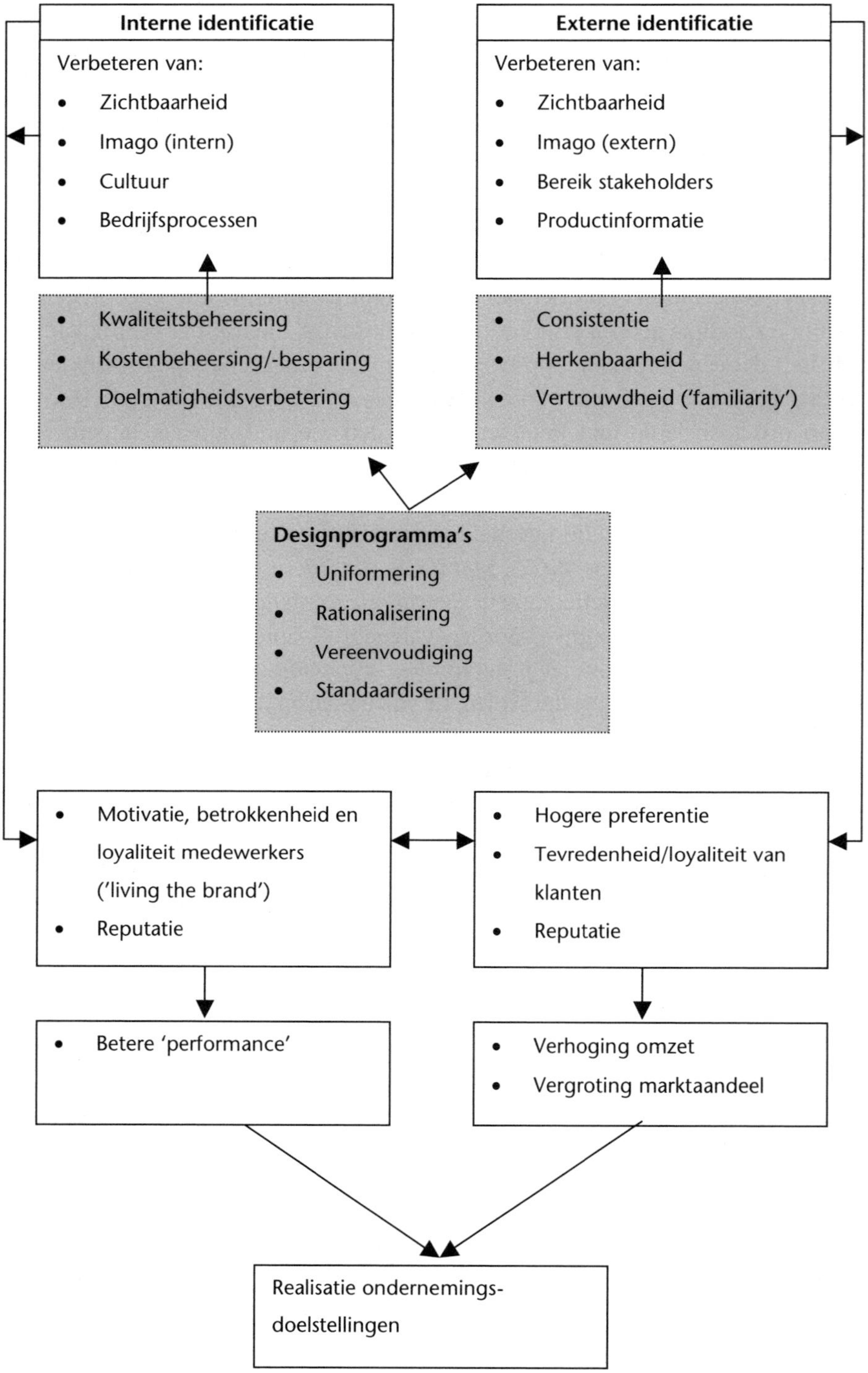

Figuur 3.5 Mogelijke effecten van design voor interne en externe stakeholders

De basis voor een designprogramma kan gevonden worden in uniformering, rationalisering, vereenvoudiging en standaardisering. Een goed opgezet designprogramma resulteert niet alleen in doelmatigheidsverbetering, kwaliteitsbeheersing en kostenbesparing, maar ook in consistentie en herkenbaarheid. In figuur 3.5 is de werking hiervan weergegeven. De rechterzijde van het schema beschrijft de effecten voor externe stakeholders, de linkerzijde voor interne stakeholders. (We bespraken deze interne effecten in de inleidende paragraaf als toelichting op het intern-ontwikkelingsperspectief.) De interne en externe effecten liggen in elkaars verlengde en vullen elkaar aan in het ondersteunen van dezelfde einddoelstelling: de continuïteit en rentabiliteit van de onderneming of organisatie.

3.3 Een onderzoeksmodel voor designeffectiviteit

Het onderzoeksmodel dat we introduceren heeft tot doel om te meten in welke mate een bepaald design bijdraagt aan het creëren en onderhouden van een merk. Om dit te kunnen achterhalen, moet onderzoek worden gedaan naar de beoordeling en waardering van het design. Een dergelijke vorm van marktonderzoek kan ook worden getypeerd als perceptieonderzoek; tot welke percepties leidt de confrontatie met een bepaald design? Welke conclusies kunnen hieruit worden afgeleid ten aanzien van inzicht, waardering of voorkeur voor het merk? Naast percepties kunnen ook emoties hierbij een rol spelen. We wijzen er in dit verband op dat consumenten vaak niet-rationele keuzen maken; experts schatten dat 60 à 70% van het consumentengedrag mede is gebaseerd op emotionele argumenten. In hoofdstuk één voerden we hiervoor het begrip visceraal design aan, een designaspect dat betrekking heeft op de emotionele impact van de verschijningsvorm en dat op een onderbewust niveau in het geheugen wordt verwerkt. Dergelijke emoties vormen geen onderwerp van dit onderzoeksmodel. Er zijn wel specifieke onderzoeksmethoden beschikbaar voor het meten van dergelijke emotionele responsen (zie paragraaf 12.3).

3.3.1 Doelen en effecten

Zowel merk-, marketing- als communicatiedoelstellingen worden doorgaans geformuleerd op basis van drie componenten:

- Kennis (*cognitieve* component)
- Houding (*affectieve* component)
- Gedrag (*conatieve* component)

Een bepaalde inspanning is er meestal op gericht één of meerdere van deze componenten te ontwikkelen. Men kan doelstellingen formuleren ten aanzien van ieder van deze componenten. In principe is er een breed scala aan doelstellingen denkbeeldig; het is aan de organisatie om deze te definiëren. Doelstellingen zullen wel concreet (dat wil zeggen meetbaar) moeten zijn – en ze zullen moeten passen bij de geformuleerde merkidentiteit en de voor het merk uitgezette strategie en positionering. Aanvullend kan men ook bepaalde doelgroepen of marktsegmenten in de doelstelling verwerken. Om een indruk te geven van wat we bedoelen halen we hieronder een fictief voorbeeld aan van een vrij algemene communicatiedoelstelling:

- *Kennis*: 80-90% van onze klanten weet op 01 augustus 2005 wat er verandert in onze dienstverlening. 80-90% van onze klanten weet op 01 oktober op welke wijze men gebruik kan maken van de nieuwe dienst.
- *Houding*: 70% van onze klanten is in februari 2006 (zeer) tevreden over de wijze waarop de nieuwe dienst is geregeld.
- *Gedrag*: 40-50% van onze klanten heeft op 01 oktober 2005 informatie over de nieuwe dienst aangevraagd via internet. 60-70% heeft op 01 oktober de intentie om zelfstandig, of met behulp van derden de dienst aan te vragen.

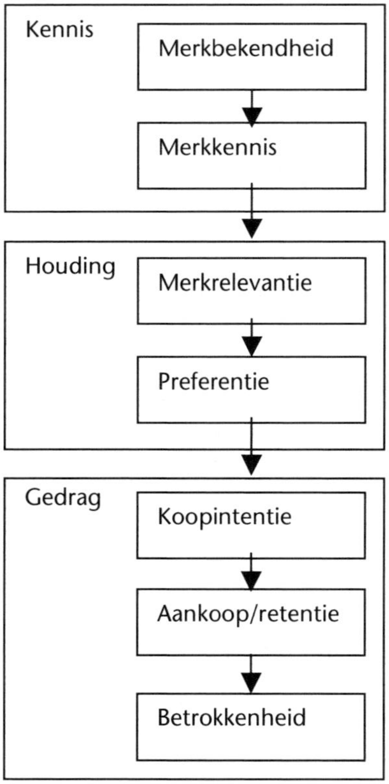

Figuur 3.6 Hiërarchie van effecten (bron: Floor & Van Raaij, 1995)

In theorieën over de werking van communicatie wordt meestal een bepaalde hiërarchie en fasering onderscheiden. Daarbij worden de dimensies kennis, houding en gedrag onderscheiden. Floor & Van Raaij (2002) gaan uit van een onderscheid in een scanning- en een focussingfase bij de waarneming van communicatie-uitingen. In de regel zal eerst fase één moeten worden bereikt, voordat fase twee zal worden ingegaan. De ontwikkelingsreeks kennis (scanning- en focussingfase) → houding (focussingfase) → gedrag (gedragsfase) is een betrouwbaar basisprincipe voor menselijke acceptatie dat ons aangereikt wordt vanuit de gedragswetenschappen.

In de *scanningfase* worden communicatie-uitingen geselecteerd op hun relevantie en aantrekkelijkheid. Er zijn drie voorwaarden waaraan voldaan moet worden om deze fase in te gaan: bereik van de doelgroep, aandacht en acceptatie. Het gaat hier om een primaire affectieve reactie die bepaalt of iets daadwerkelijk wordt waargenomen, in de zin dat de visuele informatie actief wordt verwerkt in het geheugen. Het ligt voor de hand te veronderstellen dat design in de scanningfase een bijdrage kan leveren aan de selectie van communicatie-uitingen op grond van aantrekkelijkheid en een opvallend (saillant) uiterlijk. Dit zou in deze fase moeten leiden tot positieve aandacht (herkenning) en acceptatie. De mate waarin stakeholders een design als aantrekkelijk, aansprekend, onderscheidend of opvallend percipiëren, is een belangrijke factor die een voorspellende waarde heeft voor designeffectiviteit.

In de volgende fase van *focussing* richten consumenten zich op de inhoud, proberen ze te begrijpen wat er bedoeld wordt, proberen ze kennis op te doen, en vormen ze zich een meer uitgewerkt denkbeeld om hun houding te bepalen. Bij een hoog gepercipieerd risico (bijvoorbeeld bij een hoge prijs) of een hoge betrokkenheid van consumenten (wanneer het gaat om veiligheid of gezondheid) kan de focussingfase zeer uitgebreid zijn; er is dan behoefte aan veel informatie. Hierbij kunnen zowel cognitieve als affectieve elementen een rol spelen. In de focussingfase speelt inhoudelijke oriëntatie en informatie een belangrijke rol. Design kan hieraan een bijdrage leveren door de presentatie van informatie (productinformatie over de samenstelling of afkomst) of door bepaalde producteigenschappen en benefits over te dragen door middel van visuele cues. Design kan ook een bijdrage leveren wanneer dit leidt tot esthetische preferentie: 'dit is mooier, is meer mijn smaak, of past beter bij mij'.

De derde fase uit zich in *gedrag*. In de literatuur wordt met de term merkgedrag gedoeld op een verzameling merkgerelateerde gedragseffecten:

- Koopgedrag: meer verkoop (groter afzetvolume), verloop van koopproces. Het effect van design (en reclame) wordt in onderzoeksinstrumenten doorgaans beperkt tot koopintentie, betrokkenheid en binding.
- Koopintentie (intentioneel gedrag): voornemen om het product of de dienst in de toekomst te gaan kopen of er meer van te gaan kopen.
- Afneemgedrag: meer aanvragen, meer opname in *consideration set* (voor feitelijke aanschaf).
- Bezoekgedrag: meer 'hits', meer mensen, meer bezoek (hogere frequentie).
- Keuzegedrag: hogere preferentie, meer loyaliteit of trouw (een hogere mate van *involvement* leidt tot minder ruimte voor substitutie).
- Gebruikersgedrag: meer of nieuwe gebruiksmomenten, juiste toepassing door gebruikers (bijv. dosering), vermijden van verkeerd gebruik.
- Servicegedrag: gedrag van medewerkers dat in lijn is met de merkverwachting van consumenten (gebaseerd op de merkbelofte).

3.3.2 Het theoretisch model

We betoogden al eerder dat designeffectiviteit samenhangt met de mate waarin het design, de aan een merk of product gekoppelde betekenissen en waarden actief overdraagt. We stelden dat op deze wijze, design de associatievorming in het geheugen van stakeholders – met betrekking tot het merk(artikel), het product of de onderneming – positief kan beïnvloeden. Een onderzoeksinstrument voor designeffectiviteit zou daarom moeten achterhalen in hoeverre het betreffende design aantoonbaar een positieve invloed heeft op de kennis, houding en het gedrag van afnemers en gebruikers.

Bij onderzoek naar de effectiviteit kunnen we meten in hoeverre het betreffende design richting geeft aan het merkimago (door doelgerichte beïnvloeding met behulp van betekenisgeving). Effectief design dient het proces van associatievorming aan te sturen in de richting die voor het merk is gekozen. Designdoelen kunnen worden omschreven in termen van vooraf bepaalde specifieke merkbetekenissen (input), die door gebruikers en afnemers moeten worden verwerkt tot synchrone merkassociaties (throughput) en die tot doel hebben een impuls aan merkgedrag te geven (output). Zie in dit verband het eerder gepresenteerde framewerk in paragraaf 2.1. Het is dus relevant om via merk- en productassociaties te onderzoeken wat de positieve impuls is die design aan merkgedrag geeft.

Het onderzoeksmodel geeft het spanningsveld weer tussen enerzijds designintenties van de merkeigenaar (en de designer) en anderzijds designoordelen van de beoogde doelgroep waarop het design is gericht (zie figuur 3.7). Zonder heldere designdoelen zal het bijzonder lastig worden om designeffectiviteit aan te tonen. Deze worden deels ingegeven door de merkidentiteit, het merkconcept en andere merkstrategische overwegingen. Als het goed is vormen de geformuleerde intenties en de beoogde effecten ook de kern van de creatieve briefing of de opdrachtformulering die de basis vormt voor de designactiviteiten. We gaan er vanuit dat de gekozen designdoelen vervolgens ook door de ontwerper in het ontwerp tot uitdrukking worden gebracht. Voor ieder beoogd effect kunnen specifieke designcriteria worden gekozen. Deze staan niet in het algemene schema aangegeven; in paragraaf 3.4 geven we een meer uitgebreid overzicht door middel van vier checklists.

De percepties van de beoogde doelgroep komen direct tot uitdrukking in designoordelen; de mate waarin een bepaald item van toepassing wordt geacht op de stimulus. Indirect komen deze percepties tot uitdrukking in de merkbekendheid, de merkkennis, de merkrelevantie en de merkvoorkeur van consumenten en afnemers. Door een analyse van de scores op de verschillende items, kan worden voorspeld welke merkeffecten zullen optreden en in welke mate. De prestatiescores kunnen ook onderling vergeleken worden met die van andere stimuli, welke met behulp van dezelfde items zijn onderzocht.

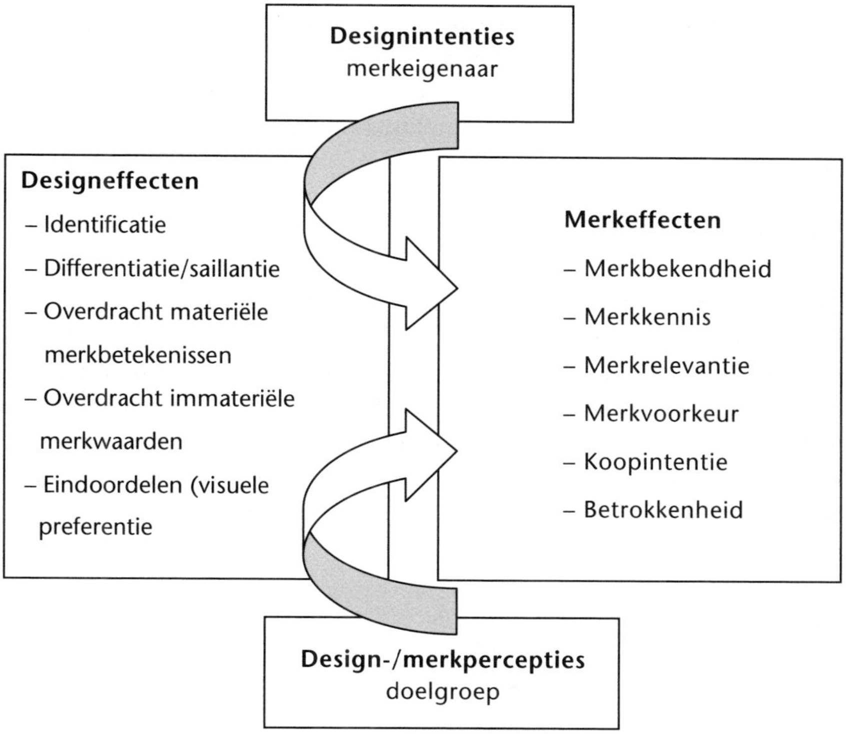

Figuur 3.7 Theoretisch model (bron: BNO-werkgroep Design & Effectiviteit, 2004)

Het model is gebaseerd op de volgende aannames:

- Kenmerken of aspecten van een design leiden tot bepaalde effecten bij de waarnemers ervan.
- Designeffecten zijn onder te verdelen in vier dimensies, te weten: identificatie, differentiatie/saillantie, overdracht van materiële merkbetekenissen en overdracht van immateriële merkwaarden (zie paragraaf 2.2).
- Design heeft vanuit deze vier effecten aantoonbaar invloed op merkkennis, -houding of -gedrag.
- Het waarnemen van het design gedurende een korte tijd heeft dezelfde invloed als wanneer het design gedurende langere tijd door de doelgroep wordt waargenomen. De intensiteit (kracht) van de beoordeling zal wel variëren, de inhoud (de aard van de associaties) en richting (positief of negatief) minder.

Ten aanzien van gedrag beperkt het onderzoeksmodel zich tot koopintentie, betrokkenheid en binding. Ervaring op het gebied van reclame-effectiviteitsonderzoek leert dat gedragscriteria als daadwerkelijke aankoop, teveel worden beïnvloed door uiteenlopende factoren die binnen onderzoek niet kunnen worden gecontroleerd. Voor een beoordeling van designeffectiviteit ten aanzien van gedrag, dient het begrip *design* geïsoleerd te worden uit het complex van factoren die het gedrag ten aanzien van een merk beïnvloeden. Dat kan voor een deel, maar in hoeverre design er uiteindelijk in slaagt om daadwerkelijk koopgedrag te beïnvloeden is moeilijk hard te maken. De relatie van afnemers en gebruikers met een merk wordt bepaald door veel zaken, van reclame tot gebruikservaring en van persoonlijke interesse tot wat de media, familie en vrienden er van vinden. Veel aankoopbeslissingen worden daarnaast implusief of onder invloed van situationele omstandigheden genomen.

3.3.3 Merkeffecten van design

Zoals uit het onderzoeksmodel blijkt, kunnen in hoofdzaak vier designeffecten worden onderscheiden die samenvallen met de in hoofdstuk twee gepresenteerde vier hoofdrollen van design. Deze designeffecten kunnen leiden tot bepaalde merkeffecten, maar niet alle designeffecten leiden tot eenzelfde merkeffect. Het aantal designeffecten dat een positief effect kan hebben op merkbekendheid is veel beperkter dan het aantal dat een effect kan hebben op het merkimago. We geven een beknopt overzicht van de merkeffecten waar de verschillende designeffecten invloed op kunnen hebben en lichten dit vervolgens toe:

Merkeffecten	*Designeffecten*
• Merkbekendheid	Identificatie (categorisatie) en saillantie
• Merkkennis	Differentiatie; overdracht materiële merkbetekenissen
• Merkrelevantie	Overdracht immateriële merkwaarden (waarden, emoties, persoonlijkheidskenmerken)
• Merkvoorkeur	Differentiatie; overdracht materiële merkbetekenissen; overdracht immateriële merkwaarden; eindoordelen (visuele preferentie)
• Koopintentie	Differentiatie/saillantie; overdracht materiële merkbetekenissen; overdracht immateriële merkwaarden
• Betrokkenheid en binding	Immateriële merkwaarden (waarden, emoties, persoonlijkheidskenmerken)

Merkbekendheid is de mate – uitgedrukt in een percentage – waarin de doelgroep in staat is het merk binnen een productklasse te herkennen. Hierbij kunnen worden onderscheiden: onbekendheid, geholpen bekendheid (herkenning van voorgelegde merknamen), spontane bekendheid (waarbij een respondent op eigen initiatief de merknaam reproduceert) en *top of mind awareness* (TOMA) wanneer een consument een bepaald merk als eerste noemt. Het designeffect kan worden bepaald op grond van de mate waarin design bijdraagt aan de herkenning, herinnering (herinneringswaarde) en opvallendheid (saillantie) binnen de omgeving van het merk. Met name bij nieuwe merkintroducties of revolutionaire wijziging van het merkdesign, is het met het oog op de effectiviteit van belang dat het design aanwijzingen geeft over de betreffende categorie.
Onder *merkkennis* verstaan we zowel merkbekendheid als kennis van de attributen (de eigenschappen en voordelen gekoppeld aan het merkartikel). Dit is een veel ruimer begrip dan merkbekendheid. De meerwaarde van een merk is ondermeer afhankelijk van

een hoge bekendheid en van duidelijke verwachtingen ten aanzien van de productprestatie (op een meer concreet instrumenteel niveau). Het designeffect kan worden bepaald op grond van de mate waarin design bijdraagt aan de herkenning, herinnering (herinneringswaarde) en opvallendheid (saillantie) van het merk. Maar ook door de mate waarin design bijdraagt aan de perceptie van producteigenschappen en de perceptie van voordelen die samenhangen met het productgebruik. We duiden productgerelateerde betekenissen aan als materiële merkbetekenissen; het designeffect kan worden bepaald op grond van de perceptie en waardering met betrekking tot de onderzoeksstimulus.
Als design de rol heeft om materiële merkbetekenissen, danwel immateriële merkwaarden over te dragen, leidt dit er toe dat klanten beter begrijpen wat er bedoeld wordt en dat ze zich een meer uitgebreide houding kunnen vormen ten aanzien van het merk. Materiële merkbetekenissen zullen eerder leiden tot cognitieve evaluatie (kennisgericht) terwijl immateriële waarden zullen leiden tot een affectieve evaluatie (houdingsgericht).
Het *merkimago* is het totaal aan indrukken dat afnemers hebben van een merk (of merkartikel), hetgeen invloed kan hebben op het gedrag ten opzichte van dat merk(artikel). Onderdeel van het merkimago zijn alle kenmerken (attributen) die aan het merk worden toegeschreven, maar ook abstracte eigenschappen en voordelen die met het product worden geassocieerd en op het product afstralen. (Eigenschappen en voordelen kunnen ook alleen bestaan als gedachten of percepties.) Daarnaast zijn ook de merkwaarden, persoonlijkheidskenmerken en emoties die aan het merk worden toegeschreven, bepalend. We duiden dit aan als de immateriële merkwaarden. Merkeigenaren kunnen proberen het merkimago te beïnvloeden in de door hun gewenste richting, door de voor het merk gekozen waarden, persoonskenmerken en emoties zo herkenbaar en eenduidig mogelijk naar buiten te brengen. Het designeffect kan worden bepaald op grond van de aantrekkelijkheid van het design (*likeability*); spreekt het in positieve zin aan, is het origineel, wekt het sympathie, heeft men er iets mee. Maar ook op grond van de mate waarin design bijdraagt aan de opvallendheid (saillantie) van het merk, de perceptie van persoonlijkheidskenmerken, emoties of waarden die bij het merk horen. Of op grond van de perceptie van de voordelen die het merkgebruik met zich meebrengt. Deze factor wordt aangeduid als *merkrelevantie.*
Naast merkrelevantie wordt *merkvoorkeur* onderscheiden. We kunnen van merkvoorkeur spreken wanneer het merk een prioriteit inneemt in de *awareness set* van de consument. Wanneer design wordt ingezet om te differentiëren (dat wil zeggen, ertoe bij te dragen dat consumenten het merkartikel als onderscheidend zien ten opzichte van andere aanbieders), draagt dit eveneens bij aan merkpreferentie. Ook eindoordelen ten aanzien van het design kunnen in principe leiden tot het bepalen van een merkvoorkeur, bijvoorbeeld op grond van visuele preferentie: 'dit design spreekt me het meest aan of past het best bij mij'. De mate van merkvoorkeur is een aanwijzing voor koopintentie en een mogelijke aanwijzing voor daadwerkelijk koopgedrag.
Koopintentie is het voornemen om het product of de dienst in de toekomst te gaan kopen of er meer van te gaan kopen. Een aantal factoren zullen hierop van invloed zijn, ondermeer de mate waarin het als uniek, onderscheidend en aantrekkelijk wordt gezien. Maar ook de prijs-kwaliteitperceptie.

Het designeffect kan eventueel ook worden bepaald op grond van de mate waarin design bijdraagt aan de *betrokkenheid* bij het merk of aan de verbondenheid met het merk. Met name door de overdracht van immateriële merkwaarden kunnen stakeholders zich hiervan een beeld vormen en beoordelen in hoeverre het merk overtuigend en authentiek is. Niet alle merken zullen hiervoor in aanmerking komen. Het gaat dan vooral om bepaalde typen merken waarbij een bepaalde ideologie of persoonlijkheid centraal staat. De creatieve expressie hiervan door middel van design zal van invloed zijn op de perceptie en waardering. We lichten dit in paragraaf 3.4.2 verder toe.

3.4 Primaire designeffecten en aanvullende designcriteria

Het beoordelen van design staat of valt met de geformuleerde doelen, maar we zien in de praktijk dat deze vaak onvoldoende scherp worden gedefinieerd. Het bepalen van beoogde designeffecten vereist een heldere analyse op grond van inzicht in de werking van design als merkinstrument. Daar zit waarschijnlijk de moeilijkheidsgraad van effectiviteitsonderzoek. Als handreiking geven we daarom in deze afsluitende paragraaf twee overzichten. We presenteren als eerste een overzicht van merkconcepten die we koppelen aan de vier designeffecten. Vervolgens geven we een overzicht van aanvullende designcriteria in de vorm van vier checklists. Deze hangen eveneens samen met de vier designeffecten.

3.4.1 De rol van merkconcepten bij het vaststellen van het primaire designeffect

Het is voor designplanning als eerste nodig te bepalen welke primaire functie het merk heeft voor consumenten en welke primaire rol design speelt in samenhang hiermee. Van hieruit kunnen we beoordelen welke designeffecten noodzakelijk zijn. Wanneer de merkpersoonlijkheid cruciaal is voor het succes van het merk, zal het designeffect 'overdracht van immateriële meerwaarden' hoog moeten scoren. Het design zal de desbetreffende persoonlijkheidseigenschappen zodanig moeten reflecteren dat respondenten deze daadwerkelijk percipiëren.
Designeffecten kunnen worden beargumenteerd en onderbouwd aan de hand van een overzicht van merkconcepten (Franzen & Van den Berg, 2001) dat we koppelen aan de vier designeffecten (figuur 3.8). We geven in de tekst een toelichting. Op grond van deze toelichting kunnen meer specifieke criteria voor het design worden vastgesteld. Om te kunnen bepalen welke rol design moet spelen, dienen we eerst vast te stellen welk merkconcept in het betreffende geval aan de orde is. We wijzen we er verder op dat het merkconcept de basis vormt voor de rol van design en niet andersom. Het is dus niet zo dat een passend merkconcept gezocht wordt op grond van de rol die design speelt voor het merk.

1. Identificatie (categorisatie)	Merk is één product Merk is productcategorie Merk is domein
2. Differentiatie/saillantie*	Merk is producteigenschap Merk is herkomst (*... Merk is 'anders' dan anderen')
3. Overdracht materiële merkbetekenissen	Merk is design Merk is stijl Merk is lage prijs Merk is luxe
4. Overdracht immateriële merkwaarden	Merk is mens(en) Merk is emotie Merk is persoonlijkheid Merk is waardensysteem/ideologie

Figuur 3.8 Primaire designeffecten en bijbehorende merkconcepten

Identificatie (categorisatie) als primair designeffect

Designrol: met behulp van design wordt de eigenaar, producent of afzender van het merkartikel duidelijk. Het design verschaft daarnaast aanwijzingen over de desbetreffende productcategorie.

Merkconcepten (basisconcepten) waarbij identificatie het primaire designeffect is:

- *Merk is één product*: het merk roept onmiddellijk het product in herinnering waarmee het verbonden is (de merk-/productassociatie staat centraal, zoals bij Heineken). De vormgeving van het logo, het product zelf en de verpakking (als symbool voor het product) vormen de belangrijkste aanwijzingen voor consumenten.
- *Merk is productcategorie*: er is sprake van een lijnextensie; een serie producten (varianten) binnen één categorie (bijv. Grolsch). Het merk wordt primair geassocieerd met de basiscategorie (pils), maar daarnaast ook met meerdere subcategorieën (bok, kriek, blond, amberbier). Het design van het merk en de verpakking moet ertoe bijdragen dat de verschillende producten en de categorie gemakkelijk herkend kunnen worden. Door visuele verwantschap of bepaalde 'familie'-trekken (in vaktermen: *family resemblance*) worden de varianten binnen de categorie duidelijk.
- *Merk is domein*: een categorisering op een hoger abstractieniveau dan de productcategorie. Voorbeelden van domeinmerken zijn de grote banken en verzekeraars (zoals ING of Fortis). Het domein is 'financiële diensten' waaronder categorieën als financieren, beleggen, sparen, verzekeren en betalingsverkeer vallen. Andere voorbeelden zijn Gilette (alles rond scheren) en Nivea (alles rond huidverzorging). Design moet worden ingezet om de verschillende producten/diensten onderling herkenbaar te maken. Door visuele verwantschap worden de varianten, verspreid over verschillende productcategorieën, duidelijk. Ook wordt de claim van het domein door het betreffende merk voor de consument waarneembaar.

Differentiatie/saillantie als primair designeffect

Rol: design draagt er toe bij dat consumenten het merkartikel als uniek zien ten opzichte van de concurrentie, waardoor meer mensen bereid zijn het aan te schaffen of een hogere prijs te betalen. Men kan hierbij een verder onderscheid aanbrengen tussen een functionele product-/dienstdifferentiatie of een mentale (psychosociale) differentiatie. Verder spreken we eerder van saillantie dan van differentiatie wanneer het design bijdraagt aan een unieke wijze van communiceren en een hoge mate van opvallendheid heeft.

Merkconcepten waarbij differentiatie het primair designeffect is:

- *Merk is producteigenschap*: het merk wordt primair geassocieerd met een bepaald (instrumenteel) attribuut of benefit. Het merk kan verschillende productcategorieën omspannen waarin consumenten deze eigenschap als relevant ervaren. We spreken dan van een merkextensie, zoals Becel (Becel-margarine, Becel-olie, Becel-koffiemelk en Becel-kaas). Het design moet ertoe bijdragen dat de differentiëringsgrondslag (de unieke intrinsieke producteigenschap van het merk: cholesterolverlagend in het geval van Becel) herkend kan worden én dat de verschillende soorten producten gemakkelijk herkend kunnen worden als een familie. (Er is dan sprake van een hoge family resemblance.)
- *Merk is herkomst*: Jack Daniels, Bertolli en Singapore Airlines zijn voorbeelden van merkconcepten waarin historische of geografische waarden (*heritage*) de belangrijkste associatie is. Authenticiteit vormt de grondslag voor de merkpositionering. Design moet worden ingezet om de herkomst van het merk (de origine) zichtbaar te maken en ertoe bijdragen dat klanten het merk als onderscheidend zien ten opzichte van andere merken.

Overdracht van materiële merkbetekenissen als primair designeffect

Rol: design draagt door middel van fysieke aspecten als vorm, grootte, kleur, materiaal, structuur en beeld actief bij aan de gepercipieerde prestatie van het merk.

Merkconcepten waarbij overdracht van materiële merkbetekenissen het primair designeffect is:

- *Merk is design*: de perceptie van autoriteit op het terrein van design, leidt er toe dat het merk niet langer gebonden is aan een categorie of domein. Zo overwoog Alessi om een auto te ontwikkelen, wat Swatch uiteindelijk deed met de Smart (in samenwerking met Mercedes. Swatch trok zich echter in het laatste stadium terug). Swatch – bekend van horloges – maakt ook telefoons en ski's, Alessi maakt niet alleen luxe huishoudelijke voorwerpen, maar ook sieraden en horloges. Design moet het bijzondere karakter onderstrepen, waarbij alle vormgevingsdetails rondom product en merk zorgvuldig op elkaar afgestemd moeten worden. Vandaar dat ook speciaal ontworpen vitrines (Alessi) of zelfs een complete winkelinrichting (Swatch) worden ingezet om de merkbeleving te genereren en de autoriteit ten aanzien van design te vergroten.
- *Merk is stijl*: de perceptie van autoriteit op het terrein van stijl, leidt er toe dat het merk niet langer gebonden is aan een categorie of domein. Voorbeelden zijn merken als Burberry, Laura Ashley, Ralph Lauren en Oilily die staan voor een bepaalde stijl (bijvoorbeeld *upperclass*, traditioneel en landelijk) die tot uitdrukking komt in de

visuele kenmerken van het totale productaanbod (zowel in kleding, parfums, interieurdecoratie en meubilair).

- *Merk is lage prijs*: het goedkope alternatief in de categorie. Verbonden met een product of reeks, die een adequate prestatie leveren op generieke functies, maar meestal geen bijzondere toegevoegde eigenschappen hebben. De presentatie (verpakking) en service zijn doorgaans geminimaliseerd. (Bijvoorbeeld Aldi, Zeeman en EasyJet.) De inzet van design is beperkt. De lage prijs is de centrale associatie; het mag er daarom beslist niet duur uit zien.
- *Merk is luxe*: De luxevariant in de categorie. Verbonden met product of reeks producten van uitzonderlijk hoge kwaliteit, een 'duur' merk. Kapferer (1996) wijst een complex van betekenissen aan bij luxe merken: schoonheid van het product (Shiseido), excellentie van het product (Porsche), magie van het merk (Louis Vuitton), uniekheid, traditie (Rolex), sensualiteit (Calvin Klein), creativiteit (Hugo Boss), exclusiviteit (Mercedes) of avantgardisme (Ikepod). Design is hier elementair; de substantieel hogere prijs kan alleen worden gerechtvaardigd door unieke productprestaties, een unieke productvorm (stijl) en een unieke merkbeleving.

Overdracht van immateriële merkwaarden als primair designeffect

Rol: design draagt door middel van visuele expressie bij aan de psychosociale betekenis van het merk, waardoor bepaalde persoonlijkheidseigenschappen of waarden aan het merk zullen worden toegeschreven.

Merkconcepten waarbij overdracht van immateriële waarden het primaire designeffect is:

- *Merk is mens(en):* De kern van het merk valt samen met een of meerdere personen, vaak de oprichter(s) of grondlegger(s), zoals Virgin, Chanel, Disney maar ook adviesbureaus als McKinsey. Design moet er toe bijdragen dat klanten het merk kunnen associëren met deze mens(en). Zowel het logo van Virgin als Disney hebben bijvoorbeeld een handgeschreven vorm (persoonlijke signatuur).
- *Merk is emotie*: het merk is intensief met een bepaalde emotie verbonden en roept gevoelens op die daarmee samengaan. Denk hierbij aan Nike ('just do it', de emotie van winnen) of het merk Rituals ('enrich your life').
- *Merk is persoonlijkheid*: merken die primair door bepaalde persoonskenmerken worden gedefinieerd. Marlboro is hiervan het bekendste voorbeeld (Marlboro-man: mannelijkheid, vrijheid, avontuurlijkheid). Design moet deze merkpersoonlijkheid tot uitdrukking brengen of ertoe bijdragen dat klanten deze kunnen percipiëren. (Overigens is de verpakking van Marlboro een voorbeeld van passief design; het design brengt de merkpersoonlijkheid niet actief tot uitdrukking. Door reclameboodschappen heeft de verpakking deze persoonlijkheid geabsorbeerd en is deze uitgegroeid tot een 'icoon' van het merk.)
- *Merk is waardesysteem of ideologie*: kenmerkend is een set van waarden die in bredere kring aantrekkingskracht uitoefenen, of een maatschappelijk ideaal representeren. Voorbeelden zijn Apple, Greenpeace, Benetton ('united colors'), Max Havelaar, The Body Shop en Ben & Jerry's. Design moet ertoe bijdragen dat consumenten deze

waarden kunnen associëren met het merk; dat wil zeggen deze waarden kunnen herkennen en vooral beleven.

- *Merk is organisatie*: dienstverlenende merken waarbij de aanbiedende organisatie centraal staat en het product ontastbaar is. Bepaalde competenties, betrouwbaarheid en autoriteit die behoren bij de aanbiedende organisatie, zijn de centrale associaties. De Belastingdienst en AkzoNobel zijn hiervan goede voorbeelden. Design moet ertoe bijdragen dat stakeholders deze betekenissen kunnen percipiëren (door ondermeer een consistente designkwaliteit).

Samenvattend kunnen we stellen dat een goed begrip van het betreffende merkconcept zal bijdragen aan het bepalen van passende doelen voor het design. Wanneer we vastgesteld hebben om welk type merkconcept het gaat (bij het te onderzoeken design) en wat de designrol is die hiermee verband houdt, hebben we een belangrijke eerste stap gezet om het primaire designdoel te identificeren.

Laten we als voorbeeld het merk Swatch nemen en veronderstellen dat het te onderzoeken designobject (de stimulus) een bepaald horlogemodel betreft. Op grond van het overzicht van merkfuncties in paragraaf 2.3.2 kunnen we als primaire merkfunctie de productrepresentatie-functie aanwijzen. Hierbij is het hoofddoel van design om richting te geven aan de perceptie van de productfunctie en aan de evaluatie van de verwachte productprestatie; het merk valt samen met het product. De functie van het merk Swatch gaat naar onze mening verder dan de koopgedrag- of garantiefunctie, terwijl de symbolische functie en de relatiefunctie naar ons idee te ver weg liggen. In het merk staan vooral productassociaties centraal. Het merk geeft nauwelijks inhoud aan organisatie-, waarde- of persoonlijkheidsassociaties noch aan specifieke emoties. Van de merkeigenaar weten we eigenlijk niets via het merk, behalve dat het Zwitsers is. Maar ook deze associatie heeft vooral betrekking op het product (een uurwerk met Zwitserse precisie; Zwitserland heeft een grote reputatie op het gebied van uurwerken).

Met behulp van het gepresenteerde overzicht in paragraaf 2.3.2 kunnen we de betreffende productwaarden selecteren. We kunnen in dit voorbeeld aanvoeren dat het om een combinatie van de functionele, sociale en esthetische waarde van het product gaat. Er is sprake van een combinatie van drie elementen:

- functionele producteigenschappen (materiële aspecten zoals lichtgewicht, duurzame materialen, spatwaterdicht, precisie-uurwerk et cetera.);
- een symbolische betekenis die niet verder gaat dan het zichtbare product waarmee men een bepaald statement aan zijn omgeving kan afgeven – en die daarmee materieel van aard is (bijvoorbeeld: modieus zijn of gevoel voor stijl en goede smaak hebben);
- een esthetische waarde die samenhangt met de stijlkenmerken van het product – en die daarmee ook materieel van aard is.

In dit geval zal het designeffect gericht moeten zijn op het overdragen van materiële merkbetekenissen. Het designeffect kan worden bepaald op grond van de mate waarin het design bijdraagt aan de perceptie en waardering van de unieke producteigenschappen en gewenste productassociaties. Het designonderzoek zal dit moeten achterhalen. Als we kijken naar het lijstje met merkconcepten (figuur 3.8), dan zien we bij de overdracht van materiële merkbetekenissen het merkconcept 'merk is design'. Dat lijkt hier een juiste keuze. Uit de bijbehorende omschrijving kunnen we opmaken dat designonderzoek zich met name zal moeten richten op de mate waarin het merk Swatch als autoriteit op het terrein van design wordt gepercipieerd.

3.4.2 Een overzicht van designcriteria

Voor gericht designonderzoek is het wenselijk de onderzoeksvraag nauwkeurig te formuleren, door specifieke criteria voor het design naar voren te halen. Hoewel een algemeen oordeel over de aantrekkelijkheid of opvallendheid van een object de moeite van onderzoek waard kan zijn, is dit niet voldoende om designeffectiviteit aan te tonen.
Design is een complexe stimulus; je kunt alle mogelijke interacties niet onderzoeken omdat dit er domweg veel te veel zijn. Designonderzoek zou daarmee veel te complex en onbetaalbaar worden. Om tegen acceptabele kosten een nauwkeurig scoreprofiel en een bruikbare onderzoeksrapportage te realiseren, dienen specifieke designcriteria te worden geselecteerd. Om deze selectie te ondersteunen hebben we vier lijstjes opgesteld die als checklist gebruikt kunnen worden. De gedachte hierachter is dat de geselecteerde criteria nauwkeuriger ingevuld worden aan de hand van specifieke betekenissen en waarden die bij het desbetreffende merk horen. Opnieuw het voorbeeld van Swatch ter toelichting: wanneer 'merk is design' als merkconcept is aangewezen, is 'overdracht van materiële merkbetekenissen' het beoogde primaire designeffect. In de bijbehorende checklist kan men nu op zoek gaan naar passende designcriteria. Wij hanteren in het overzicht nog vrij algemene formuleringen zoals: 'Geeft het design aanwijzingen over het te verwachten prestatieniveau?' De merkeigenaar dient dit voor het designonderzoek nader te specificeren. Bijvoorbeeld: 'In hoeverre geeft het design de beleving van een Zwitsers precisie-uurwerk'? Of: 'In hoeverre percipiëren consumenten het horloge als mode-artikel of als geschikt voor sport'? Een ander designcriterium in dit overzicht is geformuleerd als: 'Geeft het design aanwijzingen over het gebruikersimago'? Voor het merk Swatch kan dit relevant zijn omdat het een expressief productmerk betreft. Gebruikers kunnen zichzelf zien als jong, speels, dynamisch, sportief, modebewust of 'design minded'. We kunnen dit vanuit onze positie niet geheel overzien, maar we kunnen ons voorstellen dat de merkhouder wil refereren aan een specifiek gebruikersimago, in dat geval moet het design dit ondersteunen door hier aanwijzingen over te geven. Onderstaand volgen de vier overzichten van designcriteria per designeffect.

Identificatie (categorisatie) als primair designeffect

In deze categorie gaat het om designcriteria die het merk in staat stellen de consument hulp te verschaffen in de vorm van:

- Vereenvoudiging (bij herhalingsaankoop)
- Zekerheid (samenstelling, smaak, kwaliteit, duurzaamheid et cetera.)
- Risicoreductie (gepercipieerd veiligheidsrisico, prijsrisico of psychosociaal risico). Het design verschaft de consument – als externe aanwijzingen – duidelijkheid over de interne kwaliteit van producten waarbij deze een zeker risico ervaart.

Checklist designcriteria:
- Herkenning (identificatie): is de aanbieder, afzender of eigenaar van de boodschap of het merkartikel herkenbaar in het design?
- Productindicatie: geeft het design aanwijzingen omtrent producttype of -varianten? (In verband met productherkenning.)
- Categorisatie: verschaft het design aanwijzingen over de betreffende productcategorie? (In verband met informatieverwerking en geheugenopslag.)
- Zekerheid: verkleint het design de gepercipieerde veiligheids-, prijs- en/of psychologische risico's? (Bijvoorbeeld door gebruik kwaliteitszegel of keurmerk.)
- Vertrouwdheid (ook wel familiarity): vergroot het design de acceptatie van meerdere productvarianten onder hetzelfde merk?
- Naamsbekendheid: draagt het design bij aan de naamsbekendheid van het merk?

Differentiatie/saillantie als primair designeffect

In deze categorie gaat het om designcriteria die het merk in staat stellen de consument inzicht te verschaffen in de mate van uniciteit (unieke eigenschappen en/of voordelen) en opvallendheid (een unieke stijl van communiceren) ten opzichte van andere aanbieders.

Checklist designcriteria:
- Productinformatie: verschaft het design aanwijzingen over de unieke intrinsieke eigenschap (in verband met de differentiatiegrondslag van het product)?
- Verschaft het design aanwijzingen over de historische of geografische afkomst van het merk?
- Leidt het design er toe dat het merkartikel als 'anders' wordt gezien binnen de betreffende productcategorie?
- Verleent het design autoriteit aan het merk? (Straalt het design uit dat het merk als beste in de productklasse moet worden ervaren?)
- Saillantie: in welke mate verschaft het design het merk een unieke presentatiestijl? In welke mate valt het merk op ten opzichte van andere aanbieders binnen de categorie?
- Herinnering: in hoeverre heeft het design herinneringswaarde?
- Aantrekkelijkheid: in welke mate draagt het design bij aan de 'instant appeal' van het merk?

Overdracht van materiële merkbetekenissen als primair designeffect

In deze categorie gaat het om designcriteria die het merk in staat stellen de consument inzicht te verschaffen in de prestatie van het merk. Design heeft hier tot taak om de perceptie van voordelen die met het gebruik van het merkartikel samenhangen – en van eigenschappen die hieraan ten grondslag liggen – mogelijk te maken.

Checklist designcriteria:
- Geeft het design aanwijzingen over het gebruiksdoel en/of het gebruikseffect?

- Merkprestatie: geeft het design aanwijzingen over het te verwachten prestatieniveau?
- Prijs-/kwaliteitverhouding: geeft het design aanwijzingen ten aanzien van kwaliteitsperceptie of prijsniveau?
- Productgebruik: geeft het design aanwijzingen over de (instrumentele) werking van het merkartikel? (Gebruiksaanwijzing, werking of procedure.)
- Geeft het design aanwijzingen over de voordelen voor de gebruiker?
- Roept het design gevoelens op ten aanzien van het gebruik van het merkartikel, die relevant zijn voor de gebruiker? (Subjectieve impressies als luxe, verwennen, veilig of gemakkelijk.)
- Roept het design gevoelens op van 'arousal' of opwinding (ook wel exaltatie)? (De mate van begeerte en belangstelling.)
- Roept het design gevoelens van esthetisch genoegen op?
- Levert het design een bijdrage aan de beleving van specifieke gebruikssituaties? (Gebruiksmoment of -omgeving, bijvoorbeeld tijdens hoogtijdagen in familiekring.)
- Geeft het design aanwijzingen over het gebruikersimago? (De gepercipieerde sociaaleconomische en persoonlijkheidskenmerken van de aan het merkartikel gekoppelde stereotiepe gebruikersgroep, bijvoorbeeld Harley Davidson-rijders.)

Overdracht van immateriële merkwaarden als primair designeffect

In deze categorie gaat het om designcriteria die het merk in staat stellen de consument inzicht te verschaffen in de mentale belevingswereld van het merk. Zodat zij kunnen beoordelen in hoeverre het merk samenvalt met hun persoonlijke waardenoriëntatie(s) en levensstijl. Design heeft hier tot taak om de perceptie van bepaalde persoonlijkheidskenmerken die met het merk samenhangen, mogelijk te maken. Het gaat in deze categorie om aspiratieve waarde-associaties die refereren aan persoonlijke waarden (een ideaalvoorstelling van het persoonlijk leven), maatschappelijke waarden (een ideaalvoorstelling van de samenleving) en sociale instelling (maatschappelijke issues, ethiek, ideologie). De opgave voor design, is deze abstracte waarden waarneembaar te maken zodat consumenten deze kunnen percipiëren, evalueren en opslaan.
Voor het onderzoek is een adequate lijst met items nodig, bijvoorbeeld de SWOCC Merkpersoonlijkheid Schaal (2003) of die van Jennifer Aaker (zie box 2.4).

Checklist designcriteria:

- Geeft het design aanwijzingen over de bij het merk behorende waarden? (Persoonlijke, maatschappelijke of ethische waarden.)
- Geeft het design aanwijzingen over organisatie-associaties? (Identiteit, cultuur, bekwaamheid, allianties.)
- Geeft het design aanwijzingen over de persoonlijkheid van het merk? (Karakter, status, leeftijd, leefstijl, geslacht.)
- Roept het design gevoelens op die relevant zijn voor de gebruiker? (Uitdaging, stimulering, tevredenheid, zelfvoldoening of zelfvertrouwen.)
- Sluit het merkdesign aan op de stijl die gebruikelijk is bij de sociale groep (subcultuur) waartoe iemand behoort?

- Draagt het design bij aan het beeld dat iemand (door middel van het merk) van zichzelf wil uitdragen?
- Roept het design de bij het merk behorende emotie op? (De cognitieve associatie van het merk met een specifieke emotie, zoals 'just do it' en Nike.)
- Versterkt het design de betrokkenheid en verbondenheid met het merk? (Affectie, intimiteit, nostalgie, binding, passie.)

3.5 Conclusie – designeffecten sturen merkeffecten

In dit hoofdstuk hebben we een verkenning gemaakt naar het antwoord op de vraag hoe effectiviteit van design kan worden aangetoond. Daarbij zijn een aantal zaken aan het licht gekomen. De belangrijkste punten op een rij:

- Vanuit het klantperspectief kan designeffectiviteit worden gemeten door marktonderzoek (perceptie-/imago-onderzoek). Deze benadering is gebaseerd op inzichten uit de psychologie en koppelt visuele waarneming aan het keuzeproces van consumenten. Het doel is te achterhalen of designdoelstellingen, uitgedrukt in veranderingen van de beoordeling of de perceptie van afnemers en gebruikers, daadwerkelijk gehaald zijn. Het proces van betekenisgeving en associatievorming dat in het merkconcept wordt gehanteerd, vormt hiervoor het uitgangspunt.
- Bij onderzoek naar de effectiviteit kan worden gemeten in hoeverre het betreffende design richting geeft aan het merkimago (door doelgerichte beïnvloeding met behulp van betekenisgeving). Effectief design dient het proces van associatievorming aan te sturen in de richting die voor het merk is gekozen.
- Designeffectiviteitsonderzoek dient te achterhalen in hoeverre het betreffende designobject aantoonbaar een positieve invloed heeft op de kennis, houding en het gedrag van afnemers en gebruikers.
- Uit het gepresenteerde onderzoeksmodel blijkt dat in hoofdzaak vier designeffecten kunnen worden onderscheiden die kunnen leiden tot bepaalde merkeffecten ten aanzien van kennis, houding en gedrag.

Designeffectiviteit veronderstelt het vooraf definiëren van meetbare en controleerbare doelstellingen; zonder duidelijke doelen kan niet geoordeeld worden over de doeltreffendheid van een bepaalde oplossing. Deze doelstellingen worden deels ingegeven door de merkidentiteit, het merkconcept en andere merkstrategische overwegingen. Designdoelen kunnen worden omschreven in termen van specifieke merkbetekenissen (input) die door gebruikers en afnemers moeten worden verwerkt, tot synchrone merkassociaties (throughput) die tot doel hebben een impuls aan merkgedrag te geven (output). Het selecteren hiervan blijkt in de praktijk lastig, evenals het formuleren van meer specifieke designcriteria. Voor het vaststellen van nauwkeurige designcriteria kan men daarom het beste een analyse maken aan de hand van enkele stappen (figuur 3.9). Het overzicht van merkconcepten en de daaraan gekoppelde hoofdrollen van design vormt een goede basis voor de eerste stap. Op grond van de relatie tussen het merkconcept en de bijpassende designrol, kan worden bepaald welk primaire designeffect beoogd wordt en kunnen nauwkeurige criteria voor het ontwerp worden geformuleerd. Daarbij kunnen de in dit hoofdstuk gepresenteerde checklists behulpzaam zijn.

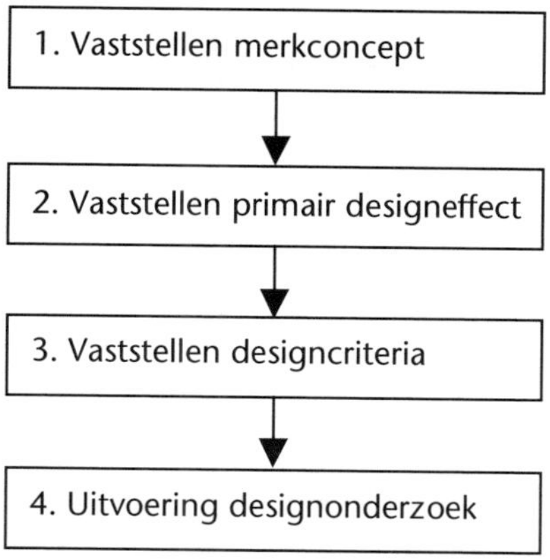

Figuur 3.9 Stappen voor analyse

Hiermee sluiten we dit eerste deel af en schakelen we in deel II over naar het eigenlijke onderwerp van dit boek: designmanagement. We verwachten dat de lezer door dit eerste deel een goed inzicht heeft gekregen in de toegevoegde waarde die design aan organisaties kan bieden. En dat hiermee een gedegen basis is gelegd voor de vervolgtekst, waarin de vraag centraal staat hoe designmanagement deze toegevoegde waarde kan vergroten.

Deel II
Het managen van design

Deel II is een introductie van het vakgebied designmanagement waarin we de contouren schetsen. De centrale vraag die we in dit deel behandelen, is hoe designmanagement kan bijdragen aan de prestaties van een organisatie en de toegevoegde waarde van design voor een organisatie kan vergroten. In hoofdstuk vier onderzoeken we hoe designmanagement kan worden begrepen. Hoofdstuk vijf gaat in op de vraag hoe je design kunt managen en welke inzichten en managementmodellen daarbij gehanteerd kunnen worden. In hoofdstuk zes gaat het om de vraag hoe het komt dat designmanagement in de praktijk verschillende vormen kan aannemen. En welke factoren de richting bepalen waarin designmanagement zich kan ontwikkelen.

4 Het hoe en waarom van designmanagement

'Design management is a complex and multi-faceted activity that goes right to the heart of what a company is and does (...) It is not something susceptible to pat formulas, a few bullet points or a manual. Every company's strategy, management structure, and internal culture is different; design management is no exception. But the fact that every firm is different does not diminish the importance of managing design tightly and effectively.'
(John Thackara)

In dit inleidende hoofdstuk bieden we de lezer inzicht in de aard en het doel van designmanagement. We beargumenteren waarom designmanagement er toe doet en proberen duidelijk te maken op welke manier designmanagement bijdraagt aan de prestaties van een organisatie. We beginnnen in paragraaf 4.1 met een introductie en begripsbepaling. We belichten de doelen van designmanagement en presenteren in deze inleiding een tweede designclassificatie waaruit de aard van het aan de verschillende klassen verbonden designmanagement blijkt. In een boxtekst geven we een overzicht van de nog prille geschiedenis van dit vakgebied. In paragraaf 4.2 vervolgen we met te onderzoeken hoe designmanagement de toegevoegde waarde van design kan vergroten. We doen dit aan de hand van twee onderwerpen: de aard van het ontwerpproces en het management van creativiteit. Om een achtergrond te schetsen, geven we in paragraaf 4.3 een overzicht van actuele product-, merk- en organisatiegerelateerde designmanagement-issues. Het betreft een aantal maatschappelijke en macro-economische ontwikkelingen die leiden tot de toenemende belangstelling voor design als bedrijfsinstrument en voor designmanagement als de aansturings- en beheersingsactiviteit die daarbij hoort. In paragraaf 4.4 gaan we ten slotte in op de vraag waaruit het eigene van designmanagement blijkt. Daarbij komt de vraag aan de orde of designmanagement als een zelfstandige managementfunctie moet worden aangemerkt, of eerder als specifieke taak geïntegreerd binnen andere managementfuncties. Een tweede vraag is wanneer het zich tot een zelfstandig managementdomein kan ontwikkelen.

4.1 Designmanagement; wat is het?

Designmanagers zijn vaak moeilijk te traceren. In de verschillende sectoren (industrie, handel, dienstverlening, overheid) kunnen uiteenlopende beroepsprofielen voorkomen, waaraan gerefereerd kan worden als designmanagement. Soms ook zonder dat dit als zodanig expliciet wordt onderkend of betiteld. Het gaat dan om marketing-, merk-, communicatie- of productmanagementfuncties waaraan de verantwoordelijkheid voor bepaalde designactiviteiten is gekoppeld. Een aantal organisaties maakt een onderscheid tussen designactiviteiten als impliciet onderdeel van het dagelijkse takenpakket van medewerkers, en de planning, organisatie en uitvoering van designactiviteiten als een zelfstandige, professionele managementfunctie. De hoeveelheid designwerk of de benodigde specifieke expertise vormt daarvoor meestal de aanleiding. Maar het kan ook gaan om (strategische) concurrentieoverwegingen, wanneer het een onderneming duidelijk wordt dat deze zijn positie kan verbeteren met de inzet van design.

In het eerste deel van dit boek is duidelijk geworden dat design als bedrijfsinstrument kan worden opgevat. Designmanagement is de aansturings- en beheersingsactiviteit die daarbij hoort. We hebben toegelicht dat design in de eerste plaats moet worden opgevat als een waardetoevoegend proces. Designmanagement betreft het beleidsproces en managementproces dat hiermee verbonden is.

Goed design is gewoonlijk het resultaat van een proces dat veel meer spelers en meer factoren behelst dan alleen de input van een ontwerper. Zonder een goede opdrachtgever met kennis van zaken, een goede planning van ontwerpactiviteiten, een goede organisatie van het designproces en een goed projectteam is goed design – dat wil zeggen creatief, innovatief en effectief design – eerder uitzondering dan regel.

Designmanagement kan worden gezien als het plannings– en managementproces dat richting geeft aan de inzet van design om de organisatiedoelstelling mede te realiseren; het maximaliseren van het potentieel van design tot nut en voordeel van de organisatie. Het gaat hierbij om het coördineren en beheersen van alle designgerelateerde factoren en resources in een organisatie. Robert Blaich, voormalig hoofd van het Philips Corporate & Industrial Design Centre (tegenwoordig Philips Design), gaf het als volgt weer: *'Designmanagement is de implementatie van design als een formeel activiteitenprogramma binnen de organisatie, door het belang van design voor de lange termijn organisatiedoelen te communiceren en de design resources op alle niveaus van organisatieactiviteiten te coördineren, teneinde de organisatiedoelstellingen mede te realiseren.'*

Het gaat bij designmanagement om een formeel activiteitenprogramma in tegenstelling tot een aantal ad hoc ontwerpactiviteiten. Het formele karakter wil zeggen dat het onderdeel uitmaakt van het beleidsproces in een organisatie en dat er sprake is van samenhang met andere beleidsterreinen. Dat dit programma is geïmplementeerd in de organisatie wil zeggen dat er een organisatiestructuur is gecreëerd; het is niet de 'liefhebberij' van een enkeling, maar betrokken partijen en verantwoordelijke functionarissen zijn 'aangesloten' en in staat om effectief samen te werken. Blaich onderstreept dat designmanagement het belang van design voor de lange-termijn organisatiedoelen dient te communiceren. Designmanagement zal voldoende zicht op deze doelen moeten hebben en overtuigend moeten kunnen aangeven hoe de inzet van design kan bijdragen aan het realiseren hiervan. De resources zijn de middelen die hiervoor beschikbaar zijn; mensen (kennis, ervaring en houding), processen (werkwijzen en procedures) en systemen (documentatie en instrumenten). Designmanagement heeft ondermeer tot taak te zorgen voor een optimale inzet van de middelen die binnen een organisatie beschikbaar zijn.

Een tweede definitie die hier op aansluit is afkomstig van Peter Gorb, voormalig hoofd van de Design Management Unit van de London Business School (Gorb, 1990): *'Design Management is the effective deployment by line managers of the design resources available to an organization in the pursuance of its corporate objectives. It is therefore directly concerned with the organizational place of design, with the identification of specific design disciplines which are relevant to the resolution of key management issues, and with the training of managers to use design effectively'.*

Ook in deze definitie gaat het om het effectief inzetten van de beschikbare middelen met het oog op de organisatiedoelen, op dit punt verschillen Blaich en Gorb niet van opvatting. Wat wel opvalt is dat Gorb designmanagement als een taak van lijnmanagers ziet (een begrip dat we in deel III uitgebreid toelichten). Hoewel designmanagement een zelfstandige functie kan zijn binnen organisaties (die ook het karakter kan hebben van een staffunctie), gaat het in zijn visie vooral om de vaardigheid van eindverantwoordelijke lijnmanagers om design effectief in te zetten. Denk in dit verband bijvoorbeeld aan brand- of productmanagers. Daarmee raakt Gorb een belangrijk punt: om design succesvol in te zetten moeten eindverantwoordelijke managers begrijpen wat dit instrument inhoudt en hoe ze het optimaal kunnen benutten. Het is in zijn visie onvoldoende wanneer designmanagement alleen een zaak is van enkele enthousiaste, goedbedoelende functionarissen die uiteindelijk geen beslissingen kunnen nemen. Vandaar dat hij onderstreept dat designmanagement ook betrekking heeft op het managers leren om effectief gebruik te maken van design. Verder valt op dat Gorb nog twee andere aspecten naar voren haalt: de plaats van design in de organisatie en het benoemen van specifieke designdisciplines die relevant zijn met het oog op de belangrijkste managementvraagstukken binnen een organisatie. Met het eerste punt geeft hij aan dat een afdeling marketing of een afdeling productontwikkeling in de regel andersoortige designactiviteiten verrichten. Voor de aard van het designmanagement maakt dat een verschil, zoals we in hoofdstuk zes zullen belichten. Het tweede punt is dat het belang van de verschillende designdisciplines voor organisaties verschilt en dat als gevolg daarvan de beschikbare middelen anders worden ingezet. Een luchtvaartmaatschappij zal andere designdisciplines nodig hebben om tot een onderscheidend aanbod te komen dan een verzekeringsmaatschappij, een retailformule of een producent van verbruiksgoederen.

4.1.1 Doelen van designmanagement

Volgens diverse auteurs (Gorb, 1990; Cooper & Press, 1995; Borja de Mozota, 2003) heeft designmanagement een tweevoudig doel:

- het ontwikkelen van methoden om design te integreren in de bedrijfsprocessen;
- het trainen van managers en designers: het vertrouwd maken van managers met de mogelijkheden van design, en van designers met managementdoelstellingen.

Managers schijnen zich vaak niet te realiseren dat hun problemen iets te maken kunnen hebben met design. De verbinding tussen strategische marketing issues, bedrijfsontwikkeling en design wordt in de optiek van de meeste auteurs nog te weinig gemaakt (o.a. Bruce & Bessant, 2002). Een managementvraagstuk wordt vaak niet als een designopgave onderkend of de mogelijke bijdrage van design aan het oplossen van het vraagstuk wordt

niet begrepen. Het gevolg is meestal dat design niet is geïntegreerd in bedrijfsprocessen en ontwerpers slechts worden ingeschakeld aan het eind van een ontwikkelingstraject. Dit houdt ongetwijfeld verband met het hardnekkige misverstand dat design betrekking heeft op het uiterlijk, waardoor pas aan het eind de vraag naar een presentatievorm of bepaalde smaaktoevoeging ontstaat. Maar feit is wel dat daardoor de toegevoegde waarde die design kan bieden, onderbelicht blijft.
Omgekeerd kunnen ontwerpers zich in de praktijk ook te weinig bewust zijn van de achter een ontwerpvraag liggende managementproblematiek en de reikwijdte van hun eigen voorstellen. De aansluiting tussen een bepaald vraagstuk en de geboden ontwerpoplossing laat in de praktijk vaak te wensen over. Men kan dan ook concluderen dat het bij designmanagement vooral gaat om een brugfunctie, in situaties waar de integratie van design en de aansluiting tussen management- en designopvattingen niet optimaal verloopt en verbetering behoeft. Designmanagement is erop gericht meer en beter gebruik te maken van design als bedrijfsinstrument. De gedachte hierachter is dat design in de meeste gevallen nog een onderbenut instrument is.
Designmanagement is gericht op het creëren van synergie tussen de creatieve wereld en de zakelijke wereld. Deze beide werelden opereren gescheiden, met een eigen cultuur, eigen waarden en opvattingen en een eigen dynamiek. We wijzen in dit verband op het gebrek aan aandacht voor design als bedrijfsinstrument binnen managementopleidingen en het gebrek aan aandacht voor bedrijfskundige aspecten binnen de meeste ontwerpopleidingen, die vaak een eenzijdige culturele oriëntatie kiezen. Hierdoor kan de affiniteit van designspecialisten met communicatie- en marktstrategie te wensen overlaten. Designmanagement is erop gericht deze beide werelden te verbinden en is gebaseerd op het inzicht dat bedrijven en organisaties beter uit de verf komen, wanneer ze het potentieel van design succesvol weten toe te passen en te benutten.

In de praktijk zien we designmanagement op veel verschillende plaatsen in organisaties aanwezig, en lang niet altijd onder die functietitel. In de praktijk is deze verantwoordelijkheid vaak gekoppeld aan een andere functie. Voor de duidelijkheid hanteren we de aanduiding designmanagement voor managementactiviteiten met betrekking tot designactiviteiten. Designmanagement kan verschillende vormen aannemen:

- Vaak wordt het ingezet om identiteits- en merkdoelstellingen te realiseren. Het gaat dan om de mogelijkheid om met design een bepaalde identiteit of merkstrategie tot uitdrukking te brengen.
- Waar vormgeving een essentieel onderdeel is van een product of dienst, levert designmanagement bijdragen aan directe ondernemingsdoelstellingen zoals bruto winstmarge of *time-to-market* en in het verlengde daarvan aan de *return on investment.*
- De bijdrage van designmanagers kan zich ook richten op het realiseren van bepaalde sociaal-maatschappelijke doelstellingen. In die gevallen werkt de designmanager eraan om met behulp van design het imago van de organisatie te verbeteren of een goede reputatie te helpen vestigen.
- Door de aard van het designproces draagt designmanagement bij aan de coördinatie en integratie van functies binnen bedrijfsprocessen, waardoor deze een beter gezamenlijk eindresultaat bereiken.

- Ten slotte draagt designmanagement bij aan transformatieprocessen en veranderingsmanagement. Het adequaat zichtbaar maken van de beoogde organisatievernieuwing heeft doorgaans een belangrijke katalysatorwerking.

Designmanagement is een vakgebied dat zich afspeelt binnen de driehoek product, markt en organisatie (figuur 4.1). Het vakgebied maakt gebruik van kennisgebieden zoals psychologie, strategisch management, financieel management, communicatiemanagement, en van instrumenten op het terrein van projectmanagement, naamgeving (nomenclatuur) en design. Door haar multidisciplinaire aard raakt design uiteenlopende onderwerpen en gebieden. Het heeft ondermeer een plaats in bedrijfsstrategie, marketing, investeringsmanagement, operations management en informatietechnologie (Gorb, 1992). Dit impliceert dat het managen van design een expertise is die raakvlakken heeft met andere managementdomeinen, zoals legal & finance, merkenmanagement, marketing, in- en externe communicatie, HRM (Human Resources Management), productontwikkeling en innovatie (Research & Development). In de praktijk zien we dan ook dat de verantwoordelijkheid voor design is vervlochten in uiteenlopende managementfuncties, of zich heeft ontwikkeld tot een zelfstandige en specialistische managementfunctie. Afhankelijk van het type en de schaal van de organisatie kan designmanagement een fulltime functie worden, een afdeling, of zelfs een business unit. In veel organisaties is een designmanager actief die onder de functietitel huisstijlcoördinator of huisstijlmanager opereert. Bedrijven zoals Auping of Albert Heijn hebben een designmanagement-afdeling. Bij multinationals zoals Renault en Philips is sprake van een zelfstandige business unit.

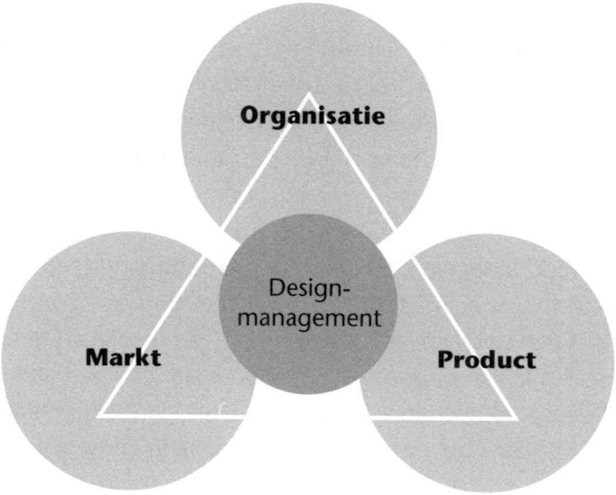

Figuur 4.1 Designmanagement in de driehoek product, markt en organisatie

Box 4.1 **Designmanagement in de praktijk: KLM**

Grote kwaliteitszin in marktbenadering en communicatie kenmerkt de KLM al vanaf haar vroegste geschiedenis. Als weinig andere ondernemingen is zij erin geslaagd om dat vermogen om te zetten in een hecht geïntegreerd totaalbeeld waar het communicatie betreft. Of het nu gaat om advertentiecampagnes, om de uiterlijke verschijning van haar luchtvloot of om een nietig bagagelabel: KLM is KLM. Helder, onderscheidend en eigen. Waar ook ter wereld, welke taal men ook spreekt, welke cultuur men ook deelt.

De primaire functie van design in deze omgeving is dan ook gericht op het creëren van samenhang binnen de eigen gelederen en van een duidelijk onderscheid ten opzichte van concurrerende organisaties. Het begrip designmanagement – wat overigens geen formele status binnen de onderneming kent – wordt dan ook primair geassocieerd met al datgene wat met 'huisstijl' samenhangt. Men dient dat begrip overigens wezenlijk ruimer te interpreteren dan het plaatsen van logo's of het voorschrijven van vaste kleuren of lettertypes. In een tijd waarin ondernemingszin gewaardeerd wordt en medewerkers professioneel opgeleid en mondig zijn, is huisstijlmanagement een kwestie van beleidsontwikkeling, promotie, inspiratie, advies en begeleiding – zij het soms ook: correctie.

De KLM-organisatie wordt vanuit het topmanagement gevoed door middel van positionering, strategisch/ commerciële overwegingen en marketingplannen, waaraan men in de divisies (Passagiersvervoer, Vracht en Materieel & Onderhoud) nadere uitwerking geeft. Het hoogste niveau waarop design als expliciet – aan huisstijl gerelateerd – onderwerp op de agenda staat, is Communications & Corporate Identity. Opvallend daarbij is dat de zeggenschap zich, voor wat betreft het corporate identity-deel, uitstrekt over huisstijlvormgeving binnen *alle* bedrijfsonderdelen. Dit in tegenstelling tot het communications-deel, dat zich beperkt tot Passagiersvervoer. De bekende Pareto-verhouding 80/20 duikt ook hier op: de director Communications & Corporate Identity geeft aan zo'n 10 tot 20% van haar tijd aan huisstijlzaken te besteden. Getallen voor de verhouding designwerk/ander werk en designbudget/ander budget zijn lastig te geven. De totale organisatie omvat zo'n 33.000 medewerkers. Binnen Communications & Corporate Identity is een staf van vier à vijf mensen (van de twaalf) direct en continue betrokken bij de realisatie van drukwerk en *signage*, maar ook veel andere afdelingen kopen en ontwikkelen producten, die op enig moment van de KLM-identiteit voorzien worden. Dat het KLM-blauw de medewerkers na jarenlang consequent en succesvol beleid op dit punt in het bloed zit, is daarbij een enorme steun. Vanaf het hoogste managementniveau en door alle bedrijfsonderdelen heen is men zich bewust van de eigen KLM stijl – en de noodzaak daartoe. Daarom wordt op zeker moment in ontwikkelingstrajecten contact gezocht met Communications & Corporate Identity.

Voor zowel advies als uitwerking werkt de afdeling samen met externe designspecialisten, vaak over langere perioden, zij het niet op basis van vaste overeenkomsten. Dit is een bewuste keuze om een dynamisch evenwicht te bewaren tussen elkaar vertrouwen en elkaar scherp houden.

Dat de recente fusie tussen KLM en Air France invloed heeft op vormgeving is een vanzelfsprekende zaak, onvermijdelijk leidt zo'n stap tot reflectie op de eigen identiteit. Dit leidde tot de weloverwogen keuze voor een minder stringente opstelling. Naast 'betrouwbaar' ontstaat ruimte voor stijlontwikkeling op specifieke plaatsen en momenten. 'Flexibel' waar de concurrentiedruk groot is, 'gepassioneerd' waar relaties gelegd of bevestigd kunnen worden. Een ontwikkeling die geheel past in het veranderen van de oude taken 'instrueren' en 'controleren', in eigentijdse vormen van management: uitleggen, inzicht en inspiratie bieden en het delen van ervaringen. En – in onze perceptie – van *dedicated* huisstijlmanagement in multidisciplinair designmanagement.

4.1.2 De noodzaak tot samenhang en zeggingskracht

Om succesvol te zijn in hedendaagse sterk competitieve markten, is samenhang nodig tussen idee, productie, organisatie, communicatie en verkoop van producten en diensten. Veel aandacht is daarbij gericht op het ontwikkelen en behouden van de indringende zeggingskracht die nodig is om consumenten in deze tijd te kunnen bereiken en vasthouden. Deze noodzaak tot samenhang en zeggingskracht geldt niet alleen voor bedrijven, maar ook voor overheidsorganisaties en non-profit organisaties. Ook zij hebben te maken met een diversiteit aan uitingen en kanalen, en met een concurrerend medialandschap waarin talloze boodschappen worden gericht aan burgers en bedrijven. Eén van de belangrijkste taken van designmanagement is deze zeggingskracht en samenhang te organiseren, maar dat is zeker geen eenvoudige opgave. Organisaties en merken breiden zich steeds verder uit. Denk bijvoorbeeld aan internationalisering, merkextensies, nieuwe media zoals internet, of de opkomst van beleveniscommunicatie. Daarnaast zijn organisaties voortdurend in verandering. In transformatieprocessen zoals fusie, integratie, herprofilering of herpositionering van het merk, kan de merkidentiteit onder druk komen te staan. Designmanagement kan – door het managen van een eenduidige visuele identiteit – er dan voor zorgen dat de link tussen de merkidentiteit en stakeholders intact blijft.

Een belangrijke taak van designmanagement is het op elkaar afstemmen en beheersen van alle visuele (non-verbale) identiteitselementen en stijlkenmerken, waarbij het geheel meer is dan de som der delen. Kapferer (1996) wijst op het belang van synchronisatie en consistentie: *'In elke boodschap ligt een portret besloten van de zender (we maken ons een beeld van de spreker), van een imaginaire ontvanger en van de relatie die men tussen die twee tot stand tracht te brengen.'* Uit iedere visuele confrontatie die consumenten met een merkartikel of een onderneming hebben, zullen zij kunnen opmaken hoe de onderneming haar business en klanten ziet. Het management van identiteits- en stijlkenmerken draagt daarom bij aan het scheppen van de merkrealiteit (Franzen & Van den Berg, 2001). Dit is de zintuiglijk waarneembare en te ervaren werkelijkheid zoals die door de merkeigenaar tot stand wordt gebracht (door middel van alle fysieke verschijningsvormen). Door ontvangers wordt deze 'verwerkt' tot een merkperceptie. Een belangrijk onderdeel van deze merkrealiteit wordt gevormd door de visuele identiteit – het samenstel van uiter-

lijke merktekens en kenmerken zoals schrijfwijze, logo, kleur, vorm, beeld en visuele stijlkenmerken. We kunnen de taak van merkenmanagement opvatten als de zorg voor een goede afstemming van de idealen en verwachtingen van producent en van de klant op elkaar. Naar analogie hiervan kunnen we stellen dat designmanagement in feite de zorg is voor een goede afstemming van de merkrealiteit, zodat deze aansluit op zowel de merkverwachting van de klant als het merkideaal van de producent.
De merkrealiteit wordt in de praktijk gevormd door de inschakeling van uiteenlopende specialisten, waaronder ontwerpers, marketeers, tekstschrijvers, fotografen et cetera. De meeste organisaties schakelen bovendien meerdere ontwerpers in om hun producten en diensten vorm te geven. Het gaat vaak om een breed arsenaal van toepassingen, waardoor ontwerpers in uiteenlopende ontwerpdisciplines actief kunnen zijn (zie paragraaf 1.4). De verschillende toepassingsgebieden van design brengen uiteenlopende competenties met zich mee, mede als gevolg van specifieke ontwerpprocessen, het gebruik van softwareprogramma's en kennis van bepaalde productietechnieken. Organisaties die verschillende vormen van design inzetten, zijn daarom gebaat bij een goed overzicht en inzicht in de specifieke aard van uiteenlopende ontwerpspecialismen die relevant zijn voor hun prestaties – en bij het vermogen om deze aan te sturen.
Sommige ontwerpers zijn getraind in het ontwikkelen van breed opgezette designprogramma's, of hebben hiervoor een speciaal talent ontwikkeld. Zulke ontwerpers zullen de dingen vooral in hun samenhang beschouwen. De meeste ontwerpers zullen zich echter richten op een bepaald attribuut, bijvoorbeeld een productvorm, verpakking, brochure of website. Daarom is aandacht van het management nodig om de afzonderlijke ontwerpactiviteiten richting te geven, te coördineren en de samenhang tussen resultaten te bewaken. Designmanagement richt zich in de regel op het geheel van alle visuele uitingsvormen rondom organisaties, merken en producten. En ook op niet-visuele aspecten, die te maken hebben met het ontwerpproces als zodanig of met het proces van productontwikkeling, productie, distributie, verkoop, levering of service. De doelstelling is om in samenspraak met andere afdelingen, zoals R&D, marketing en communicatie, een samenhangend totaalbeeld te creëren.

Box 4.2 **Designmanagement in de praktijk: Rituals**

Rituals, dat beschouwd mag worden als de creatie van oprichter en voormalig Unilever-marketeer Raymond Cloosterman, is gebaseerd op een idee dat even eenvoudig als overtuigend is: verander ingesleten routines in waardevolle momenten, die elke dag zullen verrijken en ons bewuster in het leven doen staan. Een bijzonder en uitdagend idee, waarin begrippen als authentieke kwaliteit, verwennen, verrassen en geïnspireerd raken centraal staan.
De welhaast exemplarische wijze waarop deze onderneming op dit fundament gebouwd wordt, oogst allerwegen belangstelling en bewondering. Dit is merkbaar in regelmatige publicaties in vak- en publieksbladen en in erkenningen als 'meest innovatieve retailer van het jaar' en 'webwinkel van het jaar'. Op dit moment strekt het – volledig eigen – productassortiment zich uit van parfums en cosmetica, via persoonlijke-

en huishoudelijke verzorging, tot aan thee, theekommen en accessoires. Een aanbod dat via 350 shop-in-shop locaties, 22 eigen vestigingen en de webwinkel www.rituals.com aangeboden wordt. Maar de ambities zijn groter: van de huidige 175 naar zo'n 300 tot 400 producten, en van de huidige 8 vestigingslanden in Europa en het Midden Oosten naar een volledig globaal opererend merk, in versneld tempo groeiend op basis van een zorgvuldig bewaakt franchise-concept.
Design (lees: een stijl die de filosofie van Rituals zichtbaar en beleefbaar maakt) is, naast parfumering, ingrediënten en technologie, aangewezen als één van de vier pijlers onder het realiseren van het Rituals concept – en is formeel in de verwoording van de visie en missie verankerd. Ook op financieel gebied is design expliciet onderwerp van overleg en speelt het een substantiële rol in het alloceren van budget voor drie onderscheiden gebieden: product & verpakking, shops, en *brand activation*. Maximale inzet van deze eigen (permanente) media als PR-instrumenten, is doelbewust onderdeel van een strategie waarin grote investeringen in betaalde communicatie vermeden worden ten gunste van maximaal rendement van de non-verbale communicatiemiddelen. (Zie ook hoofdstuk twee: low-budget route van merkontwikkeling.)
De designmanagementfunctie is binnen Rituals onderdeel van merkmanagement. De verschillende taken zijn als gevolg van het centrale belang dat aan design toegekend wordt, geïntegreerd in de verschillende functies van meer dan éénderde van de zeventien medewerkers die deze compacte organisatie telt. Op strategisch niveau komen alle lijnen samen bij Cloosterman, de geestelijk vader van het concept. Getraind als men is in het werken met toeleveranciers, samenwerkingspartners en franchisenemers, richt de aandacht zich vervolgens volledig op tactisch management: het ontwikkelen en maximaliseren van marktkansen, goede onderlinge afstemming tussen de verschillende werkgebieden en het zorgvuldig aansturen van adviseurs, leveranciers en producenten; onder meer door preferred supplierships.
Het gezamenlijk beleid is vastgelegd in handleidingen ('brand bibles'), maar wordt voortdurend getoetst aan de even dynamische als harde werkelijkheid van de retailbranche. De winkelvloer staat daarbij centraal als 'levend laboratorium'. De reactie van klanten op producten en verpakkingen wordt hier bestudeerd, evenals de effectiviteit van de manier van presenteren en etaleren en de wijze waarop het merk zich in het straatbeeld manifesteert. Meer formeel onderzoek vindt soms plaats via focusgroepen. Aan deze verkennende vormen van onderzoek wordt veruit de voorkeur gegeven in dit stadium van ontwikkeling. Door op deze wijze eigen, innovatieve producten te ontwikkelen en een beleving te creëren die het basisidee overtuigend over het voetlicht brengt, groeit gestadig en met toenemende snelheid het gezicht, het karakter en de eigen plaats van deze onderneming in de markt.

4.1.3 Gorb's designclassificatie

Gorb (1990) wijst erop dat wanneer bedrijven over design denken, zij dit in hoofdzaak doen in termen van de producten die ze vervaardigen of verkopen, de omgeving van waaruit ze werken of waarin ze hun producten verkopen – en de informatiesystemen die ze gebruiken om hun producten onder de aandacht te brengen of om hun doelstellingen mee te communiceren. Gorb identificeert daarom vier gebieden waarin design kan bijdragen aan ondernemingsactiviteiten:

- *Product design* (dingen: componenten, halffabrikaten en eindproducten)
- *Environmental* design (plaatsen: gebouwen, showrooms, winkels en dergelijke)
- *Information design* (boodschappen: promotie/reclame/voorlichting, zowel intern als extern)
- *Corporate identity design:* de geïntegreerde benadering van product, environmental en information design.

Hieronder lichten we dit verder toe. We geven steeds een korte beschrijving van de klasse, de aard van het designmanagement, de financiële parameters en het besturingsmodel die typerend zijn voor de wijze waarop de designklasse wordt gemanaged. Interessant aan de indeling van Gorb is dat hij een verbinding maakt tussen deze aspecten. Hiermee geeft hij aan dat design in de praktijk niet op zichzelf staat, maar nauw verbonden is met de wijze waarop organisaties functioneren. Uit het overzicht van Gorb komt een beeld naar voren van de complexiteit waar organisaties doorgaans mee te maken hebben, dat in feite de basis vormt voor het ontstaan van designmanagement. We realiseren ons dat we hiermee de lezer in dit stadium enigszins in het diepe gooien. In het vervolg van de tekst komen we hier echter uitgebreid op terug.

Product design

- Klasse: het design van fysieke producten, onderdelen van producten en productverpakking. (Ook de verschillende componenten waaruit een product is opgebouwd, worden immers ontworpen.) Productdesign varieert van het realiseren van geheel nieuwe productconcepten tot het verbeteren en restylen van bestaande producten met het oog op het versterken van het onderscheidend vermogen of het aanspreken van specifieke doelgroepen of marktsegmenten.
- Designmanagement: omdat het product direct relevant is voor de prestatie van de onderneming, ligt het voor de hand dat lijnmanagers sterk betrokken zijn bij het designmanagement van producten.
- Financiële parameter: bruto marge. Dit is het verschil tussen de verkoopopbrengsten minus de kostprijs per product, voor aftrek van de kosten voor opslag (in verband met voorraad). Design heeft invloed op de brutomargeprestatie doordat het mede bepalend is voor de kostprijs waartegen het product geproduceerd kan worden, door het aantal en de prijs van gebruikte onderdelen, componenten, materialen enzovoort.
- Besturingsmodel: wanneer de verantwoordelijkheid voor bruto marge is gedelegeerd aan decentrale eenheden (business units), dan volgt hieruit dat ook beslissingen over productdesign worden gedelegeerd.

Environmental design

- Klasse: het design van de fysieke omgeving(en) van waaruit een onderneming haar producten (diensten of waren) produceert, onder de aandacht brengt, verkoopt, levert en onderhoudt. Environmental design behelst architectuur, interieur design, landschapsarchitectuur, retail design, tentoonstellingsvormgeving, maar ook specifieke toepassingen als gebouwenbelettering, bewegwijzering, bedrijfskleding en materieel.

- Designmanagement: het designmanagement van de omgeving wordt volgens Gorb gekenmerkt door abrupte afwisseling tussen continuïteit en discontinuïteit. Na een vernieuwingsslag, die doorgaans een flinke investering met zich meebrengt, volgt meestal een langere (afschrijvings-)periode waarin nauwelijks wijzigingen worden aangebracht. Het beheer en onderhoud wordt meestal in handen gelegd van interne *facility managers*. In de praktijk zien we hiermee 'ongelukken' gebeuren, wanneer deze managers onvoldoende zijn getraind in de aard, toepassing en het onderhoud van design.
- Financiële parameters: investeringen worden op de balans opgevoerd (meestal als vaste activa) en periodiek over een termijn van meerdere jaren afgeschreven.
- Besturingsmodel: investeringsbeslissingen worden genomen door de hoofddirectie of Raad van Bestuur. Lijnmanagers zijn vaak minder betrokken bij het managen van environmental design. Soms kunnen zij op onderdelen invloed uitoefenen op het design van de bedrijfsvestigingen (zoals winkels, filialen, showrooms, restaurants en hotels). Lokale vestigingsmanagers dragen vaak de verantwoordelijkheid voor de presentatie van hun eigen vestiging, hetgeen kan leiden tot grote kwaliteitsverschillen. Daarom verdient het aandacht deze taak formeel op te nemen in hun functieomschrijving en hen te trainen in het presentatiebeleid.

Information design

- Klasse: het design van de informatiesystemen – waardoor een organisatie haar doelen duidelijk maakt aan de verschillende stakeholders waarvan deze afhankelijk is. Organisaties communiceren doorgaans op veel verschillende manieren naar veel verschillende mensen. Alle communicatiemiddelen die hiervoor worden ingezet, zullen moeten worden vormgegeven om deze taak optimaal te kunnen vervullen.
- Designmanagement: deze informatiesystemen worden volgens Gorb over het algemeen hoog gewaardeerd door het management. Dit is in het bijzonder het geval bij reclame, *sales promotion* en *public relations* materiaal, bedoeld voor verschillende externe doelgroepen. Er is daarnaast een toenemend besef van de waarde van effectief information design voor *interne* doelgroepen, voor managers, medewerkers en aandeelhouders. Information design wordt volgens Gorb in hoofdzaak gezien als een marketingcommunicatie-instrument van de onderneming.
- Financiële parameters: de kosten worden doorgaans getoond als een uitgave-/kostenpost ('verkoopkosten') op de winst- en verliesrekening, liggend tussen bruto en netto winstcijfers. Deze post wordt normaliter geëvalueerd als een percentage van de verkoop.
- Besturingsmodel: Information design kan aan producten gerelateerd zijn, zoals promotie en reclame. Als dit het geval is, volgt dit ook het organisatiepatroon van de onderneming, meestal via lijnmanagers als *product of brand managers, country of channel managers* en andere vergelijkbare managementfuncties. Als information design meer corporate communicatie betreft (*public* of *investor relations* of interne communicatie) wordt het meestal centraal gemanaged dichter bij de top door een staffunctie.

Corporate identity design

- Klasse: het geïntegreerde design van producten, omgevingen en informatiesystemen op basis van een aantal door het management gekozen waarden – waardoor een organisatie zijn identiteit, cultuur en strategie onthult aan de verschillende stakeholders waarvan deze afhankelijk is. Corporate identity design omvat veel meer dan een logo of briefhoofd; het gaat om het geheel van visuele uitingsvormen als een projectie van de organisatie-identiteit.
- Designmanagement: door het geïntegreerde karakter is het designmanagement complex en beleidsintensief. De centrale regiefunctie is meestal gescheiden van de decentrale uitvoeringsfunctie.
- Financiële parameters: de kosten worden doorgaans getoond als een uitgave-/kostenpost op de winst- en verliesrekening, liggend tussen bruto en netto winstcijfers.
- Besturingsmodel: het design wordt meestal centraal gemanaged dichtbij de top door een staffunctie.

Corporate identity design is in de praktijk meestal beperkt tot de vormgeving van communicatie- en presentatiemiddelen, hoewel volgens Gorb ook het design van de producten zelf erbij hoort. In praktijk is de mate van integratie vaak beperkt als gevolg van het min of meer onafhankelijk van elkaar opereren van afdelingen. Zoals de afdelingen productontwikkeling (R&D), marketing en communicatie, of verschillende business units of service centers. Information design en product design zijn meestal gescheiden gebieden die onder de verantwoordelijkheid vallen van managementspecialisten die in de praktijk weinig samenwerken. Om deze integratie van het design te kunnen bereiken, zal samenwerking en coördinatie binnen de gehele organisatie van de grond moeten komen.
Met de vierde klasse corporate identity design duidt Gorb op een veel hoger ambitieniveau, dat ook veel complexer is en hogere eisen stelt aan het management ervan. Het maakt nogal wat uit of productdesign wordt beschouwd als iets dat op zichzelf staat, dan wel als iets dat geïntegreerd is binnen het overkoepelende concept van corporate identity. Het laatste zal in de praktijk veel moeilijker zijn te organiseren en te beheersen. Anderzijds zal de samenhang en zeggingskracht van het geheel dan waarschijnlijk wel veel groter zijn.

Voordat we verder gaan met de tekst willen we eerst uiteenzetten wat het concept van corporate identity design behelst, omdat hier in de praktijk vaak onduidelijkheid over bestaat. Onder corporate identity design verstaat Gorb de vormgeving van alle visuele uitingen van een onderneming zoals die terugkomt op producten, verpakkingen, correspondentie, formulieren, brochures, websites, bedrijfskleding, gebouwen, materieel, wagenpark, enzovoort. Omdat het hier gaat om een herkenbare, samenhangende presentatie is sprake van een programma dat beschrijft op welke wijze de gekozen organisatiewaarden tot uitdrukking moeten worden gebracht en op welke wijze afzonderlijke designelementen moeten worden toegepast op de verschillende producten en bedrijfsmiddelen. In de praktijk wordt dit ook wel aangeduid als huisstijl of bedrijfsstijl, hoewel de vormgeving van producten en verpakkingen hier doorgaans niet onder valt. (De huisstijl beperkt zich meestal tot communicatie- en presentatiemiddelen.)

De gedachte achter dit concept is dat het geheel aan visualiseringen een gevoelswaarde over, of een eenvoudig begrip van een organisatie snel en indringend kan communiceren (Van Riel, 2003). Door sommigen wordt verwarrend genoeg naar dit visuele programma verwezen als de corporate identity, maar dit is in feite een veel ruimer begrip. Corporate identity is het geheel van visuele en niet visuele (nonverbale en verbale) uitdrukkingsvormen dat een organisatie hanteert om zich te profileren naar alle relevante doelgroepen (Blauw, 1989). Daarin worden de componenten symboliek, communicatie en gedrag als uitingsvormen onderscheiden. Persoonlijkheid, als vierde component, vormt de basis hiervoor (Birkigt & Stadler, 1986). Van deze uitingsvormen is de symboliek-component het gemakkelijkst te sturen en te beheersen. Gedrag is het moeilijkst te sturen, en communicatie in iets mindere mate. Symboliek is ook bij uitstek het terrein voor design; het betreft de uiterlijke kant als representatie van de innerlijke waarden en persoonlijkheid. Symbolen vormen de meest zichtbare 'buitenschil' van cultuur (het concept cultuur wordt wel gevisualiseerd als de schillen van een ui). Deze buitenschil is weliswaar het meest gemakkelijk te wijzigen en te sturen, maar het is de vraag in hoeverre hierdoor de in de kern gelegen waarden en opvattingen kunnen worden beïnvloed. Het is daarom een risico om wijzigingen alleen op het 'oppervlakkige' niveau van symboliek aan te brengen. Wanneer duidelijk is welke waarden ten grondslag liggen aan het werkelijke gedrag in een organisatie – en welke veranderingen hierin nodig zijn, kan wijziging van de symbolen waarmee de organisatie wordt geïdentificeerd (ondermeer het logo) een positieve invloed hebben.

Onder communicatie verstaan we het totale aanbod van verbale en visuele boodschappen. De altijd aanwezige, maar in belang variërende bijdrage die design levert aan communicatie werd hiervoor al besproken. De invloed van design op gedrag is minder evident, er is geen directe relatie tussen design en de gedragscomponent. Design kan wel bepaalde gedragsaspecten onderstrepen en het gewenste gedrag beïnvloeden, bijvoorbeeld door middel van de kwaliteit van de werkomgeving of de bedrijfskleding. We kunnen daarom van een indirecte relatie spreken. Overigens wijzen tegenstanders op het risico van *ontwerpfixatie* dat kan optreden, wanneer verondersteld wordt dat het wijzigen van symbolen zal leiden tot aanpassing van bepaald gedrag.

Wanneer ontwerpers opmerken dat corporate identity hét middel is om een organisatie duidelijk te presenteren aan in- en externe doelgroepen, doelen zij met het begrip corporate identity in feite op de visuele identiteit. In navolging van Gorb lijkt het ons minder verwarrend om in plaats hiervan, over corporate identity design te spreken. Tegenwoordig werkt vrijwel iedere organisatie met het begrip corporate identity, niet alleen dienstverleners, maar ook retailers en producenten. De reden hiervan is dat de waarde van ondernemingen steeds meer ligt in *soft assets* zoals de perceptie en beleving door afnemers, werknemers en aandeelhouders. In sommige sectoren is onderscheid op product- of dienstenniveau vrijwel niet meer mogelijk. Emotionele factoren als aardig gevonden, bewonderd of gerespecteerd worden, kunnen dan bijdragen aan het succes van een organisatie. Diverse organisaties investeren daarom flinke sommen geld in hun corporate identity en een daarbij passend corporate identity design. Doel is het effectief communiceren op emotioneel niveau. De inzet van een goed doordachte en beheerste visuele identiteit kan de beleving (het gewenste imago) beïnvloeden en sturen. Daarmee wordt de geloofwaardigheid, de herkenbaarheid en het vertrouwen bij share- en stakeholders versterkt. Einddoel is het verkrijgen en behouden van een goede reputatie.

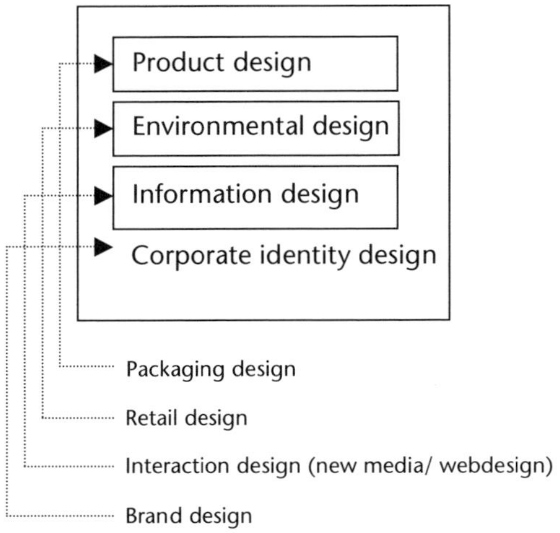

Figuur 4.2 De classificatie van Gorb aangevuld met enkele designspecialismen

Zoals in bovenstaand figuur duidelijk is vormt packaging design in Gorb's classificatie geen aparte klasse, maar behoort tot het product design. Retail design valt binnen de klasse environmetal design. Informatiesystemen kunnen zowel analoog als digitaal zijn. Daarom maakt interaction design (het ontwerpen van digitale informatiesystemen) deel uit van de klasse information design. Brand design is een equivalent van corporate identity design.

Brand Design

De benaming brand design wordt in de praktijk steeds vaker toegepast, maar dit begrip is tot op heden slecht gedefinieerd. Volgens Ruud Boer, die een boek schreef met deze titel, is brand design het vormen en vormgeven van merken. Hij doelt hiermee op het proces van het ontwikkelen van een merkidentiteit, zowel inhoudelijk als visueel. Het ontwerpen van een merk heeft in zijn ogen ook te maken met het ontwikkelen van een merkconcept (Boer, 2002).

In het Nederlands spreken we ook wel over het begrip merkdesign, maar is dat hetzelfde als brand design? Moet hier het design van de merktekens (zoals logo, symbool, lettertype en kleur) onder worden verstaan? Of het geïntegreerde merkbeeld van alle visuele merkmanifestaties? In het laatste geval komt het begrip vrijwel overeen met het door Gorb gehanteerde begrip corporate identity design.

Wanneer merken geen betrekking hebben op organisaties, maar op individuele producten of diensten is de term corporate identity design feitelijk onjuist. In dat geval is het beter de term brand design of, zoals Gorb het zou hebben betiteld, brand identity design aan te houden. Wanneer het gaat om corporate brands (organisatiemerken) kunnen de begrippen corporate identity design en brand design min of meer als synoniem worden gehanteerd. We wijzen er in dit verband op dat steeds vaker het begrip corporate identity wordt verruild tegen het begrip corporate branding. In navolging hiervan wint het begrip brand design terrein.

Auteursdesign

Peter Kersten heeft de aandacht gevestigd op een klasse die buiten de ons bekende classificeringen valt, maar die desalniettemin de moeite waard is om hier aanvullend te vermelden. Hij betitelt deze klasse als auteursdesign, waarmee hij het sterk autonome karakter benadrukt. Het gaat om design met een hoge culturele waarde, waarvan de makers dicht tegen het gebied van de beeldende kunsten opereren. De persoonlijke signatuur van de ontwerper staat hierbij centraal. Auteursdesign wordt vooral toegepast als een eenmalige (incidentele) impuls of actie, maar soms gaat het verder. Coca-Cola Nederland schakelde de kunstenaar Mischa Klein in om het gehele merkdesign een nieuwe impuls te geven. Hij ontwikkelde een hele nieuwe beeldtaal voor het merk.

De waarde voor organisaties, van het inschakelen van ontwerpers met een duidelijk eigen signatuur, kan vooral liggen op het terrein van reputatie en status. Door bekende topontwerpers in te schakelen 'lenen' ze in feite de reputatie van de desbetreffende ontwerpers. Door in hoog aanzien staand design te publiceren, geven organisaties aan dat ze smaak hebben, vernieuwend zijn (een koploper zijn) of hun culturele verantwoordelijkheid onderkennen. Een situatie die we overigens al sinds het begin van de vorige eeuw kennen, toen het beroep van ontwerper nog niet bestond en kunstenaars werden ingeschakeld om verpakkingen en affiches te ontwerpen. Dit vormde in feite de basis voor de ontwikkeling van design als vakgebied. Auteursdesign kan tenslotte ook gehanteerd worden als middel om goodwill te creëren. Denk aan de waarde van de beroemde Pirelli-kalender of in Nederland de Ando-agenda of de Rosbeek-uitgaven (beide zijn bekende grafische bedrijven).

In dit kader komen we ook het uitgeefmodel als gehanteerd businessmodel tegen. Goede voorbeelden zijn bedrijven als Alessi, Vitra of het Nederlandse Artifort. De bedrijven presenteren producten die door een reeks van ontwerpers met een eigen herkenbare signatuur zijn ontworpen. Voorbeelden van bekende ontwerpers die binnen dit model werken, zijn Philippe Starck, Marc Newson, Ora Itö en Bruce Mau. In Nederland kunnen we in dit verband namen als Marcel Wanders, Hella Jongerius en Irma Boom aanhalen.

4.1.4 Samenvatting

We hebben in deze uitgebreide inleiding een aantal zaken naar voren gebracht, waaruit blijkt dat designmanagement een belangrijke en positieve bijdrage kan leveren aan het oplossen van een zeer uiteenlopende problematiek. Ter afsluiting willen we deze nog eens kort samenvatten en op een rijtje zetten. In essentie komt het op het volgende neer:

- Designmanagement draagt bij aan kwaliteitsbeheersing, doelmatigheid en kostenbeheersing (efficiënte bedrijfsprocessen) en zal daardoor de winstgevendheid van de organisatie verbeteren.

- Designmanagement draagt bij aan het creëren van innovatieve en onderscheidende producten en merken.
- Designmanagement vervult door haar interdisciplinaire benadering een instrumentele rol in het definiëren en zichtbaar maken van de corporate identity als weergave van de missie, cultuur en strategie.
- Designmanagement geeft letterlijk en zichtbaar vorm aan de relatie tussen organisaties en hun interne en externe omgeving en vergroot daarbij de motivatie, loyaliteit en reputatie.
- Designmanagement zorgt ervoor dat het merk herkenbaar blijft bij merkextensies, transformatieprocessen, nieuwe mediatoepassingen en nieuwe uitingsvormen.

Box 4.3 **De geschiedenis van designmanagement in een notendop**

Het begrip designmanagement deed officieel zijn intrede in 1965, met de uitreiking van de eerste *Presidential Awards for Design Management* in Engeland. Dit was een samenwerking tussen het Britse Royal Society of Arts en de Design Council. Toentertijd verwees de term naar de relatie tussen een ontwerpbureau en haar cliënt, en de awards hadden dan ook betrekking op de kwaliteit van deze relatie. In 1966 zag Michael Farr de komst van een nieuwe functie, de designmanager. Diens opdracht was om ervoor te zorgen dat designprojecten soepel en professioneel uitgevoerd zouden worden en dat een goede communicatie onderhouden werd tussen het ontwerpbureau en de opdrachtgever (het optimaliseren van de relatie). Het was in feite de erkenning van de noodzaak om de opdrachtgeversrol te professionaliseren.
Tien jaar later volgde de oprichting van het Design Management Institute (DMI) in Boston, door Bill Hannon en het Massachusetts College of Arts. Een non-profit organisatie, toegewijd aan het bevorderen van designmanagement, die ook vandaag nog een reputatie als leidend instituut in de wereld geniet, ondermeer door haar samenwerking met Harvard University. Vanaf 1989 volgde de eerste uitgave van het 'Design Management Journal'.
In 1975 werd ook in Engeland het Centre for Design Management aan de fameuze London Business School opgericht, onder leiding van Peter Gorb. En omstreeks deze periode ontwikkelde het Royal College of Art een post-graduate opleiding in designmanagement. Twee decennia later startte de universiteit van Westminster een MBA-programma in designmanagement. Helaas is deze opleiding inmiddels opgeheven, omdat de specifieke aandacht voor design in het curriculum strijdig werd geacht met een MBA-graad (Master of Business Administration).
Ontwikkelingen uit de Angelsaksische wereld worden met een vertraging van zo'n twintig jaar geadopteerd in Nederland. In 1995 werd dan ook het Design Management Netwerk (DMN) als platform – in navolging van het Amerikaanse Design Management Insitute (DMI) – op initiatief van Fennemiek Gommer en het toenmalige Vormgevingsinstituut, opgericht. Het DMN zet zich in voor kennisvermeerdering en uitwisseling onder haar leden en voor promotie van designmanagement als kennis- en vakgebied in het algemeen. In 1996 ging de eerste post-HBO deeltijdopleiding Designmanage-

ment van start aan de Ichthus Hogeschool in Rotterdam (tegenwoordig Hogeschool INHOLLAND). Joke van Beek startte in 1997 een cursus designmanagement binnen de Utrechtse School voor Bestuurs- en Organisatiewetenschap (USBO) aan de Universiteit van Utrecht. En in 2001 breidde INHOLLAND haar aanbod uit met een 'Master of Design Management' (MDM); een 'executive'-programma in deeltijd. In 2005 werd dit door EURIB opgevolgd door een vernieuwde MDM-leergang te starten. Een jaar eerder besloot ook de faculteit Industrieel Ontwerpen van de Technische Universiteit Twente een module designmanagement op te zetten. Hiermee is designmanagement in Nederland min of meer een feit geworden. Er zijn inmiddels niet alleen goed opgeleide specialisten beschikbaar, maar er is ook sprake van toenemende aandacht voor designmanagement binnen ontwerp- en managementopleidingen.

4.2 Het vergroten van de toegevoegde waarde van design

In hoofdstuk één gaven we een uitgebreid overzicht van de toegevoegde waarde die design kan bieden aan organisaties. We deden dit aan de hand van zes aspecten: concurrentiekracht, strategie & planning, verandering, kwaliteit, creativiteit & innovatie en technologie. De stelling die we in dit boek verdedigen, is dat designmanagement deze toegevoegde waarde van design vergroot. De wijze waarop designmanagement deze rol vervult, beargumenteren we aan de hand van twee onderwerpen die hieronder worden belicht: 'de aard van het ontwerpproces' en 'exploratie, exploitatie en executie van creativiteit'. Hoewel alle zes aspecten uit hoofdstuk één gebruikt kunnen worden om onze stelling te onderbouwen, is het een beetje flauw om deze nog eens te herhalen, vandaar de keuze voor twee centrale onderwerpen.

4.2.1 De aard van het designproces

Het ontwerpproces wordt doorgaans beschreven als een systematische benadering in twee fasen: analyse en synthese. In de analytische fase wordt de ontwerpopgave ontleed in een hiërarchie van deelproblemen, die op hun beurt een set van vereisten opleveren. Er zijn zeer veel zaken waar van meet af aan rekening mee gehouden moet worden (figuur 4.3). Bij complexe en grootschalige opgaven leidt dit meestal tot een programma van eisen. In de daaropvolgende fase van synthese worden deze eisen geïntegreerd in een geheel, en omgezet in een ontwerpoplossing. Het gaat om de creatie van een coherent en harmonieus geheel dat ontstaat vanuit een verzameling specifieke en integere ontwerpkeuzen. De ontwerpoplossing maakt vervolgens doorgaans een uitgebreide procedure door voor verdere uitwerking, verfijning en detaillering.
Deze objectieve voorstelling wordt bekritiseerd door auteurs die erop wijzen dat designproblemen 'wicked' zijn van karakter (Liedtka in: De Wit & Meyer, 2004). Dat wil zeggen dat men ze zich voor kan stellen als een onbedwingbaar veelkoppig monster; steeds als het probleem bedwongen lijkt, duiken er weer nieuwe vragen op.

Figuur 4.3 De complexiteit van designbeslissingen

Ook Kees Dorst (2003) wijst daarop: *'We design in the real world, so outside influences can disturb our plan at any time (...) There are always aspects of the problem that will only emerge during the solution process.'* Er bestaat daarom eenvoudigweg geen definitieve formulering of oplossing voor een ontwerpprobleem. De definitie van het probleem is open voor meervoudige interpretaties en er zijn zeer veel potentiële oplossingen denkbeeldig die geen van allen het bewijs kunnen leveren voor hun juistheid. Dorst: *'There are many perspectives, each having his own version of the truth (...).'* Maar dat wil uiteraard niet zeggen dat iedere oplossing ook exploiteerbaar en effectief is.

De strategie van ontwerpers lijkt vooral gebaseerd te zijn op het genereren en testen van potentiële oplossingen door de ontwerpopgave steeds in een wisselende context te plaatsen en daarbij van perspectief te wisselen. Vergelijkbaar met 'wat als'-hypothesen in de wetenschap, opgevolgd door 'als dan'-vervolgonderzoek. Het is een iteratief proces dat heen en weer gaat tussen het basisidee (het ontwerpconcept) en de uitwerking op specifieke onderdelen, waarbij het ontwerp steeds helderder en gedefineerder wordt naarmate het proces vordert. Een probleem kan daarbij ontstaan wanneer de ontwerper te snel een bepaalde weg inslaat of te lang door blijft gaan op een reeds ingeslagen weg, wanneer deze niet het verwachte succes biedt. De methodiek die een ontwerper volgt, is in de praktijk van groot belang voor een optimaal resultaat.

Een beproefde methode is het aanbrengen van een scheiding tussen het genereren en het beoordelen van ideeën. Hiervoor worden een divergente en een convergente fase onderscheiden. In de eerste fase wordt een aantal ideeën gegenereerd waarbij nog geen selectie plaatvindt. Vaak komen meerdere ideeën tot stand door verschillende oplossingen te combineren. Divergeren is gebaseerd op het principe dat bij een grote hoeveelheid ideeën de kans op goede ideeën toeneemt, en dat door het achterwege laten van selectie in dit stadium, de creativiteit niet wordt gehinderd. In de tweede fase volgt het convergeren waarbij het gaat om beoordeling en selectie. Het principe hierbij is dat men oplossingen slechts goed kan beoordelen indien men het geheel overziet. Het selectie-

proces moet via het elimineren van minder goede ideeën uitmonden in de selectie van het beste idee.
Ontwerpen is geen wetenschap en ontwerpkeuzen zijn meestal behoorlijk subjectief, hoewel ze gebaseerd kunnen zijn op een groot aantal overwegingen, op bepaalde kennis of op empirisch onderzochte proefnemingen. Ontwerpmethodologie is wél een wetenschap en heeft betrekking op het totaal aan kennis en inzicht van methoden die bij het ontwerpen kunnen worden toegepast. Het beoogt het gereedschap aan te dragen waarmee ontwerpers het ontwerpproces effectief en efficiënt kunnen inrichten. Een belangrijk onderdeel hiervan wordt gevormd door structuurmodellen voor ontwerp- en ontwikkelingsprocessen, waarin de opeenvolgende deelactiviteiten en de relaties hiertussen worden weergegeven (zie bijvoorbeeld figuur 5.7).

Verschillende auteurs wijzen erop dat design vooral een proces van *argumentatie* is, eerder dan van analyse en synthese. Het is eerder een onderhandelingsproces, gericht op het leren en op de zoektocht naar zich aandienende oplossingen. Ontwerpoplossingen kunnen nooit bewezen worden juist te zijn. Ze zullen altijd aanvechtbaar blijven en daarom op een onweerstaanbare wijze aan anderen moeten worden gepresenteerd om te worden gerealiseerd. Wanneer we deze gedachtegang doortrekken dan kunnen we stellen dat de kwaliteit van de argumentatie en het onderhandelingsproces in de praktijk de doorslag geeft voor de toegevoegde waarde die design kan bieden. Uit onze eigen praktijkervaring kunnen we dit beamen, het geaccepteerd krijgen van een bepaald ontwerpvoorstel hangt nauw samen met de kwaliteit van de meegeleverde argumentatie. Maar ook met het vermogen van de opdrachtgever om deze argumentatie te doorgronden. Een bekende uitspraak onder ontwerpers is dat 'je nooit beter kunt zijn dan je opdrachtgever'. Het begrip, inzicht en het beoordelingsvermogen van de opdrachtgever is doorgaans sterk bepalend voor het succes.
Er zijn twee belangrijke punten waarop designmanagement de toegevoegde waarde van design kan vergroten:

- door het opbouwen van ervaring en inzicht in het leerproces
- door het verbeteren van de kwaliteit van argumentaties en van het onderhandelingsproces.

Het opbouwen van ervaring en inzicht in het leerproces

Designbeslissingen zijn complex omdat er veel factoren in het spel zijn (figuur 4.3). Om voldoende inzicht, kennis en beoordelingsvermogen in een organisatie op te bouwen, is het van belang dat uiteenlopende ervaringen met betrekking tot eerdere ontwerpoplossingen verzameld worden en meegenomen worden in nieuwe beoordelings- en keuzetrajecten. Door de inzet van designmanagement – dat zich specifiek hiermee bezighoudt – kan dit leerproces vorm krijgen en de benodigde kennis en ervaring worden opgebouwd. Met de inzet van deze kennis en ervaring kan de toegevoegde waarde die design kan bieden worden vergroot.

De kwaliteit van argumentaties en het onderhandelingsproces

Ingeschakelde externe ontwerpers kunnen de positie, informatie en inzichten hebben om een goede argumentatie te leveren en het onderhandelingsproces te sturen, maar dit zal zeker niet altijd het geval zijn. Het verschil in jargon binnen de creatieve wereld en de zakelijke wereld kan een struikelblok zijn. En bepaalde beoordelingsaspecten kunnen ook buiten de ambitie-, kennis- of interessesfeer van ontwerpers liggen. Het kan daarom een risico zijn wanneer de opdrachtgever zich teveel laat leiden door de argumentatie van de externe ontwerper. Deze argumentatie kan in een later stadium onvoldoende blijken aan te sluiten op de specifieke behoeften en mogelijkheden binnen de organisatie. Maar het kan ook zijn dat de kwaliteit van de ontwerpoplossing achterblijft bij de kwaliteit van de argumentatie; het verhaal is goed maar de creatieve oplossing laat te wensen over. Omgekeerd is de situatie ook denkbaar dat ontwerpers met een werkelijk groots idee komen maar over onvoldoende argumentatie beschikken (omdat ze bijvoorbeeld verbaal minder onderlegd zijn). Het risico bestaat dan dat het idee niet wordt uitgevoerd wanneer de opdrachtgever het potentieel niet ziet, of zelf niet een goede argumentatie kan aanvoeren. Al met al is het maken van de juiste keuze de verantwoordelijkheid van de opdrachtgever. Hoe moeilijk dat ook kan zijn en hoeveel beoordelingsvermogen en inzicht daar ook voor nodig is; het risico van een verkeerde beslissing is in principe voor de opdrachtgever.

Specifieke kennis met betrekking tot marksegmenten, de bedrijfscultuur of de interne verhoudingen kan eveneens een belangrijke rol spelen in de kwaliteit van de argumentatie en het onderhandelingsproces. Dit is kennis die vaak alleen intern beschikbaar is. In het onderhandelingsproces spelen daarnaast meestal meerdere interne partijen en belanghebbenden een rol, zoals verschillende betrokken afdelingen, operations management en het eindverantwoordelijk management. Beslissingen kunnen dan ook gemakkelijk stranden of verkeerd uitpakken in dit dynamische proces. Designmanagement kan in het argumentatieproces een belangrijke rol vervullen wanneer het in staat is de aansluiting tussen de kwaliteit van de geboden ontwerpoplossing en de organisatiedoelstellingen bloot te leggen – en daarbij een heldere (creatieve) visie, een scherp onderscheidingsvermogen en een goed gevoel voor timing weet te demonstreren. Designmanagement fungeert in dit opzicht vaak als het 'visueel geweten' van de organisatie.

4.2.2 Exploratie, exploitatie en executie van creativiteit

Een belangrijk aspect van designmanagement is het managen van creativiteit. Creativiteit (het vermogen om te creëren) is een belangrijke concurrentiefactor en aanjager van innovatie. Het is volgens Jacobs (2005) het vermogen om structuren of problemen op een nieuwe manier te bekijken, geaccepteerde waarheden en patronen te doorbreken en nieuwe combinaties tot stand te brengen.

Creativiteit als zodanig is niet voldoende, maar moet gecombineerd worden met bekende professionele en wetenschappelijke inzichten en met gevoel voor doelgerichtheid en discipline, om te leiden tot wat Jacobs 'productieve creativiteit' noemt, maar wat ook wel wordt aangeduid als 'toegepaste creativiteit'. Een goed oorspronkelijk idee wil nog niet zeggen dat dit door iedere organisatie succesvol kan worden toegepast. De commerciële realiteit gaat over concurrentievoordeel, groeiende marktaandelen en het vergroten van de aandeelhouderswaarde. Een idee moet daarom worden gezien als iets dat waarde genereert of iets dat een bepaald voordeel kan bieden. Jacobs wijst in dit verband op de spanning die er doorgaans bestaat tussen het exploreren (het ontdekken) enerzijds en het benutten (exploiteren) en daadwerkelijk uitvoeren anderzijds. Organisaties zullen met deze spanning om moeten kunnen gaan om creativiteit te benutten en om te kunnen innoveren.

Het optimaal inzetten van creativiteit binnen een zakelijke omgeving vraagt om voldoende sturing, beheersing en controle. Het inbrengen van doelgerichtheid en discipline in creatieve processen is een taak voor het management, maar creativiteit kan ook gesmoord worden door overmatige managementcontrole. Omdat creativiteit samenhangt met de bereidheid om risico's te nemen, en het vermogen om te gaan met ambiguïteit, vereist het management van creativiteit voldoende zelfvertrouwen en leiderschap. Een ander belangrijk aspect is het vermogen om creativiteit te combineren met voldoende kennis en inzicht. Stefano Marzano, CEO van Philips Design, verwoordde dit als volgt: *'Kennis is geen garantie voor vernieuwing. De informatiemaatschappij zorgt ervoor dat iedereen hetzelfde kennisniveau heeft. Differentiatie kun je dan alleen nog verwachten van het genie, van de unieke creatieve visie. Maar dat belet niet dat het tegenwoordig onverantwoord zou zijn om te ontwerpen zonder al die kennis.'* Hoewel creativiteit doorgaans opgevat wordt als het domein van de intuïtie, is – waar creativiteit wordt toegepast in een zakelijke omgeving – dit gediend met een flinke dosis relevante kennis en informatie, zowel op zakelijk als op technisch gebied. Management van creativiteit ontwikkelt zich in de praktijk dan ook tot een specialisme met een kenmerkende eigen stijl, cultuur en werkwijze.

Hoewel individuele creativiteit van grote waarde is voor organisaties, wijst onderzoek uit dat groepscreativiteit een nog veel krachtiger bron kan zijn omdat daarmee creativiteit in een sociale context wordt geplaatst. Florida & Goodnight (2005) onderstrepen dat het creatief kapitaal van een onderneming niet zomaar een collectie individuele ideeën is, maar het product van interactie. Creatieve groepsprocessen vragen uiteraard om organisatie en coördinatie. Er moet een vruchtbare grond worden gemaakt waarin ideeën tot wasdom kunnen komen, evenals een open en prettige werksfeer waaruit vertrouwen en veiligheid spreekt. Wanneer ontwerpvraagstukken complex zijn (en dat zijn ze meestal), worden vaak meerdere specialismen ingeschakeld voor het oplossen hiervan. Het kan daarbij gaan om ontwerpers uit verschillende deeldisciplines (met ieder een sterke geldingsdrang), maar ook om andere specialisten zoals ergonomen, programmeurs of ingenieurs. Een hedendaagse opvatting is ook dat ontwerpresultaten sociaal acceptabel moeten zijn om succesvol te kunnen zijn. Dat wil zeggen dat ze moeten aansluiten op bestaande waarden van het publiek dat wordt bediend, hoe vernieuwend deze ideeën verder ook mogen zijn. Daarom kan ook deelneming aan het creatieve proces door focusgroepen worden overwogen. Creativiteitsmanagement kan in bovengeschetste situaties een complexe activiteit zijn.

Florida & Goodnight (2005) presenteren een framework voor het managen van creativiteit, gericht op het bouwen van collegialiteit en vertrouwen in een organisatie. Ze zetten uiteen dat het geven van opties op aandelen voor creatieve mensen niet blijkt te werken;

geld is niet hun motief. Onderzoekers hebben vastgesteld dat creatieve mensen van binnenuit worden gemotiveerd en daarom veel beter op intrinsieke beloning reageren dan op extrinsieke. Dat wil zeggen dat hun innerlijke drang om iets te creëren hun motief vormt en dat de ruimte die ze ondervinden om zich te kunnen ontwikkelen, voor hen belangrijker is dan de financiële beloning. Creatieve mensen willen uitgedaagd worden en het bewonderen van hun prestaties door anderen vormt hun grootste beloning.
Florida & Goodnight brengen drie principes naar voren om topprestaties van creatieve mensen te verkrijgen:

- Help medewerkers hun doelen te bereiken en hun beste prestaties te leveren door ze intellectueel betrokken te houden en door obstakels die hen afleiden te verwijderen. Creatieven haten bureaucratische rompslomp en beschouwen dit als hun vijand om goed te kunnen werken. Het minimaliseren van hindernissen en van hun zorgen (zoals verplichte vergaderingen, kinderopvang, boodschappen, beschikbaarheid van goede materialen, et cetera) vergroot de creativiteit. Aan creatieve mensen kan het managen van hun eigen werklast toevertrouwd worden; hun innerlijke motief om hun doel te bereiken – en hun geldingsdrang – drijft hen tot een hoog productiviteitsniveau. Creatieve organisaties hanteren doorgaans een ontspannen benadering als het gaat om controle, maar ze zijn allergisch voor passief gedrag.
- Maak managers verantwoordelijk voor het uitlokken van creativiteit en hef willekeurige verschillen tussen 'kostuums' en 'creatieven' op (creëer een egalitaire en op samenwerking gerichte open cultuur). Het stimuleren van mentaal werk leidt tot betere prestaties; daag creatieven uit en beloon een goed resultaat met een nog grotere uitdaging.
- Betrek klanten als creatieve partners in het proces om superieure producten te kunnen leveren die aansluiten op hun behoeften en wensen. Het management dient te verzekeren dat mensen in de organisatie de stemmen van klanten luid, helder en ongefilterd horen.

Een ander punt dat we in dit verband willen aanvoeren, is dat design vaak wordt gezien als een éénmalige activiteit in plaats van als langdurig proces tussen exploratie (ideevorming en ontdekking) en succesvolle exploitatie (benutting) en executie (uitvoering). Het ontwerpproces heeft in deze visie uitsluitend betrekking op de ontwerpopdracht: het vervaardigen van een creatieve oplossing. Dit begint bij ideeontwikkeling (het schetsproces) en wordt beperkt tot het aanleveren van een model of prototype, eventueel aangevuld met productiespecificaties of -instructies. De benadering die wij hanteren in dit boek is dat het designproces veel breder is en uit een aantal sleutelelementen bestaat: het verhelderen van de behoefte aan design (eventueel gebaseerd op onderzoek) en de projectdoelstellingen, het prepareren van een creatieve briefing, ideegeneratie, conceptontwikkeling, gedetailleerd design, productie, implementatie en het monitoren van de resultaten. Al deze onderdelen van het designproces hebben invloed hebben op het eindresultaat. Het creatieve proces begint feitelijk al in een vroegtijdig stadium, voordat een ontwerpopdracht geformuleerd kan worden. De consequentie hiervan is ook dat meerdere afdelingen en partijen in de regel betrokken zijn bij het ontwerpproces. Omdat ze verantwoordelijk zijn voor bepaalde aspecten die samenhangen met designbeslissingen

of omdat ze met het resultaat aan de slag moeten. Deze deelnemers zullen in de praktijk vaak actief betrokken moeten worden bij het designproces en moeten begrijpen wat de bedoeling is.
Het lijkt min of meer logisch dat ontwerpers niet verantwoordelijk gesteld kunnen worden voor het ontwerpproces als zodanig; het valt grotendeels buiten hun opdracht, hun invloedssfeer of zichtveld en meestal ook buiten hun competentie. De opdrachtgevende partij is hiervoor verantwoordelijk en de coördinatie van het gehele ontwerpproces en de afstemming tussen betrokken afdelingen is een specifieke managementtaak. Wanneer we accepteren dat het designproces veel meer behelst dan het feitelijke ontwerpwerk en dat het eindresultaat afhankelijk is van veel factoren (en niet alleen bepaald wordt door de inspanningen van ontwerpers), ligt het voor de hand dat designmanagement de toegevoegde waarde van design kan vergroten.
Deze toegevoegde waarde die design kan bieden, hangt voor een deel samen met de inzet en kwaliteit van het designmanagement. De uitkomst van het ontwerpproces hangt ondermeer af van hoe goed het proces is aangestuurd en uitgevoerd, hoe goed ideeën zijn geformuleerd (beargumenteerd en gevisualiseerd) en hoe helder het concept is; hoe goed het tegemoetkomt aan afnemerswensen. Maar ook hoe goed het projectmanagement is, welke ruimte (vruchtbare bodem) er is voor creativiteit en vernieuwing, de visie en het beoordelingsvermogen van de opdrachtgever, de betrokkenheid van het eindverantwoordelijk management, enzovoort. Het betreft een scala aan uiteenlopende factoren die in de verdere tekst nog uitvoerig aan de orde zal komen.

4.3 De opkomst van designmanagement

In paragraaf 1.3 gaven we een overzicht van trends die leiden tot het toenemend belang dat aan design als differentiatie- en concurrentie-instrument wordt toegekend. De daarmee samenhangende aandacht voor designmanagement kan verklaard worden aan de hand van uiteenlopende ontwikkelingen. Een aantal daarvan heeft betrekking op producten, andere op merken of op de organisatie zelf. Designmanagement-vraagstukken kunnen dus zowel product-, merk- als organisatiegerelateerd zijn. Waarbij we opmerken dat het zelden gaat om een vraagstuk dat zich beperkt tot één van deze gebieden, maar dat juist gekenmerkt wordt door de onderlinge relaties tussen product, merk en organisatie. Om een globale indruk te krijgen, geven we per categorie een overzicht van de belangrijkste ontwikkelingen.

4.3.1 Productgerelateerde designmanagement-issues

De rol van designmanagement voor producten is nauw verbonden aan innovatie en productontwikkeling ('New Product Development' en 'New Product Marketing'). Anders dan wat vaak wordt veronderstelt, beperkt de rol van designmanagement zich niet alleen tot het productuiterlijk en de productpresentatie. Designmanagement heeft ook betrekking op de manier waarop productconcepten worden ontwikkeld en producten worden geproduceerd, op hun functionele prestaties en de wijze waarop ze worden gebruikt. Dat wil zeggen dat het ook betrekking heeft op de ontwikkeling van het productconcept en het designproces zelf, op de constructieve uitwerking van een ontwerp en de hiermee verbonden productiespecificaties, en op aspecten van ergonomie.

We kunnen een aantal ontwikkelingen ten aanzien van producten (waren en diensten) waarnemen, die wijzen in de richting van een toenemende inzet van designmanagement:

- het zo diepgaand mogelijk ontwikkelen van producten en productcategorieën;
- het tastbaar maken van diensten;
- het vergroten van het onderscheidend vermogen;
- complexere consumptievormen;
- het voldoen aan individuele klantwensen ('customisation');
- steeds hogere risico's bij productontwikkeling.

Producten en productcategorieën zo diepgaand mogelijk ontwikkelen

Het is een algemeen bekend feit dat producten een steeds kortere levensduur hebben. Design kan deze levensduur verlengen door producten en productcategorieën te revitaliseren. Door productinnovatie, productverbetering en het introduceren van nieuwe modellen. Denk bijvoorbeeld aan de ATB of de Smover die de fiets een nieuwe functie en betekenis geven en de fietsindustrie nieuw leven inblazen. Of denk aan de stofzuigers van Dyson of de computers van Apple. Zowel de introductie van de Dyson DualCyclone® als bijvoorbeeld de iMac van Apple, hebben ervoor gezorgd dat beide productcategorieën (stofzuigers en pc's) zich hebben vernieuwd. Hierdoor is weer ruimte in de productcategorie ontstaan en is de categorie als geheel interessanter geworden voor klanten. Staaltjes van succesvolle innovatie die sterk werden gedreven door het geavanceerde design.

Het 'tastbaar' maken van diensten

Veel diensten zijn abstract en ontastbaar en kunnen daardoor moeilijk worden beoordeeld. Uiterlijke designaspecten verschaffen de consument aanwijzingen over de 'interne' kwaliteit van diensten en functioneren als keuzecriteria. De uiterlijke presentatievorm wordt daarmee een zaak om bewust en beleidsmatig mee om te gaan. Inhoud en uiterlijk dienen elkaar in stand te houden om overtuigend te zijn. We vonden een uitspraak van Tom Peters die in dit verband de moeite waard is om te vermelden: *'Ik geloof dat design de voornaamste reden is waarom mensen zich emotioneel hechten (of niet hechten) aan een product, dienst of ervaring. Design is in mijn ogen de belangrijkste reden waarom een productdienstervaring zich onderscheidt – of niet. Verder is het 'een van die dingen' die verdomd weinig ondernemingen consequent vooropstellen'* (Peters, 2005).

Vergroten van het onderscheidend vermogen

Het is al moeilijk om een product onderscheidend te maken, om dat te blijven is vaak nog lastiger. Veel markten zijn overvol en er is vaak sprake van hyperconcurrentie. Design is een heel goede – vaak de beste en soms zelfs de enige – mogelijkheid om een product er uit te laten springen. De onderscheidendheid van design wordt in sommige productklassen echter steeds moeilijker en vraagt om meer professionaliteit van de opdrachtgever en om meer beoordelingsvermogen.

Complexere consumptievormen

Ondernemingen kunnen niet langer alleen concurreren met prijs en productkwaliteit. Consumenten kiezen niet meer goed of slecht, maar goed/beter/best. Dit brengt de ontwikkeling van meer complexe vormen van consumptie met zich mee, waarbij producten, services en communicatie steeds verder geïntegreerd worden. Designmanagement is dan essentieel om die verschillende onderdelen als een samenhangend geheel te presenteren en om te komen tot een coherente en steeds verrassende consumentenervaring en merkbeleving.

Voldoen aan individuele klantwensen; 'customisation'

Door de sterke individualisering moeten aanbieders kunnen inspelen op individuele afnemerswensen. Het gaat bijvoorbeeld om een steeds grotere keuze in productspecificaties, materialen en kleuren, waardoor producten afgestemd kunnen worden op ieders persoonlijke smaak. De nieuwe Mini is dankzij 250 opties te verkrijgen in duizenden verschillende uitvoeringen. En je kunt tegenwoordig via internet je eigen sportschoen naar eigen smaak uit losse componenten samenstellen en laten fabriceren.
Door verbeterde productiemethoden (sneller en flexibeler) is het vaker mogelijk te produceren volgens individuele klantspecificaties ('customisation'). Dit vereist flexibiliteit in het design; meer productvarianten, slimme modulaire constructies, assemblagetechnieken en logistieke oplossingen.

Steeds hogere risico's bij productontwikkeling

De kosten van productontwikkeling zijn bijzonder hoog. Dit brengt financiële risico's voor een onderneming met zich mee; het mislukken van een productintroductie kan negatieve gevolgen hebben voor een onderneming. Feit is dat de meeste introducties mislukken. Bedrijven verspillen enorme sommen geld aan productaanpassingen die consumenten niet willen, niet kunnen gebruiken of niet willen betalen. De aandacht voor productdesign en productpresentatie neemt daarom toe; design kan bijdragen aan een beter aansluiting tussen product en consumentenverwachtingen.
Een ander aspect is het risico van het niet of onvoldoende (tijdig) inspelen op nieuwe trends of het selecteren van verkeerde trendsignalen. Zo miste marktleider Nokia in 2003 de markt door geen uitklapbare telefoontoestellen met geïntegreerd beeldscherm in het productassortiment op te nemen. Het bleek een geweldige kans voor Samsung die wèl in deze behoefte kon voorzien.

Box 4.4 De aard van managementvraagstukken

Managementvraagstukken kunnen in drie kernproblemen worden samengevat: het extern afstemmingsprobleem, het intern afstemmingsprobleem en het structureringsprobleem (Keuning & Eppink (2004). Het *extern afstemmingsprobleem* heeft betrekking

op de vraag hoe een organisatie moet worden afgestemd op partijen en situaties in de omgeving. Zoals klanten, medewerkers, leveranciers, aandeelhouders, financiers, maatschappelijke organisaties en de overheid. Deze worden ook wel *stakeholders* genoemd om aan te geven dat zij belangen hebben en van invloed kunnen zijn op het succes van een organisatie. Externe afstemming omvat het bepalen van de doelstellingen en van de wijze waarop die moeten worden bereikt; binnen welk tijdsbestek en met behulp van welke middelen. Externe afstemming heeft betrekking op beslissingen over ondermeer het aanbod van producten of diensten, productontwikkeling en innovatie, de markten die de organisatie bedient (marketing), de wijze van financiering, groei, de maatschappelijke verantwoordelijkheid van de organisatie et cetera.
Het *intern afstemmingsprobleem* gaat over de vraag hoe de organisatie (de structuur, cultuur en het managementsysteem) en de beschikbare middelen zoals mensen, machines en budgetten, zodanig op elkaar moeten worden afgestemd dat beleids- en bijbehorende actieplannen met kans van slagen kunnen worden uitgevoerd.
Het *structureringsprobleem* heeft betrekking op de wijze waarop de organisatie gestructureerd moet worden, rekening houdend met het verdelen van taken en beslissingsbevoegdheden en het aanbrengen van goede coördinatievoorzieningen op een zodanige wijze dat zowel de interne belangen als de belangen van externe stakeholders kunnen worden gerealiseerd. *'De vorm dient ertoe te leiden dat op een doelgerichte en doelmatige wijze actieplannen kunnen worden uitgevoerd, werknemers met plezier kunnen werken en verantwoordelijkheid kunnen dragen en aan de buitenwereld kwalitatief goede producten en diensten kunnen leveren'* aldus Keuning & Eppink.

4.3.2 Merkgerelateerde designmanagement-issues

De rol van designmanagement voor het merk strekt zich uit over vier fasen:
1. Het creëren van een merkrepresentatie (met name de visuele merkidentiteit).
2. Het managen van een consistente, coherente en flexibele visuele identiteit, met als doel sturing te geven aan het merkimago (zowel het interne als externe imago).
3. Het activeren van het merk: het vergroten van de relevantie en het vinden van de juiste balans tussen identiteit en actualiteit.
4. Het bijdragen aan de merkwaarde (brand equity) door designbeleid en operationalisatie.

Ten aanzien van merken kunnen we een aantal ontwikkelingen waarnemen, die wijzen in de richting van een toenemende inzet van designmanagement:
- steeds hoge risico's van merkintroductie;
- meer multimedia en multichannel operaties;
- noodzaak tot differentiatie van het merk;
- activeren van merken (*brand activation*);
- opkomst van corporate branding.

Steeds hogere risico's van merkintroductie

De kosten van merkontwikkeling zijn bijzonder hoog. Het mislukken van een merkintroductie kan daarom ernstige gevolgen hebben voor een onderneming. Merken verbreden zich door middel van extensies tot merkportfolio's. Een groot deel van de jaarlijkse introducties van lijn- en merkextensies biedt niet het verwachte succes of mislukt, omdat consumenten deze uitbreidingen niet accepteren. De noodzaak van een betere beheersing neemt daarom ook hier toe. Een goede toepassing van design (op basis van een zorgvuldig designbeleid) vergroot de acceptatie van nieuwe producten of productvarianten onder een bepaald merk.

Multimedia en multi-channel operaties

De omgeving waarin merken vandaag de dag opereren is complex: multimedia, multichannel, multi-zintuiglijk en zowel analoog als digitaal. Er komen steeds meer communicatie- en distributiekanalen. Multimediale en multi-channel operaties zijn daarom eerder regel dan uitzondering. Dergelijke operaties zijn complex en vragen om een goede beheersing. De consument die via verschillende kanalen aan allerlei visuele indrukken en informaties blootstaat, moet het merk kunnen blijven herkennen en als een samenhangend geheel ervaren. Door design doelbewust en weloverwogen toe te passen en te managen, wordt de totale beleving van het merk gevoed en in stand gehouden.

Merkdifferentiatie

Design draagt bij aan differentiatie van het merk, bijvoorbeeld door bepaalde unieke eigenschappen (de differentiatiegrondslag) van het merk door middel van vormgeving uit te drukken. Om deze reden wordt design een steeds belangrijker onderdeel van branding, positionering en communicatie. De noodzaak van een goede beheersing neemt daarmee ook toe.

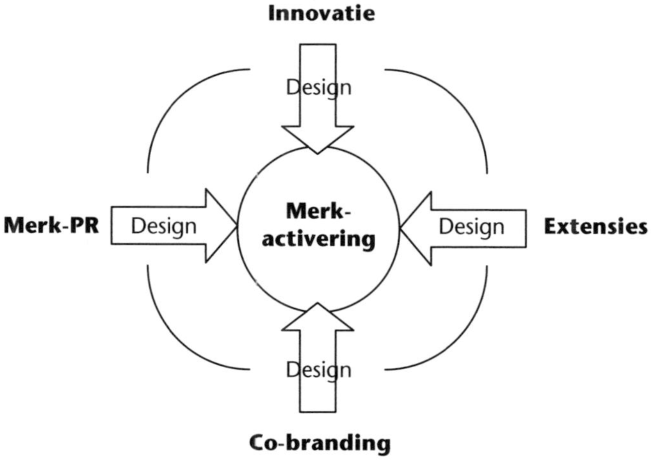

Figuur 4.4 Paradigma-verschuiving (bron: Riezebos, 2002)

Activeren van merken (brand activation)

Volgens Kapferer is verveling het grootste gevaar dat merken bedreigt. Reclame als traditioneel instrument om het merk te activeren, staat in toenemende mate onder druk. Riezebos (2002) brengt naar voren dat verschillende nieuwe instrumenten gebruikt kunnen worden, zoals innovaties, extensies, co-branding, merk-PR en design. Design speelt evenwel ook een centrale rol bij de overige genoemde instrumenten; het succes wordt mede bepaald door de mate waarin design duidelijk maakt dat de actie of innovatie bij het merk hoort (figuur 4.4).

Corporate branding als concurrentiemiddel

Bedrijven concurreren steeds vaker via hun ondernemingsmerk. Het communiceren van de ondernemingsidentiteit door middel van het organisatiemerk (ook wel: corporate brand) levert duurzaam onderscheidend vermogen. Het voeren van een dergelijke *corporate branding* strategie is complex en vraagt om een goede beheersing. De rol en taak van designmanagement daarbij is er voor te zorgen dat alle visuele uitingen het centrale beleid zichtbaar maken (de visie, missie, identiteit, positionering en strategie). Maar ook dat door middel van designprogramma's de werkprocessen in de organisatie worden versterkt, evenals de outputkwaliteit.

4.3.3 Organisatiegerelateerde designmanagement-issues

De rol van designmanagement voor organisaties heeft in hoofdzaak betrekking op drie aspecten: identificatie met de organisatie door medewerkers (in het kader van corporate identity en branding), het standaardiseren van werkprocessen en efficiencyverbetering (kostenbesparingen) en kwaliteitszorg (het beheersen van de presentatiekwaliteit en het integreren van het designproces in de bedrijfsvoering).

We kunnen een aantal ontwikkelingen ten aanzien van organisaties waarnemen, die wijzen in de richting van een toenemende inzet van designmanagement:

- 'alignment';
- internationalisering;
- complexere processen;
- organisatieveranderingen.

'Alignment'

Ondernemingen opereren steeds grootschaliger en bieden een steeds breder en veelzijdiger pakket aan producten en diensten aan (ondermeer door vervanging van individuele productmerken door het organisatiemerk). We zien dat design wordt ingezet als middel om meer structuur en samenhang in het totale aanbod aan te brengen, evenals in de relatie tussen de aanbieder en het aanbod.

Internationalisering

Organisaties en bedrijven opereren steeds internationaler en globaler. Dit vraagt om een goede beheersing van de visuele identiteit over verschillende landen en culturen. De visuele identiteit is in deze context belangrijk om duurzaam onderscheidend vermogen te creëren. Bovendien is design taalonafhankelijk; design kan in principe binnen veel verschillende culturen en nationaliteiten dezelfde herkenbaarheid en symbolische waarde ontwikkelen.

Complexere processen

In onze kenniseconomie worden organisaties steeds complexer als gevolg van toenemende specialisaties. Ons hoge welvaartniveau, gekoppeld aan de toegang (o.a. via internet) tot enorme hoeveelheden kennis heeft zeer gedifferentieerde en hoogwaardige wensen van consumenten tot gevolg. Op verschillende momenten en in verschillende samenstellingen zijn talloze specialisaties noodzakelijk om tot het gewenste eindproduct te komen, waardoor veel organisaties uitgegroeid zijn tot complexe netwerken van kennis en vaardigheden. In diezelfde ontwikkeling is ook het designproces veel complexer geworden. Veel bedrijven veranderen in netwerkorganisaties waar verschillende designspecialisten op verschillende momenten en in verschillende samenstellingen eindproducten realiseren. De noodzaak van coördinatie en afstemming binnen het ontwerpproces (door middel van designmanagement) neemt daarmee toe.
Veel organisaties verkeren in een vrijwel permanente staat van reorganisatie. Dat maakt het noodzakelijk om ook het designproces in organisaties tijdig aan te passen en om actief te sturen in de beoogde efficiencyverbetering.

Organisatieverandering

Transformatieprocessen zoals fusie, integratie, ontvlechting en herpositionering brengen hoge risico's met zich mee. Veel van deze veranderingen bieden niet het verwachte succes en worden soms niet gerealiseerd. Alhoewel het niet houdbaar is om te stellen dat verkeerde keuzen ten aanzien van design hier de oorzaak van zijn, kan een goed overwogen designbeleid wél een belangrijke bijdrage leveren aan het welslagen van dergelijke operaties. Denk bijvoorbeeld aan een sterke symboliek en een goed georganiseerd identiteitsprogramma dat de nieuwe positionering geloofwaardig maakt. Of dat de nieuwe toekomst van een organisatie zichtbaar gestalte geeft en organisatieleden ervan weerhoudt om terug te kijken of te twijfelen aan het 'commitment' van het management.

Samenvattend kunnen we concluderen dat een belangrijke reden voor de opkomst van designmanagement het steeds grotere belang is dat aan design als bedrijfsinstrument wordt toegekend. De noodzaak om designactiviteiten en –investeringen te managen neemt daarmee logischerwijs toe. Ten slotte kan een verklaring voor de toenemende belangstelling voor designmanagement worden gevonden in het feit, dat er een structureel gebrek is aan kennis en ervaring als het gaat om het optimaal benutten van design.

Box 4.5 **Designmanagement in de praktijk: TNT Post**

Koninklijke TNT Post is één van de divisies binnen TNT Holding, dat zich manifesteert op de internationale markt van logistieke dienstverlening. Binnen TNT Post werken twee designmanagers onder de functietitel 'adviseur visuele communicatie'. Ze maken deel uit van het team Externe Communicatie, binnen de stafafdeling Corporate Communicatie, en zijn verantwoordelijk voor het visueel beleid. Niet alleen met betrekking tot de communicatiemiddelen en het postzegelbeleid, maar tot alle verschijningvormen van het merk. Dus ook bedrijfskleding, materieel, bewegwijzering en interieurtoepassingen vallen hieronder. Bij een bedrijf als TNT Post met ruim 60.000 medewerkers is het van groot belang dat door middel van communicatie- en presentatiebeleid structuur wordt aangebracht en een zekere mate van uniformiteit. Een eenduidige presentatie in de markt werkt ook als tegenwicht voor de dynamiek van de verschillende business units, en leidt ertoe dat uiteenlopende activiteiten voor de markt herkenbaar zijn. Design wordt vooral ingezet om de abstracte logistieke dienstverlening tastbaar te maken en een gezicht te geven. Daarbij vormt het ontwikkelen en tot uitdrukking brengen van de merkpersoonlijkheid een belangrijke doelstelling.

Willem Koch is als directeur Corporate Communicatie eindverantwoordelijk voor het merk en daarmee ook voor het designbeleid. Ook de recente rebranding van TPG Post naar TNT Post werd gestuurd en gecoördineerd door zijn afdeling. Koch: *"Toen we nog PTT Post heetten en deel uitmaakten van KPN, was design al van groot belang voor ons bedrijf. Het was echter onvoldoende geïntegreerd in onze marketingcommunicatie. Het designbeleid stond los van onze merkwaarden en positionering en van de business als zodanig; het vertegenwoordigde vooral een culturele waarde"*. De betekenis van marketing en communicatie is veel groter geworden na de verzelfstandiging van het bedrijf en Koch ziet de inzet van design als een verlengstuk daarvan. Design is gericht op het uit concurrentieoverwegingen zoeken naar onderscheidend vermogen, maar ook op het vormgeven aan de merkstrategie.

In feite is binnen TNT Post sprake van een ontwikkelingsfunctie waarbij de bijdrage van de afdeling stap voor stap wordt opgebouwd. De TNT Groep is volop in ontwikkeling en voert een internationale groeistrategie. De invulling van het grote internationale TNT-merk in de Nederlandse postmarkt vormt daarbij een specifieke uitdaging. Maar volgens Koch gaat het daarbij niet om het verhangen van bordjes. De uitdaging wordt gevormd door het veranderen van de organisatie daarachter en het invulling geven aan merkidentiteit en klantwaarden. Design vormt daarbij geen doel op zich, maar is geïntegreerd in het denken over merk en reputatie. De (h)erkenning van de bijdrage van de afdeling, door zowel de directie als de decentrale business units, speelt uiteraard een belangrijke rol. Het designmanagement is er op gericht deze mensen anders naar dingen te laten kijken en een ingang te vinden voor vernieuwing. Designadviseur Antoine Achten daarover: *"Onze beleids- en regiefunctie staat centraal, maar je moet deze positie wel verdienen door interne vragen goed te beantwoorden en een visie op de samenhang te tonen. En door af te stemmen met de business units en hen te faciliteren"*.

4.4 Het 'eigene' van designmanagement

Het effectief benutten van design als bedrijfsinstrument door met name het lijnmanagement, wordt door Gorb als wezenlijk voor het succes van ondernemingen gezien. Ook Jacobs (2005) onderstreept dit: *'Van een groot aantal sectoren – in de maakindustrie, maar ook in de dienstverlening – dienen de producten een hoge mate van creatieve vormgeving te bezitten. Dit geldt voor mode, meubels, auto's en pretparken, en in toenemende mate ook voor mobiele telefoons, keukengereedschap, software, de machinebouw, grote machines (inclusief medische apparatuur), winkelinrichting en verpakkingen. Hoe meer de technologie in een bepaald gebied gestandaardiseerd raakt en daardoor niet langer een onderscheidende factor is, hoe meer bedrijven zich proberen te onderscheiden door producten met een speciale look and feel.'*
Tegelijkertijd komt uit de literatuur een duidelijk beeld naar voren, waaruit blijkt dat er nog te weinig zicht is binnen organisaties op de toegevoegde waarde die design kan bieden. Het management is vaak niet in staat om deze toegevoegde waarde effectief te benutten en design in te schakelen bij het oplossen van bepaalde managementvraagstukken. Borja de Mozota (2003) formuleert het 'eigene' van designmanagement daarom als volgt: *'Het onderscheidende kenmerk van designmanagement ligt in haar rol om de manieren, waarop design kan bijdragen aan de strategische waarde van de onderneming of instelling, te identificeren en te communiceren.'* Designmanagement vervult een rol in het overbruggen van de leemte die er kennelijk is. Het identificeren en communiceren van kansen en mogelijkheden met betrekking tot de inzet van design, geeft aan dat designmanagement een duidelijke interne missie heeft. Designmanagement zorgt voor een beter begrip en voor het benutten van deze kansen door een succesvolle verbinding te maken tussen de creatieve wereld en de zakelijke wereld.

Hoewel het betrekking heeft op algemene managementtheorieën en technieken, verschilt designmanagement volgens een aantal auteurs van algemeen bedrijfsmanagement. Volgens Chung (1998) is dit omdat design waardegeoriënteerd is, terwijl het bedrijf winstgeoriënteerd is. Hij stelt dat designmanagement daarom in hoofdzaak kwalitatief en creatief is, terwijl bedrijfsmanagement in het algemeen kwantitatief en beheersend van karakter is.
De wijze waarop designmanagement geacht wordt haar taken te vervullen, wordt ook sterk bepaald door de heersende managementcultuur. De Angelsaksische school, sterk gericht op controleren en beheersen, is hierin dominant. Het uitgangspunt van deze school is dat je alleen iets kunt managen, als je dat ook kunt meten. Als tegenhanger kan ook een Italiaanse school worden onderscheiden die, in tegenstelling tot de vanuit de ratio gestuurde Angelsaksische benadering, veel meer emotioneel en conceptgericht is. In de Italiaanse benadering staan juist originaliteit en creativiteit centraal. Het verschil in benadering komt verder naar voren in de keuze van benaming, men spreekt over 'design direction' in plaats van over designmanagement. In deze benaming komt tot uitdrukking dat de richtinggevende taak in deze visie voorop staat.
Creativiteit moet optimaal worden ingezet met het oog op het realiseren van de organisatiedoelen. De mate van creativiteit in een onderneming maakt steeds vaker het verschil. De gangbare opvatting is echter dat management vanuit zijn aard een potentiële bedrei-

ging vormt voor creativiteit, omdat management primair op beheersen en controleren is gericht en waar mogelijk kwantificeerbare doelen stelt. Managers beheersen vooral vaardigheden op het terrein van plannen, organiseren, aansturen en beheersen; gericht op het stabiliseren van een organisatie of onderneming. In veel gevallen is dit niet voldoende om excellente prestaties te behalen. Inspiratie en creativiteit zijn nodig om producten (waren én diensten) betekenis te kunnen geven, ze relevant te maken voor afnemers en om ze te kunnen onderscheiden van anderen. Designmanagement heeft dus niet de primaire bedoeling om de beschikbare *design resources* te dwingen in een routinematige werkwijze, uit naam van rationalisatie. Designmanagement zou vooral ook moeten worden opgevat als een instrument waarmee creativiteit en originaliteit binnen de organisatie kan worden bevorderd, een manier om het creatieve proces in organisaties aan te moedigen en de uitkomsten daarvan in goede banen te leiden naar een effectief resultaat.

4.4.1 Management van creativiteit

Designmanagement gaat over het managen van creativiteit en dat is cruciaal als het gaat om het innovatievermogen van organisaties. Organisaties hebben in de praktijk veel moeite met creativiteit. Traditionele managementopvattingen staan op gespannen voet met creativiteits- en innovatiemanagement. Uit het verslag van een recente forumdiscussie over dit onderwerp komt deze spanning goed naar voren: *'Creatieven hebben ruimte en vertrouwen nodig om ideeën uit te kunnen broeden. Maar managers vinden zoveel krediet verstrekken aan een wazig begrip als creativiteit doodeng'* (Adformatie no. 24, 2005, p. 48). Designmanagement kan een waardevolle rol vervullen in het stimuleren en verbeteren van de creativiteit in organisaties en dit wordt door de meeste auteurs dan ook gezien als een belangrijke taak. Dat neemt niet weg dat designmanagers soms door ontwerpers als bedreigend worden gezien, omdat deze hun creativiteit zouden kunnen inperken. Het is de opgave voor designmanagers om de creativiteit van ontwerpers in goed banen te leiden en om een optimaal resultaat te bewerkstelligen dat aansluit op de door de organisatie geformuleerde doelstellingen (om te komen tot 'productieve creativiteit'). Daarbij is een goed oog voor ontwerpkwaliteit en een stimulerende werkrelatie van evident belang, maar ook een brede en goede kennis van zaken.

Designmanagement kan het rendement van creativiteit verhogen door een werkomgeving en -cultuur te creëren waarin mensen zich prettig voelen – en door als 'hitteschild' te fungeren tegen druk van bovenaf. Dat wil zeggen creatieven te beschermen tegen de druk van planners en analisten. Maar ook door als *talent scout* en scout van informele netwerken te opereren en allianties te maken met wat wel de 'petjescultuur' wordt genoemd. In deze informele netwerken zijn vaak creatieve mensen actief die over bijzondere eigenschappen, vaardigheden en zienswijzen beschikken en die daarom van grote waarde kunnen zijn voor organisaties. Het is vaak niet mogelijk om deze mensen in de formele cultuur van het bedrijfsleven te laten acteren. Designmanagement kan daarom fungeren als een interface tussen deze mensen en de organisatie. Designmanagement kan eveneens een rol spelen in het vergroten van het vertrouwen in het vakmanschap van ontwerpers binnen de organisatie (dat voor niet-ingewijden een onzekere en onberekenbare factor vormt). Dit vertrouwen is uiteraard van groot belang.

Alhoewel wij beiden jarenlange ervaring hebben in het managen van creatieve teams (waarin niet alleen ontwerpers maar ook tekstschrijvers, dtp'ers, programmeurs, fotografen en illustratoren betrokken waren) – en we vrijwel alle aspecten hiervan aan den lijve hebben ondervonden – willen we het boeiende artikel van Chris Bangle in Harvard Business Review (2001) aanhalen om de lezer meer gevoel bij de praktijk te geven. Veel van wat hij naar voren brengt kunnen we herkennen en onderstrepen, hoewel ons perspectief enigszins afwijkt omdat wij als teamleiders voornamelijk aan bureauzijde opereerden.

Bangle is Chief Design Officer (CDO) bij BMW Group en als zodanig eindverantwoordelijk voor vier designafdelingen, te weten: BMW, Mini, Rolls Royce en BMW Motors. Hij omschrijft zijn positie als het managen van het aanhoudende en onvermijdelijke conflict tussen het pragmatisme van de onderneming en de artistieke passie van de ontwerpers. Hij ziet de rol van designmanagement als die van *mediator* tussen de bedrijfsmatige en artistieke denkrichtingen binnen de onderneming, op het kruispunt van kunst (creativiteit) en commercie. In organisaties voor wie beiden van belang zijn moet een gemeenschappelijke basis worden gevonden. Die basis wordt binnen BMW voor een belangrijk deel gevormd door het merk. Het merk verschaft zowel creatieven als het managementproces de richting, focus en visie die het nodig heeft. Vrijwel alle beslissingen die worden genomen zijn terug te voeren op het merkconcept en de merkidentiteit, en iedereen binnen de onderneming kent deze tot in detail. Een gemeenschappelijke basis houdt ook in dat designers de organisatiebehoeften, budgetten en deadlines begrijpen en hieraan kunnen voldoen. En dat managers de aard van het designproces, de manier waarop ontwerpers werken en het belang van design voor de organisatie, begrijpen en erkennen. Bangle: *'I spend a lot of time educating non-designers about the design process (...) we use whatever models we can – mock ups, seating and driving rigs – to help non-designers understand the concept, and build concensus so that decisions won't have to be reversed later at great expense'.*

Bangle ziet het managen van de relaties tussen ontwerpers, ingenieurs en managers als een belangrijke taak van designmanagement. Hij hanteert drie uitgangspunten voor zijn werkwijze:

- *Bescherm het creatieve team* tegen het onproductieve commentaar van anderen in het bedrijf. (Dit is volgens hem nodig omdat artiesten andere mensen nieuwsgierig maken maar ook in verwarring kunnen brengen; hun werk kan weerstand en afkeurende reacties oproepen in een prematuur stadium.) Daarom is de toegang tot ontwerpafdelingen gesloten en werken meestal designmanagers als tussenpersoon tussen de verschillende groepen (ontwerpers, ingenieurs en kostenanalyse-groepen).
- *Stel het artistieke proces veilig* door een barrière te construeren tegen onderbreking of beschadiging van het actuele designwerk als gevolg van de 'time-to-market' druk. (De haast om een nieuw product op de markt te brengen – bijvoorbeeld onder druk van concurrentie – kan ertoe leiden dat het ontwerpproces zodanig onder druk komt te staan dat de creatieve prestaties afnemen. Of erger; dat een nog niet uitontwik-

keld ontwerp, waarbij belangrijke details nog kunnen ontbreken, in productie wordt genomen.) Maar ook een barrière tegen het voortdurende geschaaf en gepruts, wanneer designers niet gestuurd worden. Een designproces heeft immers geen natuurlijk einde; een ontwerp is in principe nooit af, maar dat is uiteraard niet reëel. Daarom stelt Bangle strikte deadlines aan iedere stap van het designproces.

- *Wees een inventieve communicator* in het overbruggen van de communicatiekloof. Bangle wijst hiermee op het belang van een buitengewone overtuigingskracht en het kunnen aansluiten op het taalgebruik en de cultuur van de gesprekspartners (met name ingenieurs en accountants). De taal van ontwerpers is volgens hem verwarrend voor de meeste mensen en derhalve ongeschikt om te gebruiken voor het management: *'Managing at the intersection of art and commerce means translating the language of art into the language of the corporation.'* Communicatie is cruciaal voor het soepel laten verlopen van processen. Verder maakt hij vooral gebruik van beelden in zijn presentaties: *'pictures really do say a thousand words (...).'*

Het managen van creativiteit is erop gericht de beste resultaten (ontwerpen) uit een designer of designteam te halen. Het gaat om het vinden van een managementaanpak die hen in staat stelt om optimaal te presteren. In de eerste plaats moet het designmanagement daarom zorgen voor voldoende focus en visie in de designorganisatie. Maar het managen van creativiteit gaat ook over het beschermen van het creatieve potentieel (het kan gaan om hele goede en waardevolle ontwerpers die niet gemakkelijk te vervangen zijn) en vraagt daarom om een aanpak rondom de psychologische kwetsbaarheid van artiesten. Bangle onderstreept dat ontwerpers doorgaans emotioneel sterk zijn verbonden aan hun creaties en daarom gevoelig zijn voor kritiek. *'Emotional, sensitive, often egocentric artists don't respond to cold, rational arguments. They must be shielded from the comments of people who don't understand them or the artistic process. They need support and empathy – they don't respond well to dictatorial management. For designers to do their best work, they must be guided by their own strong sense of artistic quality, and they must be convinced that their superiors' critiques makes good design sense.'*
Ontwerpers zijn doorgaans onderling ook zeer competitief. Binnen een ontwerpteam zullen ontwerpers in de praktijk vrijwel altijd rivaliseren: wie maakt het winnende ontwerp? Het afwijzen van een ontwerp leidt dan ook vrijwel altijd tot grote teleurstelling van de ontwerper. Hij zal zichzelf moeten hernemen en de inspiratie en 'drive' moeten vinden om een nog beter ontwerp te maken. Het management moet ontwerpers daarom ook coachen in het voor hen soms kwellende proces van creatieve geboorte, leven en dood. Om het vertrouwen van zijn mensen te hebben, moet Bangle echt opkomen voor hun ontwerpen als hij daarin gelooft: *'I have to prove that I will fight like hell for a great design in order to earn their faith.'* Ten slotte geeft hij aan dat hij de prestaties van zijn mensen moet beoordelen, net als iedere andere manager. Maar dat hij ze bij achterblijvende prestaties niet kan aansporen, zoals een manager van een andere afdeling dat zou kunnen, met restricties of sancties. Artiesten reageren niet op traditionele uitspraken of push-technieken; *'I can't say your last design lost, so do it my way.'* Daarmee verliezen designers hun waarde. De enige manier is hen aan te moedigen, te trainen en te coachen. Ontwerpers moeten zichzelf kunnen aansturen en zich laten leiden door hun eigen sterke gevoel voor artistieke kwaliteit.

4.4.2 Designmanagement als zelfstandige managementfunctie?

Aan de ene kant komt uit de tekst het beeld naar voren van een zelfstandige gespecialiseerde managementfunctie, aan de andere kant dat van een min of meer geïntegreerde functie waarbij designmanagement als *facilitator* of stimulator werkt en zijn toepassing vindt via het verantwoordelijke lijnmanagement. De vraag doet zich daarom voor of designmanagement opgevat moet worden als een nieuwe zelfstandige managementfunctie (een zoveelste specialisatie) of als een geïntegreerde taak binnen andere managementfuncties. Hoewel dit laatste zeker het geval kan zijn – en volgens Gorb zelfs wenselijk is – moet worden vastgesteld dat designmanagement een aantal bijzondere competenties met zich meebrengt. In die zin is sprake van een vakgebied. Wanneer managers een designmanagement-taak willen vervullen, zullen ze deze competenties moeten ontwikkelen. In hoofdstuk elf staan we hier uitgebreid bij stil door een aantal competentieprofielen te presenteren. Maar managers kunnen er natuurlijk ook voor kiezen om zich bij hun designtaken te laten bijstaan door gespecialiseerde designmanagementadviseurs.
Veel organisaties zijn uitgegroeid tot complexe netwerken van kennis en vaardigheden omdat tegenwoordig talloze specialisaties noodzakelijk zijn om tot het gewenste eindproduct te komen. Er kan in organisaties dan ook een weerstand bestaan tegen de komst van nog meer specialisaties. Deze maken het managementproces doorgaans ingewikkelder met het oog op beleidsontwikkeling, werkstructuur en procedures. Designmanagement is zo'n specialisatie waarvan een verklaring voor de opkomst in de tekst is gegeven. (Ons hoge welvaartniveau, gekoppeld aan de toegang (o.a. via internet) tot enorme hoeveelheden kennis, heeft zeer gedifferentieerde en hoogwaardige wensen van consumenten tot gevolg. In diezelfde ontwikkeling is ook het designproces veel complexer geworden.) De bereidheid om deze functie als zelfstandige functie te erkennen, zal in hoofdzaak afhangen van de visie en opvatting van het eindverantwoordelijk management. Organisaties zullen er in de regel voor kiezen om designmanagement als zelfstandige managementfunctie in te richten, afhankelijk van hun positie en oriëntatie maar vooral van het belang dat ze aan design toekennen. We komen hier in hoofdstuk zes uitgebreid op terug.

Men kan zich ook de vraag stellen of design niet alleen als aparte functie, maar ook als apart domein moet worden gezien binnen het managementproces. Binnen organisaties kunnen uiteenlopende functionele managementgebieden worden onderscheiden zoals *legal & finance* (financieel management), HRM, R&D, marketing, communicatie, operations en productie. Maar men kan ook tal van andere domeinen identificeren zoals kwaliteitsmanagement, merkenmanagement, kennismanagement, innovatiemanagement, verandermanagement, productmanagement, channel management, country management enzovoort. Afhankelijk van de strategische waarde die men aan design toekent, zullen organisaties de noodzaak van designmanagement erkennen en accepteren dat hiermee sprake is van een nieuw functioneel gebied (ook wel: managementdomein). In dit geval zien we doorgaans dat er sprake is van een formeel designbeleid en dat designmanagement is vertegenwoordigd in het eindverantwoordelijk management. Bij bedrijven zoals Auping, BMW, IKEA, Porsche, Renault, IBM en Philips zien we deze erkenning als managementdomein. Het zijn min of meer 'designgedreven' organisaties, waarvan opvalt dat ze vooral in de industriesector en handel actief zijn. Bij veel andere organisaties zal designmanagement beperkt zijn tot een functie die geïntegreerd is binnen marketing, productontwikkeling of communicatie. Deze afdeling is dan leidend als het gaat om designactiviteiten. Meestal is er geen apart designbeleid geformuleerd of is dit beperkt tot de *scope* van de eigen afdeling.

4.5 Conclusie – designmanagement vergroot de toegevoegde waarde van design

In dit hoofdstuk is het antwoord verkend op de vraag wat de aard en het doel van designmanagement is en hoe het kan bijdragen aan de prestaties van een organisatie. Daarbij is naar voren gekomen dat designmanagement de toegevoegde waarde die design kan bieden, kan vergroten, ondermeer door de samenhang en zeggingskracht tussen de verschillende presentatievormen te organiseren. Het geheel is meer dan de som der delen wanneer individuele designoplossingen hun samenhang vinden in een coherent geheel. Verder is duidelijk geworden dat designmanagement zich afspeelt in het verlengde van creativiteits- en innovatiemanagement. De bijdrage van designmanagement ligt ook besloten in de aard van het creatieproces, dat een hoge mate van subjectiviteit kent. Met name als het gaat om de kwaliteit van argumentaties en van het onderhandelingsproces.

We hebben verkend wat onder designmanagement verstaan kan worden en wat deze functie inhoudt. Daarbij is aan het licht gekomen dat er een verschil kan zijn tussen de designmanagement-taak en de designmanagementfunctie. De taak kan geïntegreerd zijn binnen uiteenlopende managementfuncties of vorm krijgen als zelfstandige functie. In ieder geval is duidelijk geworden dat de designmanagement-taak bepaalde competenties met zich meebrengt die managers zullen moeten ontwikkelen wanneer ze verantwoordelijk zijn voor designactiviteiten. De komst van designmanagement hoeft dus niet te betekenen dat eindverantwoordelijke lijnmanagers hun verantwoordelijkheid voor designactiviteiten en hun zeggenschap over designbeslissingen kwijtraken. Integendeel; het kan er toe leiden dat deze verantwoordelijkheid veel explicieter wordt onderkend. De rol van designmanagement kan zijn om managers te trainen in het effectief benutten van design, zodat ze deze taak met meer succes kunnen vervullen.
Wel is uit de tekst naar voren gekomen dat designmanagement veelomvattend kan zijn en daarom opgesloten kan raken, wanneer deze taak is ingericht binnen één dominant functioneel gebied (zoals marketing of productontwikkeling/R&D). Ook bij een formele werkstructuur kan de zeggenschap beperkt blijven tot het eigen gebied en kunnen er afstemmingsproblemen met andere gebieden ontstaan, als gevolg van uiteenlopende belangen en inzichten. De afdeling marketing gaat bijvoorbeeld over verpakking en communicatie, terwijl R&D verantwoordelijk is voor het productuiterlijk. Product, verpakking en merkcommunicatie vormen in het koopproces echter één geheel dat zorgvuldig op elkaar moet worden afgestemd om tot een overtuigende presentatie te komen. Wanneer

design een strategische rol vervult, zal designmanagement daarom meer overkoepelend dienen te worden ingezet – in het verlengde van merkenmanagement en productmanagement. Dit onderwerp zullen we in deel III verder verkennen; in dit stadium volstaat het dat de lezer zich realiseert dat er in de praktijk een spanning kan bestaan tussen de behoefte om designmanagement te koppelen aan eindverantwoordelijk lijnmanagement (dicht bij de markt en de klant) en de behoefte om een geïntegreerd designbeleid te voeren (meer centraal aangestuurd).

In het volgende hoofdstuk gaan we verder in op de vraag hoe design gemanaged kan worden en welke managementmodellen daarbij kunnen worden gehanteerd. Daarbij zullen we ook de relatie tussen het ontwerpproces en het designmanagementproces verkennen.

5 Hoe kun je design managen?

'The creative economy is here to stay, and companies that figure out how to manage creativity will have a crucial advantage in the ever-increasing competition for global talent.'
(Richard Florida)

'Every human being is a designer ... many also earn their living by design ... a professional minority ... whose work carries a strong visual motivation and whose decisions help give form and order to the amenities of life.'
(Normen Potter)

In dit hoofdstuk behandelen we de vraag op grond van welke inzichten organisaties design kunnen managen en welke modellen daarbij gehanteerd kunnen worden. We beginnen met een inleiding waarin we ingaan op de vraag of design überhaupt wel gemanaged kan worden. We zetten uiteen dat het van evident belang is dat het designproces als zodanig door managers wordt geïdentificeerd, zodat ook de activiteiten van alle participanten in beeld komen. Daarnaast zijn er twee managementbenaderingen mogelijk die ieder een geheel andere benadering van designmanagement met zich meebrengen. Ten slotte introduceren we in de inleiding het begrip *silent design*. Hiermee wordt gedoeld op de invloed in het designproces van non-designers. In paragraaf 5.2 volgt de presentatie van een conceptueel denkraam waarmee kan worden verklaard hoe de interactie tussen design en management vorm kan krijgen. In dit denkraam worden de in hoofdstuk één gepresenteerde drie hoofdfuncties van design (functie, ergonomie en vorm), gekoppeld aan uiteenlopende managementfuncties en verantwoordelijkheden binnen organisaties. Aan de hand van vier managementmodellen voor designmanagement, die gebaseerd zijn op dit denkraam, introduceren we in paragraaf 5.3 de verschillende mogelijkheden die er in theorie zijn om designactiviteiten aan te kunnen sturen en te beheersen. Dergelijke managementmodellen kunnen weliswaar nooit een afgeronde waarheid bieden, maar functioneren wel goed bij het benaderen van de vaak complexe werkelijkheid; managementmodellen kunnen inspireren en de mogelijkheid bieden om vraagstukken op te lossen of visies te communiceren. Ten slotte gaan we in paragraaf 5.4 in op het designmanagementproces als zodanig en besteden we aandacht aan de relatie met het designontwikkelingstraject.

5.1 Inleiding

Kan men design daadwerkelijk managen of moet succesvol design toch eerder worden opgevat als een kwestie van goed geluk? Dit laatste is een veel gehoorde opvatting waarbij we ons ook wel iets kunnen voorstellen. Uit het vorige hoofdstuk is immers naar voren gekomen dat het ontwerpproces weliswaar als een systematische activiteit – min of meer objectief – kan worden benaderd, maar dat dit toch niet geheel recht doet aan het feit dat er geen definitieve formulering of oplossing is voor een ontwerpprobleem. Men kan een aantal dingen goed doen, zoals het inhuren van de juiste ontwerper(s), het bevorderen van een werksfeer waarin creativiteit kan gedijen, het zorgen voor een adequate creatieve briefing waarin de ontwerpopgave op een heldere, uitdagende en prikkelende manier is verwoord, het zorgen voor een vruchtbare bodem en de juiste argumentatie, zodat ontwerpvoorstellen ook door verantwoordelijke managers kunnen worden begrepen en beoordeeld. Men kan kortom alle randvoorwaarden zo optimaal mogelijk invullen, maar men kan niet de uitkomst van het ontwerp als zodanig bepalen of voorspellen. Waar een ontwerper of ontwerpteam mee komt, zal in de praktijk vrijwel altijd een verrassing blijken. Men moet daarom kunnen vertrouwen op de integriteit en de motivatie van designers om een excellent ontwerp te leveren. In deze strikte zin is design nauwelijks te managen. Andersom zal bij het achterwege laten van alle bovengeschetste managementinspanningen een goed designresultaat eerder uitzondering dan regel zijn; dat ontstaat niet als vanzelf. We kunnen ervan uitgaan dat de kwaliteit van het proces van invloed zal zijn op de kwaliteit van het resultaat. Het management van design is dan ook in de eerste plaats het managen van het designproces en, zoals we eveneens in het vorige hoofdstuk hebben uiteengezet, is dit een ruim begrip. Het heeft niet alleen betrekking op de individuele ontwerpopdracht, maar betreft een langdurig (en meestal continue) proces tussen ideevorming en exploitatie en omvat alle activiteiten; van onderzoek, ideevorming en het plannen van de designactiviteiten tot en met het monitoren van het uiteindelijke designresultaat in de markt. Er zijn daarom in de regel meerdere functionele gebieden en partijen betrokken bij dit proces (figuur 5.1).

Onderzoek van Dumas & Whitfield (in: Gorb *et al.*, 1990) wijst uit dat zelfs wanneer bedrijven unaniem een grote mate van belang toekennen aan design, zij verschillen in hun inzichten. Terwijl iedereen van mening is dat het designproces effectief gemanaged dient te worden, blijken ze allemaal moeite te ervaren bij het identificeren van het designproces en het accuraat plaatsen daarvan binnen hun respectievelijke organisaties. Het gevolg is dat het vaak niet duidelijk is wie verantwoordelijk is voor design, hoe het designproces is georganiseerd en wie daaraan deelneemt. Managers kunnen vaak slechts een fragment van het designproces identificeren als design, en herkennen daarom niet de activiteiten van alle participanten in het designproces. Ze verengen dit begrip bijvoorbeeld tot het etiket van een verpakking (de grafische opdruk) en zien het als een enkelvoudige, eenmalige activiteit, uitgevoerd door anderen. Ze zien niet dat design ook betrekking heeft op materiaalkeuze en de verpakkingsvorm (in vaktermen: het *structural design* waarbij talrijke aspecten zoals categoriekenmerken, onderscheidend vermogen, afvullijnen, bescherming van de inhoud, gewicht en kostprijs een rol spelen). Het gevolg is dat beslissingen over verpakkingsvorm en -materiaal daarmee los van het etiketontwerp worden genomen door de afdeling productie of marketing, die zich waarschijnlijk niet eens bewust is van het feit dat ze daarmee ontwerpbeslissingen neemt. Nadien mag de ontwerper daar een etiket op bedenken, maar het zal duidelijk zijn dat de toegevoegde waarde die design kan bieden hierdoor onderbelicht blijft. Het is ook onwaarschijnlijk dat er in deze situatie een structuur bestaat die de deelnemers aan het designproces in staat stelt om effectief met elkaar samen te werken. Doordat het proces niet goed is geïdentificeerd zal er ook geen passende organisatie- of werkstructuur zijn ontwikkeld om het designproces te kunnen implementeren.

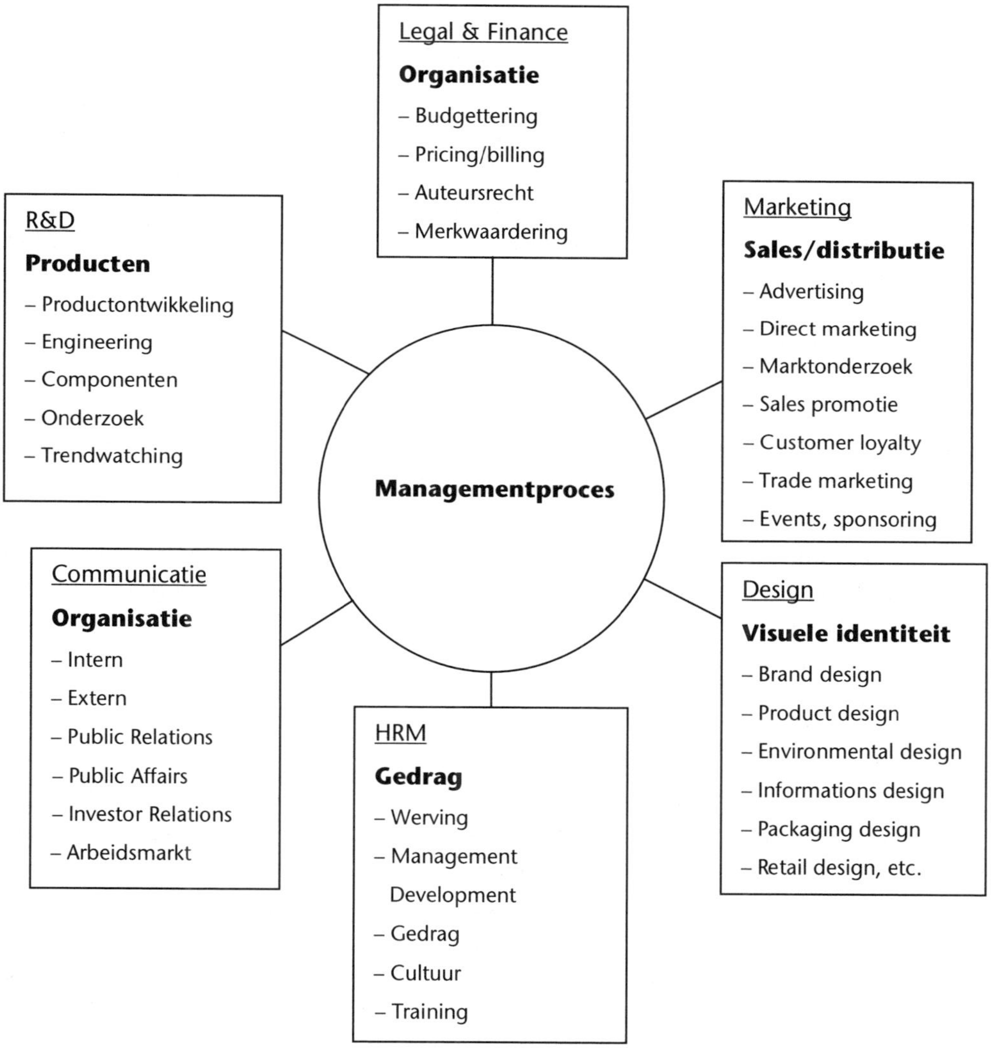

Figuur 5.1 Functionele managementgebieden

In de praktijk zien we vaak een traditioneel, plat en lineair proces dat terug te voeren is op een managementmodel dat eerder op maximale beheersing lijkt te zijn gericht, dan op het bereiken van maximale toegevoegde waarde. De inzet van design wordt daarbij niet zelden beperkt tot 'een laatste kwast verf' aan het eind van het traject. De uiteenlopende organisatiefuncties (zie figuur 5.1) opereren in een dergelijk proces min of meer los van elkaar en dragen achtereenvolgens afzonderlijk bij aan het resultaat, zonder dat sprake is van onderlinge afstemming. Laat staan van een integratie van organisatiefuncties. Het gevolg kan gemakkelijk frustratie, fouten en een suboptimaal resultaat met zich meebrengen. In het genoemde voorbeeld van de verpakking zal dit wellicht te overzien zijn, maar problematisch wordt het als het gaat om de ontwikkeling van een nieuw product, hetgeen doorgaans complex is. Dan kan blijken dat afdelingen langs elkaar heen werken, elkaars werk niet accepteren, niet begrijpen wat het designconcept inhoudt enzovoort. Met als gevolg dat er veel tijd, geld en energie gaat zitten in een traject met hoogstwaarschijnlijk een mager resultaat. Om superieure producten te maken die een hoge toegevoegde waarde aan consumenten bieden (en die ze daarom graag willen gebruiken) is een andere benadering nodig. Zeker als ook de 'time-to-market' een kritische factor is (in verband met het concurrentievoordeel van het 'de eerste zijn'). Het heeft dus zin om te verkennen welke managementmodellen er zijn en welke benadering het beste resultaat zal geven.

5.1.1 Analytisch versus interpretatief management

De meeste managers veronderstellen dat iedere managementopgave kan worden vertaald in een helder gedefinieerd probleem waarvoor een optimale oplossing kan worden ontworpen. Deze opvatting werkt goed in markten die stabiel zijn of die veranderingen doormaken die voorspelbaar zijn. Tegenwoordig zijn de meeste markten dat niet. In de wereld van productontwikkeling en design kan het verloop van het ontwikkelingsproces en het eindpunt niet worden bepaald aan het begin van het proces. Het resultaat krijgt vorm en verandert naarmate het proces vordert. Succes in productontwikkeling en design vereist daarom een ander soort management. Een strikt mechanische benadering van management, met haar nadruk op helder omschreven doelen, rollen en structuren, kan immers dodelijk zijn voor de creativiteit die de kern vormt van design.
Lester, Piore & Malek (1998) vonden twee benaderingen van management die scherp met elkaar contrasteren: *analytisch* en *interpretatief* management. Beide benaderingen zijn gegrond en verdedigbaar, maar dienen verschillende doelen en vragen om andere benaderingen en vaardigheden. De beperkingen van een strikt analytisch model worden duidelijk als de organisatie te kampen heeft met een onzekere en dynamische omgeving. Terwijl de analytische benadering het traditionele managementperspectief weergeeft, biedt de interpretatieve benadering een nieuw perspectief dat met name geschikt is voor snel veranderende, onvoorspelbare markten.
Binnen het analytisch perspectief wordt het ontwerp van een product vooral gezien als een uitdaging voor ingenieurs en als een probleem dat moet worden opgelost. De analytische manager probeert een heldere doelstelling te bepalen, meestal gebaseerd op marktonderzoek, en bepaalt de beschikbare middelen om die doelstelling te kunnen realiseren. Vervolgens splitst hij het probleem op in een reeks te onderscheiden onderdelen en draagt ieder onderdeel op aan een verantwoordelijke medewerker of deskundige specialist. Binnen een formele werkstructuur wordt het traject gefaseerd, en er worden start- en einddata gedefinieerd en controlepunten ingebouwd. De oplossing wordt uit-

eindelijk gevonden door de verschillende onderdelen zo goed mogelijk te integreren in een optimale combinatie. Deze hele inspanning wordt verder gezien als een enkelvoudig project dat zo snel en efficiënt mogelijk tot een goed einde moet worden gebracht. De nadruk bij analytisch management ligt op ophelderen, alle feiten op een rijtje zetten en overtolligheden, dubbelzinnigheden en onbekendheden elimineren.
In contrast hiermee bestaat er het interpretatief perspectief. Het begrip interpretatie betekent vertolken (Volgens Van Dale: verklaren, uitleggen, opvatten of uitbeelden). De auteurs wijzen erop dat consumenten vaak niet weten wat ze willen of nodig hebben, zoals vandaag de dag het geval is in veel productcategorieën. De smaak en opvatting van consumenten is voortdurend in beweging en vaak onvoorspelbaar. In veel consumentengoederen en dienstverlenende sectoren worstelen managers met deze onvoorspelbare veranderingen in consumentenbehoeften, maar ook met onvoorziene veranderingen in technologie die een voortdurende stroom van nieuwe en andersoortige producten vereisen. Organisaties moeten voortdurend met iets nieuws en opwindends komen om aan de top te kunnen opereren. In deze situatie kan het volgens de auteurs een aanzienlijk risico zijn om geheel op de benadering van analytisch management te vertrouwen. Het bedrijf kan eindigen met het voortreffelijk produceren van producten die echter niemand wil ('the better mousetrap that nobody wanted'). Wanneer er zo'n grote mate van onzekerheid bestaat, kan het ontwikkelingproces beter worden opgevat als een 'open eind'-proces dan als een project waarbinnen een specifiek probleem moet worden opgelost. De rol van management in een dergelijke situatie is er niet zozeer één van analyse of probleemoplossing, als wel van het interpreteren van de situatie. Door te luisteren en te praten met consumenten en technische experts, komen nieuwe mogelijkheden door deze interacties aan de dag.
'To encourage and harness creativity, the manager of the interpretive organization needs to act less like an engineer and more like the leader of a jazz combo.' De interpretatieve manager omarmt ambiguïteit en improvisatie, in tegenstelling tot de analytische manager. Hij zoekt openingen in plaats van een einde; het doel is niet een gefixeerde eindvorm te bereiken, maar een proces te kanaliseren op een manier die de verwachtingen en behoeften van consumenten beïnvloedt en vervult. De auteurs brengen de mode-industrie als voorbeeld naar voren. Ze wijzen erop dat alhoewel *fashion design* ook bestaat uit strak gedefinieerde ontwerpprojecten (vanwege strikte seizoens-deadlines), deze projecten niet de essentie van de ontwikkelingsinspanning vormen, maar eerder een resultaat hiervan zijn. De kern van mode bestaat uit een proces waarin het idee over wat mode is zich voortdurend ontwikkeld. Het gevoel voor wat *fashionable* is, ontstaat uit gesprekken tussen modeontwerpers, stofkopers, beeldbepalende klanten, textielproducenten en modejournalisten. Deze gesprekken hebben geen begin en geen einde en er is geen definitief antwoord op de vraag wat modieus is. Nieuwe creaties verschijnen continue als reactie op dit zich ontvouwende, oneindige proces. Het proces vormt de kern en zonder dit proces zouden er geen succesvolle individuele designprojecten zijn. De managementrol in dit proces wordt door de auteurs omschreven als 'het leiden van een open conversatie met de omgeving van de organisatie, door te arrangeren wie met wie praat en door invloed uit te oefenen op het onderwerp en de richting van de conversatie'. Een organisatie dient immers niet alleen te luisteren, maar vooral ook actief te participeren in de conversatie.

Analytisch en interpretatief management kunnen naast elkaar werken en elkaar aanvullen. Per slot van rekening hangt, als een bedrijf groot en meer complex is, de efficiëntie af van het bestaan van goed gedefinieerde bedrijfsprocessen en formele managementstructuren. Sterk analytische, probleem oplossende vaardigheden zijn dan belangrijk voor effectief management. Een strikt analytische benadering kan echter contraproductief zijn wanneer veel min of meer het gevolg is van toeval; het vinden of ontdekken van nieuwe mogelijkheden in de conversatie. Analytische managers zullen in de regel geen ruimte geven aan dit proces. De nadruk van de analytische manager is gericht op het afsluiten ('er moet een einde zijn'), waardoor het proces zal bevriezen. Hij zal de continue stroom van ontdekkingen en ideeën die kunnen leiden tot innovatie, afsnijden. Deze managers zijn zich namelijk voortdurend bewust van het feit dat organisaties 'afsluiting' nodig hebben, omdat anders in hun ogen niets wordt bereikt.

Analytisch management heeft zich over een reeks van jaren gevestigd en is tot de natuur van management gegroeid. De auteurs wijzen op een algemene, bijna instinctmatige tendens van organisaties om van interpretatief management (tijdens de beginfase van een organisatie of een nieuwe markt) weer naar analytisch management te schuiven. Als voorbeeld geven ze de mobiele telefoonmarkt die enkele jaren geleden in de problemen kwam door interpretatief management in te ruilen voor analytisch management. De grote spelers op deze relatief nieuwe markt waren vrijwel unaniem tot het inzicht gekomen dat de markt zich zou stabiliseren. Hetgeen een misvatting bleek; een voortdurende stroom nieuwe technologieën, toepassingen en veranderende consumentenwensen, bleef vragen om maximale flexibiliteit en responsiviteit (het vermogen om snel en doeltreffend in te spelen op veranderingen). En vergde van hen een voortdurende inspanning, ondermeer op het terrein van productontwikkeling en design. Er was in feite geen ruimte voor de afstandelijke en formele benadering van analytisch management.
Lester, Piore & Malek wijzen er op dat de aantrekkingskracht van analytisch management bijzonder groot is en dat deze methoden sterk zijn ingeworteld in de managementpraktijk. Veel managers kunnen de benadering van interpretatief management niet bevatten. Het wordt ook niet onderwezen als een expliciete discipline op business schools en maakt geen deel uit van de training van executives. Wel signaleren we een toenemende stroom literatuur waarin deze kwestie aan de orde wordt gesteld en wordt gepleit voor vernieuwing (o.a. auteurs als Mintzberg, Pink, Leadbeater en in Nederland Weggeman).
Het moge de lezer inmiddels duidelijk zijn dat designmanagement in haar aard interpretatief is en dat hierin een belangrijk deel ligt besloten van de toegevoegde waarde die designmanagement kan bieden. Toch is in de tekst ook naar voren gekomen dat designmanagement ook analytisch kan zijn wanneer het gaat om overzichtelijke, individuele designprojecten (als afgeleide van de conversatie). Een analytische benadering van designmanagement zal daarom aanvullend zijn op de interpretatieve benadering. Beide benaderingen kunnen simultaan worden ingezet. Lester, Piore & Malek zijn van mening dat de meest succesvolle managers beide benaderingen zullen begrijpen en deze zien als complementair in plaats van antagonistisch. Ze zullen een goede balans weten te vinden tussen de twee.

Box 5.1 Designmanagement in de praktijk: Mexx

'Design runs central to Mexx. From our fashion and accessories collections to our store interiors and marketing communications, design is at the core of what we are about'.
Rattan Chadha, CEO Mexx Europe Holding BV

De mode-industrie is een even dynamische als omvangrijke branche, en een omgeving waarin design alomtegenwoordig is. Niet, zoals in veel andere zakelijke omgevingen, als separate activiteit, maar als integraal en onlosmakelijk onderdeel van alles waardoor succes in deze branche bepaald wordt: het juiste product in de juiste setting voor de juiste prijs. Mode is emotiegedreven, voortdurend in verandering, en beperkt te beredeneren. Modeontwerpen neemt dan ook een bijzondere plaats in, en designmanagement heeft in deze omgeving een bijzondere plaats temidden van de verschillende vormen die wij in dit boek bespreken.
Het modeconcern Mexx – een in Nederland gevestigde internationale organisatie met een omvang van drieduizend medewerkers, en sindskort als onderdeel van Liz Claiborne Inc. beursgenoteerd – laat zich primair kenmerken als een attitude: opgewekt, ongedwongen, vrij van geest en inspirerend. Doelstellingen worden gedefinieerd in termen van commercie, positionering en markttrends. Design speelt bij ieder van die aspecten een vitale rol, want in de visie van de onderneming is het de totale beleving van het merk die de waarde van Mexx bepaalt in de ogen van het publiek – en daarmee in de markt. Design maakt Mexx Mexx.
Het is dan ook niet verwonderlijk dat er zo'n 100 medewerkers direct en 350 indirect betrokken zijn bij de vormgeving van de merkbeleving, door middel van tientallen kledingcollecties per jaar en dynamiek in winkelinterieurs en communicatie. In het prestigieuze Mexx Design Centre in Amsterdam, één van de hartkamers van de onderneming, krijgt de merkpersoonlijkheid haar gezicht op basis van intuïtieve, zeer directe en dynamische dagelijkse operaties. Dit vraagt een snelle, responsieve en flexibele manier van werken. Die 'verticaal' weinig obstructies tegenkomt (door een beperkte en informele hiërarchie) en 'horizontaal' openstaat voor het delen van inzichten en ervaring (door disciplines als bronnen te zien en niet als bastions). Met als gevolg dat noch designmanagement, noch brandmanagement, noch commercieel management zich als afgesloten specialisatie profileert. Onderling overleg gaat over alle aspecten tegelijk, waarbij hoge kwaliteiteisen, krappe deadlines en ambitieuze groeidoelstellingen de blik op het eindresultaat gericht houden. Vandaar de kwalificatie die hiervóór gegeven werd: Mexx is in de eerste plaats een attitude, waarvan de organisatie het gevolg is.
Volgen we het aspect design door alle processen heen, dan zien we dat zowel het begin (de designstrategie) als de bewaking daarvan onomstreden ligt bij het topmanagement. Gedurende de jaren dat de organisatie één merk voerde, hield dat in dat de visie op product, architectuur, visual merchandising en communicatie in hoge mate mede door hen bepaald werd, en zij ook in alle stadia kennis namen van vervolgstappen en die van feedback en commentaar voorzagen.

Nu de stap gezet is van een monomerk naar een meer-merkenbeleid, komt hier verandering in. Zij het geheel in de geest die deze onderneming kenmerkt: ieder merk behoud de eigen identiteit en wordt, op basis van de Mexx cultuur en -organisatie, in Europa geïntroduceerd en verder ontwikkeld.

5.1.2 Silent design

In principe is vrijwel iedereen in een organisatie belast met designactiviteiten of designgerelateerde activiteiten. Veel managers nemen vrijwel dagelijks beslissingen over de talrijke presentatievormen rondom de organisatie, de producten en diensten, het merk of de communicatie. Meestal zijn deze zich hiervan nauwelijks bewust. De Engelse onderzoeker Rassam (1995) wijst erop dat designfuncties in organisaties bijzonder versnipperd zijn geraakt: '*...in many companies the existence of design is elusive. It is everywhere and nowhere at the same time. Design is likely to feature across a range of activities often unconsciously with many people engaged in design decisions without knowing it'*. De eveneens Engelse auteurs Gorb & Dumas (1987) kwamen al eerder tot eenzelfde conclusie en introduceerden de term *silent design*. Hiermee verwijzen zij naar mensen die designactiviteiten in hun functie niet als zodanig herkennen en er daardoor niet op een professionele wijze mee omspringen. Maar die wél beslissingen nemen die het designproces in de organisatie beïnvloeden en logischerwijs ook de resultaten daarvan. In dit hoofdstuk zetten we uiteen dat deze silent designers een bijdrage kunnen leveren aan de kwaliteit van het designproces in een organisatie – en daarom voor designmanagement van groot belang zijn. Designmanagement werkt vaak via en door middel van deze silent designers. Het opsporen en in kaart brengen van deze actoren is dan ook één van de eerste acties van designmanagement in de praktijk.

5.1.3 Vijf manieren om design te managen

We hebben tot dusverre in deze inleiding vastgesteld dat het managen van design vooral betrekking heeft op het managen van het designproces. Aangezien het designproces veel raakvlakken heeft met andere organisatiefuncties, is sprake van betrokkenheid en zeggenschap van managers uit verschillende functionele gebieden. Daarom is het essentieel dat zij zich hiervan bewust zijn en dat ze het designproces als zodanig kunnen identificeren en herkennen. Maar ook hun benadering van het designproces speelt een rol, de klassieke benadering van analytisch management is niet altijd geschikt voor designmanagement.
Uiteindelijk kunnen organisaties een aantal verschillende dingen doen om het designproces te managen, uiteenlopend van het benoemen van een 'design champion' (iemand die het belang van design enthousiast verdedigt en die zich hierop laat voorstaan) tot aan het laten 'intrekken' van design in alle geledingen van de organisatie (door infusie; zodat alles er van doordrongen raakt). We kunnen vijf manieren onderscheiden die onderling variëren in hun mate van formalisering en ontwikkeling (Dumas & Mintzberg,1989):

- *Design champion*: meestal de eigenaar, ondernemer of bestuurder zelf, een sleutelfiguur die zich committeert aan de designactiviteit en deze promoot. Eventueel kan dit ook een stuurgroep zijn die deze taak collectief op zich neemt. Of een invloedrijke externe design consultant, zoals het roemruchte historische voorbeeld van Peter Behrens die deze rol voor AEG vervulde. Doel is het beïnvloeden van de organisatie in het succesvol benutten van design.
- *Beleid*: uitgangspunten en doelstellingen worden formeel gedocumenteerd en verspreid onder organisatieleden, met als doel om hun aandacht te vragen en hen aan te zetten tot actie. Het toevertrouwen aan het papier is echter op zich niet voldoende, het is van belang dat er ook een geloof in de organisatie is ten aanzien van het belang en de waarde van design.
- *Programma*: een gedocumenteerd overzicht voor de toepassing van design (een beschrijving van uitvoeringsaspecten), gericht op het nemen van concrete acties. In hoofdstuk drie is al uiteengezet dat designprogramma's door organisaties kunnen worden ingezet en wat hieronder moet worden verstaan. Het is van belang om te onderkennen dat programma's niet uit zichzelf hun werk doen, maar onderdeel zijn van een continu proces en voortdurend aandacht nodig hebben.
- *Functie*: installering van een persoon of afdeling die formeel verantwoordelijk wordt gesteld voor het managen van het designproces. De functie zal er toe moeten leiden dat managers in de organisatie geloof hechten aan design en zich hieraan committeren, anders zal de invloed beperkt blijven. Echter, ook wanneer deze functie dominant is over andere functies is de invloed beperkt; de verschillende organisatiefuncties zullen dan onafhankelijk van elkaar blijven werken. Design kan zich in deze situatie gemakkelijk van de andere functies vervreemden of geïsoleerd blijven (en daarmee beperkt blijven tot een cosmetische functie).
- *Infusie*: de informele verspreiding van design door de gehele organisatie, met als ultieme doelstelling dat iedereen hierbij betrokken raakt, met inbegrip van silent designers. Design wordt hiermee 'a way of life' in de organisatie.

5.2 De interactie tussen functie, vorm en fit

Angela Dumas en Henry Mintzberg (1991) hebben studie gedaan naar de wijze waarop organisaties designmanagement inrichten, en presenteren hiervoor een conceptueel denkraam. In deze paragraaf nemen we hun gedachtengang als uitgangspunt. Kenmerkend in hun benadering is dat zij design niet zien als exclusief domein van professionele designmanagers en designspecialisten, waarbij het er om gaat zoveel mogelijk invloeden van buitenaf te beperken. Ze houden managers als silent designers verantwoordelijk voor het integreren van de vele onderdelen waaruit een succesvol productontwikkelingsproces doorgaans bestaat. Met andere woorden; silent designers dienen niet als schadelijk te worden opgevat, maar als personen die een waardevolle rol kunnen spelen. Het gaat hen om de wijze waarop de interactie tussen verschillende soorten designspecialisten en het management in de organisatie vorm kan krijgen. In hun benadering speelt dit vooral een rol bij het organiseren van het productontwikkelingsproces. Het begrip productontwikkeling dient overigens ruim opgevat te worden, het is een te beperkte benadering om hierbij alleen de industrie voor ogen te hebben. In principe gaat het om het ontwikkelen van zowel waren als diensten, waarbij de mate van complexiteit vraagt om de inzet van meerdere disciplines en specialismen. Het is een algemeen geaccepteerd inzicht dat de meeste hedendaagse producten zo complex zijn dat dit aan de orde is. Er moet met veel factoren rekening worden gehouden zoals de marktomgeving (concurrentieverhoudingen), consumentengedrag, wetgeving, trends, nieuwe technologieën en nieuwe distributie- en mediakanalen. Er moet met veel kennis over concurrentie- en marktverhoudingen gewerkt worden, nu vrijwel iedere markt open staat en multinationaal is geworden met alle consequenties voor distributie en communicatie van dien. Maar ook globale en regionale trends, toenemende regulering (wetgeving), nieuwe technologie en het explosief gegroeide aantal communicatiemogelijkheden maken het betrekken van veel verschillende specialisten bij productontwikkeling vandaag de dag onvermijdelijk. Dit geldt ook voor het design zelf; er zijn meestal meerdere deeldisciplines bij betrokken zoals industrieel ontwerpers, engineering designers, interface designers, sound designers, kleurspecialisten, stylisten en grafisch ontwerpers.

Het onderzoek van Dumas & Mintzberg dat wij hier bespreken, wijst uit dat er uiteenlopende designrealiteiten in de meeste organisaties bestaan. Hiermee wordt gedoeld op het verschil in perceptie ten aanzien van de rol die design (en designmanagement) speelt in de ogen van de verschillende organisatieleden. De opvatting over de aard, de bedoeling, het belang en de waarde van design kan – zoals iedereen uit de praktijk zal beamen en zoals we ook in de voorgaande tekst hebben aangevoerd – sterk verschillen tussen bijvoorbeeld medewerkers van de afdeling research & development, marketing, communicatie, design, productie, verkoop en het algemeen management. (Overigens blijkt uit hun onderzoek dat ook de designrealiteit van designmanagers vrijwel zonder uitzondering sterk afwijkt van die van andere managers in diezelfde organisaties. De designmanager is bijvoorbeeld van mening dat aan design een strategische rol wordt toegedacht, terwijl andere managers de rol van design als operationeel beschrijven.) Om deze complexiteit van opvattingen terug te brengen tot een hanteerbaar overzicht, onderscheiden Dumas & Mintzberg de drie bekende dimensies van design, namelijk functie, vorm en fit (figuur 5.2). Ze koppelen deze vervolgens aan de uiteenlopende specialismen en managementverantwoordelijkheden binnen organisaties.

- *Functie* heeft betrekking op de concrete utilitaire werking van een product; doet het datgene wat ervan verwacht wordt? Levert het de beloofde prestaties en benefits? Dit heeft vooral te maken met het betreffende productconcept, de samenstelling, de constructie en de componenten waaruit het product is opgebouwd.
- *Vorm* heeft betrekking op het productuiterlijk; alle eigenschappen van een product die visueel waarneembaar zijn, zoals de productvorm, de kleur en het materiaal waarvan het product gemaakt is. Vorm wordt vooral gezien als het gebied van de productontwerper en de stylist. *Styling* houdt zich bezig met oppervlaktebehandeling en het uiterlijk, passend in de trend van de tijd; de expressieve buitenkant van de dingen. Maar ook met de wijze waarop en de omgeving waarin een product wordt gepresen-

teerd. Als het gaat om de vorm, doelt men doorgaans op zaken als esthetiek, betekenis en emotie; wat roept de vormgeving op? Is het aansprekend en aantrekkelijk?

- *Fit* heeft betrekking op de link tussen vorm, functie en de gebruiker. Het vindt zijn basis in het specialistische veld van ergonomie, maar gaat in de visie van Dumas & Mintzberg verder dan de manifestatie van technische specialisten op dit vlak (de ergonomen). Ze introduceren daarom het begrip 'ergonomie +'. Ergonomie wordt doorgaans opgevat als de mate waarin een product is toegesneden op de mogelijkheden en beperkingen van gebruikers. Voldoet het qua gebruiksvriendelijkheid? Werkt het handig en gemakkelijk? Is het veilig te gebruiken, te bedienen en te onderhouden? Deze betekenis van het begrip duiden de auteurs aan als 'formele ergonomie' en de mate waarin een product in dit opzicht voldoet als *functionele fit*. Er is in hun visie echter niet alleen een functionele fit maar ook een *perceptuele fit*. Met dit laatste doelen ze op de mate waarin het gebruik in de beleving van de gebruiker als passend wordt ervaren. Past dit product bij het merk? Past dit bij mij? De perceptuele fit wordt opgevat als 'informele ergonomie', het heeft betrekking op een subjectieve beleving die bijzonder relevant is voor het succes van een product. Eerder in de tekst brachten we naar voren dat onderscheid op functionele gronden steeds moeilijker wordt en dat de voorkeur van consumenten steeds vaker op deze perceptuele aspecten is gebaseerd (in verband met een symbolische waarde).

Dumas & Mintzberg gaan nog verder door binnen hun concept van 'ergonomie +' een derde facet van fit naar voren te brengen. Het begrip fit moet volgens hen niet alleen vanuit het consumentenperspectief worden beschouwd, maar ook vanuit het perspectief van de organisatie. Ook in de definitie van Kotler (zie paragraaf 1.1) gaat het designproces over het optimaliseren van de relatie tussen klanttevredenheid en de winstgevendheid van de onderneming. Het begrip fit dient daarom ook te worden opgevat als de mate waarin een bepaalde ontwerpoplossing bijdraagt aan de ondernemingsdoelstellingen. Past het ontwerp bij de aard, de positie en de strategie van de organisatie? Kan het ontwerp op een rendabele wijze in productie worden genomen binnen het beschikbare productie-apparaat? Zijn de investeringen die samenhangen met het opzetten van een nieuwe productielijn te overzien? In de praktijk zijn managers vooral bezig met het beoordelen van deze organisatorische fit. De betrokkenheid van managers als silent designers valt daarom goed te begrijpen.

In figuur 5.2 worden de drie dimensies als los van elkaar staande elementen gepresenteerd. In paragraaf 5.3 behandelen we aan de hand van vier managementmodellen, de verschillende mogelijkheden om deze hoofdfuncties van design in hun onderlinge samenhang te managen.

Met de introductie van hun denkraam brengen Dumas & Mintzberg de uiteenlopende designrealiteiten in organisaties terug, aan de hand van de drie hoofdfuncties van design: functie, ergonomie en vorm. Alle bij het designproces betrokken managers en specialisten kunnen worden geschaard onder één van deze drie dimensies:

- Aan de kant van de *functie* vinden we industrieel ontwerpers, systeemtechnici, informatietechnici, software ontwerpers, matrijzen- en componentenontwerpers, civiel ingenieurs, et cetera. Kortom, allen die zich bezighouden met de functie (de mechanische of procesmatige werking en samenstelling) van een bepaald product of een productielijn.

- Aan de kant van *vorm* gaat het om productontwerpers, grafisch ontwerpers, stylisten, semantici, tekstschrijvers, fotografen, illustratoren, et cetera. Kortom, al die specialisten die verantwoordelijk zijn voor de uiterlijke vormaspecten en presentatievormen van een product.
- Aan de kant van de *fit* ten slotte, vinden we behalve ergonomen ook *interface* ontwerpers, *interaction designers, brand designers,* productmanagers, het business unitmanagement, algemeen management, merkmanagers, marketeers, communicatiespecialisten en marktonderzoekers (waaronder trendwatchers). Maar eventueel ook psychologen, sociologen, juristen, financieel specialisten (in verband met calculatie en kosten/baten analyse) en planners.

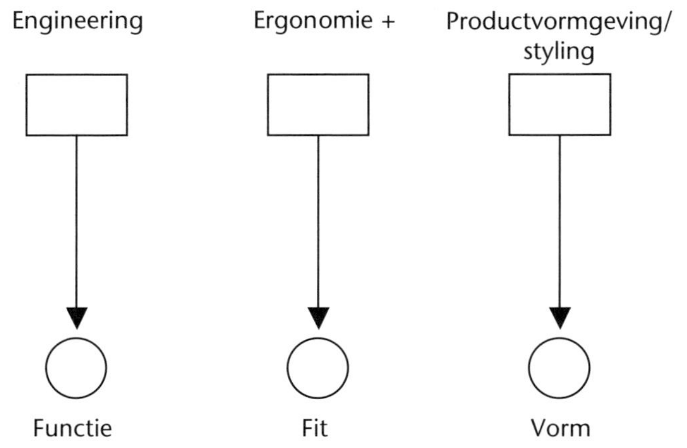

Figuur 5.2 Dimensies van design (bron: Dumas & Mintzberg, 1991)

Het is een misverstand om designmanagement uitsluitend aan de kant van vorm te laten opereren. Designmanagement moet geacht worden het hele spectrum van designfuncties te kunnen overzien, en sturend en coördinerend op te treden naar de verschillende actoren. Het is de taak van designmanagement bij uitstek om ervoor te zorgen dat een optimale integratie van alledrie designfuncties plaatsvindt, teneinde excellente en succesvolle producten te kunnen ontwikkelen. Hier ligt een belangrijke toegevoegde waarde die designmanagement kan bieden. Tegelijkertijd is duidelijk dat de beschikking over een flink arsenaal van kennis en vaardigheden nodig is, om deze taak met succes te kunnen vervullen.

Het denkraam van Dumas & Mintzberg helpt ons om beter te begrijpen welke aspecten deel uitmaken van het ontwerpproces. Wanneer we binnen dit totale proces het designontwikkelingstraject afkaderen (de feitelijke ontwerpopdracht), dan kunnen we de drie designfuncties eveneens herkennen. Bijvoorbeeld aan de hand van een denkbeeldige case zoals het design van een website. Webdesigners ontwerpen in de eerste plaats de functionaliteit van de website. Wat is het gebruiksdoel van de website en welke functionaliteiten dienen daarom te worden geboden? Maar ook: op welke wijze kunnen deze functionaliteiten het beste vorm krijgen? Daarnaast gaat het om de formele ergonomie, oftewel de functionele fit; het gebruiksgemak. De sitestructuur en de grafische interface van de website moeten gebruikers in staat stellen snel hun weg te vinden en gemakkelijk te navigeren. Teksten moeten leesbaar zijn en de site moet voldoende snel zijn, zonder lange wachttijden. Wanneer we het concept verder oprekken naar de informele ergonomie (de perceptuele fit), gaat het er ook om dat gebruikers de website als 'passend bij het product en/of het merk' beoordelen. Maar ook dat de aangebrachte functionaliteiten in de website zijn vormgegeven op een wijze die past bij de beleving en het gedrag van de doelgroep.

Last but not least moet de fit met de achter de website liggende bedrijfsprocessen worden gerealiseerd. Deze moeten zodanig ingericht kunnen worden dat de site de beoogde functionaliteit daadwerkelijk levert en de verwachtingen van gebruikers waarmaakt. In hoeverre is dit haalbaar en gewenst? Tegen welke kosten kunnen deze aanpassingen in de organisatie en de processen worden gemaakt? Het zijn vragen die ontwerpers niet kunnen beantwoorden en waarover het management moet beslissen, maar het zijn ook aspecten waar veel mensen bij betrokken zullen zijn als het gaat om de uitvoering.

Als derde element zijn er ook niet functionele ontwerpdoelen die te maken hebben met herkenning, beleving en aantrekkelijkheid voor de doelgroep. Het gaat hier om het uiterlijk en de stijl: de lay-out en opbouw van schermen, de typografie, het kleurgebruik, het gebruik van illustraties op de webpagina's en de uitdrukking van de visuele merkidentiteit.

Als het goed is, zijn in het designconcept alledrie de designfuncties integraal opgenomen; functionaliteit, ergonomie en vorm (in dit verband ook wel: grafische stijl). De mate waarin ontwerpers erin slagen een goede aansluiting te maken tussen deze drie designfuncties, bepaalt in hoge mate de kwaliteit van het design en van de website in het bijzonder. Een site die alleen maar goed werkt of er alleen maar aantrekkelijk uitziet, zal zelden hoog gewaardeerd worden door gebruikers en succesvol zijn. Volgens Clipson (1990, in: Cooper & Press, 1995) is design dan ook '*het enige proces waarmee de technologische, ergonomische en stylistische specificaties kunnen worden geconfigureerd in levensvatbare producten, diensten en omgevingen. Daarom zou design in het centrum van alle bedrijfsactiviteiten geplaatst moeten worden.*'

5.2.1 Silent design en seen design

Managers, productiespecialisten, marketeers en communicatiespecialisten zijn vanuit hun verantwoordelijkheid vooral betrokken bij de informele ergonomie. Hiermee wordt niet de functionele fit van het tastbare product bedoeld (bestempeld als formele ergonomie), maar de perceptuele fit tussen de aard van het product met de behoeften van de gebruiker, de eisen van de markt en de capaciteiten van het productiesysteem. Deze mate van fit zal het succes van een product in aanzienlijke mate bepalen.

Deze functionarissen zijn eerder voorgesteld als silent designers, ze nemen vrijwel dagelijks beslissingen over design en hebben daarmee invloed op het designproces en het design. Dumas & Mintzberg betitelen silent design als het informele designproces en plaatsen dit tegenover *seen design* als het formele designproces (figuur 5.3). Hierbij doelen ze op de erkende actoren in het designproces: ontwerpers, stylisten, engineers, ergonomen en designmanagers. In het paraplu-model bevinden zich in het midden onder de paraplu de formele designactiviteiten, deze worden betiteld als seen design. Deze hebben betrekking op engineering design, ergonomie en productdesign/styling. Hiernaast – aan beide zijkanten onder de paraplu – acteren de silent designers van andere gerelateerde functies. In het bijzonder marketing en productie, die het design verbinden met het productieproces en met de markt en afnemers. Het algemeen management (ook silent) houdt dit allemaal bij elkaar en ziet toe op het noodzakelijke niveau van samenwerking en de brede fit tussen producten, processen en de geformuleerde organisatiedoelen en strategie.

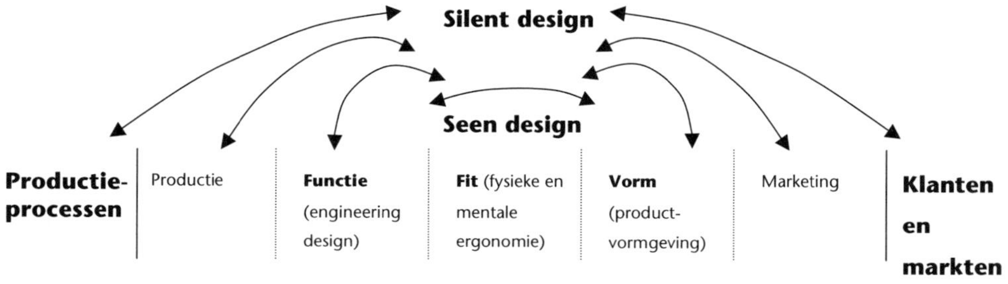

Figuur 5.3 De paraplu van silent design (bron: Dumas & Mintzberg, 1991)

Box 5.2 **Designmanagement in de praktijk: Lumiance**

Het in Haarlem gevestigde bedrijf Lumiance vormt één van de zes merken van het internationale SLI-concern (Sylvania Lighting International) en opereert gedeeltelijk zelfstandig. Lumiance ontwerpt en produceert zelfstandig verlichtingsarmaturen voor de professionele markt maar verkoopt deze via de Sylvania verkooporganisatie. Hoewel het merk een eigen propositie heeft, kan Lumiance Haarlem door deze constructie niet de volledige controle over het eigen merk voeren. Zeventig procent van de omzet wordt geëxporteerd, voornamelijk binnen Europa. Hoewel via ondermeer de catalogus en verkooptrainingen wel voeding wordt gegeven aan het merk, is een optimale controle over de internationale merkpresentatie niet haalbaar. Dit maakt het voor Lumiance soms lastig om de toegevoegde waarde van het merk helder en consistent op de kaart te zetten ondanks de goede contacten met de verschillende internationale verkooporganisaties.
Lumiance is een voorbeeld van een 'lean and mean'-organisatie die met slechts vierenveertig medewerkers een hoge omzet en winstbijdrage weet te bereiken. Het bedrijf beschikt niet over eigen productie- of assemblagefaciliteiten maar de volledige collectie (850 artikelnummers) is wel direct uit voorraad leverbaar. De kerncompetenties van het bedrijf liggen met name op het gebied van productontwikkeling, strategische inkoop,

logistiek en marketing. Door een uitstekende beheersing van de processen, een grote slagvaardigheid en een hoge betrokkenheid van de medewerkers weet het de concurrentie voor te blijven.
Productontwikkeling en merkinnovatie worden als essentieel gezien; als een levensvoorwaarde. Het zijn permanente en volledig geïntegreerde processen binnen Lumiance. Hoewel het merk niet streeft naar een imago als top-innovator, biedt het zowel architecten, installateurs als eindgebruikers een hoge toegevoegde waarde. Het designbeleid is dan ook gericht op een aantal verschillende aspecten zoals het gebruik van nieuwe technologieën (o.a. nieuwe lichtbron-ontwikkelingen door Sylvania), een zich onderscheidend productuiterlijk, veiligheid en duurzaamheid, installatiegemak en een goede prijsvorming (in verband met een aantrekkelijke handelsmarge).
Met name het productimago geeft inhoud aan de merkreputatie: nieuwe producten worden regelmatig onderscheiden met internationale designprijzen. Design vertegenwoordigt van oudsher een belangrijke waarde voor het merk. Het bedrijf opereert vanuit een door architect Mart van Schijndel ontworpen gebouw en staat onder leiding van algemeen directeur Michel Krechting die zelf is opgeleid als industrieel ontwerper. Krechting adviseert primair over het designbeleid binnen Lumiance maar soms ook als het gaat om internationale productpresentaties en introducties.
Binnen Lumiance stuurt en faciliteert Krechting het designproces, maar niet op basis van een hiërarchische gezagsverhouding. Hij spreekt van vertrouwen, verantwoordelijkheid bij de medewerkers neerleggen en teamresultaat. Het designmanagement is dan ook de gezamenlijke verantwoordelijkheid van een klein team onder leiding van de algemeen directeur, samen met de brand manager en het hoofd productontwikkeling. Centraal daarbij staan de productportfolio en merkverschijning. Daarnaast speelt het 'Assortimentsteam' een belangrijke rol bij productplanning; het wijzigen van de productportfolio is binnen Lumiance een zorgvuldig proces in verband met de gewenst consistentie en garantie van service en nalevering.
Lumiance beschikt over een eigen ontwerpafdeling en een modelwerkplaats. Daarnaast is er een laboratorium voor 'duurtesten'. Het designteam wordt gevormd door een designmanager (hoofd productontwikkeling), een industrieel ontwerper, zes engineers, twee projectleiders en twee modelmakers. Het productontwikkelingsproces is volledig geïntegreerd in de organisatie en niet alleen als het gaat om functies zoals design, engineering en marketing. Via multidisciplinaire projectteams wordt ook de expertise van inkoop, productiebegeleiding en logistiek ingebracht (waardoor iedereen 'aangesloten' is en het draagvlak binnen de organisatie wordt geoptimaliseerd). Om te kunnen excelleren moet namelijk over ieder detail worden nagedacht: alles moet kloppen.

5.3 Vier modellen voor designmanagement

Dumas & Mintzberg presenteren op grond van hun framewerk vier modellen van designmanagement die we in deze paragraaf bespreken. Deze besturingsmodellen verbeelden vier verschillende benaderingen en worden betiteld als *encompassed design* (omvattend design), *decomposed design* (ontledend design), *dominated design* (gedomineerd design) en *cooperative design* (coöperatief design). De belangrijkste dimensies waarbinnen deze modellen worden onderscheiden hebben te maken met hun ontwikkelingsvermogen: het volgtijdig/gelijktijdig ontwikkelen en het gescheiden/geïntegreerd ontwikkelen. Op grond van deze dimensies kunnen we de vier modellen als volgt weergeven:

- Volgtijdig en gescheiden productontwikkeling: dominated design
- Gelijktijdig maar gescheiden productontwikkeling: decomposed design
- Gelijktijdig en geïntegreerde productontwikkeling: encompassed design en cooperative design.

We geven per model een korte toelichting, die we bewust wat zwart-wit neerzetten om de verschillen tussen de modellen duidelijk te maken. De werkelijkheid is meestal iets genuanceerder.

Model 1. Encompassed (omvattend) design: de enkelvoudige designfunctie

Er zijn eenvoudige, individuele producten waarvan de ontwikkeling door een ontwerpteam integraal wordt uitgevoerd, voor zover dit het formele ontwerpproces betreft (seen design). Het geheel van functie, fit en vorm is soms zelfs in handen van één ontwerper. Dit kan tot positieve resultaten leiden, zoals bij een boek, tijdschrift, wandmeubel of vaas. Of bij een stoel die naast een onderscheidende en esthetische vorm, ook excellent zitcomfort biedt.

Het designmanagement is in dit model beperkt. Bedrijven die dergelijke producten ontwikkelen, zullen wel individuele ontwerpprojecten managen, maar hoeven dat niet te doen voor wat betreft de samenwerking tussen verschillende typen design- en aanverwante specialisten. De realiteit is echter dat er maar weinig organisaties bestaan voor wie dit nog geldt. De meeste producten (en zeker stoelen) zijn zo complex dat bedrijven de talenten van verschillende soorten ontwerpers en specialisten moeten combineren. Veel organisaties kunnen het zich eenvoudigweg niet permitteren fouten te maken in één van de designfuncties. Het terughalen van verkochte exemplaren naar de fabriek of het moeten vervangen van onderdelen kan desastreus zijn uit financieel en reputationeel opzicht. (Een situatie die we overigens regelmatig tegenkomen getuige de oproepen van fabrikanten en retailers in de media.) Voor veel organisaties is het onvermijdelijk om een ander model te hanteren: *'In today's complex world, it's no longer possible to tackle a design problem from the point of view of a single skill: a multidisciplinary team approach is required.'* (Marzano, 1998).

Model 2. Decomposed (ontledend) design: geïsoleerde designfuncties

De gemakkelijkste weg om de *interfaces* tussen verschillende soorten ontwerpers te managen, is het ontwerpproces te ontleden in heldere componenten van functie, vorm en fit. En deze vervolgens ieder op te dragen aan een afzonderlijke designspecialist of -groep. De taak van de designmanager kan er dan uit bestaan deze afzonderlijke ontwerptaken aan te sturen en te coördineren.

Deze benadering werd eerder in de tekst als analytisch management beschreven. Het is een in de praktijk veel voorkomend model en we zien dat daar in veel gevallen goede resultaten mee bereikt worden. Dit kan echter alleen in situaties waarin de parameters

van het design bekend zijn en gemakkelijk kunnen worden gecontroleerd. Met andere woorden, wanneer relatief weinig creativiteit of vernieuwing wordt verwacht en de ontwerpuitgangspunten over een langere periode bekend en min of meer stabiel zijn. Omdat bijvoorbeeld de productcategorie min of meer uitontwikkeld is.
Het model kan ook worden toegepast wanneer er geen sprake is van integrale productontwikkeling, maar van incrementele (stap voor stap) productaanpassing of -verbetering. Op één moment wordt bijvoorbeeld de gebruiksvriendelijkheid van het product verbeterd, op een ander moment worden nieuwe texturen en kleurstellingen (of smaakvarianten) voor het betreffende product bedacht. Of wordt de verpakking of communicatiestijl aangepast.
Decomposed design is echter niet levensvatbaar wanneer een meer flexibele en responsievere werkwijze is vereist, met het oog op snelle veranderingen in de marktomgeving of technologische ontwikkelingen. Vooral bij new product development (NPD) is een integrale aanpak vereist. Er moet dan in korte tijd een nieuwe visie worden ontwikkeld, uitmondend in een nieuw product (en meestal ook een nieuwe productielijn). Wanneer men zich de situatie voorstelt dat tegelijkertijd, maar onafhankelijk van elkaar, drie afdelingen aan de slag gaan met ieder één van de designfuncties en dat op een x-moment deze drie designresultaten moeiteloos in elkaar geschoven zouden kunnen worden tot één perfect eindproduct, dan zou dat geweldig zijn. Misschien een gedroomd ideaal... maar in werkelijkheid zeer onwaarschijnlijk.

In dit model gaan afdelingen gelijktijdig maar gescheiden op zoek naar antwoorden op de afzonderlijke deelproblemen (designfuncties). Als er sprake is van een formele structuur, een helder onderscheid tussen functionele afdelingen en eenduidige bevelslijnen (in een traditionele organisatie), dan kan het zijn dat de uiteenlopende organisatiefuncties min of meer los van elkaar opereren in een lineair proces. Ze dragen dan afzonderlijk bij aan het resultaat, zonder dat sprake is van onderlinge afstemming; de verantwoordelijkheid en zeggenschap reikt niet verder dan de eigen afdeling. Een dergelijke organisatie is niet ingericht op samenwerking en flexibiliteit en daarom kan er ook sprake zijn van een competentiestrijd tussen de afdelingen. De situatie kan zich voordoen dat een afdeling het ontwerpresultaat als het ware 'over de muur' naar de volgende afdeling gooit. Die er op haar beurt haar activiteit aan toevoegt (en eventueel wijzigingen aanbrengt) en het vervolgens over de muur van de daaropvolgende afdeling gooit. Het project legt dan bijvoorbeeld de volgende route af: Design > Engineering > Marketing > Sales > Productie. Of: Engineering > Marketing > Design > Productie.
In de eerste situatie zal het bijzonder moeilijk zijn het designconcept overeind te houden zodat het ongeschonden de eindstreep haalt. Iedere afdeling zal haar opvattingen en wensen hebben en wijziging van het ontwerp kunnen eisen. In de tweede situatie zit design een stuk later in het proces. De productspecificaties zijn dan al grotendeels bepaald en wanneer eerdere afdelingen niet bereid zijn aanpassingen te maken, zit er weinig anders op dan het zo goed mogelijk vormgeven aan wat op tafel ligt. De beperking van dit designmanagementmodel is dat de creativiteit van de andere afdelingen aan banden is gelegd en er geen gebruik wordt gemaakt van hun capaciteiten om bij te dragen aan

het initiële concept. Van het optimaal op elkaar afstemmen van de drie designfuncties is geen sprake.

Model 3. Dominated (gedomineerd) design: één designfunctie is bepalend
In dit model wordt één van de designfuncties (afdelingen) toegestaan om de andere te domineren. Het proces verloopt hierdoor niet gelijktijdig maar volgtijdig, hetgeen langere ontwikkeltijden met zich meebrengt.
Bijvoorbeeld in de automobielindustrie of architectuur wanneer het primaat ligt bij de vorm, bijvoorbeeld omdat imago-aspecten in deze productcategorie van doorslaggevend belang zijn. Het gevolg is dat de uiterlijke productvorm naderhand door technici en ingenieurs moet worden 'ingevuld'. Maar het kan natuurlijk ook andersom, hetgeen ertoe leidt dat het productuiterlijk (bijvoorbeeld de behuizing) als laatste moet worden toegevoegd en als het ware over de constructie heen moet worden gegoten. Een situatie is ook goed denkbaar waarbij informatie-technici het product bepalen (de functie) op basis van de informatiesystemen, ongeacht wat marketingmensen hiervan vinden. Zoals bij financiële of verzekeringsproducten. De afdelingen ICT zijn vaak bijzonder machtig in dit soort organisaties.
Waar het op neerkomt is dat één groep nu de parameters van het design bepaalt en de andere designfuncties dicteert, waaraan de andere groepen zich moeten conformeren. Een inherente beperking van dit designmanagementmodel is, net als model 2, dat het is gelimiteerd aan de realiteit van één individu of afdeling, visionair of niet. Bovendien is de creativiteit van de andere betrokkenen aan banden gelegd en wordt geen gebruik gemaakt van hun capaciteiten om bij te dragen aan het initiële concept. In het geval van de informatie-technici is het niet ondenkbeeldig dat de systeemoutput (de fysieke vorm van het product) niet overeenkomt met de wensen van gebruikers; de fit zal dan te wensen overlaten. Het is niet zonder risico om een dergelijke groep het primaat te geven. Consumenten kunnen het product links laten liggen of een negatieve ervaring overhouden aan het gebruik ervan. Voor een organisatie die klanttevredenheid hoog in het vaandel heeft, lijkt dit model daarom een risicovolle weg.

Laat ons nog even teruggaan naar de casebeschrijving van de website. In de praktijk komt het ook voor dat alleen de vorm (de grafische stijl) als designfunctie wordt erkend. Het is nu eenmaal een hardnekkig misverstand dat design alleen gaat over de buitenkant, het uiterlijk der dingen. De rol van de designer wordt dan sterk ingeperkt tot het aan het eind van het ontwikkelingstraject toevoegen van enkele lay-outs op basis van vaststaande feiten. Hij wordt niet of nauwelijks toegelaten tot de domeinen van informatie-technici, procestechnologen en communicatiespecialisten; zij bepalen in hoge mate de productontwikkeling. Wanneer ook communicatiespecialisten niet worden toegelaten tot het domein van informatie-technici en procestechnologen, ontstaat een nog problematischer situatie. Er is dan sprake van dominantie door één partij. In de praktijk zal dit niet zelden leiden tot sub-optimale eindproducten, omdat de verschillende ontwerpfuncties niet of onvoldoende geïntegreerd zijn. Een dergelijk traject kan makkelijk leiden tot een website die wel is toegesneden op de eigen bedrijfsprocessen maar onvoldoende op de behoeften en wensen van gebruikers – of op de merkidentiteit.

Wanneer het belang van design niet erkend wordt binnen een organisatie of als operationeel (uitvoerend) wordt betiteld, zien we dat de designverantwoordelijkheid wordt opgedragen aan één afdeling die haar visie oplegt aan andere afdelingen. Dat is dan meestal geen designafdeling maar een afdeling R&D, marketing of communicatie. Het potentieel van design kan dan gemakkelijk ondergesneeuwd raken door bijvoorbeeld een korte-termijn gerichtheid of door een té instrumentele benadering.

Model 4. Cooperative (samenwerkend) design: wisselwerking tussen designfuncties
Dit model moedigt de wisselwerking tussen de verschillende designspecialismen aan. Excellente productontwikkeling vraagt om een meer integrale benadering dan in de modellen hiervoor. Innovatief design dat ook effectief is, brengt een mate van dynamiek en complexiteit met zich mee en vereist de inbreng van verschillende kennisgebieden; een interdisciplinaire aanpak. Dit brengt een zekere mate van wederzijdse aanpassing tussen de verschillende designspecialisten en anderen in de organisatie met zich mee. Er dient daarom een open communicatie (en dito werkcultuur) tussen de verschillende groepen te zijn tijdens het gehele ontwerpproces.
Een formele organisatie zoals beschreven bij model 2 past niet in dit managementmodel. Dit model verwijst naar een organisatiestructuur die wel wordt aangeduid als *adhocracy* (Mintzberg, 1979). Hierbij wordt gebruik gemaakt van mechanismen zoals teams, *task forces*, integratiemanagers en een matrixstructuur. In dit model wordt een projectteam samengesteld dat bestaat uit verschillende specialisten die als opdracht krijgen gezamenlijk de klus te klaren. Het team functioneert op basis van samenwerking en vertrouwen.
Dit is een model dat flexibiliteit koppelt aan een sterke integratie van de verschillende designfuncties en aangrenzende functies (silent designers). Het voordeel is dat snel en doeltreffend gewerkt kan worden. Maar zoals eerder naar voren gebracht werd, vereist het een aanzienlijke managementinspanning om een dergelijk projectteam (van soms rivaliserende specialisten) goed samen te laten werken.

Niet ieder managementmodel past in iedere organisatie. Met name model vier stelt – alhoewel veelbelovend vanuit het oogpunt van design – hoge eisen aan het type organisatie. Bij kennisintensieve organisaties waarin professionals werken met een hoog opleidingsniveau zal zoiets eerder te realiseren zijn dan in meer traditionele industrieën.
De uitgezette strategie is in de praktijk sterk bepalend voor de keuze van het managementmodel, maar ook het aanwezige leiderschap. Zo bracht Philips-topman Kleisterlee in een artikel in Business Week naar voren dat, om de strategie kracht bij te zetten, hij had meegeholpen om onderzoekers van Philips Technology te laten samenwerken met onderzoekers van Philips Design – waar deze in het verleden vaak met elkaar wedijverden. De oprichting van het innovatieve 'HomeLab' voor productontwikkeling was hiervan het gevolg. Hiermee kiest de Philips-leiding voor 'cooperative design' als managementmodel.
Binnen Philips Design zelf wordt al geruime tijd gesproken over 'High Design', waarmee gedoeld wordt op een geïntegreerd proces. Gebaseerd op de interactie van wat genoemd wordt; 'high level skills'. Dit zijn de kennis en vaardigheden die historisch verbonden zijn aan design plus alle nieuwe designgerelateerde vaardigheden, die in de visie van Phi-

lips Design nodig zijn om antwoord te kunnen geven op de complexiteit en uitdagingen van het heden – en om te kunnen anticiperen op de toekomst. Bij Philips Design werken productontwerpers en grafisch ontwerpers, maar ook menswetenschappers (sociologen, antropologen, ergonomisch psychologen), bewegingswetenschappers en marktonderzoekers die gedrag, wensen en behoeften van consumenten in kaart brengen.
Het High Design-proces adopteert continue nieuwe geavanceerde culturele en technische criteria. Na het integreren van menswetenschappen in de designpraktijk denkt men nu aan opkomende technologieën als biochemie en genonderzoek. Philips Design verwacht veel van apparaten die met fysieke bewegingen worden aangestuurd. We kunnen dus verwachten dat het coöperatief model nog verder zal groeien. (Bronnen: *de Volkskrant*, 10 oktober 2005 en *Items*, november 2005.)
Bij BMW lijkt het anders te liggen. Uit het verhaal van Chris Bangle over designmanagement bij BMW (paragraaf 4.4.1) komt naar voren dat design zo'n centrale waarde vertegenwoordigt in de strategie van BMW, dat een ontwerpoplossing pas naar engineering gaat als het voldoende gerijpt is. Een keuze voor model 3 dus, op grond van het besef dat de kwaliteit van het design (en met name de detaillering) van elementair belang is voor het succes van BMW in de markt. (Overigens lijkt dat te gelden voor de automobielindustrie als geheel; het productuiterlijk en -imago zijn sterk bepalend voor het succes.) Het zou kunnen dat met het oog op de tijdsduur en de kosten van productontwikkeling het door BMW gehanteerde model in de toekomst zal worden herzien. Aziatische concurrenten ontwikkelen namelijk een nieuwe auto in minder dan de helft van de tijd dan BMW.

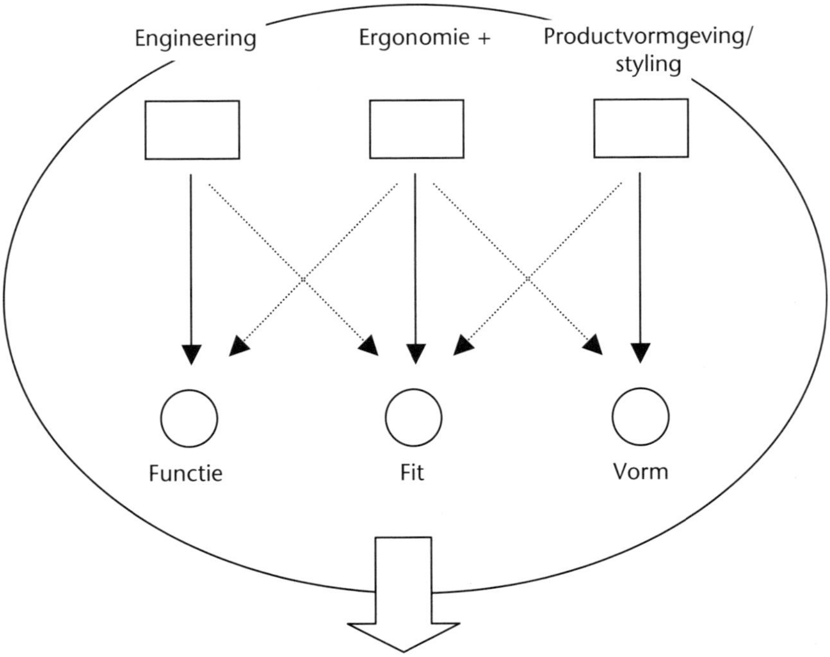

Figuur 5.4 Managementmodel 4: Coöperatief design (bron: Dumas & Mintzberg, 1991)

Als keuzecriterium kunnen we ten slotte naar voren brengen de zienswijze en stijl van het senior management. Het maakt nogal wat uit of het management de organisatie ziet als een 'levend organisme' of als een 'goed geoliede machine'. Wanneer sprake is van een traditionele hiërarchische managementstijl – en dito werkstructuur – zal dit grenzen stellen aan de wijze waarop het designmanagementproces kan worden georganiseerd. Omdat design stoelt op originaliteit, vernieuwingsdrang, creativiteit en innovatie, kan gemakkelijk een conflict ontstaan met traditionele managementstijlen die primair op controle en beheersing zijn gericht.
We kunnen vanuit ons standpunt dit gegeven echter ook omdraaien en naar voren brengen dat het invoeren van een succesvol designmanagementmodel dwingende eisen stelt aan de inrichting van de managementstructuur. Op het moment dat design in het hart van de onderneming wordt geplaatst en innovatievermogen centraal staat in de gekozen ondernemingsstrategie, is er in feite geen basis voor een traditionele hiërarchische managementstructuur. Wat dan nodig is, is een informele open structuur gebaseerd op collegialiteit en vertrouwen, waarin samenwerking, flexibiliteit en responsiviteit centraal staan.

Box 5.3 **'Cooperative design' bij IDEO**

Een design consultancy dat volgens het principe van cooperative design werkt is IDEO (Silicon Valley, 1991). Een productontwerp- en ontwikkelingsbureau dat in bijna vijftien jaar tijd is uitgegroeid tot het grootste designbureau ter wereld met vestigingen in de VS, Europa en Azië. Hi-tech apparaten, huishoudelijke gebruiksvoorwerpen, meubilair, transportmiddelen, medische apparatuur enzovoort; er is geen categorie te bedenken of dit ontwerpbureau heeft er toonaangevende, innovatieve en verleidelijk vormgegeven bijdragen aan geleverd. Canon, Nike en Samsung zijn enkele van de namen die hier aanzienlijke designbelangen onderbrengen.
Het is de innovatieve, open en flexibele werkwijze die deze onderneming in staat stelt om steeds een succesvol antwoord te bedenken op de vragen die in de markt leven. Doelbewust heeft het bureau gezocht naar methoden om de culturen van ontwerpers, engineers, business-strategen en ergonomen, maar ook wetenschappers, gebruikers en producenten te integreren. 'Focused Chaos' wordt deze manier van werken genoemd in één van de boeken die over IDEO verschenen zijn (Kelley, 2001). Leidraad hierin is de volgorde van werken: Understand > Observe > Visualize > Evaluate > Implement.
Het ontwerpproces verloopt binnen IDEO volgens een bepaalde open structuur, waarbij niet alleen vormgevers deel uitmaken van het ontwerpteam, maar ook wetenschappers uit de hoek van menswetenschappen (psychologen en sociologen) en civiele techniek (*engineers* en ergonomen). Een bepaald product wordt vanuit al deze verschillende perspectieven geanalyseerd en gedetermineerd. Veldonderzoek, labaratoriumtests; geen middel wordt onbenut gelaten. Vervolgens wordt een inventarisatie van ideeën gemaakt en werkt het gehele team aan de ontwikkeling van een nieuw ontwerpconcept. Vanaf een bepaald moment vindt een uitwerking plaats door specialisten binnen het team, maar ook tijdens dit verdere proces blijft het gehele team erbij betrokken.

In feite vormt deze visie op ontwerpen de kern van wat IDEO is. Samenwerking, georganiseerd op een manier die een perfect voorbeeld is van 'cooperative design': het stimuleren van innovatief denken door minder gescheiden en volgtijdig, maar meer geïntegreerd en gelijktijdig op zoek te gaan naar antwoorden op het complexe samenstel van vragen dat samenkomt in een uiteindelijk vaak ogenschijnlijk eenvoudig product.

5.4 Het designmanagementproces

Het designproces is breed en bestaat uit een aantal sleutelelementen: het verhelderen van de behoefte aan design (eventueel gebaseerd op onderzoek) en de projectdoelstellingen, idee-generatie, het prepareren van een creatieve briefing, het selecteren van het juiste ontwerppotentieel, conceptontwikkeling, gedetailleerd design, testen, productie, implementatie en het monitoren van de resultaten. Al deze onderdelen van het designproces zijn van invloed op het bereikte resultaat.
Wanneer we het designproces vanuit het perspectief van designmanagement beschouwen, kunnen we dit ook betitelen als het designmanagementproces. Een term die eigenlijk veel juister en minder verwarrend is. Het designproces heeft niet alleen betrekking op het creatieve werk van ontwerpers (het eigenlijke creatieproces), maar ook op het veel bredere geheel van designactiviteiten, inclusief die van silent designers.
Om design effectief te kunnen gebruiken, dient de designmanager te overwegen hoe design kan worden ingepast in de betreffende business, welke designspecialismen gebruikt moeten worden, welke bijdrage design kan leveren en hoe vaardigheden kunnen worden ontwikkeld in de planning, briefing, beoordeling, realisatie en waardering van design. Figuur 5.5 illustreert het designmanagementproces en de issues die aan de orde zijn wanneer designmanagers werken met ontwerpers. In essentie gaat het om vier hoofdtaken: formulering van de ontwerpopgave, ontwikkeling van de ontwerpoplossing, overgang (implementatie van de gekozen ontwerpoplossing) en reactie (het vaststellen in hoeverre de ontwerpoplossing leidt tot de gewenste resultaten). Het schema laat zien dat het om een cyclisch proces gaat, waarbij de opvolgende managementactiviteiten bestaan uit planning, evaluatie, implementatie en monitoring.
Deze schematische voorstelling kan verwarring oproepen wanneer lezers teveel het creatieproces in gedachten hebben. Die lezers zullen verwachten dat evaluatie pas aan het eind van het proces zal plaatsvinden. Niets is minder waar. Juist de designmanagementactiviteit is er op gericht in een zo vroegtijdig mogelijk stadium vast te stellen of de door de ontwerper of het ontwerpteam aangedragen designoplossing, de beoogde resultaten zal hebben en er sprake is van een goede fit. Deze beoordeling kan niet worden uitgesteld tot na de feitelijke productie en implementatie. Het is dan te laat om nog bijstellingen te kunnen doen en de investering kan dan niet meer ongedaan worden gemaakt.
Wanneer de ontwerper zich richt op creatie (het feitelijke designontwikkelingsproces), is de designmanager in hoofdzaak bezig met het evalueren van de ontwerpvoorstellen. In hoeverre beantwoorden ontwerpvoorstellen aan de voorafgestelde doelen? Welk voorstel zal het beste resultaat hebben? Wat is het kostenniveau dat met het voorstel samenhangt?

Wat zijn de consequenties voor productie en invoering? De designmanager richt zich in deze belangrijkste fase van het proces op het beoordelen van aangedragen voorstellen, het afwegen van alternatieven en het overdenken van alle 'ins' en 'outs' met betrekking tot verdere productie en implementatie. Het testen van een ontwerp door middel van marktonderzoek behoort in principe tot deze fase, evenals een kosten/baten-analyse.
De evaluatiefase ligt in het verlengde van de planningsfase. Het gaat er in de evaluatiefase om, betrouwbare uitspraken te kunnen doen over het te verwachten designresultaat. Pas na de feitelijke implementatie kan in de monitoringfase het werkelijke (gerealiseerde) resultaat worden bepaald en beoordeeld. Het beoogde ontwerpresultaat kan immers nog steeds worden beïnvloed door de kwaliteit van de productie en implementatie.
De vier hoofdactiviteiten van designmanagement worden voorgesteld als een cyclisch proces (figuur 5.5). Uitgangspunt is het in gang zetten en houden van verbeteracties en het daadwerkelijk managen van verbeterdoelstellingen. Het plannen van de verbeteractiviteit met een duidelijk doel (op grond van monitoring) moet logischerwijs opgevolgd worden door de uitvoering van deze activiteit. De activiteit dient vervolgens gemeten te worden in termen van behaalde resultaten. Deze worden vergeleken met de oorspronkelijke doelstellingen van de activiteit. Op basis hiervan worden nieuwe (verbeter)activiteiten geformuleerd. De leerervaring van reeds uitgevoerde activiteiten wordt steeds meegenomen in nieuwe activiteiten. Op deze wijze kan op een systematische wijze invulling worden gegeven aan het managen van geformuleerde doelstellingen.

Reactie -design 'uitkomst'
Evaluatie projectresultaat
Klantwaardering
Effectiviteitsmeting
Auditing

Formulering - design-'oorsprong'
Probleemonderzoek
Probleemdefinitie
Strategie- en ideevorming
(planning)
'Sourcing' (financiering,
budgettering, bemensing, organisatie
Briefingsproces

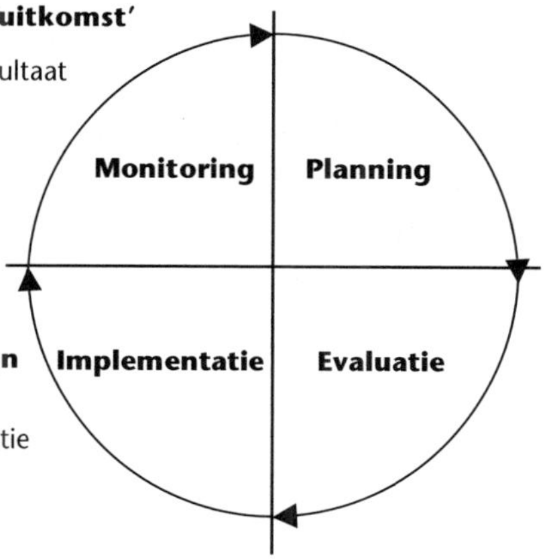

Overgang - design 'productie'
Begeleiding productie
Introductie
Documentatie
Installatie, levering
Helpdesk

Ontwikkeling - design 'uitwerking'
Begeleiding creatie
Evaluatie ontwerpvoorstellen
Prototyping en testing
Goedkeuring definitief ontwerp
Vaststelling productiespecificaties
Regelen kwaliteitsborging

Figuur 5.5 De designmanagementcyclus (naar: Bruce & Cooper, 1997)

Planning

De planningsactiviteiten zijn er op gericht duidelijkheid te verkrijgen over de exacte doelstellingen, inhoud, randvoorwaarden en haalbaarheid van het designproject; wat moet er beter of anders en hoe kan dit het beste worden gerealiseerd? Maar ook; wat is daarvoor nodig en is het haalbaar? De noodzakelijke condities worden in deze fase in kaart gebracht en gerealiseerd (zoals budgettering, projectorganisatie en bemensing). Kernwoorden hierbij zijn visie, beleid, afstemming en overtuigingskracht. Wanneer het (design)plan is volgroeid en goedgekeurd, kan men aan de slag. Wat volgt is de creatieve briefing en de selectie van het juiste ontwerppotentieel (de benodigde specialisten).
Deze planningsfase is cruciaal voor het managementproces. Zonder concrete en controleerbare doelstellingen is de effectiviteit van de geboden oplossing niet of nauwelijks aan te tonen. Het is van belang dat doelstellingen zodanig worden geformuleerd dat duidelijk is hoe het succes achteraf kan worden bepaald. Designmanagers doen er verstandig aan in deze fase duidelijk meetbare succesindicatoren te formuleren aan de hand waarvan men het resultaat transparant en aantoonbaar maakt.

Evaluatie

De opdracht wordt uitgezet en vanaf nu volgt voor de designmanager het proces van evaluatie. In hoeverre voldoen de voorlopige ontwerpvoorstellen aan het plan? Kunnen de geformuleerde doelstellingen hiermee worden gerealiseerd? Is er nieuwe informatie of een wijziging van omstandigheden die aanpassing van de ontwerpvoorstellen nodig maakt? Marktonderzoek kan worden ingezet om te kunnen voorspellen wat de waardering en uitwerking van het ontwerp zal zijn.
Tot en met de goedkeuring van het definitief ontwerp (eindontwerp) en het prototype, moet de designmanager steeds opnieuw besluiten of het 'zo verder kan'. Eventueel moeten de plannen in dit stadium worden bijgesteld. Voordat de feitelijke implementatie kan worden aangepakt, dient in dit stadium ook de kwaliteitsborging te zijn geregeld, zodat de investering veilig is gesteld. Er is dan voldoende zekerheid dat de investering zal renderen en dat afdoende onderhoud en beheer (bijvoorbeeld door een goede documentatie of training van gebruikers) plaats zal vinden.

Implementatie

Wanneer het definitieve ontwerpresultaat is goedgekeurd en de productiespecificaties van het ontwerp zijn vastgesteld, volgt het implementatieproces. Als het goed is zijn in de eerdere fasen al de nodige voorbereidingen getroffen. Bij voorkeur is in de planningsfase al bepaald hoe de feitelijke implementatie moet worden voorbereid en doorgevoerd. Denk hierbij aan de introductie bij medewerkers, leveranciers en klanten, het beschikbaar stellen van materialen en instructies die mensen nodig hebben om het nieuwe ontwerp te kunnen gebruiken, of aan het tijdelijk inrichten van een helpdesk. Ook is tijdens het evaluatieproces, als het goed is, al vooruit gekeken naar de consequenties voor de implementatie van de ontwerpvoorstellen.

Monitoring

Na de implementatie moet er zekerheid komen over de bereikte doelen. Monitoring dient uit te wijzen of het uiteindelijke resultaat overeenstemt met de vooraf geformuleerde doelen tijdens het planningsproces en de verwachte resultaten op grond van het evaluatieproces. Extern, onafhankelijk onderzoek is in deze fase vaak nodig om de resultaten te achterhalen. Bijvoorbeeld als het gaat om het succes in de markt, om de mate van waardering door gebruikers of om merkeffecten, omzetresultaten of marktaandelen. Eventueel volgen (periodieke) audits die moeten uitwijzen of er sprake is van een goede beheersing. Op welke punten zijn er eventuele problemen of kunnen deze verwacht worden?

Het is de monitoringfase die de 'opmaat' vormt voor een nieuwe planningsfase. Het proces herhaalt zich en maakt het mogelijk voor de organisatie (en voor de designmanager) om te leren en te verbeteren. De dynamische omgeving waarin organisaties opereren, brengt met zich mee dat voortdurend bijstellingen en verbeteringen nodig zijn om te kunnen excelleren.

Box 5.4 Designmanagement in de praktijk: Philips Design

'Communities of practice' worden ze genoemd, de broed- en bewaarplaatsen voor kennis en ervaring binnen de Philips-organisatie. Ook designmanagement kent haar community, waar meermalen per jaar kennis en inzichten van alle *in-house* professionals op dit gebied gedeeld wordt. Designmanagement is bij Philips dan ook een bekend en erkend begrip. Philips Design, 450 m/v groot en verdeeld over twaalf locaties wereldwijd, ziet het als één van haar kerntaken. Zo niet DE kerntaak. Tijdens ons gesprek met Hans Robertus, als Senior Studio Manager intensief betrokken bij het wereldwijd uitzetten van het productdesign-beleid, constateren we dat voor design regelmatig contact gelegd wordt met externe partijen, maar dat *designmanagement* een vaste, onvervreemdbare kerntaak van Philips Design is.

Het Philips topmanagement kent een CMO (Chief Marketing Officer), wat de ambitie van de onderneming aantoont om technologie en marketing effectief aan elkaar te verbinden. De bijdrage van design aan de waarde van Philips-producten en aan de beleving van de organisatie als *corporate personality*, wordt op het hoogste managementniveau erkend. CEO en CMO spreken zich daar beide expliciet over uit, betrekken Philips Design bij het ontwikkelen van toekomstvisies en ondersteunen hen in de inbedding in de organisatie. Dat wordt ervaren als een belangrijke – zo niet onontbeerlijke – steun in de rug. Want designmanagement is en blijft toch ook: voortdurend en aanhoudend uitleggen, motiveren en effect aantonen. *"Als je het krachtenveld technologie - marketing - design ziet als een driehoek"*, zegt Hans Robertus, *"is het geen gelijkbenige. Maar wel één die steeds gelijkbeniger wordt. De tijd dat design gezien werd als iets wat je aan productontwerpers en verpakkingsontwerpers overliet, is absoluut voorbij"*.

Processen staan centraal binnen de multinationale, multi-market- en multichannel-organisatie die Philips is. Aansturing hiervan geschiedt onder meer door strategische meerjarenvisies als 'Let's make things better' en het actuele 'Sense & Simplicity'. Philips

Design is, ook vanuit haar taak als *brand custodian*, nauw betrokken bij de ontwikkeling van dergelijke managementinstrumenten. En vervolgens bij de doorvoering daarvan waarbij design enerzijds optimaal wordt afgestemd op de ontwikkelingsprocessen bij de verschillende divisies, en waarbij anderzijds door middel van harmonisatieprogramma's gewerkt wordt aan een gezamenlijke *look and feel*. De dominantie van engineering en marketing levert daarbij soms spanning op, maar 'that's the Philips way'. *"Als Philips Design de baas van Philips was, dan waren we een ander bedrijf. En ik weet niet of we dan even succesvol zouden zijn. Wij zijn geen Apple, met een bescheiden programma en een overzichtelijke doelgroep"*; aldus Robertus.
Naast de proceskant van management is het werken aan de juiste teamgeest binnen Philips Design minstens even belangrijk. Het selecteren van de juiste kandidaten en het hen onderdeel maken van het denken en doen binnen de organisatie, is cruciaal voor het bereiken van het beoogde eindresultaat. Philips kent een sterke bedrijfscultuur en Philips Design speelt een vitale rol in het zichtbaar en tastbaar maken daarvan, ook in formeel opzicht. We constateren iets dat eigenlijk heel logisch is: binnen een onderneming waar producten centraal staan, ligt een belangrijke rol ten aanzien van merk en identiteit bij de mensen die het product ontwerpen.

5.4.1 Het creatieproces

Het designproces vanuit het perspectief van de ontwerper is veel beperkter (smaller) dan vanuit het perspectief van de designmanager. Zoals we naar voren brachten behelst het designproces ook activiteiten die doorgaans buiten de scoop van ontwerpers vallen (het verhelderen van de behoefte aan design, de projectdoelstellingen, de idee-generatie, het prepareren van een creatieve briefing, het selecteren van het juiste ontwerppotentieel, concepttesten, productie, implementatie en het monitoren van de resultaten). Om begripsverwarring te voorkomen, stellen we daarom voor om te spreken over het creatieproces als we de eigenlijke ontwerpopdracht bedoelen. Dit creatieproces valt grofweg samen met het laatste stukje van de planningsactiviteiten en met de evaluatie-activiteiten binnen het designmanagementproces (figuur 5.5). Designmanagement heeft hierbij tot taak de ontwerper)s) te briefen, het creatieproces aan te sturen en te begeleiden – en de voorgestelde ontwerpconcepten te beoordelen en te selecteren op hun bruikbaarheid.
Het creatieproces vormt een belangrijk en zeer wezenlijk deel van het designmanagementproces. Creativiteit vormt het hart van succesvol design, hier staat de toegevoegde waarde die design kan bieden centraal. Designmanagement is erop gericht deze toegevoegde waarde te vergroten binnen het totale designproces.

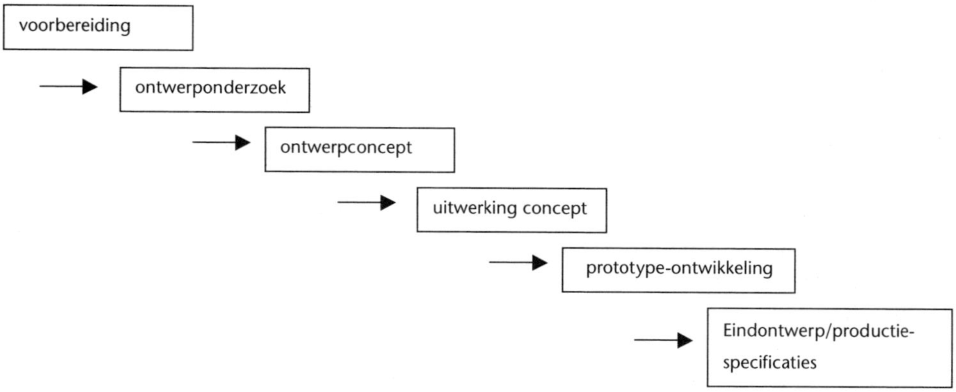

Figuur 5.6 Het creatieproces

In figuur 5.6 zijn de stappen weergegeven die normaliter moeten worden doorlopen in het creatieproces. In een wat eenvoudiger weergave kan het creatieproces ruwweg worden onderverdeeld in drie stadia:

- *Voorbereiding*: briefing, oriëntatie en analyse. (Ontwerpers moeten zich voldoende kunnen oriënteren ter voorbereiding op de feitelijke ontwerpwerkzaamheden. Bijvoorbeeld aan de hand van een analyse van de visuele kenmerken van de betreffende productcategorie, markt of trend).
- *Designonderzoek*: moodboards, illustraties, voorontwerpen, schetsen.
- *Designdetaillering*: uitwerking ontwerp, (haalbaarheids-)testen en evaluatie, prototype, definitief ontwerp, productievoorbereiding (productiespecificaties en productieproeven).

De ontwerpactiviteiten zijn meestal afgebakend tot een uitwerking van de idee-generatie (waarvoor het initiatief ligt bij de opdrachtgever), het maken van schetsvoorstellen, het uitwerken van één of enkele schetsvoorstellen naar een prototype, het uitwerken van het prototype naar een definitief ontwerp en het opstellen van productiespecificaties. Dit wordt ook wel samengevat als: voorontwerp, voorlopig ontwerp en definitief ontwerp (figuur 5.7). Een prototype kan een drukproef zijn, een *mock-up* of een werkend model. Het prototype vormt meestal de basis voor marktonderzoek en wordt op grond van de onderzoeksresultaten doorontwikkeld tot een definitief ontwerp. Overigens kan dit ertoe leiden dat bij complexere producten tientallen prototypes de revue passeren. Het creatieproces houdt doorgaans pas op wanneer dit heeft geleid tot een goedgekeurd prototype voor productie. Ons zijn overigens ook voorbeelden bekend waarbij de ontwerpactiviteiten doorgingen tot in de verschillende stadia van productie, maar van een beheersbaar project is in die situatie doorgaans geen sprake meer. Een dergelijke situatie wijst vooral op een gebrek aan management.

Een ontwerpopdracht kan ook betrekking hebben op een samenstelling van elementen, met als doel een designprogramma te ontwikkelen. Bijvoorbeeld met betrekking tot brand design, een productlijn, de tactische communicatiemiddelen of een huisstijl.

Het gaat hierbij niet om enkelvoudige toepassingen, maar om een reeks (toekomstige) toepassingen. Een dergelijk programma heeft als doel om over een middellange tot lange termijn ingezet te worden. Daarom zal de ontwerper meestal gevraagd worden het ontwerp te documenteren in de vorm van uitvoeringsnormen, toepassingsrichtlijnen, gebruiksinstructies en technische specificaties.

De inzet van een ontwerper of ontwerpbureau kan uiteraard verder gaan dan het creatieproces. De ontwerper treedt dan in de planningsfase op als adviseur met betrekking tot de strategie- en ideevorming en/of de *sourcing* van het designproject. Het gaat bijvoorbeeld om activiteiten met betrekking tot identiteitsanalyse, ontwerpstrategie, naamgeving of merkarchitectuur. Of hij adviseert bij het inrichten van de projectorganisatie, het opstellen van een plan van aanpak en/of de budgettering. Uiteraard is hiervoor wel bepaalde kennis en vaardigheden nodig. Lang niet alle ontwerpers kunnen hieraan voldoen, maar er zijn uiteraard hele goede uitzonderingen. De ontwerper kan ook activiteiten verrichten op het terrein van productievoorbereiding en -begeleiding, het opzetten van digitale documentatiesystemen (via intranet) of op het terrein van projectmanagement. Denk bijvoorbeeld aan het opstellen van een implementatieplan, het begeleiden van interne werkgroepen die belast zijn met de implementatie of het tijdelijk opzetten van een externe helpdesk. In de praktijk kiezen de meeste organisaties hiervoor eerder de hulp van gespecialiseerde projectmanagers dan van ontwerpers.
Naarmate het creatieproces uitgebreid wordt met plannings- en implementatie-activiteiten, valt de rol van de ontwerper steeds meer samen met designmanagement. Het ligt echter niet voor de hand de ontwerper verantwoordelijk te maken voor het proces van evaluatie en het proces van monitoring, omdat niet mag worden verwacht dat deze een onafhankelijke en objectieve beoordeling van de eigen voorstellen kan maken. Het is voor de kwaliteit van het creatieproces verder van evident belang dat tegenover de ontwerper een opdrachtgever acteert, die zijn rol professioneel en met verve vervult. Zonder professioneel tegenspel is goed design eerder uitzondering dan regel. (Of zoals de Nederlandse ontwerper Gerard Hadders het ooit stelde: 'zonder wrijving geen glans…')

Als samenvatting van dit onderwerp presenteren we in figuur 5.7 een processchema van het designproces. Het formele designproces wordt weergegeven door de centrale kolom. In het schema zijn links en rechts van deze kolom enkele activiteiten aangegeven die behoren tot het informele designproces (activiteiten van silent designers). We hebben ons daarbij beperkt tot enkele activiteiten om het schema leesbaar te houden, maar in de praktijk kan het hier gaan om een groot aantal uiteenlopende activiteiten (die niet beschreven staan in het schema): initiëel marktonderzoek, interne idee-generatie, gedetailleerd projectplan, kostenanalyse, 'tooling', implementatieplan, productietests, afstemming met afdelingen die verantwoordelijk zijn voor implementatie, marktonderzoek om resultaat te achterhalen, enzovoort.
In dit schema is inzichtelijk gemaakt welke plaats het creatieproces inneemt in het totale designproces (het formele én het informele ontwerpproces). Daaruit blijkt dat er veel activiteiten zijn die niet tot het eigenlijke creatieproces behoren, maar er uiteraard wel veel invloed op hebben. Het testen van ontwerpconcepten door middel van marktonder-

zoek bijvoorbeeld. Of het beoordelen van ontwerpconcepten met het oog op budgettaire of organisatorische afwegingen; kunnen we dit produceren of implementeren in onze organisatie? Eventueel wordt in dit stadium nieuwe informatie toegevoegd en wordt een 'herstart' gemaakt door terug te gaan naar de eerste ontwerpfase (de voorontwerp-fase) wanneer er nog geen bruikbaar resultaat is. Zo kunnen er een aantal 'lussen' in het proces ontstaan; steeds wanneer een bepaald resultaat daartoe aanleiding geeft, kan worden teruggelust naar een eerder stadium. In de praktijk verloopt het ontwerpproces vaak minder lineair dan hier wordt voorgesteld.

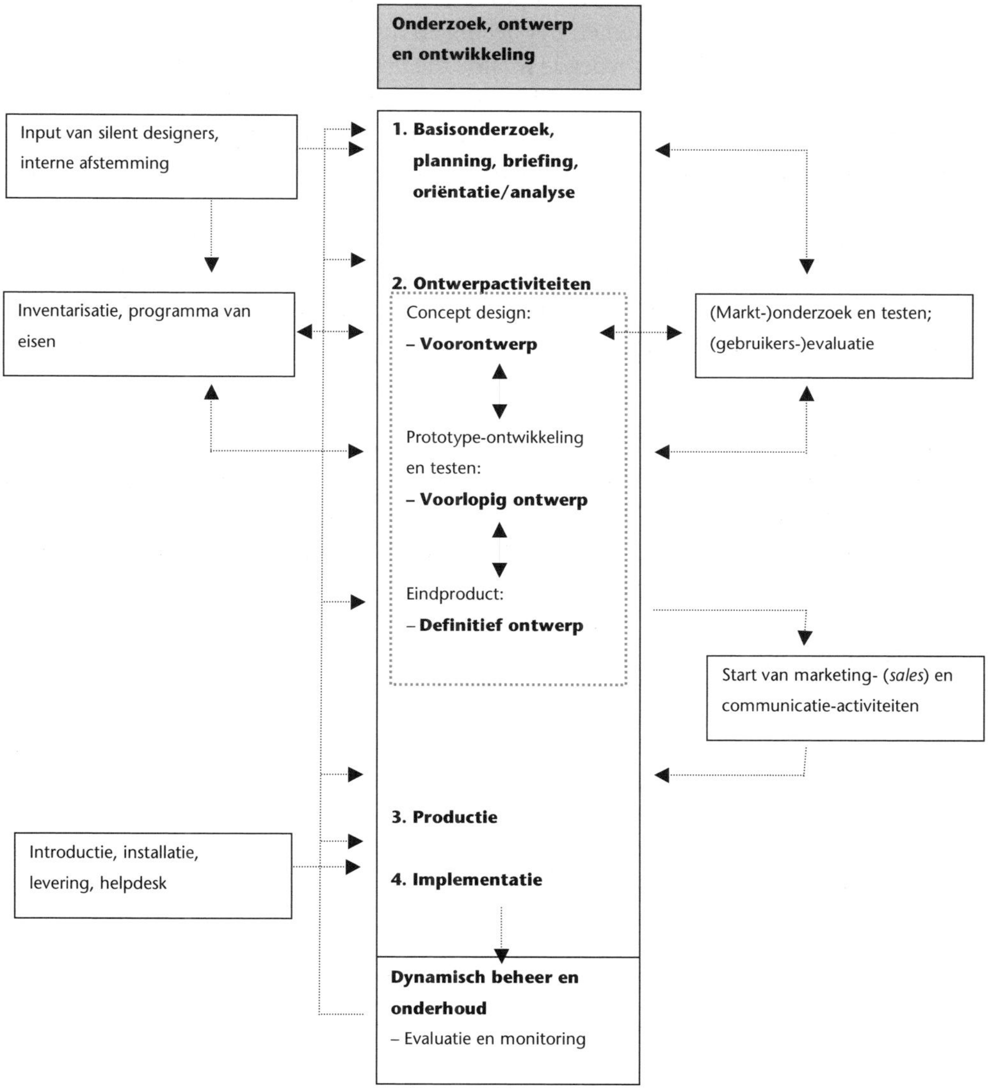

Figuur 5.7 Processchema van het designproces

5.5 Conclusie – Het designproces vraagt om goed management

Ondanks heersende opvattingen dat design iets vaags en ongrijpbaars is (soft en abstract), zijn er goede mogelijkheden om het designproces te managen en daarvoor staan verschillende benaderingen en besturingsmodellen open. In de tekst is duidelijk geworden hoe het designproces kan worden geïdentificeerd en welke activiteiten van silent designers hierop van invloed zijn. Met name het gepresenteerde denkraam kan ons helpen om te begrijpen welke invloeden dit zijn en waarom deze van belang zijn met het oog op een succesvol eindresultaat.
Hiermee is ook duidelijk dat het ontwerpproces veelomvattend en complex is. Wanneer organisaties dit inzicht accepteren en het belang en de waarde van design erkennen, ligt het voor de hand dat zij de toegevoegde waarde die designmanagement kan bieden, ook onderkennen. Uit de tekst zijn verschillende noties naar voren gekomen die duidelijk maken dat het managen van creatieve processen vraagt om een bijzondere benadering. En dat dit bepaalde competenties met zich meebrengt die traditionele managers vaak niet bezitten.
Uit de gepresenteerde managementmodellen is duidelijk geworden dat er verschillende invalshoeken mogelijkheden zijn om design te managen. Voor het effectief benutten van het potentieel van design, biedt vooral flexibiliteit en samenwerking over functionele gebieden heen, de beste kansen. Dit inzicht wordt nog eens extra gevoed door de teksten over creatief management in het vorige hoofdstuk.

Hoewel de contouren van het vakgebied zich inmiddels voor de lezer beginnen af te tekenen, is het beeld nog niet scherp omlijnd. In de praktijk is de toepassing van designmanagement niet eenduidig en kan het zich ontwikkelen in verschillende richtingen. Naast de managementbenadering en het besturingsmodel (het managementmodel) zal met name de positie en de strategische oriëntatie van een organisatie hierop van invloed zijn. In het volgende en laatste hoofdstuk van dit tweede deel, staat dit onderwerp centraal. We proberen hiermee de contouren van designmanagement verder aan te scherpen.

6 Verschillende typen van designmanagement

'It is I suppose a truism that the closer an organization is to the customer the greater is its commitment to design.'
(Peter Gorb)

Als laatste onderwerp van de inleiding op het vakgebied, belichten we in dit hoofdstuk enkele kenmerkende verschillen tussen de richtingen waarin designmanagement zich heeft ontwikkeld. Het is onvermijdelijk, gezien het brede terrein waarover design zich uitstrekt en het feit dat iedere organisatie of onderneming anders is en een eigen karakter heeft, dat ook designmanagement in de praktijk verschillende vormen kan aannemen. En dat zich daarbij een verdergaande specialisatie aftekent. Maar wat zijn de kenmerken hiervan en welke factoren bepalen de richting waarin designmanagement zich kan ontwikkelen? We onderzoeken in dit hoofdstuk twee factoren:

- de verschillende strategische oriëntaties van ondernemingen;
- de keuze voor een product- of een merkstrategie.

In de praktijk zal de inzet van design hierdoor sterk worden bepaald en zal ook de aard van het bijbehorende designmanagement anders zijn. Zoals in de tekst duidelijk zal worden heeft de strategische oriëntatie eveneens gevolgen voor de plaats van designmanagement in een organisatie.

In paragraaf 6.1 bespreken we de belangrijkste kenmerken van de verschillen in strategische oriëntatie, uitmondend in twee typen designmanagement; product designmanagement en brand designmanagement. In paragraaf 6.2 zetten we uiteen wat onder een product- en een merkstrategie moet worden verstaan en belichten we hoe de keuze hiertussen van invloed kan zijn op het designmanagement. In paragraaf 6.3 werken we uit wat onder product designmanagement moet worden verstaan en hoe het functioneert. In paragraaf 6.4. doen we datzelfde met brand designmanagement. Hierbij introduceren we een nader onderscheid in designmanagement dat verantwoordelijk is voor het organisatiemerk (corporate brand) versus designmanagement dat wordt ingezet voor individuele productmerken.

6.1 Product-, markt- of merkcultuurfocus

Organisaties kunnen van elkaar verschillen op grond van verschillende factoren, waarvan hun strategische oriëntatie een zeer bepalende factor is. Deze vormt de basis voor een bepaalde focus in het denken en handelen van de organisatie die in vrijwel alles terugkomt. We onderscheiden drie verschillende oriëntaties die direct doorwerken in de opvatting over managementtaken en -verantwoordelijkheden binnen organisaties en die daarmee relevant zijn voor designmanagement:

- productgedreven organisaties;
- marktgedreven organisaties;
- merkcultuur-gedreven organisaties (ook wel: identiteitsgedreven).

Uit de managementliteratuur komt naar voren dat er een dominant verschil is tussen organisaties die een productoriëntatie hanteren versus organisaties met een marktoriëntatie. Ondernemingen worden meestal gekenmerkt door één van beide oriëntaties. Sinds het merk door een aantal ondernemingen is omarmd als 'business driver' (in de jaren negentig van de vorige eeuw), wordt hiernaast ook een derde type organisatie onderscheiden met een merkcultuur-oriëntatie. In deze oriëntatie staat niet de markt of het product centraal maar de organisatie zelf, of liever nog; de merkidentiteit.

De strategieën die deze organisaties hanteren wijken onderling sterk af als gevolg van hun oriëntatie; ze zien hun aard en positie, en de wereld waarin ze opereren, onderling fundamenteel anders. Men zou ook kunnen stellen; de managementfilosofie is anders. In de regel zijn de persoonlijkheidskenmerken van het eindverantwoordelijk management sterk bepalend voor de oriëntatie van een organisatie: zoekt dit het in de organisatie of juist daarbuiten? Wordt het gedreven door liefde voor het aanwezige vakmanschap in de organisatie, voor het product of voor het vakgebied waarbinnen de organisatie actief is – of door de wil om marktkansen te benutten ongeacht het voorgaande? Als gevolg hiervan zal ook de organisatie anders ingericht zijn en zal er een andere cultuur heersen.

Het verschil in oriëntatie kan worden herleid tot drie strategische scholen die kunnen worden aangeduid als de competentieschool, de positioneringsschool en de culturele school (Mintzberg *et al.*, 1998). In de praktijk zien we dat bedrijven een keuze maken, afhankelijk van hun dominante oriëntatie en focus. Ze richten de designmanagementfunctie voornamelijk op de rol van design in het verlengde van marketingcommunicatie, bij productontwikkeling of bij merkontwikkeling. Bij een productfocus zal design vooral een plaats innemen binnen productontwikkeling en -innovatie. Wanneer organisaties marktgeoriënteerd zijn, zal design vooral als onderdeel van marketingcommunicatie worden gezien. Bij een merkcultuurfocus zal design in de regel in het verlengde van merkenmanagement opereren. Onderstaand introduceren we de drie scholen eerst nader voordat we de gevolgen voor designmanagement onderzoeken.

6.1.1 Positioneringsschool > marktfocus

In de bedrijfsvoering van marktgeoriënteerde organisaties staan de klant en de concurrent centraal. Deze organisaties passen zich doorgaans goed aan hun omgeving aan, zowel wat betreft hun productaanbod als hun organisatie. De marktgerichte benadering is gebaseerd op de structuur van de markt(en) waarop de organisatie zich begeeft (onder het motto: *it's better to have a market than a mill*). De keuze in welke markt(en) men wil opereren, en welke relatieve positie men hierbij wil innemen ten opzichte van andere aanbieders, geeft in dit geval richting aan het aanbod van de organisatie. Deze benadering wordt daarom ook wel aangeduid als *outside-in*. De Amerikaan Michael Porter is de belangrijkste exponent van deze richting, die ook wel bekend is als de positionerings-

school. Zijn inmiddels klassieke werk *Competitive Strategy* (1980) vormde hiervoor de basis.
Porter's vijfkrachtenmodel is het bekendste instrument. Aan de hand van dit model kunnen bedrijven bepalen welke positie zij het beste kunnen innemen binnen hun bedrijfstak, vandaar de aanduiding positioneringsschool. Met behulp van de door Porter onderscheiden vijf krachten (te weten: toetreed- en uittreedbarrières, macht van afnemers, substituten, macht van leveranciers en rivaliteit op de markt) kan een bedrijfstak en het verwachte winstpotentieel worden onderzocht en geanalyseerd. Op grond van dit analysemodel ontwikkelde Porter vervolgens drie generieke concurrentie-strategieën: kostenleiderschap, differentiatie en focus. Een bedrijf kan binnen haar bedrijfstak excelleren door producten te maken die goedkoper zijn dan alle andere, door producten te maken die zich onderscheiden van alle andere, of door een nichemarkt te bedienen.
Concurrentievoordeel vormt volgens Porter de kern van iedere strategie en een bedrijf kan twee basistypen concurrentievoordeel bezitten: lage kosten of differentiatie. Als een bedrijf concurrentievoordeel wil, moet het kiezen welk type het wil verkrijgen. Critici wijzen er op dat sommige bedrijven kans hebben gezien om zowel wat lage kosten als productdifferentiatie betreft superieur te zijn. We kunnen als voorbeeld H&M, HEMA of IKEA aanhalen. Een dergelijke strategie wordt wel een hybride strategie genoemd en is moeilijk navolgbaar; bedrijven die dit proberen kunnen gemakkelijk in een situatie terechtkomen die Porter omschrijft als 'stuck in the middle' (een positie die van alles 'net niets' is).

De drie concurrentiestrategieën kunnen we als volgt samenvatten:
Kostenleiderschap is gericht op het verkrijgen van de status van goedkope producent, door het ontdekken en exploiteren van alle mogelijke bronnen van kostenvoordeel. Het gaat hier om standaardproducten zonder franje, met de nadruk op grootschalige productie of afzet in verband met het bereiken van schaalvoordelen. De *differentiatie-strategie* is gericht op het aanbieden van producten die in een markt als uniek worden beschouwd, op grond van bepaalde bijzondere kenmerken die een hoge toegevoegde waarde bieden aan consumenten en afnemers. Differentiatie kan gebaseerd zijn op het product zelf, het leveringssysteem waardoor het wordt verkocht, de marketingbenadering en een breed scala van andere factoren. De *focusstrategie* is gebaseerd op de keuze voor het exclusief bedienen van een bepaald marktsegment of enkele segmenten, met uitsluiting van de anderen. Deze strategie kan gericht zijn op kostenvoordeel (kostenfocus) of differentiatie (differentiatiefocus). Bij een *kostenfocus* zoekt een bedrijf een kostenvoordeel in zijn doelsegment. Het wijkt af van kostenleiderschap doordat het zich richt op een specifiek marktsegment, terwijl kostenleiderschap zich juist op een zo groot mogelijke markt richt. Het extra voordeel van de kostenfocus ten opzichte van kostenleiderschap is dat deze niet de kosten hoeft te maken die nodig zijn om in een bredere markt te kunnen opereren. De *differentiatiefocus* exploiteert speciale behoeften van consumenten in een gekozen – meestal luxe – segment (zie ook box 1.1).
Het komt erop neer dat designmanagement aan iedere strategie op een bepaalde wijze kan bijdragen:

- *Kostenleiderschap*: door het mogelijk te maken om producten te leveren tegen een kostenvoordeel (door een ontwerp tegen lage kosten: lage ontwerp-, productie-, distributie-, opslag-, assemblage-, leverings-, en/of onderhoudskosten).
- *Differentiatie*: door het mogelijk te maken om te differentiëren (door het product, de verkoopomgeving, de marketingcommunicatie enzovoort);
- *Focus*: door het mogelijk te maken producten af te stemmen op de behoeften van een specifiek (exclusief) marktsegment.

De organisatie met een marktfocus voegt zich rondom de *markt* waar het zich op richt. De marktfocus is gebaseerd op de visie dat het product het uitvloeisel is van wat de markt vraagt of dicteert. Bij de marktfocus wordt het succes bepaalt door het creëren en benutten van kansen uit de omgeving; de markt waarop de organisatie zich begeeft. Marketing is voor deze organisaties een cruciale competentie. Organisaties met een duidelijke marktfocus zijn bijvoorbeeld producenten van consumentengoederen (ook wel: verbruiksgoederen of *fast moving consumer goods*) en retail-organisaties, zoals Heineken of Albert Heijn.

6.1.2 Competentieschool > productfocus

Bij productgeoriënteerde bedrijven staat niet de markt, maar de kwaliteit van het product centraal. Veel productgeoriënteerde bedrijven gaan ervan uit dat een goed product zichzelf verkoopt, en verwachten zelfs dat de omgeving zich aan hen zal aanpassen. Bedrijven met een productfocus hanteren in tegenstelling tot marktgeoriënteerde bedrijven vaak een 'inside-out' benadering; de eigen competenties en de ontwikkeling van nieuwe competenties vormen dan de basis voor productontwikkeling.
Hamel & Prahalad (*Competing for the Future*, 1994) en Treasy & Wiersema (*The Discipline of Market Leaders*, 1995) zijn de belangrijkste auteurs van deze stroming. Concurrentievoordeel moet volgens hen niet worden gezocht in een unieke marktpositie, maar in de unieke middelen en vaardigheden van het bedrijf zelf. Deze stroming wordt daarom ook wel de competentieschool genoemd. Anders dan bij Porter, is het strategische doel hier niet zozeer om de meest gunstige positie in te nemen binnen de bestaande ruimte van een bedrijfstak, maar om nieuwe concurrentieruimte te scheppen door de inzet van kernvaardigheden.
Hamel & Prahalad introduceren het begrip kerncompetentie (*core competence*) om hiermee aan te geven dat het concurrentievermogen van een onderneming op lange termijn vooral afhangt van haar unieke en kenmerkende vaardigheden. Dergelijke competenties vormen de rode draad voor de ondernemingsactiviteiten. Designmanagement kan bijvoorbeeld een kernvaardigheid vormen wanneer het design- en productieproces zodanig wordt georganiseerd dat een strakke 'productontwikkelings-pijplijn' wordt verkregen die voor meerdere doeleinden gebruikt kan worden. Niet het product als zodanig staat centraal in deze benadering, maar het vermogen om snel en doeltreffend uiteenlopende producten te ontwikkelen. Een dergelijke kernvaardigheid kan uiteraard een belangrijk concurrentievoordeel bieden in turbulente markten. Nieuwe producten kunnen bijvoorbeeld als eerste op de markt worden geïntroduceerd, of in een hoge vervangingsfrequen-

tie worden geproduceerd (in verband met het snel wisselen van modellen of collecties). Design wordt dan niet gezien als een project maar als een continue proces en als een dynamisch bedrijfsmiddel. Fraser (1993, in: Bruce & Bassant, 2002) formuleert de gedachte hierachter als volgt: *'if you have the resources and the momentum you can overcome many, maybe all, obstacles.'*

Voor een strategische keuze is het wel noodzakelijk om competenties en kerncompetenties van elkaar te onderscheiden. Een organisatie beschikt doorgaans over verschillende kennis en vaardigheden; vaak gaat het daarbij om competenties van individuele medewerkers of een bepaalde afdeling. Een kernvaardigheid is iets anders; deze dient te leiden tot een houdbaar concurrentievoordeel (omdat deze moeilijk kan worden gekopieerd door concurrenten). Een kernvaardigheid komt veel eerder voort uit de samenstelling van bepaalde kennis en vaardigheden die niet door enkele personen of een afdeling kan worden gehandhaafd. Het gaat om het op een unieke manier verbinden van kennis en vaardigheden van verschillende medewerkers en afdelingen – door de gehele organisatie heen – om daarmee te komen tot superieure producten of diensten.
Als we het designproces in ogenschouw nemen, vereist de link tussen de conceptie, planning en het maken en vermarkten, op zijn minst de gecombineerde kennis en vaardigheden van strategen, technologen, marketeers, onderzoekers en ontwerpers. Bedrijven die bekend staan vanwege hun designkwaliteit (zoals Sony, Renault, Lego, Braun en Apple) hebben daarom hun designprocessen getransformeerd tot een kerncompetentie waarmee steeds opnieuw superieure waarde wordt geboden aan consumenten. Kernvaardigheden zijn door Hamel & Prahalad omschreven aan de hand van de volgende eigenschappen (in: De Vries & Goud, 2003):

- kernvaardigheden belichamen het collectieve denken in organisaties;
- ze vereisen communicatie, betrokkenheid en een sterke wil om over grenzen van eigen disciplines heen te werken;
- ze worden versterkt door hun toepassing (accumulerend effect);
- ze zijn de lijm die verschillende business units bijeenhouden en de bron voor ontwikkeling van nieuwe activiteiten.

Treacy & Wiersema hebben naar voren gebracht dat de ontwikkeling van kerncompetenties kan leiden tot concurrentievoordeel wanneer hieraan een duidelijke keuze ten grondslag ligt. Ze presenteren drie strategieën voor de ontwikkeling van kerncompetenties die ze *waardedisciplines* noemen. In een bepaalde bedrijfstak kan een bedrijf operationeel uitmuntend (*operational excellence*), productleider (*best product*) of klantgestuurd zijn (*customer intimacy*). Elke waardediscipline vereist een ander managementsysteem, andere processen en een andere organisatie en cultuur. We lichten de waardedisciplines kort toe:
Operationeel uitmuntende organisaties dienen hun bedrijfsprocessen optimaal te stroomlijnen en hun activiteiten sterk te standaardiseren, (kosten)efficiency is heilig. Ze functioneren als goed geoliede machines, maar zijn hierdoor niet in staat om klantgestuurd te opereren. Een kerncompetentie zoals hierboven beschreven ten aanzien van designmanagement als productontwikkelings-pijplijn, past uitstekend bij deze strategie wanneer

deze erop gericht is het ontwerpproces zoveel mogelijk te stroomlijnen en te standaardiseren qua procedures en productspecificaties.
Bij *productleiderschap* staat het ontwikkelingspotentieel van de onderneming centraal. Productleiderschap zal gepaard gaan met veel R&D-inspanningen. Het gaat er dan om de klant te blijven verbazen met de frequente introductie van producten die zich onderscheiden door hun unieke en vooruitstrevende karakter. Ook dit brengt een duidelijke competentie ten aanzien van designmanagement met zich mee; namelijk het vermogen om creativiteit en innovatie te exploreren, te exploiteren en te executeren (zie ook paragraaf 4.2.2).
Klantgestuurde organisaties ten slotte, zijn gericht op het ontwikkelen van een nauwe band met de klant door in te spelen op diens specifieke wensen. Het oplossen van het probleem (de behoefte) van de klant is leidend en vereist maatwerk en flexibiliteit. Het kunnen produceren volgens klantspecificaties (volgens de gespecificeerde wensen van de klant) hoort hier doorgaans bij.

Aan ondernemingen met een productfocus ligt de visie ten grondslag dat de producten (waren of diensten) de kern van hun bestaansrecht vormen. De hele organisatie voegt zich als het ware rondom de *productportfolio* die centraal staat. Dit type organisatie zal zich vooral richten op de ontwikkeling van competenties die nodig zijn om te excelleren op het terrein van productontwikkeling. Bij de productfocus wordt het succes bepaalt door de uitkomst van de aanwezige kerncompetenties in de organisatie. Bij organisaties met een productfocus gaat het vaak om gespecialiseerde of kennisintensieve bedrijven waarbij sprake is van technologische of vaktechnische componenten in het productieproces. Denk bijvoorbeeld aan duurzame gebruiksgoederen of aan kennisintensieve IT- of software bedrijven. Bij dit type vormt het vermogen van het product om te voldoen aan specifieke taken of functies, de belangrijkste benefit voor consumenten.

6.1.3 Culturele school > merkcultuurfocus

Bedrijven met een merkcultuur-oriëntatie hanteren hun cultuur als uitgangspunt voor hun strategische keuzen (als diep geworteld waardesysteem; de 'ziel van de organisatie'). De auteurs Collins & Porras zijn de belangrijkste exponenten van deze benadering. In hun boek *Built to Last* (1997) gaan ze ervan uit dat de unieke cultuur het meest effectieve en duurzame obstakel vormt tegen imitatie, dankzij het geheel van de organisatie als sociale gemeenschap. Daarmee vormt de cultuur de basis voor strategische beslissingen. Deze school wordt daarom ook wel de culturele school genoemd. Evenals de competentieschool is er sprake van een inside-out benadering, de kernwaarden komen voort uit de organisatie zelf en niet uit markt-oppurtune overwegingen.
Collins & Porras stellen, op grond van een omvattend onderzoek, dat organisaties die blijvend succesvol zijn, een duidelijke visie hebben die ten grondslag ligt aan hun denken en handelen. Ze beschikken over kernwaarden en een kernopdracht die onveranderd blijven, terwijl hun strategieën en werkwijzen zich eindeloos aanpassen aan de veranderende wereld. Het is deze visie die hun helpt te bepalen welke kern behouden moet blijven en in welke richting voor de toekomst moet worden gewerkt (zie box 6.1).

Concepten zoals corporate identity, corporate branding en internal branding worden met name ingezet door organisaties en bedrijven die het belang van merkcultuur onderkennen om concurrentievoordeel te realiseren. Bijvoorbeeld omdat ze zich door middel van hun product(en) niet of nauwelijks kunnen onderscheiden en daarom vooral een symbolische waarde aan hun product of dienstverlening willen toevoegen. Maar ook omdat ze zeer diverse product-/marktcombinaties bedienen en hun merkcultuur willen laten fungeren als ideologische 'lijm', die de verschillende business units bijeenhoudt en als bron fungeert voor de ontwikkeling van nieuwe activiteiten. Ten slotte is een belangrijk motief volgens Collins & Porras het aantrekken, inspireren en behouden van de beste mensen: *'Bij het aanbreken van de eenentwintigste eeuw zullen bedrijven de creatieve energie en talenten van hun mensen volledig moeten benutten. Maar waarom zouden mensen hun beste krachten geven? (...) Nu ze worden geconfronteerd met een steeds mobielere maatschappij, een cynische houding tegenover het bedrijfsleven en een expanderende ondernemingssector van de economie, hebben bedrijven meer dan ooit behoefte aan een helder begrip van hun opdracht. Alleen dan kunnen zij zinvol opereren en uitstekende mensen aantrekken, motiveren en vasthouden.'*

Net als marktgeoriënteerde organisaties, voegen ook organisaties met een merkcultuurfocus zich rondom hun merkportfolio en richten ze zich specifiek op de mogelijkheid om met behulp hiervan de onderneming maximaal profijtelijk te exploiteren. Deze organisaties definiëren de merkcultuur (ook wel: merkidentiteit) zelfs als leidend principe bij product- en marktontwikkeling. Het merk dient daarbij te zorgen voor de juiste match tussen het productaanbod en de doelgroep waarop het merk zich richt. Anders gezegd, het merk vormt hier de brug tussen de markt en de organisatie met haar aanbod. Daarom wordt de productportfolio in samenhang met de merkportfolio ontwikkeld. Design is nodig om de merkcultuur tot uitdrukking te brengen in zowel product- als merkbeleving. Designmanagement fungeert in dit verband daarom vaak als 'hoeder' van de merkcultuur voor zover deze zichtbaar tot uitdrukking komt (in de visuele identiteit). Niet alleen in een bewakende rol, maar ook in een initiërende, sturende en voorwaardenscheppende rol in het verlengde van merkenmanagement. Bij organisaties met een merkcultuurfocus kan het gaan om bedrijven in verschillende sectoren. Bekende voorbeelden zijn Apple, Nike, IKEA, IBM of Virgin.

Box 6.1 Visie-ontwikkeling volgens Collins & Porras

Een goed doordachte visie bestaat uit twee hoofdelementen die worden aangeduid als kernideologie en voorziene toekomst. De voorziene toekomst is wat mensen wensen te bereiken of te creëren, maar dat alleen kan worden bereikt met substantiële verandering en vooruitgang. De kernideologie definieert waar we ons voor inzetten en waartoe we bestaan. Deze is onveranderlijk en vult de voorziene toekomst aan. Het is de lijm die een organisatie in de loop van de tijd bijeenhoudt, deze fungeert als wegwijzer en bron van inspiratie en bestaat uit twee afzonderlijke elementen:

- Kernopdracht: de meest fundamentele bestaansgrond van de organisatie.

- Kernwaarden: een systeem van richtinggevende principes en grondbeginselen.

Kernwaarden zijn de essentiële en onveranderlijke grondbeginselen van een organisatie. Als een kleine set tijdloze leidende principes, behoeven de kernwaarden geen externe rechtvaardiging of beargumentering. Zij hebben een intrinsieke waarde en zijn van belang voor de mensen binnen de organisatie. Een bedrijf beslist zelf welke waarden voor haar de kern vormen. Het bedrijf doet dat grotendeels los van de omgeving, de eisen van de concurrentie of de managementmodes van het moment. Er bestaat duidelijk geen universeel juiste set kernwaarden. Het is verder niet zozeer van belang *welke* kernwaarden een organisatie heeft, maar vooral *dat* zij ze heeft.
In het algemeen hebben bedrijven niet meer dan een paar kernwaarden, meestal zo'n drie tot vijf. Om deze kernwaarden te identificeren moet men met compromisloze eerlijkheid nagaan welke waarden echt essentieel zijn. Als men er meer dan vijf of zes weet te verwoorden, is de kans groot dat kernwaarden (die niet veranderen) worden verward met operationele werkwijzen, ondernemingsstrategieën of culturele normen (die wel te veranderen moeten zijn). Collins & Porras wijzen er in dit verband op dat kernwaarden tegen de 'tand des tijds' bestand moeten zijn. Nadat een voorlopig lijstje van kernwaarden is opgesteld, moet men zich voor elk ervan de volgende vraag stellen: 'Als de omstandigheden veranderen en die kernwaarde voor ons een straf wordt, zullen we er dan toch nog aan vasthouden?' Als men daar in alle eerlijkheid geen 'ja' op kan zeggen, dan is die waarde geen kernwaarde en kan deze vervolgens buiten beschouwing blijven.

Procesfocus

Hoewel dit niet als strategische oriëntatie bekend staat, kunnen bedrijven ook een dominante procesoriëntatie hebben. Deze oriëntatie kan voortkomen uit de waardediscipline *operational excellence*, maar ook uit de aard van het product of de dienstverlening als zodanig. We zien dit bijvoorbeeld bij overheids- en uitvoeringsorganisaties die er sterk op gericht zijn hun massale processen op orde te hebben. Net zomin als operationeel uitmuntende organisaties in staat zijn klantgestuurd te opereren, zien we dat ook bij overheids- of uitvoeringsorganisaties het klantperspectief ten gevolge van procesoptimalisatie onderbelicht kan zijn of soms zelfs geheel ontbreekt. In de praktijk zien we dat designmanagement in die situatie vooral wordt ingezet in het verlengde van procesoptimalisatie. Het is meestal primair gericht op operationeel design, waaronder we toepassingen verstaan die zijn gericht op het uitvoerings- en dienstverleningsproces, waarbij de functionaliteit centraal staat (zie paragraaf 2.1.2).
De aandacht voor procesoptimalisatie komen we ook tegen bij organisaties die flexibele productiemethoden hanteren (*lean production*) of die een lage-kostenstrategie volgen. Het hoofddoel van designmanagement is dan vooral gelegen in het door middel van design flexibiliseren en verkorten van het productontwikkelings- en productieproces. We merken overigens op dat dit niet uitsluit dat zowel het realiseren van een onderscheidende designkwaliteit, als een bij het merk passende creatieve strategie, eveneens doelen kunnen vormen.

6.1.4 Samenvatting – product of merk?

We kunnen het verschil in strategische oriëntatie, dat leidt tot verschillende typen van designmanagement, terugbrengen tot twee hoofdoriëntaties; het product of het merk. Hoewel het product en het merk onderling samenhangen bij een merkartikel (een bepaalde dienst of waar) zijn deze niet hetzelfde; het product is geen merk en het merk is geen product. Het merk is het totaal van beloften en percepties dat een organisatie haar klanten over het producten- en dienstenaanbod wil laten ervaren. Kapferer (1996) stelt het als volgt: *'Een product is datgene wat een bedrijf produceert; wat de consument koopt is een merk.'*

De gedachte achter het terugbrengen tot twee hoofdoriëntaties is als volgt: niet alleen voor organisaties met een marktoriëntatie, maar ook voor bedrijven met een merkcultuur-oriëntatie zal het merk een centrale rol spelen. Er is wel een belangrijk verschil dat consequenties heeft voor de wijze waarop de verantwoordelijkheid voor het merk is belegd in de organisatie. In het eerste geval zal het merk vooral als een marketingfunctie worden opgevat (primair gericht op externe commerciële doelgroepen). De verantwoordelijkheid voor het merk zal meestal bij de marketingafdeling liggen en als gevolg daarvan zal ook het designmanagement aangestuurd worden door marketing (voor zover dit betrekking heeft op de visuele identiteit).

In het tweede geval zal het merk niet alleen opgevat worden als een marketingfunctie. Het zal zich richten op een breed spectrum van zowel interne als externe stakeholders – en niet alleen op externe commerciële doelgroepen. Vanwege de link met de organisatie zal de verantwoordelijkheid niet bij marketing liggen, maar bij een overstijgende afdeling merkenmanagement of bij de afdeling corporate communicatie. In het verlengde hiervan zal dit ook gelden voor het designmanagement. Voor organisaties met een merkcultuur-oriëntatie speelt het merk een centrale rol, in die zin dat het merk de representatie vormt van de organisatie-identiteit, oftewel de corporate brand identity.

Organisaties met een productfocus zullen de marketing- en communicatiefunctie vooral zien als iets dat waarde toevoegt aan het product, terwijl organisaties met een marktfocus deze functie veel eerder als de kern van hun bestaansrecht zullen aanwijzen. In de eerstgenoemde situatie is de productontwikkelingsfunctie (ook wel: product R&D) in de praktijk dominant over de marketingfunctie, terwijl dit in het tweede geval andersom zal zijn. Organisaties met een productfocus zijn geneigd het product boven het merk te stellen, terwijl dit andersom is bij organisaties met een marktfocus. Zij stellen het merk boven het product in hun strategische oriëntatie. Bedrijven met een merkcultuurfocus lijken een goede balans te hebben gevonden tussen product en merk; er is doorgaans sprake van een meer evenwichtige benadering.

Designmanagement zal als gevolg van de strategische oriëntatie van organisaties steeds een ander doel hebben. Het zal in de regel steeds zijn gekoppeld aan een ander functioneel gebied – en een daarmee samenhangende rol en taak hebben (figuur 6.1). Maar ook de strategiekeuze daarbinnen (bijvoorbeeld de keuze voor een lage kosten, differentiatie- of focusstrategie in het geval van een marktstrategie) zal van invloed zijn op de taak en rol van designmanagement: als voortbrenger van creativiteit en innovatie of als ideeënverbeteraar, als efficiency-verbeteraar of als compententie-ontwikkelaar, als *image-builder* of als regisseur van de visuele merkidentiteit. We komen hier in deel III nader op terug.

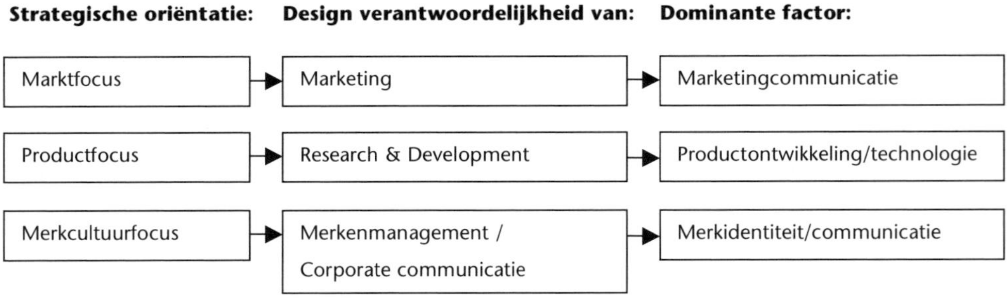

Figuur 6.1 De inzet van designmanagement

Omdat we het verschil kunnen terugbrengen tot twee hoofdoriëntaties (het product of het merk), duiden we de richtingen waarin designmanagement zich heeft ontwikkeld in het vervolg van de tekst aan als *product designmanagement* en *brand designmanagement*. Maar voordat we deze typeringen verder belichten willen we eerst stilstaan bij een tweede factor die hiermee verband houdt en die eveneens van invloed kan zijn, namelijk de keuze tussen een merk- of productstrategie. De keuze voor een merkstrategie zal doorgaans met zich meebrengen dat het designmanagement in het verlengde van de marketingfunctie wordt ingezet. Bij de keuze voor een productstrategie ligt het voor de hand dat designmanagement in het verlengde van de productontwikkelingsfunctie zal worden ingezet.

6.2 De keuze tussen een merk- of productstrategie

Afhankelijk van de aard van markt waarop organisaties zich begeven, kunnen ze ervoor kiezen om een merk- of een productstrategie te hanteren. Dergelijke strategieën hebben als gemeenschappelijk kenmerk dat ze erop zijn gericht om producten of diensten te onderscheiden van andere aanbieders en de waarde ervan voor afnemers/gebruikers te vergroten. Het uiterlijk van het product, of het merk waarmee een product is gelabeld, heeft dan bijvoorbeeld meer waarde voor consumenten dan het kale product (het product zonder merk of zonder een bijzonder productuiterlijk). Dit fenomeen wordt aangeduid met het begrip differentiatie of toegevoegde waarde.
Als eerste dienen organisaties zich af te vragen welke concurrentievoordelen een merk- of een productstrategie hen kan bieden. Kan bijvoorbeeld het merk of het product zodanig worden gedifferentieerd dat dit leidt tot een houdbare onderscheidende positie in de desbetreffende markt? En voegt dit onderscheid daadwerkelijk waarde toe voor consumenten? Het is denkbaar dat in een gegeven situatie een bepaald type strategie (bijvoorbeeld een merkstrategie) minder waarde toevoegt dan een ander type (bijvoorbeeld een pro-

ductstrategie). De keuze is dan welk type strategie meer voordelen biedt. Terwijl bij een merkstrategie de consumentenkeuze gekoppeld wordt aan de meerwaarde die het merk biedt aan consumenten (bijvoorbeeld door het vertrouwen in het merk Philips), zal bij een productstrategie de consumentenkeuze gekoppeld worden aan de meerwaarde dat het product biedt. In de eerste situatie geeft het merk betekenis aan het product, terwijl dit in de tweede situatie andersom is; het product geeft betekenis aan het merk.
Het succes van de vaker in dit boek aangehaalde Dyson-stofzuiger (omdat het zo'n bekend en overtuigend voorbeeld is), is primair het gevolg van de keuze voor een productstrategie. We kunnen beargumenteren dat een merkstrategie in dit geval minder waarde zou toevoegen of minder onderscheid zou kunnen bieden dan een productstrategie. Het betrof een nieuwe productintroductie en omdat het merk Dyson nog volstrekt nieuw en onbekend was, zou het nog vrijwel geen toegevoegde waarde kunnen bieden. In de productcategorie stofzuigers bestond reeds een aantal gevestigde merken (zoals ondermeer Philips, Siemens en Miele). De door de huidige spelers in deze productcategorie aangeboden producten boden vrijwel geen onderscheidend vermogen qua productuiterlijk en toegepaste techniek. (Met uitzondering van een merk als Nilfisk in het hogere prijssegment.) Er lagen zo gezien eerder kansen op het gebied van een vernieuwende productstrategie dan van een merkstrategie. Maar er speelt ook mee dat Dyson een voorbeeld is van een bedrijf met een productfocus. Organisaties met een productfocus zijn geneigd het product boven het merk te stellen en zullen daarom vaak een productstrategie kiezen. Terwijl dit andersom is bij organisaties met een marktfocus. Zij stellen het merk in de regel boven het product in hun strategische oriëntatie en zullen in de regel voor een merkstrategie kiezen. Er lijkt sprake van een soort 'natuurlijke selectie' die voortkomt uit de oriëntatie van een onderneming.
Bij bedrijven met een merkcultuurfocus ligt het anders; er is sprake van een meer evenwichtige benadering tussen product en merk. Deze bedrijven maken geen keuze tussen één van beide strategieën, maar proberen veel eerder een geïntegreerde merk-/productstrategie te ontwikkelen. Met als doel om de productidentiteit aan te laten sluiten op de merkidentiteit, welke de basis vormt voor productontwikkeling. Dit gaat meestal gepaard met een hogere graad van complexiteit, omdat de samenhang (de balans) tussen product en merk moet worden gevonden en bewaard. Het is in deze situatie niet voldoende om te bepalen welke specifieke eigenschappen en daarmee verbonden voordelen het product moet bezitten om te voldoen aan de eisen van de markt. Ook de specifieke waarden en betekenissen, waaraan een product wordt gekoppeld door middel van het merk, moeten nu worden bepaald. De specifieke opgave voor design is vervolgens om uitdrukking te geven aan beide aspecten en deze tot een harmonieus geheel samen te brengen. Dit is een complexe opgave en het designproces overschrijdt dan ook functionele gebieden zoals Marketing en Product R&D (waardoor flexibele, multifunctionele ontwikkelteams een vereiste zijn). Het ligt daarom min of meer voor de hand dat de inzet van designmanagement in deze situatie op een hoger plan terecht komt.

Een keuze voor één van beiden (een product- of een merkstrategie) zal in de praktijk meestal noodzakelijk zijn uit financiële overwegingen. In verband met de gewenste terugverdientijd van investeringen zijn budgetten in de praktijk vrijwel nooit onbeperkt.

Een 'en/en'-situatie – waarbij tegelijkertijd zowel in productontwikkeling en design als in merkontwikkeling en marketingcommunicatie wordt geïnvesteerd – vereist dat de markt en de onderneming zelf groot genoeg is. Bij niche-markten of MKB-bedrijven zal dit in de regel niet het geval zijn. De keuze voor een bepaald type strategie leidt daarom tot een bijpassende allocatie van budgetten. Wanneer gekozen wordt voor een productstrategie zal het budget voornamelijk aan productontwikkeling en design worden besteed. Bij een merkstrategie wordt het beschikbare budget in merkontwikkeling en marketingcommunicatie geïnvesteerd.
De keuze van budgetallocatie in verband met een productstrategie, heeft ook meestal gevolgen voor de wijze van marktintroductie. Er zal in de regel weinig budget beschikbaar zijn voor een kostbare introductiecampagne; het product zal zichzelf moeten kunnen verkopen. Door de marktintroductie voornamelijk met PR te ondersteunen kan eventueel *free publicity* worden gegenereerd. Hoewel een professionele PR-campagne ook als een investering moet worden aangemerkt, zullen de kosten die dit met zich meebrengt doorgaans veel lager zijn dan van een massamediale campagne waarbij mediaruimte moet worden ingekocht. Deze aanpak kan bijzonder effectief zijn, omdat redactionele aandacht doorgaans als geloofwaardiger wordt gezien door consumenten dan reclame. Een dergelijke aanpak kan om budgettaire reden noodzakelijk zijn, maar vereist uiteraard wel een hoge nieuwswaarde van het product. Alleen wanneer het echt om iets nieuws gaat, bijvoorbeeld in technische prestatie en productuiterlijk, zullen de media ruim aandacht besteden aan een introductie (zoals bij Dyson het geval was).

6.2.1 Productstrategie

Het ontwikkelen van nieuwe producten is van belang voor het voortbestaan van bedrijven. En het succes van nieuwe producten wordt vooral bepaald door de mate waarin ze meer voordeel bieden aan consumenten. Volgens de aanhangers van strategische planning neemt de kans op succes toe wanneer een productstrategie ten grondslag ligt aan productontwikkeling.
Een productstrategie heeft betrekking op individuele productontwikkeling en geeft aan hoe en waar een bedrijf in de toekomst wil concurreren. Voor een bedrijf deze productstrategie kan ontwikkelen moet eerst duidelijk zijn waar een bedrijf naar toe wil en welke producten het voor welke markten wil ontwikkelen. Dit wordt aangeduid als beleidsformulering, waarbij begrippen aan de orde zijn als de visie (de waarden van de onderneming en haar ambitie), de missie (de geformuleerde doelstellingen) en de strategie (hoe daar te komen). Vervolgens dient de gekozen bedrijfsstrategie vertaald te worden naar een strategie voor producten; in welke productcategorie moet ontwikkeling plaatsvinden, op welke doelgroep(en) moet het product zich richten en hoe moet dit product er uitzien?
De productstrategie hangt samen met nog een ander begrip; de *productplanning*. In de productplanning wordt vastgesteld welke producten ontwikkeld zullen worden en wanneer. Hierbij gaat het vaak om een reeks van producten of productvarianten (de productportfolio). Als uitgangspunt voor productplanning fungeert meestal de marktstrategie die een onderdeel vormt van de bredere bedrijfsstrategie. Het marktinzicht binnen een

onderneming kan de basis vormen voor de identificatie van strategische kansen en doelen. In de marktgeoriënteerde benadering wordt daarom de productstrategie afgestemd op de geïdentificeerde (mogelijk nog latente) behoeften van consumenten. In de productgeoriënteerde onderneming zal dit doorgaans achterwege blijven.

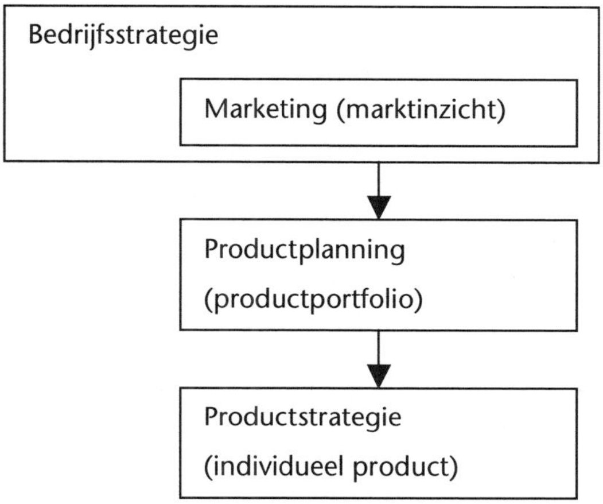

Figuur 6.2 Het proces van beleidsformulering bij een marktoriëntatie

Een productstrategie kan worden opgevat als het proces waarbij wordt bepaald welke specifieke eigenschappen en daarmee verbonden voordelen het product moet bezitten, om te voldoen aan de eisen van de markt. Daarnaast wordt beschreven: het moment van productintroductie (op een tijdas), de doelgroepen waarvoor het product is bestemd, de marketingdoelen en de financiële doelen. Producteigenschappen zijn bijvoorbeeld productfunctie (functionele prestatie), productbetekenis (symbolische waarden), productuiterlijk (productvorm, kleur en materiaal) en product *features* (extra attributen).
Design vormt een belangrijk onderdeel van de productstrategie, met name als het gaat om het productuiterlijk. Productbetekenis is geen op zichzelf staande eigenschap, maar kan worden opgevat als een aspect van productuiterlijk; de symbolische waarde kan mede het gevolg zijn van, of samenhangen met de uiterlijke kenmerken. Hetzelfde geldt voor productfunctie. Productuiterlijk heeft voor consumenten vier hoofdfuncties (Hultink & Schoormans *et al.*, 2004):

- *Aandacht trekken*: een vereiste voor aankoop is nu eenmaal dat consumenten een product opmerken (lees: waarnemen).
- *Evaluatie:* uit het productuiterlijk leiden consumenten af wat de functie is, of ze het gemakkelijk kunnen gebruiken en wat het verwachte prestatieniveau is.
- *Esthetische functie*: productvoorkeur wordt mede bepaald door esthetische preferentie ('ik vind product A mooier dan product B').
- *Symbolische functie:* producten kunnen worden gebruikt als sociale symbolen naar anderen (bijv. smaak of status) of om de eigen identiteit te tonen.

6.2.2 Merkstrategie

Bij een merkstrategie gaat het om de bepaling van de specifieke betekenissen en waarden waaraan een product wordt gekoppeld, door middel van labeling met het merk. Het kan gaan om functionele of symbolische producteigenschappen en daarmee samenhangende voordelen, of om aspiratieve waarde-associaties (zie figuur 2.9). Deze betekenissen en waarden kunnen ook betrekking hebben op de onderneming of juist hiervan losgekoppeld zijn. Voor een verdergaande beschrijving van het concept merkstrategie verwijzen we naar box 2.5. Hierin zijn de generieke merkstrategieën beschreven, evenals de twee dimensies van een merkstrategie (merkbreedte en merkarchitectuur).
We kunnen uiteenlopende typen merkstrategieën onderscheiden, waarbij ook de rol van design en designmanagement kan variëren:

- Merkintroductiestrategieën
- Merkpositioneringsstrategieën
- Moderniseringsstrategieën
- Merkverbredingsstrategieën (ook wel: extensie- of stretching-strategieën)
- Merkheroriëntatiestrategieën
- Internationaliseringsstrategieën

Om de lezer een indruk te geven behandelen we deze in het kort.

Merkintroductiestrategieën
Deze hebben betrekking op de introductie van een nieuw merk. Meestal is daarbij ook sprake van de lancering van een nieuw product. Alle marketing- en communicatie-elementen zullen ontworpen moeten worden als uitdrukking van de merkidentiteit; de merknaam, het logo, advertising et cetera. Maar vaak ook het product zelf, de verpakking en de verschillende promotionele middelen. Design is een essentieel onderdeel van een merkintroductiestrategie, waarbij de samenhang tussen de verschillende verschijningsvormen een uitdaging vormt.

Merkpositioneringsstrategieën
Een merk kan worden aangewend om de producten en diensten van een onderneming te positioneren. Positionering (Ries & Trout, 1981) is belangrijk om een onderscheidende positie te verkrijgen binnen een bestaande categorie, of om een nieuwe (sub)categorie te creëren. Om een merk te positioneren is het nodig zowel de categorie, de doelgroep en de eigenschap of het voordeel van het merk te definiëren. Het merk wordt geplaatst binnen een veld van concurrerende merken die door consumenten/afnemers als een categorie of subcategorie wordt gezien. Bij de doelgroepdefinitie gaat het om de breedte van de doelgroep waar het merk zich op richt. Het kan gaan om een brede doelgroep of een smalle doelgroep met specifieke wensen en verwachtingen. De eigenschap/voordeeldefinitie is het (houdbaar) concurrentieel voordeel; de unieke eigenschap van het merk, oftewel dat wat het merk te bieden heeft. De opgave voor design is deze eigenschap (ook wel: de positioneringsgrondslag) op een voor de relevante doelgroep passende en overtuigende wijze tot uitdrukking te brengen. Waarbij de betreffende categorie voor de doelgroep duidelijk is, evenals de onderscheidende kracht van het merk binnen deze categorie.

Tot herpositionering wordt doorgaans besloten wanneer een bestaande positionering is uitgewerkt en het merk krimpt. De keuze is dan om de herpositionering radicaal (in grote stappen) door te voeren of in kleine stapjes (incrementeel). Herpositioneren is een risicovol traject waarvoor vaak de gehele communicatiestrategie moet worden omgegooid, inclusief de presentatie- en communicatiemiddelen. In veel gevallen verandert de merkidentiteit en als gevolg daarvan ook het merkdesign.

Moderniseringsstrategieën
Bestaande (volwassen) merken moeten bij de tijd gehouden worden om relevant te kunnen blijven voor de doelgroepen waarop ze zich richten. Opvattingen, voorkeuren en leefstijlen veranderen en merken moeten hierop kunnen blijven aansluiten. Maar ook het concurrentieveld kan veranderen; volgers of nieuwe toetreders kunnen een zodanig vernieuwende presentatie neerzetten dat gevestigde merken last krijgen van verouderingsverschijnselen ('wear out'), waardoor ze in de ogen van consumenten minder aantrekkelijk worden. Andere oorzaken kunnen liggen op het terrein van nieuwe verpakkingstechnologieën, veranderende distributiekanalen of nieuwe wetgeving die leidt tot nieuwe eisen. Een voorbeeld van een merk dat succesvol deze strategie heeft toegepast is Douwe Egberts; de merkidentiteit onderging geen wijzigingen (dat wil zeggen de merkwaarden) maar het merkdesign werd wel geactualiseerd.

Merkverbredingsstrategieën
Merkhouders die een merk willen exploiteren – en die willen kapitaliseren op de opgebouwde merkwaarde – kiezen er vaak voor hun merk te verbreden naar nieuwe productvarianten (*line extension*) of zelfs naar andersoortige producten in andere productcategorieën (*brand extension*). Deze strategie wordt ook wel vaak aangeduid als *brand stretching*. De specifieke uitdaging voor design is om ervoor te zorgen dat consumenten deze uitbreiding van het merk accepteren voor zover dat te maken heeft met visuele verwantschap (family resemblance). Uit onderzoek blijkt namelijk dat deze acceptatie gemakkelijker verloopt wanneer consumenten een logisch verband waarnemen. Bijvoorbeeld doordat ze dit kunnen aflezen uit het productuiterlijk of uit de presentatievormen rondom het product.

Merkheroriëntatiestrategieën
Hierbij gaat het om sanering van de merkportfolio. Er vindt een herschikking plaats binnen de structuur van merken, submerken en labels die meestal leidt tot een vermindering van het aantal. Het gebruik van een individueel productmerk wordt bijvoorbeeld vervangen door het gebruik van het corporate merk, of een submerk wordt bijvoorbeeld onder een ander merk gehangen. Uiteraard heeft dit consequenties voor het gebruikte merkdesign en de visuele communicatie.

Internationaliseringsstrategieën
Als gevolg van het ontstaan van een Europese markt (die bovendien snel groter wordt) en de globalisering, is internationalisering soms wenselijk of noodzakelijk. Wanneer multinationals met meerdere merken op de internationale markt actief zijn, kunnen ze

besluiten hun merken te harmoniseren of te standaardiseren. Zoals Unilever dat deed met zijn wereldwijde ijs-activiteiten die werden geharmoniseerd door middel van het hart symbool. Of bijvoorbeeld met de aanpassing van nationale merknamen zoals Jif (in Nederland) naar Cif als internationale merknaam. Een ander voorbeeld is Douwe Egberts dat zijn merkdesign internationaal vernieuwde een standaardiseerde, maar wel met verschillende merknamen bleef werken (in Frankrijk Maison du Café en in Spanje Marcia). Vaak leidt dit ook tot aanzienlijke kostenbesparingen als gevolg van het ontstane schaalvoordeel.
Bij internationaliseringsstrategieën kunnen culturele verschillen in consumptiepatronen en productbeleving en in landenspecifieke categoriecodes een rol spelen. Het is daarom een complexe en risicovolle materie. Markten functioneren niet overal hetzelfde; distributiekanalen kunnen afwijken als gevolg van hoe de tussenhandel functioneert en het concurrentieveld waarin het merk moet opereren kan er in ieder land steeds heel anders uitzien.

6.2.3 Designstrategie

Zoals in de tekst naar voren is gebracht, vormt design een belangrijk onderdeel van een productstrategie, met name als het gaat om productuiterlijk. Organisaties die het belang van design onderkennen, of die gekozen hebben voor een differentiatiestrategie waarvan design de kern vormt, zullen een *designplanning* formuleren in het verlengde van hun productplanning (eventueel als onderdeel daarvan). De uitgangspunten of richtlijnen die daarin zijn geformuleerd, hebben betrekking op de productportfolio als geheel. Aanvullend zullen ze een *designstrategie* voor individuele producten ontwikkelen in samenhang met de productstrategie.
Een designstrategie richt zich op de verschillende productaspecten met als doel om te komen tot de gewenste consumentenbeleving. In de eerste plaats heeft een designstrategie betrekking op het achterliggende idee, de creatieve visie en het daarmee samenhangende creatieve concept als zodanig (ook wel aangeduid als: 'the big idea'); dat is waar het verschil wordt gemaakt.
Het succes van Dyson is primair het gevolg van de gekozen designstrategie in het verlengde van de productstrategie. Uiteraard besteedden de bestaande aanbieders van stofzuigers ook aandacht aan het productuiterlijk. Maar deze aandacht was vooral gericht op styling en graduele verbetering van de toegepaste technologie. Het product werd min of meer als 'uitontwikkeld' beschouwd; revolutionaire verbeteringen leken niet mogelijk of wenselijk. James Dyson, de grondlegger van het gelijknamige bedrijf, dacht hier echter heel anders over. Hij ontwierp een geheel nieuwe gepatenteerde techniek (Dual Cyclone®) en introduceerde het eerste zuigsysteem zonder stofzak. Dyson voorzag dat de sterke toename aan allergieën onder de bevolking, de vraag naar een beter zuigsysteem met zich mee zou brengen. Hij koos voor vergaande productvernieuwing waarbij design een sleutelrol speelde en zag hierdoor kans de gevestigde categorie te veranderen. Hij koos voor een designstrategie waarbij de revolutionaire zuigtechniek opvallend zichtbaar is voor de gebruiker – en waarbij het aantrekkelijke productuiterlijk radicaal afwijkt van

wat in de productcategorie gebruikelijk was. Hiermee onderstreepte hij het 'anders zijn' van zijn product.
De consequentie van de keuze voor een designstrategie in het verlengde van een productstrategie, is dat het keuzeproces van potentiële kopers nu gebaseerd is op de perceptie van de productprestatie én de waardering voor het productdesign. Een designstrategie in het verlengde van een merkstrategie is natuurlijk ook mogelijk, maar zal er toe leiden dat dit keuzeproces veel eerder gebaseerd zal zijn op de symbolische betekenis van het merk. Het telecom-merk Orange is een goed voorbeeld hiervan. Bij een merkstrategie gaat het om de bepaling van de specifieke betekenissen en waarden waaraan een product wordt gekoppeld, door middel van labeling met het merk. Het kan gaan om functionele of symbolische producteigenschappen en daarmee samenhangende voordelen, of om aspiratieve waarde-associaties. Bij de designstrategie in het verlengde hiervan gaat het om het bepalen van de wijze waarop deze (visueel) tot uitdrukking worden gebracht.

Hoofd- of substrategie?
Designstrategieën worden in de praktijk meestal als instrumenteel beschouwd binnen een bepaalde product- of merkstrategie. Dit wordt ook wel aangeduid als afgeleide strategie of substrategie. De vraag doet zich voor of een designstrategie in principe ook leidend kan zijn, of altijd als substrategie fungeert. In het eerste geval zal de bepaling van het productuiterlijk voorafgaan aan de bepaling van de productstrategie, eerst is er het idee en dan wordt een passende strategie gecreëerd. Ons lijkt dat niet logisch. Gezien de drie strategische oriëntaties die we in dit hoofdstuk onderscheiden, ligt het voor de hand dat design altijd in het verlengde van een markt-, product- of merkstrategie zal liggen. Er kan weliswaar sprake zijn van een min of meer gelijkwaardige positie, wanneer onderkend wordt dat de designstrategie cruciaal is voor het welslagen van een bepaalde product- of merkstrategie. Of wanneer design de grondslag vormt van een differentiatiestrategie
Sterk designgedreven organisaties met een merkcultuurfocus, zoals Apple, zullen designstrategieën hanteren die zowel het merk als het product omvat. Design kan hierdoor de verbinding tussen de organisatie (het corporate merk) en de producten zichtbaar maken. Maar ondanks dat het belang van de designstrategie evident is, zijn we van mening dat ook hier de designstrategie fungeert in het verlengde van een product-/merkstrategie en daarom als substrategie moet worden beschouwd. Design staat vrijwel nooit op zichzelf maar wordt manifest binnen de fysieke realiteit van een product en/of merk.

Aan het eind van deze paragraaf kunnen we concluderen dat de keuze voor een merk- of productstrategie grotendeels blijkt samen te vallen met de strategische oriëntatie van een bedrijf en met de strategiekeuze daarbinnen. Er blijft sprake van twee hoofdoriëntaties die bepalend zijn voor de richting waarin designmanagement zich kan ontwikkelen: het product en het merk. Bij de merkcultuur-oriëntatie treffen we weliswaar een combinatie van deze twee aan, maar we hebben eerder uiteengezet dat het merk daarbij leidend zal zijn. We vervolgen de tekst met een overzicht van twee typen designmanagement die we kunnen onderscheiden: product designmanagement en brand designmanagement.

6.3 Product designmanagement

Organisaties met een productfocus zullen de designmanagementfunctie vooral koppelen aan productdesign en aan hun competenties om te excelleren op het gebied van productontwikkeling (met name met betrekking tot het designproces). Omdat ze hun producten (en ook het vermogen om deze te ontwikkelen) zien als de kern van hun bestaansrecht. En omdat design hun aanbod kan differentiëren, een unieke verkoopppropositie kan creeren en begeerte of belangstelling kan opwekken. (Of het nu gaat om technische prestatie, stijl, betrouwbaarheid, veiligheid of gebruiksgemak; design kan productkwaliteiten zichtbaar maken.)

Meestal wordt ervan uitgegaan dat product designmanagement met name de esthetische en ergonomische aspecten van een product bepaalt, maar het houdt zich naast deze aspecten ook bezig met de technische, milieukundige, organisatorische en marketingtechnische aspecten van productontwikkeling. Meer operationeel product designmanagement richt zich met name op het productuiterlijk, maar ook op de vaak talrijke productpresentatievormen in de verschillende stadia van productie, promotie, marktexploitatie en (onderhouds)service. Bijvoorbeeld in de vorm van productbrochures, gebruiksaanwijzingen, catalogi, staalboeken, websites, showrooms, tentoonstellingen en beurzen.

Wanneer product designmanagement wordt ingezet binnen het totaal van de productportfolio is er sprake van een complexe managementtaak. Het gaat dan immers niet meer om een enkelvoudig product maar om een samenstelling van meerdere producten, productlijnen en productvariaties – vaak afgestemd op specifieke markten, marktsegmenten of doelgroepen. Bij internationale markten kan het ook gaan om de beheersing van nationale of regionale adaptaties, of variaties in het design als gevolg van culturele verschillen (landen-specifieke coderingen).

Bedrijven zijn voor hun productie vaak afhankelijk van andere bedrijven als gevolg van outsourcing en strategische samenwerking. Een product bestaat vaak uit componenten en onderdelen die worden geproduceerd door uiteenlopende (gespecialiseerde) producenten. De taak van product designmanagement kan complex zijn wanneer het is betrokken bij een dergelijk uitbestedingsproces, waarbij 'inter-firm' samenwerking met de ontwerpafdelingen van toeleveranciers aan de orde kan zijn.

Product designmanagement is in de regel sterk verbonden aan productontwikkeling (*new product development*) en productmarketing. Er is vaak sprake van een sterke functionele relatie met de afdeling Research & Development (productgerichte R&D).

Box 6.2 Designmanagement bij Forbo Flooring

Forbo Flooring is één van de drie divisies van de internationale Forbo Groep. Het bedrijf ontwerpt en produceert in zeven Europese fabrieken linoleum-, vinyl- en tapijtvloeren en heeft vestigingen in 23 landen. Het voert zo'n negen merken waarvan Marmoleum®, Artoleum® en Novilon® in Nederland het meest bekend zijn. Forbo biedt een groot aantal functionele en esthetische toepassingsmogelijkheden en richt zich zowel

op de projectenmarkt (projectontwikkelaars, vloerbedrijven, architecten en facility managers) als op de consumentenmarkt. Het bedrijf geniet binnen deze markten een goede reputatie die mede wordt gevormd door het sterke productimago.
Sinds 2000 is Joseé de Pauw designmanager bij Forbo en als zodanig verantwoordelijk voor alle linoleumcollecties (waaronder Marmoleum® en Artoleum®). De Pauw heeft sinds die tijd een interne ontwerpstudio opgezet waarbinnen een ontwerpteam van zes specialisten opereert. Maar ze zoekt ook regelmatig samenwerking met uiteenlopende kunstenaars, externe ontwerpers en architecten.
De afdeling onderscheidt drie hoofdactiviteiten: 'Innovative Design', 'Design & Decoration' en 'Design Support'. *Innovative Design* behelst het zoeken naar nieuwe dingen op basis van materiaal- en trendonderzoek. Een product als 'Marmoleum Dutch Design' (vanaf 2006) is hiervan een resultaat, maar ook eerdere trendcollecties zoals 'Tweeds and Crocodiles', 'Marmoleum Romance' en de 'Marmoleum meets Mendini'-collectie. Het recentelijk opzetten van een gestandaardiseerde kleurenbibliotheek in samenwerking met de kunstenaar Peter Struycken, valt hier ook onder. Deze samenwerking leidde ook tot de nieuwe collectie 'Colourful Greys' voor de projectenmarkt (architecten).
Design & Decoration is het 'normale' collectiewerk. Op basis van monitoring van de collectie (de verkoopresultaten in de verschillende landen) worden aanpassingen gedaan. Het gaat hier om een continu en cyclisch proces waarbij iedere vier jaar de internationale basiscollectie wordt vernieuwd. Hiervoor worden nieuwe kleuren ontwikkeld evenals een nieuw decoratief programma (het gaat hierbij om 'borders' en 'insets' waarmee vloeren kunnen worden verbijzonderd). Ook het ontwerpen van nieuwe interieurtoepassingen, naar aanleiding van de laatste trends in architectuur en interieurontwerp, valt hieronder. Onder *Design Support* verstaat men tenslotte ondersteunende activiteiten zoals trendpresentaties, het maken van vloerontwerpen in opdracht, het geven van trainingen en workshops aan het dealernetwerk et cetera. Ten minste één keer per jaar wordt een trendpresentatie naar aanleiding van trendonderzoek gedaan, waarvan het resultaat ook breder binnen de organisatie wordt beoordeeld.
De Forbo-organisatie bestaat uit twee eenheden: 'operations' (de fabrieken) en 'marketing & sales'. De designafdeling is een lijnafdeling die opereert onder verantwoordelijkheid van operations. Het is daarbij een zelfstandige afdeling naast R&D, logistiek, inkoop en productie. Binnen R&D is er een proeffabriek, een laboratorium (voor kwaliteitsmeting en testen) en zijn er productontwikkelaars: engineers, technologen en chemici. De designmanager rapporteert rechtstreeks aan de directeur operations. Er is ook sprake van nauwe samenwerking met marketing & sales dat verantwoordelijk is voor product- en brandmanagement. In feite vormt design een driehoek met R&D en productmanagement, waarbij de laatste functie in de praktijk veel projecten initieert en aanstuurt.

6.4 Brand designmanagement

Organisaties met een marktfocus of een merkcultuurfocus zullen de designmanagementfunctie vooral koppelen aan merkdesign. De inzet van een goed doordachte visuele identiteit kan de beleving van het merk (het gewenste imago) beïnvloeden en sturen. Daarmee wordt het onderscheidend vermogen, de geloofwaardigheid, de herkenbaarheid en het vertrouwen versterkt.

Een voorwaarde om te komen tot een consistente merkbeleving, is dat alle uitingen van het merk en alle merkcontactpunten vanuit één visie ontwikkeld en op elkaar afgestemd zijn. Het gaat er om, alle uitingsvormen te synchroniseren (wat overigens geen eenvormigheid hoeft te betekenen). Om dit te bereiken is het wenselijk om planmatig te werk te gaan en een strategie te ontwikkelen die de grote lijnen uitzet, en de visie en richting bepaalt waarin de inzet van design zich moet begeven. Door de inspanningen op het terrein van design te regisseren en aan te sturen vanuit de merkidentiteit, zal de beheersbaarheid en effectiviteit ervan toenemen. Om een effectieve uitvoering te realiseren, is het bovendien nodig designvoorstellen te evalueren, gekozen designoplossingen optimaal te implementeren en de resultaten en effecten te monitoren.

Meestal wordt brand designmanagement ingezet binnen het totaal van de merkenportfolio hetgeen deze taak complex maakt. Het gaat dan niet meer om een enkelvoudig merk, maar om een samenstel van meerdere (onder-, neven- en bovengeschikte) merken waarvan de merktekens in een bepaalde visuele structuur met elkaar verbonden zijn. Of om uitbreidingen van het merk naar nieuwe productvariaties of andere productcategorieën (lijn- of merkextensies). Daarbij kan gebruik worden gemaakt van allianties of partnerships. Bij internationale merken kan het ook gaan om nationale of regionale adaptaties (andere merknamen maar hetzelfde merkdesign) of variaties in het design als gevolg van cultuurverschillen.

De nadruk ligt doorgaans op marketingcommunicatie; vormen van communicatie die behulpzaam zijn bij het verkopen van merken op product- of dienstenniveau. Wanneer sprake is van een corporate merk zal ook organisatiecommunicatie aan de orde zijn. Dit is de verzamelterm voor public relations, public affairs, investor relations, arbeidsmarktcommunicatie, voorlichting en interne communicatie (Van Riel, 2003). Er is meestal sprake van een sterke functionele relatie met de afdeling Marketing of met de afdeling Corporate Communications, afhankelijk van de aard van het merk. Bij een individueel productmerk, zoals Bertolli of Becel, is dit vrijwel altijd de afdeling Marketing. Wanneer sprake is van een organisatiemerk zal in de regel de afdeling Corporate Communications verantwoordelijk zijn voor merkontwikkeling. Omdat we een onderscheid kunnen aanbrengen tussen organisatiemerken en individuele productmerken, voor wat betreft hun aard, betekenis en de wijze waarop ze worden gemanaged, trekken we dit onderscheid door naar brand designmanagement. In de vervolgtekst van deze paragraaf maken we een nader onderscheid in corporate brand designmanagement en product brand designmanagement.

Box 6.3 **Corporate branding**

Van oudsher zijn merken vooral gebruikt om producten te labelen. Tegenwoordig wordt het merk ook gebruikt om de activiteiten van een organisatie te labelen. Dit wordt aangeduid als *corporate branding*. Corporate branding is het proces van het creëren en onderhouden van een gunstige reputatie voor een organisatie en haar 'constituerende elementen' (de bedrijfsonderdelen waaruit de organisatie is opgebouwd), door signalen naar stakeholders te sturen met gebruikmaking van het organisatiemerk (Maathuis, 1999). Het management van een onderneming kan deze signalen beïnvloeden, door uitingen van de organisatie in de vorm van gedrag, communicatie en symboliek te sturen en te beheersen. Door deze activiteiten kan het management invloed uitoefenen op het associatie-netwerk dat stakeholders vormen met betrekking tot het organisatiemerk.

Het begrip corporate identity verwijst zowel naar de organisatie-identiteit als naar de daarmee samenvallende merkidentiteit (de corporate brand identity). Corporate branding beïnvloedt hoe interne en externe stakeholders de organisatie percipiëren. Met betrekking tot interne stakeholders (managers en medewerkers) heeft corporate branding invloed op de wijze waarop zij zichzelf als organisatieleden percipiëren en begrijpen. Managers en medewerkers identificeren zich met de organisatie en leiden hun zelfbeeld deels af van de signalen die de organisatie uitzendt. Beslissingen over de presentatie van de onderneming hebben hier invloed op.

Het ontwikkelen, besturen en beheersen van corporate brands is in de regel veel moeilijker dan van individuele productmerken. Het corporate merk is verbonden aan een organisatorische eenheid en wordt ook als zodanig gepercipieerd. Organisatie-associaties maken deel uit van de merkbetekenissen, al kan een corporate merk eveneens aan producten worden verbonden. Wanneer dit gebeurt zullen ook productassociaties aan het corporate merk verbonden raken. Een trend die we waarnemen is dat corporate merken steeds vaker op zowel organisatie-, bedrijfs- als productniveau worden ingezet. Dit maakt de zaak complex. Franzen & Van den Berg (2001) onderscheiden het 'volledig' corporate merk, het 'beperkt' corporate merk en het divisiemerk. Een *volledig corporate merk* opereert op zowel de financiële markt, de arbeidsmarkt als de afzetmarkt (bijvoorbeeld KLM, Randstad, Aegon). Een *beperkt corporate merk* wordt niet gebruikt op de afzetmarkt in de communicatie met consumenten/afnemers (Ahold, CSM, Unilever). Voor de afzetmarkt wordt dan een *divisiemerk* ingezet dat soms ook op de arbeidsmarkt opereert, maar niet op de financiële markt. Een divisiemerk is verbonden aan een organisatorische eenheid die als onderneming fungeert en ook zo gepercipieerd wordt (een dochteronderneming, werkmaatschappij of strategische business unit). Voorbeelden van divisiemerken zijn Albert Heijn van Ahold en Douwe Egberts van Sara Lee. *Individuele merken* zijn productmerken die niet associatief met een onderneming verbonden zijn (en geen organisatie-associaties hebben). In het voorbeeld van Douwe Egberts valt het divisiemerk samen met het productmerk. En in het voorbeeld van Albert Heijn min of meer met het AH-huismerk.

6.4.1 Corporate brand designmanagement

Dit type designmanagement is verantwoordelijk voor de visuele uitingsvormen van het organisatiemerk. Het gaat dan met name om de ontwikkeling, implementatie, waarborging en het onderhoud van een designprogramma dat kan worden aangeduid als corporate brand design, maar dat meestal wordt aangeduid als huisstijl. In sommige organisaties wordt deze vorm van designmanagement daarom ook wel aangeduid als huisstijlmanagement. Men spreekt dan niet over merkdesign maar over huisstijlelementen – en niet over merkuitingen maar over huisstijldragers. Wanneer het corporate merk niet als merk, maar als logo wordt opgevat, wordt de visuele merkidentiteit meestal opgevat als huisstijl. Ook wordt wel gesproken van corporate identity en over identiteitsmanagement, maar deze concepten omvatten veel meer dan de visuele presentatievormen als de symbolische afspiegeling van de organisatie-identiteit (zie ook box 4.1). De term *visual identity management* is wat dat betreft een veel juistere benaming. Wanneer organisaties kiezen voor een aanpak op merkniveau, geven wij de voorkeur aan corporate brand designmanagement als aanduiding.

Kenmerkend aan dit type designmanagement is de verankering in de organisatie. In feite is het designprogramma een kwaliteitsprogramma waarmee de presentatie- en communicatie-activiteiten in goede banen wordt geleid. Design kan daarom ook opgevat worden als een organisatieproces dat als doel heeft eenduidigheid te realiseren in de wijze waarop medewerkers naar buiten treden. Het wordt doorgaans als essentieel gezien dat managers, medewerkers en leveranciers zich houden aan de voorgeschreven richtlijnen en procedures van het designprogramma. Het aantal presentatie- en communicatieuitingen dat organisaties vandaag de dag hanteren is enorm en daarmee is het geen eenvoudige opgave om een designprogramma goed te beheren. Meestal is het niet bekend om hoeveel en welke middelen het gaat en wie waarover het beheer heeft. De bedragen die ermee gemoeid zijn worden vaak veel te laag ingeschat en bedragen doorgaans het vijfvoudige van wat het algemeen management verwacht.

We vinden dit type designmanagement vooral bij overheden, non-profit organisaties en dienstverleners zoals banken en verzekeraars (meestal onder de functietitel huisstijlmanager). Bij dit type organisaties zijn het de medewerkers die het product iedere dag opnieuw maken en leveren. En dat is een stuk lastiger te realiseren dan wanneer sprake is van machinale productie. Om ondanks persoonlijke verschillen en inzichten een uniforme kwaliteit te kunnen realiseren op het gewenste kwaliteitsniveau, wordt meestal een omvattend en gedetailleerd designprogramma ingezet. Om ervoor te zorgen dat dit optimaal wordt toegepast, dient het gemanaged te worden vanuit de invalshoeken strategie, organisatiestructuur, organisatiecultuur en technologie, waarbij ook de dynamiek van de organisatie moet worden onderkend (Van den Bosch, 2000). Veranderingen op het terrein van de vier invalshoeken dienen te worden vertaald in het designprogramma. De gedachte hierachter is dat de visie, missie, identiteit en positionering, maar ook de organisatiestructuur en -cultuur, op een adequate manier worden weerspiegeld door het corporate brand design. Corporate brand designmanagement heeft in de regel dan ook een sterke functionele relatie met de afdeling corporate communicatie. De designmanager als functionaris maakt hiervan meestal deel uit.

Corporate brand designmanagement kan complex worden als de organisatie het corporate merk ook inzet op business-niveau (de divisies of werkmaatschappijen) en/of productniveau (de producten of diensten). Daarmee neemt namelijk de invloed van productmanagement en marketing toe. Een goede integratie van design in productontwikkeling en marketing is dan meestal wenselijk en als gevolg daarvan is het designproces complexer. Er zijn in de regel veel silent designers uit verschillende disciplines, waaronder managers die verantwoordelijk zijn voor bepaalde deelaspecten (en die allemaal hun goedkeuring moeten verlenen). Behalve de benodigde kennis, visie en creativiteit – teneinde het argumentatieproces in goed banen te kunnen leiden – vraagt dit ook om goede werkrelaties en een goed gevoel voor timing.

Box 6.4 Designmanagement in de praktijk: Rabobank

Rabobank is een voorbeeld van een organisatie met een duidelijke merkcultuurfocus. De kernwaarden zijn diep verankerd in de geschiedenis van deze coöperatieve bank en vormen de basis voor het denken en handelen, ook als het gaat om internationale groei. Het merkdenken is in de laatste jaren veel sterker geworden en heeft een veel bredere betekenis gekregen. Niet alleen voor de centrale eenheden maar ook voor de zelfstandige lokale banken. In het verlengde daarvan is er ook meer erkenning gekomen voor de rol van design als merkinstrument en de bijdrage van designmanagement.
Designmanager Ben Verwiel is sinds 1998 verantwoordelijk voor de visuele merkidentiteit (de huisstijl) die in 1995 werd ingevoerd. Verwiel werkt nauw samen met drie vaste contactpersonen die opgesteld staan voor de verschillende (markt)segmenten: corporate, wholesale en retail. Designmanagement heeft hier het karakter van corporate brand designmanagement en maakt deel uit van het Directoraat Communicatie.
De designmanager rapporteert aan een lid van het Management Team. Het MT van het Directoraat Communicatie is verantwoordelijk voor de verschillende vormen van communicatie, inclusief marketingcommunicatie en interne communicatie, en richt zich op geïntegreerde communicatie. Communicatie is niet dominant over marketing: samenwerking staat voorop en vormt een centrale waarde binnen Rabobank. Via communicatiemanagers die opgesteld staan voor de verschillende segmenten, houdt Communicatie een vinger aan de pols als hoeder van het merk en als facilitator.
Designplanning is binnen Rabobank een formeel proces als onderdeel van communicatieplanning en heeft ondermeer betrekking op de internationale groeistrategie. Er is sprake van een strategische rol: de meerjaren designplanning strekt zich uit over vijf jaar. Daarbij zijn een aantal hoofdvragen aan de orde: wat zijn de consequenties voor de identiteit met het oog op de groeistrategie en hoe ver ga je in het centraal voorschrijven van regels en richtlijnen? Daarbij spelen immers ook lokale mogelijkheden en cultuurverschillen een rol. Andere aspecten zijn het stretchen en revitaliseren van het merk (om dit te laten groeien), het bedienen van de verschillende markten, het faciliteren van de vestigingen en het incorporeren van technologische ontwikkelingen. Dit laatste leidt tot een verschuiving in kanalen en een verandering van informatiestromen en vraagt ook om meer integratie van de verschillende media.

De designmanager voert niet zelf projecten uit, maar heeft vooral de taak om de mogelijke bijdrage van design te organiseren door middel van een centrale inkoopverantwoordelijkheid (met het oog op beheersing van kwaliteit, efficiency en kosten), het opvoeden van bureaus/leveranciers en het reviewen van resultaten binnen de organisatie. Voor designmanagement leidt dit tot steeds meer erkenning en tot het in toenemende mate, al tijdens de startfase, betrokken worden bij projecten.

6.4.2 Product brand designmanagement

Product branding gaat over het toepassen van individuele productmerken. Product brand designmanagement is verantwoordelijk voor de visuele uitingsvormen van het productmerk en meestal ook voor de toepassing van het merkdesign op de diverse merkcontactpunten. Het gaat vaak om talrijke zelfstandige presentatie- en communicatievormen in de verschillende stadia van promotie en marktexploitatie. Denk bijvoorbeeld aan verpakking, display- en schappresentatie, advertising design en winkelinrichting (retail design). Of aan merkacties, sponsoring-activiteiten of andere events waar het merk zich manifesteert.
Product brand designmanagement wordt complex als de organisatie een extensiestrategie hanteert waarbij het productmerk wordt uitgebreid naar een aantal productvariaties of naar andere productcategorieën (lijn- of merkextensies). Het succes van een dergelijke merkverbreding wordt mede bepaald door de wijze waarop het merkdesign wordt ingezet. (Consumenten zullen een nieuwe variant of een nieuw product, gelabeld door hetzelfde merk, eerder accepteren wanneer door middel van design een bepaalde vertrouwdheid wordt gewekt.) Dit geldt eveneens voor merkstrategieën als *co-branding* (ook wel: *dual branding*) of *ingredient branding*. Bij co-branding is sprake van een dubbele afzender, zoals bij de Senseo-koffiezetter waaraan Philips en Douwe Egberts hun merken verbinden. Bij ingredient branding gaat het om het gebruik van een bepaald ingrediënt zoals Nutrasweet® zoetstof of Intel® microchips. Het toepassen van meerdere merken op een merkartikel of merkuiting vraagt om een weloverwogen designoplossing.

We treffen dit type designmanagement vooral aan bij *fast movers* (producenten van consumentengoederen) en retailers die hun consumentenmerken belangrijker vinden dan hun corporate merk, of althans beiden van elkaar gescheiden houden. Daarom zouden we ook kunnen spreken van *consumer brand design management*. Product brand designmanagement heeft in de regel een sterke functionele relatie met de afdeling merkenmanagement, marketing of research & development. In tegenstelling tot corporate brand designmanagement, richt product brand designmanagement zich in hoofdzaak op externe doelgroepen. Van een verankering in de organisatie is nauwelijks sprake omdat individuele productmerken doorgaans niet met de organisatie zijn verbonden (organisatie-associaties spelen geen rol in het individuele productmerk). Er bestaat daarom niet – zoals bij organisatiemerken wel het geval is – de noodzaak om de identiteit van de organisatie tot uitdrukking te brengen in het merkdesign.

Box 6.5 **Designmanagement in de praktijk: Heineken International**

Heineken is een voorbeeld van een organisatie met een duidelijke marktfocus. De afdeling 'Design & Brand Activation' (D&BA) is verantwoordelijk voor de wereldwijde packaging en merchandising van het merk Heineken. De afdeling werkt nauw samen met Innovation & Development (in het kader van innovatie). De afdeling opereert als onderdeel van het Global Heineken Brand Team (stafafdeling op corporate niveau) en bestaat uit zeven mensen met een coördinerende taak. Aan het hoofd van de afdeling staat een *manager design and brand activation* die deel uitmaakt van het management van het Global Heineken Brand Team.

De aandacht van de designafdeling richt zich vooral op het proactief initiëren, afstemmen en coördineren van vernieuwingen op het terrein van merkverschijning (het merkbeeld), verpakkingen en merkactivering. Met dit laatste wordt gedoeld op de talrijke actieverpakkingen, special editions, merchandisingartikelen, en de vormgeving van sponsoractiviteiten en events, die erop gericht zijn de aantrekkelijkheid en relevantie van het merk te vergroten en de afzet te stimuleren. Het accent ligt hierbij op innovativiteit in het design, maar uiteraard ook op een goede, consistente beheersing. Het gaat om een complex geheel van een groot aantal merkuitingen, mede als gevolg van de internationale uitbreiding van het merk. De opgave voor D&BA ligt in het optimaal exploreren, benutten en beheersen van de mogelijkheden hiervan. Ten aanzien van de rol van design voor het merk is een duidelijk ambitieniveau geformuleerd: 'to be leading edge'. De gedachte hierachter is dat designinnovaties de positie en autoriteit van Heineken als marktleider versterken.

De verantwoordelijkheid voor een constant kwaliteitsniveau in de merkverschijning (productverpakking) is neergelegd bij de *operating companies* (OPCO's) in de verschillende landen, die ook zelf verantwoordelijk zijn voor hun locale merken. D&BA faciliteert de OPCO's hierbij, ondermeer door middel van richtlijnen en instructies. Deze richtlijnen (en downloadbare databestanden) zijn wereldwijd voor gebruikers toegankelijk gemaakt via een website en worden beheerd door D&BA. D&BA ziet door middel van een periodiek audit-systeem toe op de praktijk in de verschillende landen en stuurt waar nodig bij. De afdeling overlegt regelmatig met de OPCO's, brengt haar kennis en ervaring in, zorgt ervoor dat initiatieven onderling afgestemd worden en stimuleert en beïnvloedt de OPCO's.

6.5 Conclusie – strategiekeuze bepaalt type designmanagement

Het gaat er ons om duidelijk te maken dat er grote verschillen kunnen bestaan ten aanzien van de inhoud en doelstelling van de designmanagementfunctie. De strategische oriëntatie van een organisatie is in sterke mate bepalend voor het type van designmanagement, de plaats in de organisatie en de richting waarin designmanagement zich kan ontwikkelen. De strategiekeuze hierbinnen geeft verder invulling aan de rol en taak van

designmanagement. Deze zijn voor een belangrijk deel in de tekst aan het licht gekomen. In het volgende deel gaan we hier nader op in.
Onze conclusie is als volgt:

- Bij een marktfocus ligt designmanagement in het verlengde van de marketingfunctie die dominant is: marketing is de 'driver' van productontwikkeling, productmarketing, merkontwikkeling en marketing-/merkcommunicatie. Designmanagement zal hier het karakter van product brand designmanagement aannemen.
- Bij een productfocus ligt designmanagement in het verlengde van product R&D, dat dominant is: R&D is de *driver* van productontwikkeling, productmarketing en competentie-ontwikkeling. Designmanagement zal hier het karakter van product designmanagement aannemen.
- Bij een merkcultuurfocus ligt designmanagement in het verlengde van merkenmanagement: het merk wordt gezien als business driver en daarom worden vanuit het merk alle betrokken disciplines aangestuurd. Zowel met betrekking tot het corporate merk, de productontwikkeling als marketing. Integratie is het sleutelwoord en design is het instrument waarmee zodanige verbindingen worden gemaakt dat een samenhangend en harmonieus geheel ontstaat. Designmanagement heeft hier het karakter van corporate brand designmanagement.

De grootste rol voor designmanagement zal in de praktijk weggelegd zijn voor organisaties met een merkcultuurfocus. De benadering is holistisch en designmanagement zal (in het verlengde van merkenmanagement) op een hoog aggregerend niveau worden ingezet.

In dit tweede deel hebben we het doel en de toepassing van designmanagement verkend. De lezer heeft nu een algemene indruk van de aard van het vakgebied, wat de designmanagementfunctie kan inhouden, het designproces en het managementmodel dat organisaties kunnen kiezen om dit te managen. Hiermee zijn de contouren uitgezet, maar een aantal belangrijke details ontbreekt nog. In het volgende deel van ons verhaal worden deze details belicht. Naast het type designmanagement is bijvoorbeeld ook het niveau waarop de designmanagementfunctie wordt uitgeoefend van grote invloed.

Deel III
De taken en organisatie van designmanagement

Deel III gaat over de inhoud van de designmanagementfunctie en de wijze waarop deze georganiseerd kan worden. We brengen overwegingen naar voren brengen die gebruikt kunnen worden om na te gaan hoe in een gegeven situatie de designmanagementfunctie het beste kan worden ingericht. In hoofdstuk zeven brengen we in kaart welke taken binnen deze functie kunnen worden onderscheiden. In hoofdstuk acht behandelen we de structuurvraag: Op welke plaats in de organisatie kan designmanagement het beste worden ingericht? (Op welk niveau binnen de organisatie en binnen welke structuur?) Hoofdstuk negen gaat over het vraagstuk van uitbesteden, tijdelijk inhuren of zelf doen. Daarbij komen tevens verschillende invoeringsscenario's aan bod.

7 Designmanagement – strategie, beleid, uitvoering

'A narrow interpretation of design ignores the strategic value of design in the corporation. Design is only secondarily about pretty objects and primarily about a whole approach to doing business, serving customers, and providing value.'
(Tom Peters)

In dit hoofdstuk brengen we in kaart welke taken kunnen worden onderscheiden binnen de designmanagementfunctie. We leggen daarbij een verband tussen de organisatiebehoefte en het niveau in de organisatie waarop een managementvraagstuk kan worden aangepakt. In de inleiding introduceren we drie verschillende managementniveaus, te weten: strategisch, tactisch en operationeel management. In paragraaf 7.2 verkennen we drie eventuele probleemgebieden met betrekking tot design en de daarmee samenhangende managementbehoefte. Om te beoordelen of designmanagement een waardevolle rol kan spelen voor een organisatie, is het van belang om te beoordelen met betrekking tot welke managementproblematiek, designmanagement ingezet kan worden om een oplossing te bieden. Managementfuncties worden zelden gecreëerd zonder noodzaak. In paragraaf 7.3 maken we een vertaling van de drie managementniveaus (S/T/O) naar de specifieke designmanagementfunctie. In de daaropvolgende paragraaf werken we dit verder uit naar de verschillende managementtaken die we op ieder niveau kunnen onderscheiden. In paragraaf 7.5 maken we een terugkoppeling naar hoofdstuk zes waarin we verschillende typen designmanagement introduceerden. We sluiten af met enkele conclusies ten aanzien van de belangrijkste bevindingen.

7.1 Managementniveaus en managementtaken

Om te kunnen bepalen welk managementvraagstuk op welk niveau in de organisatie moet worden behandeld, maken Keuning & Eppink (2004) een onderscheid in het soort beslissingen dat binnen organisaties wordt genomen. Het risico waarmee een bepaalde beslissing gepaard gaat, kan aanmerkelijk verschillen. Bijvoorbeeld als het gaat om het budget dat ermee gemoeid is, het aantal personen dat erbij betrokken is, of de termijn waarop deze moeten resulteren. Ze onderscheiden daarom strategische, organisatorische (ook wel: tactische) en operationele beslissingen.
Strategische beslissingen worden gezien als belangrijker, complexer en risicovoller dan operationele beslissingen. Strategische beslissingen hebben betrekking op het vormgeven van de relatie tussen een organisatie en haar omgeving over een langere termijn. Met

het oog op designmanagement kan het bijvoorbeeld gaan om het identiteitsvraagstuk in het licht van een overname of fusie, of het betreden van een nieuwe markt. Maar het kan ook gaan om het ontwikkelen van een nieuwe productlijn of een nieuw merk. Strategische beslissingen hebben als doel om een richting vorm te geven waarin de organisatie zich moet ontwikkelen en op die wijze een helder gemeenschappelijk doel voor alle betrokkenen te creëren. Dergelijke beslissingen raken de totale organisatie. Daarom behoren ze op het hoogste niveau in de organisatie te worden genomen. Kenmerkend voor strategische beslissingen, is dat ze op een centraal niveau worden genomen, lang geldig zijn (ook omdat de gevolgen niet snel teruggedraaid kunnen worden) en vaak tot gevolg hebben dat relatief grote budgetten voor een langere tijd worden vastgelegd.
Een tweede categorie wordt gevormd door *organisatorische* beslissingen. Bij dit type beslissingen gaat het om de keuze van de meest adequate organisatiestructuur, die nodig is om strategische beslissingen succesvol tot uitvoering te brengen. De aanleiding voor dergelijke beslissingen is vaak het wijzigen van de strategie. Dit brengt meestal een verandering van de structuur met zich mee, omdat de nieuwe strategie vereist dat de arbeidsverdeling en coördinatie in de organisatie anders moet worden ingericht. Taken en bevoegdheden moeten opnieuw worden verdeeld en er moet een transformatieproces worden ingericht om van het oude naar het (beoogde) nieuwe te komen. Er moeten doorgaans ook informatiesystemen worden opgezet en nieuwe procedures en richtlijnen worden ontwikkeld. Om de strategie in actie te brengen, is het nodig om in de organisatie aan de slag te gaan. Daarbij moeten vertalingen naar zeer uiteenlopende activiteiten worden gemaakt. Organisatorische beslissingen worden ook wel aangeduid als *tactische* beslissingen. De eisen vanuit de nieuwe strategie conflicteren vaak met de eisen die worden gesteld door de bestaande activiteiten (de huidige situatie). Bij dit type beslissingen moeten daarom vaak tactische afwegingen worden gemaakt tussen economisch, technische, sociale en psychologische factoren.
Operationele beslissingen tot slot, hebben betrekking op het zo goed mogelijk benutten van het middelenpotentieel (de *resources*) dat voor de uitvoering van een specifieke taak beschikbaar is. Anders gezegd; het beschikbare talent, budget en de capaciteit en faciliteiten om een taak te kunnen uitvoeren. Het risico dat een verkeerde beslissing met zich meebrengt, wordt hier veel kleiner geacht. Het gaat om de voortgang van uitvoerende activiteiten met een meer routinematig karakter. Dergelijke beslissingen kunnen daarom op een lager niveau in de organisatie worden genomen. We kunnen een strategisch, tactisch en operationeel beslissingsniveau onderscheiden en in samenhang hiermee een strategisch, tactisch en operationeel managementniveau.

7.1.1 Strategisch, tactisch en operationeel management

Strategisch management is zowel extern als intern gericht. Het houdt zich bezig met het strategieproces dat bestaat uit drie stadia: strategie-analyse, -formulering en -implementatie. Hierbij gaat het om het voorbereiden en maken van strategische keuzen (het formuleren van doelen, het afwegen van alternatieven en het kiezen van de weg daarnaartoe), maar ook met de vraag hoe die keuzen kunnen worden geïmplementeerd.

Naast het afstemmen op de externe omgeving – in verband met strategieformulering – moet strategisch management er ook op toezien dat bekwaamheden op peil worden gehouden en ontwikkeld, die nodig zijn om strategische veranderingen te kunnen realiseren. Het kan zijn dat hiervoor een ander managementsysteem of een andere organisatiestructuur nodig is, of dat taken anders moeten worden verdeeld of nieuwe competenties van buiten moeten worden aangetrokken. Het bepalen van de wijze waarop (ondermeer in verband met de financiering) en het tempo waarin veranderingen moeten leiden tot groei is eveneens aan de orde bij strategisch management. Het belang van deze functie neemt in organisaties toe door de sterke veranderlijkheid van technologieën, markten, consumentengedrag en wetgeving – en de mate van onzekerheid die dit met zich meebrengt.
Tactisch management houdt zich hoofdzakelijk bezig met het zodanig ontwerpen of aanpassen van de organisatiestructuur, dat de gekozen strategie succesvol tot uitvoering gebracht kan worden. Daarbij hoort het ontwikkelen van goede processen en procedures en het optimaal inzetten van de beschikbare bedrijfsmiddelen (resources). Tactisch management is beleidsgericht en houdt zich niet bezig met de daadwerkelijke uitvoering. Het ziet er wel op toe dat eventuele problemen in de uitvoering tijdig leiden tot bijstelling van de organisatie, processen, procedures of resources.
Operationeel management houdt zich bezig met de daadwerkelijke uitvoering. Het heeft tot doel om de ter beschikking gestelde middelen zo effectief mogelijk te benutten, binnen de vastgestelde beleidskaders, richtlijnen en procedures, teneinde een zo gunstig mogelijk resultaat te bewerkstelligen.

7.1.2 Constituerende en dirigerende managementtaken

Binnen het managementproces kunnen vijf functies worden onderscheiden: vooruitzien, organiseren, bevelen, coördineren en controleren. Deze worden door Keuning & Eppink (2004) samengevat tot drie met elkaar samenhangende hoofdfuncties, namelijk:

- de strategische besluitvorming;
- het ontwerpen van de organisatiestructuur;
- het inhoud geven aan, doen uitvoeren en beheersen van processen in de organisatie.

Deze drie hoofdfuncties vormen de kern van de inhoudelijke managementtaak en geven respectievelijk, de strategische, tactische en operationele functie weer.
Binnen de managementtaak kunnen ook *constituerende* en *dirigerende* taken worden onderscheiden. Constituerende taken hebben betrekking op het scheppen van een kader voor de daadwerkelijke uitvoering. Zoals het vaststellen van doeleinden, het aangeven van beleidslijnen of het maken van een beleidsplan en de daarbij horende actieplannen en procedures. Deze creatieve taken zijn beleidsintensief en hebben betrekking op vooruitzien, voorspellen, plannen en organiseren. Dirigerende taken zijn uitvoeringsintensief en hebben betrekking op het op gang brengen, richting geven aan, toezicht houden op en controleren en bijsturen van uitvoerende handelingen. Het gaat hier vooral om het motiveren van medewerkers, het geven van aanwijzingen en opdrachten en het controleren of de werkzaamheden overeenkomstig de gestelde normen, regels en procedures

zijn uitgevoerd. Strategisch en tactisch management zijn dus vooral constituerend, terwijl operationeel management vooral dirigerend is.

De verschillende managementtaken hangen samen met de te onderscheiden managementlagen in een organisatie. Deze worden meestal als volgt beschreven (in volgorde van onder naar boven):

- *Eerstelijns (uitvoerend) management*, zoals voormannen, teamleiders, projectmanagers of 'werkbazen': heeft de directe leiding over uitvoerende medewerkers.
- *Middle-management* (ook wel: middenkader), zoals adjunct-directie, bedrijfsleiding of afdelingshoofden: voert beleid van de top uit, geeft leiding aan operationeel management en is er in hoge mate verantwoordelijk voor dat de zaken in een organisatie goed draaien. In een grote organisatie is er soms sprake van meerdere lagen; een lager en een hoger middle management. Het hoger middle management heeft vooral een plannings- en beleidsfunctie, het lager middle management is meer betrokken bij de uitvoering.
- *Topleiding*, zoals de eindverantwoordelijke directie of Raad van Bestuur: zet de grote lijnen uit en neemt eindbeslissingen als het gaat om belangrijke zaken.

De plannen van het topmanagement moeten door het middle management vertaald worden naar de dagelijkse uitvoering. Constituerende taken van het middle management zijn ondermeer het verder vertalen en ontwikkelen van het beleid uit de top, het formuleren van afdelingsbeleid en het maken van een afdelingsplanning (bijvoorbeeld een meerjaren- of jaarplan, inclusief begrotingen en actieplannen). Maar ook het tijdig verkrijgen van informatie om afdelingsresultaten te kunnen beoordelen en wanneer nodig bij te sturen – en het rapporteren over de uitvoering naar de topleiding. Dirigerende taken van het middle management zijn leidinggeven en aansturen van medewerkers (o.a. coachen/motiveren), operationele beslissingen nemen, het onderhouden van interne en externe contacten en rapporteren. Maar wellicht de belangrijkste taak is het genereren van business.
De belangrijkste operationele taken zijn het stellen van normen voor een juiste uitvoering, het opstellen van uitvoeringsplannen, het regelen van de uitvoering en het controleren van een juiste uitvoering. Periodieke verslaglegging en voortgangsrapportage behoren doorgaans ook tot de operationele taken.

7.2 Probleemgebieden en behoeften

In deze paragraaf introduceren we drie uiteenlopende probleemgebieden die uitmonden in drie specifieke designmanagement-behoeften. We beschrijven deze gebieden eerst in hun volle omvang, zodat de lezer deze problematiek kan identificeren. Na deze beschrijving belichten we de hieruit voortvloeiende behoeften. Nadat we de managementbehoefte hebben bepaald, gaan we in de volgende paragraaf in op de vraag hoe deze kan worden vervuld met de inzet van designmanagement.
Het begrip 'probleem' hoeft overigens niet per se een negatieve connotatie te hebben: managers scheppen er genoegen in, en zien het vaak als een uitdaging om een bepaald

probleem het hoofd te bieden. Het begrip 'probleem' in deze tekst moet worden opgevat als een bepaald vraagstuk dat vraagt om een oplossing en dat tevens een kans biedt aan organisaties.
Het is uiteraard mogelijk dat de in een organisatie aanwezige designproblematiek niet één, maar meerdere gebieden omvat. De vraag is dan welk gebied het meest knellend is, of het beste startpunt vormt voor een succesvolle aanpak. Het tegelijkertijd op meerdere fronten aan de slag gaan, zal voor de meeste organisaties niet haalbaar zijn en lijkt ook niet verstandig.

7.2.1 Drie probleemgebieden

We kunnen in hoofdzaak drie designgerelateerde probleemgebieden lokaliseren:

- De manager ziet zich gesteld voor problemen die voortkomen uit het het geheel of gedeeltelijk ontbreken van een *visie* op de rol van design in het beleid en de strategie van de organisatie. Waardoor de inzet van design als bedrijfsmiddel onvoldoende samenhang vertoont en onvoldoende effectief is.
- De manager ziet zich gesteld voor problemen die te maken hebben met de wijze waarop het *designproces* verloopt binnen de organisatie; de wijze waarop wordt samengewerkt; de coördinatie van designwerk dat op verschillende plaatsen geproduceerd wordt; de houding ten opzichte van design (discipline en bewustzijn) en de kennis over design bij verantwoordelijke beslissers. Maar het kan ook gaan om zaken als het waarborgen van continuïteit, het vakinhoudelijke niveau van ontwerpspecialisten, de selectie van leveranciers, de kwaliteit van documentatie of de informatie-logistiek.
- De manager ziet zich gesteld voor problemen rondom het goed *produceren van design*. Het kan daarbij gaan om een breed scala aan onderwerpen zoals de projectorganisatie, planning en budgettering, de selectie van geschikte ontwerpspecialisten, de kwaliteit van het designwerk, de instructie en motivatie van projectmedewerkers, de communicatie tussen betrokken partijen of de acceptatie, realisatie en implementatie van ontwerpvoorstellen.

De knelpunten hebben betrekking op het ontbreken van (a) ontwerpvisie en ontwerpstrategie, (b) onvoldoende management van het designproces in de organisatie en (c) onvoldoende management van designprojecten. Deze drie managementvraagstukken hangen samen met de drie managementniveaus: (a) strategisch, (b) tactisch en (c) operationeel management. Om een duidelijker beeld te krijgen van de vraagstukken in de drie verschillende gebieden, lichten we dit verder toe.

Het ontbreken van ontwerpvisie en ontwerpstrategie

Om te komen tot een geloofwaardige, consistente beleving door de diverse stakeholdergroepen, worden idealiter alle uitingen van een organisatie (met betrekking tot haar merken, producten en diensten) vanuit één duidelijke visie (een centraal idee) ontwikkeld en op elkaar afgestemd (Olins, 1995). Hiervoor is het noodzakelijk om planmatig te werk te gaan en een duidelijke strategie te ontwikkelen. Deze zet de grote lijnen uit en geeft de richting aan waarin de inzet van design zich moet begeven. Verkeerde beslissingen kunnen een groot effect hebben op de perceptie en waardering door consumenten of afnemers, met als mogelijk gevolg een stagnerend of afnemend bedrijfsresultaat. Goede beslissingen kunnen daarentegen enorm bijdragen aan de prestaties van de onderneming. Neem bijvoorbeeld Renault dat mede door een onderscheidende designstrategie, in samenhang met haar merkpositionering en productportfolio, momenteel zeer succesvol is.

Een designstrategie creëert een identiteit voor de organisatie en haar producten en merken. Maar design wordt niet altijd als zodanig ingezet. Veel organisaties zullen design eerder als operationeel dan als strategisch karakteriseren. Dat wil zeggen: als instrument voor operationalisering van korte-termijn doelstellingen op het terrein van marketing, communicatie of productontwikkeling. Maar daarmee dreigen ze het potentieel van design wel onderbenut te laten.

De noodzaak om design in te bedden in het proces van strategische planning, met het oog op effectiviteit, werd in de jaren tachtig in Engeland krachtig geformuleerd als volgt: *'De designexpertise van een onderneming (of het gebrek daaraan) heeft directe invloed op strategische planning – welke producten te promoten, welke markten te exploiteren, welke graad van expansie om zich op te richten et cetera. De strategie vereist het nemen van beslissingen ten aanzien van waar de designinspanningen te concentreren, en welke inspanning is vereist. Is er een noodzaak om bepaalde (van de vele mogelijke) eigenschappen, voordelen of waarden van de producten of onderneming te benadrukken? Zonder deze strategische onderwerpen te tackelen kan geen effectief design worden verwacht!'* (Bron: CNAA, Council of National Academic Awards, 'Managing Design', 1984.)

Over het concept strategische planning heeft overigens veel discussie plaatsgevonden in de managementliteratuur. Voorstanders van strategische planning geloven dat hierdoor de kwaliteit van beslissingen toeneemt, maar er zijn ook tegenstanders die wijzen op het risico van ontwerpfixatie. Wanneer het planningsproces en de plannen zelf onvoldoende flexibel zijn ingericht, kan dit er toe leiden dat niet tijdig ingespeeld wordt op externe ontwikkelingen. In figuur 7.1 geven we ter verduidelijking een schematisch overzicht van het strategische planningsproces.

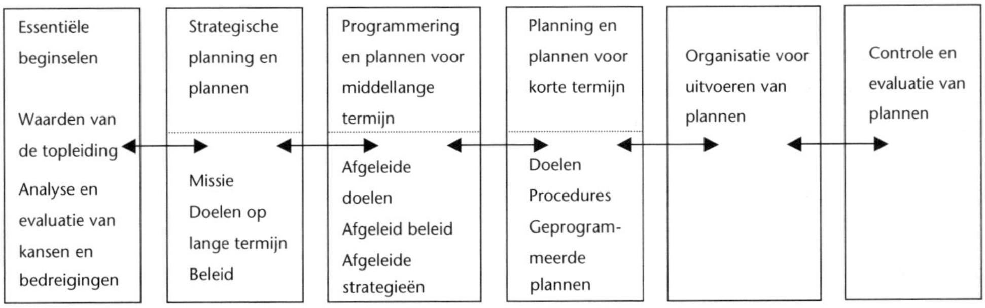

Figuur 7.1 Model voor strategische planning

Om succesvol te kunnen opereren, is het volgens de uitspraak van de CNAA nodig om een duidelijke ontwerpfilosofie of creatieve visie te ontwikkelen en een daarmee samenhangende ontwerpstrategie. Idealiter hangt deze nauw samen met de totale bedrijfsfilosofie (de visie en missie), de organisatie- of merkidentiteit en de positionering. In essentie gaat het er bij een designstrategie om, dat – door dergelijke concepten te transformeren naar de fysieke, zichtbare werkelijkheid – het totale aanbod uitdrukking geeft aan de door de organisatie gewenste ervaringen en percepties van stakeholders (het gewenste imago en de daaruit resulterende reputatie). Peter Phillips (2004) wijst erop dat alleen een coherente designstrategie kan worden ontwikkeld, wanneer er een helder begrip bestaat van de opgave waarvoor de organisatie zich gesteld ziet en van de daarmee samenhangende zakelijke doelen. Het ontbreken van een designstrategie kan erop wijzen dat dit heldere begrip ontbreekt, of dat de strategische rol van design niet wordt onderkend. Hoe het ook zij, in de praktijk zal het zonder geformuleerde designstrategie bijzonder moeilijk zijn om te komen tot een authentieke, geloofwaardige en consistente beleving. Een strategie kan overigens 'impliciet' zijn (dat wil zeggen dat hij alleen in de hoofden van één of enkelen bestaat), maar ook dan zal het in de praktijk moeilijk worden om te komen tot een effectief resultaat.
Uiteraard vormt een goede designstrategie op zich nog geen garantie voor succes. Een strategie kan op tal van manieren worden vormgegeven. Een goede designstrategie kan stranden op een slechte creatieve executie, net zo als sterk design kan falen wegens gebrek aan een heldere strategie. Een designstrategie kan er wel voor zorgen dat de beschikbare creativiteit (ondermeer van ontwerpers) optimaal wordt ingezet. De kwaliteit van zowel de achterliggende ontwerpvisie als van de implementatie blijken in de praktijk doorslaggevend voor het succes van de strategie.

Box 7.1 **Corporate Design Strategy**

De *corporate design strategy* is een plan waarmee design door de gehele organisatie kan worden verspreid. Het bevat de centraal vastgestelde designdoelen en de uitgangspunten die gelden om deze te kunnen realiseren: de belangrijkste beslissingen die richting geven aan de designactiviteiten van de onderneming, meestal aangeduid als *design principles*. Het is gebaseerd op een totaalbeeld van alle aspecten van de organisatie in termen van producten, omgeving (waarin producten worden gemaakt, onder de aandacht gebracht, verkocht, geleverd), communicatie en in mindere mate gedrag. En het vindt zijn oorsprong in concepten als visie, missie, identiteit en strategische positionering. Als zodanig is het een geconstrueerde projectie van wie de organisatie is, wat ze doet, hoe ze dit doet en waar ze naartoe wil (Olins, 2003). Hierbij gaat het volgens Borja de Mozota (2003) om twee hoofddoelen:

- Coherentie; de onderlinge samenhang (cohesie) tussen alle elementen. Niet alleen de elementen van het visueel systeem (het *corporate design system*, waaronder de visuele identiteit als uitdrukking van de merkpersoonlijkheid), maar ook de strategische elementen en de positioneringselementen. Om dit te bereiken moet iedere beslisser in de organisatie effectief en consistent gebruik kunnen maken van design.

- De definitie van een designstandaard en -filosofie. Dat wil zeggen, een specificatie van de uitgangspunten en normen voor creatie die terug te voeren is op een bepaalde zienswijze (vaak aangeduid als *design principles*). Maar ook van de plaats van design in de organisatie – en van de verantwoordelijkheid van de designafdeling ten opzichte van andere functionele afdelingen in de organisatie (met name communicatie, marketing en productontwikkeling).

Zo ligt BMW's designfilosofie in het verlengde van de merkpositionering ('the ultimate driving pleasure') en schrijft de designstandaard bijvoorbeeld voor dat alleen 'echte' materialen mogen worden gebruikt. Dus geen houtimitatie maar echt hout en alleen echt leer.

Onvoldoende management van het designproces

Bij de implementatie van een ontwerpstrategie zijn veel partijen betrokken. Vaak zowel binnen als buiten de organisatie. Het tot een tastbare werkelijkheid maken hiervan (het operationaliseren), komt tot stand door de samenwerking met identity consultants, product-, marketing- en merkmanagers, product- en grafisch ontwerpers, reclame- en communicatiebureaus, architecten, interieurontwerpers, fotografen en illustratoren et cetera. De uitkomst van dit creatieproces is een variëteit aan zintuiglijke elementen en ervaringen die samen worden gebundeld om een aantrekkelijke product- en/of merkidentiteit te creëren.

Kijken we nu naar de veelzijdige inzet van de verschillende designdisciplines, dan gaat het er om coördinatie of integratie van de ontwerpactiviteiten te bereiken. Deze leiden ertoe dat het effect van de fysieke verschijningsvorm als geheel groter is dan het effect van de optelsom van de bijdrage van de individuele disciplines. Doorgaans worden op veel verschillende plekken in een organisatie designactiviteiten aangestuurd en uitgevoerd. Vaak door verschillende functionele managementgebieden (zoals communicatie, marketing en research & development) die verantwoordelijk zijn voor bepaalde deelaspecten (een verpakking, een direct mailing of een nieuw product). Deze functionele gebieden kunnen zelf ook weer verspreid zijn over meerdere business units of gespecialiseerde afdelingen. Naarmate de organisatie groter en complexer is, wordt ook het managen van het ontwerpproces complexer.

Onderlinge afstemming tussen de verschillende managementdomeinen (merkenmanagement, productontwikkeling, marketing en communicatie) zal in de regel noodzakelijk zijn om een samenhangend designbeleid te kunnen realiseren. Wanneer geen of onvoldoende sprake is van afstemming en coördinatie ontstaat doorgaans een probleem met de herkenbaarheid, kwaliteit en consistentie van de (vele) verschillende productvormen, merkuitingen en merkcontactpunten. Afdelingen binnen een organisatie kunnen verschillende visies hebben en verschillende belangen of prioriteiten toekennen aan design – en aan een juiste toepassing van de geldende richtlijnen (vooropgesteld dat die er tenminste zijn). Maar het kan ook zijn dat ze over onvoldoende kennis, ervaring of inzicht beschikken om er op een verantwoorde wijze mee om te gaan. Coördinatie is

nodig om te voorkomen dat er een onsamenhangend en weinig consistent eindresultaat uit de bus rolt.
Het neerleggen van de verantwoordelijkheid voor design bij decentrale lijnmanagers kan het risico met zich meebrengen dat korte-termijn doelstellingen en de eigen business unit belangen, de centraal uitgezette 'corporate design strategy' zullen overstemmen. De manager zal in deze situatie in de regel op korte-termijn resultaten worden afgerekend (een kwartaal tot hooguit een jaar). Ook onvoldoende kennis van zaken of een gebrekkig bewustzijn rondom de effecten van design kunnen ertoe leiden dat beslissingen worden genomen die op langere termijn contraproductief of in strijd met centrale doelstellingen zijn. Per slot van rekening worden managers zelden getraind in design.

Onvoldoende management van designprojecten
We kunnen het management van een designproject omschrijven als: het definiëren van een ontwerpopgave, het vinden van de meest geschikte ontwerper en het voor hem mogelijk maken om op tijd en binnen het afgesproken budget deze ontwerpopgave optimaal te vervullen. Dat lijkt zo geformuleerd niet al te ingewikkeld, maar in de praktijk zien we dat designprojecten vaak slecht beheersbaar zijn en dat organisaties deze onvoldoende professioneel aanpakken. Onvoldoende voorbereiding en een gebrekkige organisatie zorgen vaak voor onnodig veel irritatie, tijd- en geldverlies en achterblijvend rendement. Deugdelijke budgettering, borging van de investering (bijvoorbeeld door training of opleiding), controlesystemen en deugdelijk designonderzoek (effectmeting) ontbreken dikwijls. Ontwerpprojecten worden gestart zonder vooraf te bepalen of de doelstellingen realistisch en haalbaar zijn, en zonder achteraf te onderzoeken of deze daadwerdelijk gerealiseerd zijn. Meestal wordt pas nadat een ontwerpvoorstel is goedgekeurd nagedacht over de financiering en consequenties van implementatie. Organisaties kunnen daarom de behoefte hebben om het management van dergelijke projecten te professionaliseren.
De meest voorkomende problemen in de praktijk:

- Het project sneuvelt wegens een inadequate briefing, onduidelijke management- of communicatiedoelstellingen of wegens gebrek aan intern *commitment*.
- De implementatie komt niet of onvolledig van de grond wegens tegenvallende en onvoorziene kosten, verlies van momentum of moeheid in de projectorganisatie.
- De kant-en-klare resultaten blijven op de plank liggen, omdat de organisatie onvoldoende besef heeft van de functie, het belang en de mogelijkheden.
- Direct na oplevering van het project loopt het resultaat terug, wegens onvoldoende vastlegging, onderhoud, gebrekkige beheertools of een gebrekkige beheerorganisatie.
- De aandacht van het management is meestal tijdelijk en beperkt zich tot de conceptontwikkeling. Tijdens de uitvoeringsfasen wordt de verantwoordelijkheid voor het project doorgaans gedelegeerd naar de lagere echelons, zonder de (management)doelstellingen over te dragen en te bewaken.

Vrijwel iedere organisatie heeft te maken met de wens om zich te presenteren met behulp van een huisstijl, om haar productaanbod fysiek gestalte te geven en te voorzien van een

merk en om te communiceren met haar omgeving door middel van grafische of digitale communicatiemiddelen. Op basis van dergelijke behoeften wordt meestal een ontwerper of ontwerpteam ingeschakeld. De ondernemer of directeur fungeert zelf als opdrachtgever of laat één van zijn medewerkers deze taak verrichten. Gebrek aan ervaring kan er in die gevallen toe leiden dat het ontwerpresultaat niet overeenstemt met de verwachting of behoefte. Of dat er problemen ontstaan bij de productie en implementatie van het ontwerp nadat het is goedgekeurd.
Alan Topalian wijst er op dat in de praktijk designprojecten als bijzonder en afwijkend worden gezien. Wat voor ieder ander project geldt, blijkt niet voor een designproject te gelden. Alle geldende regels ten aanzien van management (bijvoorbeeld planning, budgettering en borging) worden opzij gezet en de opdrachtgever gaat als het ware door zijn knieën om zich te laten verrassen door de creativiteit van de ontwerper. Een situatie die we vanuit onze eigen praktijk maar al te goed herkennen. De samenwerking met ontwerpers kan ook als problematisch worden gezien wanneer het creatieve proces het karakter aanneemt van een *black box,* waarvan onduidelijk is wanneer welke *deliverables* en resultaten mogen worden verwacht. Of wanneer er een 'taalprobleem' ontstaat als de taal waarmee de ontwerper over zijn ideeën praat (vaak in abstracte termen en met een eigen jargon) onvoldoende aansluit op de taal van de opdrachtgever (in casu: de taal van managers).

7.2.2 Behoeften aan designmanagement

In samenhang met de bovengeschetste drie probleemvelden kunnen we drie behoeften identificeren, die we in het kort introduceren en vervolgens nog wat verder uitwerken:
- een ontwerpvisie uitmondend in een designstrategie en -beleid;
- het managen van het designproces door de gehele organisatie heen;
- het managen van designprojecten.

Een ontwerpvisie uitmondend in een designstrategie en -beleid
Deze strategische managementbehoefte is gericht op het creëren van een identiteit voor de organisatie en haar producten/diensten. En op het zichtbaar maken van de bedrijfsstrategie in haar producten, communicatiemiddelen, materieel, materiaal en omgeving. De behoefte is om door middel van een samenhangende benadering van de ontwerpactiviteiten binnen een organisatie, de kwaliteit van het totale aanbod te versterken (zoals dit wordt waargenomen door klanten, werknemers en andere stakeholders).

Het managen van het designproces door de gehele organisatie heen
Deze tactische managementbehoefte betreft het integreren van designbeleid in de diverse bedrijfsprocessen en managementdisciplines. Maar ook het optimaal inzetten van beschikbare middelen – mensen, systemen en procedures – voor de geplande designactiviteiten, alsmede het coördineren van uiteenlopende individuele designprojecten, het bewaken van de continuïteit van een eventuele designafdeling en het aanwezig zijn van het vereiste niveau bij medewerkers.

Het managen van (individuele) designprojecten

We kunnen deze operationele managementbehoefte omschrijven als het professionaliseren van projectmanagement gericht op het specifieke en complexe karakter van designprojecten. Op een zodanige wijze dat deze projecten beter beheersbaar worden gemaakt in termen van tijd, geld, kwaliteit, informatie en organisatie. En waarbij projectdoelstellingen vooraf worden geformuleerd en behaalde resultaten achteraf worden gemeten/vastgesteld.

De behoefte aan ontwerpvisie en ontwerpstrategie

Om succesvol te kunnen opereren, kunnen bedrijven de behoefte hebben om een ontwerpfilosofie en een daarmee samenhangende strategie te ontwikkelen. Hiermee creëren ze voor de organisatie en haar aanbod, een samenhangende en zich onderscheidende visuele identiteit. Idealiter hangt deze nauw samen met de totale bedrijfsfilosofie (de visie en missie), de organisatie- of merkidentiteit en de strategische positionering. In essentie gaat het er bij een designstrategie om dat – door dergelijke concepten te transformeren naar de fysieke, zichtbare werkelijkheid – het totale aanbod uitdrukking geeft aan de door de organisatie gewenste ervaringen en percepties van stakeholders (het gewenste imago en de daaruit resulterende reputatie).

Design is een instrument om een strategie mee zichtbaar te maken. Design kan een rol spelen bij strategische beslissingen – zoals in welke richting merk- en productportfolio's te ontwikkelen, in welke technologieën te investeren of welke nieuwe markten te betreden. Deze notie komt uit onverdachte bron. De gezaghebbende marketing-auteur Philip Kotler stelde twintig jaar geleden al: *'Design creates corporate distinctiveness in an otherwise product and image surfeited marketplace. It can create a personality... so it stands out... It communicates value to the customer, makes selection easier, informs and entertains. (...) Design is a potent strategic tool that companies can use to gain a sustainable competitive advantage. Yet most companies neglect design as a strategy tool. What they don't realise is that good design can enhance products, environments, communications and corporate identity.' (Kotler & Rath, 1984).* Sindsdien zijn de marktplaatsen nog veel voller, turbulenter en internationaler geworden. Deze uitspraak is daarom wat ons betreft nog even actueel als toen.

Organisaties kunnen behoefte hebben om design te betrekken in het strategieproces. Eén van de krachtigste mogelijkheden van design is het zichtbaar maken van toekomstige opties. Organisaties kunnen design gebruiken om na te denken over de toekomst. Designscenario's waarin een hypothetisch product of merk wordt gesimuleerd of voorgesteld, kunnen een katalysator zijn voor verandering binnen een organisatie. De vaardigheden van designers om dergelijke ideeën coherent en overtuigend te maken in een visueel verhaal en presentatie, kunnen buitengewoon nuttig zijn om richting te kiezen en energie los te maken.

Box 7.2 Designmanagement in de praktijk: Renault Design

In de automobiel-industrie vormt design een kerncompetentie. Consumenten laten zich in hun keuze sterk leiden door design. Het productuiterlijk en merkimago blijken het

meest bepalend te zijn voor de keuze van aankoop, direct daarop gevolgd door prijs en praktische bruikbaarheid. Logisch dat innovatie in design en engineering cruciaal is voor het succes van automerken en een belangrijk onderdeel vormt van de strategie. Naast het inhuren van bekende ontwerpstudio's zoals de Italiaanse studio Pininfarina of Porsche Design, hebben de meeste bedrijven eigen (omvangrijke) designcentra, waaronder Renault en PSA Peugeot Citroën.
Patrick le Quément is verantwoordelijk voor Renault Design. Dit bedrijfsonderdeel houdt zich voornamelijk bezig met productdesign; het ontwerpen van auto's als Mégane, Trafic, Scenic, Espace, Avantime en VelSatis. Daarnaast is een 'Environment and Visual Communications unit' binnen Renault Design verantwoordelijk voor corporate design. Als *chief design officer* is le Quément eindverantwoordelijk voor de designstrategie van het merk. Renault's specifieke visie op auto's is gebaseerd op een interpretatie van 'frenchness', waarbij vier concepten centraal staan: charme, intelligentie, visie en sensualiteit.
Renault Design is een netwerkorganisatie die bestaat uit een ontwerpafdeling binnen het Renault Technocentre (in Guyancourt, net buiten Parijs) en drie kleinere zelfstandige ontwerpcentra: Renault Design Barcelona, Renault Design Paris en het Renault Samsung Motor Design Centre in Korea. De satelliet-centra participeren in projecten en gaan daarbij intern de competitie met elkaar aan. Het Paris Design Centre heeft een permanente staf van vijftien ontwerpers, waarbij alle designspecialismen zijn vertegenwoordigd. De taken van de designcentra zijn het maken van innovatieve voorstellen (*concept cars*), het lanceren van nieuwe ideeën, het oppikken van opkomende trends en het experimenteren met nieuwe productiemethoden, -technieken en -processen. De wijze waarop Renault haar design inzet, reflecteert een duidelijke benadering: mensen van verschillende nationaliteiten en culturen worden samengebracht in de centra en naast de eigen projecten worden ook andersoortige opdrachten (productvormgeving, meubels, kunst en architectuur) aangemoedigd. De centra zijn gevestigd in het centrum van de stad, met als doel ontwerpers de gelegenheid te bieden inspiratie op te doen uit de culturele trends die hen daar direct omgeven.

De behoefte aan management van het designproces

In hoofdstuk vier en vijf hebben we veel aandacht besteed aan het designproces. Uit deze teksten komt naar voren dat de kwaliteit van het proces veel invloed heeft op het resultaat en dat in de praktijk veel verschillende actoren hierbij betrokken zijn. Tevens blijkt daaruit hoe het designproces kan worden geïdentificeerd – en dat dit veel meer omhelst dan het creatieproces bij éénmalige individuele designprojecten. De behoefte om het designproces als zodanig te managen, zal naar onze verwachting toenemen naarmate het management dit proces kan identificeren en de hiermee samenhangende complexiteit onderkent. Maar ook naarmate het belang van design als bedrijfsinstrument binnen een organisatie wordt onderkend. De managementbehoefte heeft in de praktijk vooral betrekking op eenduidige en consistente fysieke presentatievormen en is dus sterk output-gericht. Daarom wordt vaak vooral aandacht besteed aan een verbeterde bewaking en controle van de uitvoering. Hiermee dreigt men echter voorbij te gaan aan het wezenlijke van het designproces, gericht op het effectief benutten van het potentieel van design in de organisatie (door met name lijnmanagers). Wanneer het designproces als een bedrijfsproces wordt erkend, zullen de managementinspanningen niet alleen gericht zijn op de kwaliteit van de output, maar bijvoorbeeld ook op het organiseren van een goede interface tussen de verschillende functionele gebieden in de organisatie (zoals operations, marketing, communicatie en productontwikkeling). En op het afstemmen en coördineren van de verschillende designactiviteiten.

Box 7.3 Designmanagement als 'logopolitie': een achterhaalde zaak

De behoefte aan een consistente en uniforme bedrijfspresentatie kan zodanige vormen aannemen dat de designmanagementfunctie wordt gereduceerd tot bewaking en controle. Organisaties die designmanagement beperken tot deze functie doen er verstandig aan om dit te heroverwegen. In de eerste plaats is het uitgangspunt achterhaald dat consistentie en uniformiteit alleen door uiterlijke zaken bepaald worden. Uiterlijke consistentie verbergt in veel gevallen vaak een innerlijk gebrek daaraan, wat door de beschouwer (de consument of medewerker) meestal direct wordt doorzien. Zeker in deze tijd waarin men voortdurend blootgesteld wordt aan talrijke visuele stimuli en het publiek getraind is in de kritische beoordeling daarvan. Inhoudelijke consistentie is daarmee cruciaal geworden en de uiterlijke consistentie een logisch gevolg daarvan.
In de tweede plaats behoeft het weinig betoog dat een dergelijke benadering weinig weerklank zal vinden, nu het belang van persoonlijke groei en zelfontplooïng van mensen onderkend wordt als factor van betekenis om organisaties gemotiveerd, betrokken en alert te houden. Uiteraard kan management niet zonder controle. Maar het reduceren van de controlefunctie tot het onbeargumenteerd handhaven van uiterlijke kenmerken is een ontkenning van de 'visuele intelligentie' van mensen in deze tijd. Voor zowel hen die verplicht zijn deze functie uit te oefenen, als zij die zich hieraan hebben te conformeren, is dit een ongewenste situatie.
Bedrijven die alleen maar focussen op designconsistentie vergeten dat het er ook (en vooral) om gaat het merk relevant te houden door nieuwe impulsen aan het merk te geven. Daarom is het belangrijk om consistentie te koppelen aan flexibiliteit. Eventueel kunnen technische instrumenten (digitale databases) worden ingezet om de verschillende designtoepassingen in goede banen te leiden.

De behoefte aan management van designprojecten

Organisaties kunnen de behoefte hebben om de inzet van design te professionaliseren door het projectmanagement te verbeteren. Van een manager die de leiding heeft over een bepaald ontwerpproject mag verwacht worden dat deze een adequate projectorganisatie zal inrichten. En dat hij ervoor zorgt dat er een duidelijke (tijdelijke) werkstructuur is en een goede verdeling van taken en verantwoordelijkheden. En dat het totale designproces, van planning en ideevorming, tot implementatie en monitoring, adequaat zal worden ingericht. Bij omvangrijke projecten is de projectmanager verantwoordelijk voor het opzetten van een projectplan, waarin ondermeer de doelen voor het design zijn aangegeven. Het organiseren en beheersen van een toereikend budget en tijdschema vormen belangrijke taken, evenals het samenstellen van de ontwerpbriefing. Het goed uitvoering geven aan het briefingsproces blijkt in de praktijk cruciaal te zijn voor het welslagen van designprojecten. Na het selectie- en briefingsproces is het aansturen van het creatieproces en het onderhouden van de relatie met de ontwerper of het ontwerpteam cruciaal. Ook het beoordelen van ontwerpvoorstellen, het selecteren van de beste ontwerpoplossing, en het optimaliseren van het eindontwerp is elementair. In al deze zaken komt de toegevoegde waarde die een designmanager kan bieden, naar voren.

7.3 Strategisch, tactisch en operationeel designmanagement

Ook voor beslissingen ten aanzien van design geldt dat sommige beslissingen meer impact hebben dan andere. In feite hebben de hiervoor geïnventariseerde managementvraagstukken en -behoeften ook betrekking op de verschillende beslissingsniveaus. In samenhang hiermee kunnen dan ook verschillende niveaus worden onderscheiden in designmanagement. Gebaseerd op het concept van strategisch, tactisch en operationeel management, stelt Chung (1998) drie managementniveaus voor:

- *corporate design management* op strategisch niveau;
- *design organisation management* op tactisch niveau;
- *design project management* op operationeel niveau.

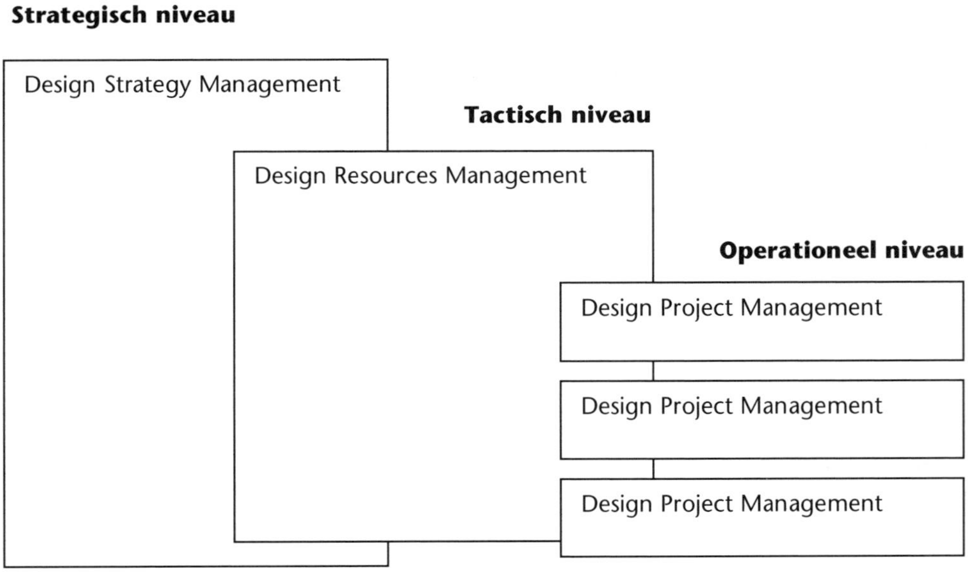

Figuur 7.2 Designmanagement-hiërarchie

Omdat we de term corporate design management verwarrend vinden, geven wij echter de voorkeur aan een betiteling *design strategy management*. Ideaal zou de term corporate design strategy management zijn, maar deze lijkt ons vanwege de lengte onpraktisch. Ook de term design organisation management vinden we verwarrend omdat dit teveel verwijst naar het managen van een ontwerpafdeling. Daar kan het weliswaar betrekking op hebben, maar in essentie is de tactische managementfunctie veel breder. Daarom houden we liever de betiteling *design resources management* aan (Blaich, 1993). Het gaat ons er niet om het wiel opnieuw uit te vinden, maar aanduidingen te hanteren die ons verhaal zo helder mogelijk maken.

Box 7.4 Design leadership

Strategisch designmanagement wordt in de Angelsaksische wereld ook wel aangeduid als *design leadership*. Met dit begrip wordt gedoeld op het belang van een designvisie voor de onderneming, wanneer deze door middel van design en designmanagement in haar markt voorop wil lopen. In Engeland heeft dit geleid tot oprichting van het Design Leadership Forum (Turner & Topalian, 2002). Turner verwoordt het als volgt: *'Een design leader helpt de toekomst en strategie van een bedrijf te definiëren, een designmanager leidt de projecten en processen om die scenario's in te vullen. (...) Een design leader moet de corporate strategy (...) kunnen visualiseren en concretiseren en ervoor zorgen dat het bedrijf design-DNA krijgt en behoudt.'* (Adformatie 27/28, juli 2004). Op grond van deze uitspraak kunnen we concluderen dat de auteurs strategisch designmanagement aanduiden als design leadership en de term designmanagement reserveren voor tactisch en operationeel management.

De verschillen tussen managers en leiders zijn onderwerp van veel studies (o.a. Zaleznik, 2000 en Kotter, 2001). Kotter wijst erop dat leiderschap en management twee afzonderlijke en elkaar aanvullende activiteiten zijn: *'Management draait om complexiteit. De werkwijzen en procedures ervan zijn vooral een antwoord op de opkomst van grote complexe organisaties (...) Leiderschap daarentegen draait om verandering. Eén van de redenen waarom leiderschap de afgelopen jaren zo belangrijk is geworden, is dat het bedrijfsleven concurrerender en grilliger is geworden. Meer verandering vraagt altijd om meer leiderschap.'* In de meeste bedrijven ligt de nadruk teveel op management en te weinig op leiderschap. Om de leiderschapscapaciteit verder te ontwikkelen, kunnen ze op zoek gaan naar mensen die een leidinggevende rol kunnen vervullen. Bijvoorbeeld in de persoon van een strategisch designmanager.

Keuning & Eppink (2004) stellen dat leiders actief, ideeëngenererend en richtingbepalend te werk gaan. *'Ze zijn vaak emotioneel betrokken, creëren spanning, richten zich op ideeën en visies en roepen waardering danwel haat op. Managers daarentegen, zijn uit op het zorgvuldig (be)sturen van werk. Zij schuwen weloverwogen manipulatie niet, richten zich op mensen en zijn in een zekere harmonie ingebed in hun omgeving. Managers sluiten compromissen in het kader van gerichte sturing van de onderneming, terwijl leiders diezelfde organisatie juist willen openbreken en zullen transformeren. De manager houdt de zaken draaiende, de leider daarentegen streeft naar veranderingen. Een leider draagt met andere*

woorden een inspirerende visie uit en schetst een zodanig levendig en aanlokkelijk beeld van de toekomst dat medewerkers erdoor bezield raken en gemotiveerd worden om het vanaf vandaag anders te doen.'
Keuning & Eppink zijn van mening dat leiderschap een essentieel en integraal onderdeel is van goed management. Iedere manager moet in hun ogen over leiderschapskwaliteiten beschikken. Wij kunnen daaraan toevoegen dat zeker voor designmanagement geldt dat zonder de leiderschapsdimensie, de toegevoegde waarde beperkt zal blijven. Voor strategisch designmanagement speelt leiderschap zelfs een sleutelrol. We zien niet hoe een designmanager op dit niveau anders succesvol kan opereren. Deze manager zoekt naar potentiële mogelijkheden die ergens verborgen liggen, inspireert zijn omgeving en drijft het creatieve proces aan met zijn eigen energie. En hoewel op operationeel designmanagementniveau het accent ligt op een goede uitvoering en beheersing, zal ook de operationele designmanager ontwerpers moeten kunnen inspireren en eindopdrachtgevers moeten kunnen overtuigen op grond van zijn creatieve visie. Iedere goede designmanager hoort in onze visie daarom design leadership te tonen.

7.3.1 Strategisch designmanagement beïnvloedt de strategische positionering

Dit is het hoogste niveau van designmanagement, waarop beslissingen met betrekking tot de rol van design bij markt-, merk- en productstrategieën cruciaal zijn. Voorwaarde voor de inzet van designmanagement op dit niveau is dat het topmanagement – wiens zaak het is de strategie te formuleren over een hele reeks van organisatieactiviteiten – oog heeft voor het belang van design. In de praktijk zien we dan ook, dat wanneer designmanagement vanuit strategisch niveau wordt neergezet, het bijna een centraal paradigma is. Er is dan sprake van een sterk geloof in design; *design thinking* maakt deel uit van de merkcultuur en design wordt meestal als kerncompetentie gezien. De strategische designmanagementfunctie overstijgt daarbij meestal de decentrale managementfunctie op *business* niveau en opereert op corporate niveau, dichtbij de centrale directie of de Raad van Bestuur. In box 7.5 schetst Tom Peters ter illustratie een beeld van de designgedreven organisatie.

De focus van *design strategy management* ligt op design als bron voor concurrentie- en reputatievoordeel en als katalysator voor verandering van de scope en richting van de organisatie. Het is dan ook betrokken bij het strategieproces en is met name verantwoordelijk voor de keuze en ontwikkeling van een onderscheidende en passende corporate design strategy. Centraal hierbij staat de afstemming van het designbeleid op de omgevingsfactoren (concurrentieverhoudingen, marktontwikkelingen, technologische ontwikkelingen, trends, wetgeving et cetera). Op strategisch niveau wordt ook meegedacht met bedrijfsfilosofische vraagstukken als de visie en missie van de onderneming. Vragen zijn bijvoorbeeld: vanuit welke waarden en competenties vormen wij onze identiteit en onderscheiden we ons? Welke elementen daaruit kunnen we visueel uitdragen en hoe

doen we dat? Hoe geven we uiting aan de samenhang tussen organisatie-onderdelen of merken? Hoe geven we uitdrukking aan de positionering van onze producten en merken? Vanuit deze vraagstukken formuleert het een creatieve visie voor de onderneming.
Om ons verhaal te concretiseren kunnen we het voorbeeld van Apple aanhalen. Apple is een onderneming waar design deel uitmaakt van de merkcultuur. Oprichter en CEO Steve Jobs gelooft in de kracht van design als bron van innovatie en differentiatie. De visie van Apple is 'de wereld te veranderen door hoogwaardige technologie toegankelijk te maken voor gewone mensen' (en in het bijzonder kinderen). Met deze formulering als uitgangspunt is de corporate design strategy, die Apple van meet af aan heeft gevoerd, begrijpelijk en duidelijk herkenbaar. Deze komt tot uitdrukking in de vernieuwende, zeer gebruiksvriendelijke en speelse producten. Denk aan het integreren van beeldscherm en processor in één handzaam apparaat (in de MacPlus en later in de kleurrijke iMac). Of aan de iPod met het 'click wheel', waarmee dit handzame apparaatje bediend wordt. Maar ook aan de vormgeving van de zeer gebruiksvriendelijke Macintosh user-interface, waarmee Apple haar naam in de markt heeft gevestigd. Een dergelijke visie is gebaseerd op het buitengewoon goed begrijpen van toekomstontwikkelingen, van de behoeften van consumenten, van de tekortkomingen van gevestigde marktpartijen én van het vermogen om daar reëel vorm aan te geven.

Box 7.5 Concrete, praktische acties voor designgedreven organisaties

Tom Peters presenteert in zijn boekje 'Design' (uit de vierdelige-serie 'Essentials') zeventien gewoonten van zeer succesvolle designgedreven bedrijven:

1. Het onderwerp 'design' staat op de agenda van elke vergadering – van elke afdeling in de onderneming.
2. Professionele ontwerpers worden ingezet in bijna alle projectteams.
3. De verschillende bedrijfsruimtes weerspiegelen het gevoel voor gaaf design.
4. Prijzen worden intern en extern uitgereikt voor (voor werknemers, nieuwe producten, leveranciers) en voor design op zich.
5. De externe erkenning die de onderneming krijgt voor haar ontwerpactiviteiten wordt gemeten.
6. Diversiteit wordt centraal gesteld: excellent ontwerp is gevoelig voor de radicaal verschillende, vaak subtiele behoeften van interne en externe groepen in en rond de organisatie.
7. 'Ontwerpgevoeligheid' wordt expliciet opgenomen in alle scholingsactiviteiten en bij alle beoordelingsgesprekken.
8. De emotionele taal van design wordt openlijk gebruikt.
9. Een bevoegde 'politiemacht' van ontwerpagenten wordt geformeerd om alle sporen van beroerd ontwerp uit te bannen.
10. Een officiële designraad wordt opgericht met zowel interne als externe leden – en houdt toezicht op het strategisch programma 'Ontwerpgevoeligheid'.
11. Er wordt openlijk gesproken over het designbewustzijn in de bedrijfscultuur en er wordt systematisch en programmatisch gewerkt aan de verspreiding daarvan.

12. Topontwerpers worden geregeld uitgenodigd in het bedrijf met als doel het ontwerpvuur aan te wakkeren.
13. Er is sprake van een zware en formele designfunctie: design staat ergens bovenaan in het organogram.
14. Er is een hoofd Design die lid is van de Raad van Bestuur of minimaal van de directie (rang doet er wel degelijk toe!).
15. Een geweldige kunstcollectie hangt aan de muur om mensen te inspireren.
16. De kunsten worden ondersteund; designgedreven bedrijven schenken aandacht aan activiteiten van de locale gemeenschap waarin design centraal staat. De boodschap: design is een deel van ons karakter.
17. Eén of twee keer per jaar wordt een design-audit gehouden waarvan de resultaten worden vermeld in het jaarverslag of in een speciaal designverslag.

(Bron: Peters, 2005 p. 28-32)

Een goede strategie geeft richting aan de lange-termijn ontwikkeling, zorgt voor een concentratie van de inspanningen binnen de organisatie en waarborgt consistentie over een langere periode. Maar zorgt ook voor de zekerheid van voldoende flexibiliteit om tijdig op veranderingen in te kunnen spelen.
Een mooi voorbeeld om dit te illustreren is Philips dat in 2004 een nieuwe koers voor de onderneming introduceerde onder het motto ‘Sense and Simplicity’. De gedachte hierachter is dat producten van Philips hun reputatie moeten ontlenen aan een uitstekende fit en toegesneden moeten zijn op de menselijke behoeften en mogelijkheden. (Zie voor een uitleg van het begrip fit paragraaf 5.2.) De basis voor deze herpositionering werd ons inziens gelegd door Stefano Marzano, CEO van Philips Design, in zijn zes jaar eerder verschenen boek *Creating value by design*. In het daarin opgenomen manifest *Flying over Las Vegas*, ontvouwde hij deze visie voor Philips. Sindsdien heeft Philips Design diverse productstudies gedaan die zijn gebaseerd op dit gedachtegoed (zie ook box 10.1). Met de herpositionering onderstreept Philips in onze visie het strategische belang dat design voor de onderneming heeft in relatie tot consumentenwensen en behoeften.

Issues binnen de scope van strategisch designmanagementniveau:
a. Omgevingsfactoren:
   - markttrends, die een invloed kunnen hebben op design;
   - designtrends;
   - wet- en regelgeving;
   - standaarden (o.a. wetenschap en literatuur).
b. Fysieke design manifestaties:
   - corporate identity/brand identity (identiteitsontwikkeling/merkarchitectuur);
   - corporate design standaarden;
   - producten (ook: productmerken);
   - de omgeving van productie, verkoop, levering en service;
   - communicatie;
   - gedrag van medewerkers (gedragsbeïnvloeding).

c. Interne issues:
- corporate designstrategie en -beleid;
- design *awareness*; begrip en ontwikkeling van designmanagementvaardigheden;
- integratie, centralisatie en positie in de organisatie;
- creativiteits- en innovatiemanagement
- designverantwoordelijkheid en *leadership;*
- designmanagement en visual identity audits;
- evaluatie van designinvesteringen en invloed en bijdrage van design;
- financiering van designactiviteiten.

Box 7.6 **Designmanagement in de praktijk: Auping**

De firma Auping uit Deventer heeft een lange traditie met design en innovatie. Auping ontwikkelde 's werelds eerste spiraalbodem in 1888, de eerste op elkaar afgestemde combinatie van spiraalbodem en matras in 1953 en het eerste verstelbare bed in 1968. De naam Auping is ook verbonden aan die van de ontwerper Frans de la Haye, die designklassiekers als de 'Auronde' (1973) en de 'Royal' (1993) mede voor Auping ontwikkelde.

Sinds het midden van de jaren negentig heeft designmanagement binnen Auping een hoge vlucht genomen en werd het Auping Design Team onder leiding van Mirjam van Coillie opgericht. Deze afdeling bestaat inmiddels uit zo'n vijftien medewerkers in uiteenlopende functies. Er werken designmanagers met een ontwerpopleiding die zich vooral richten op het collectieplan en het managen van vormgevingsprojecten (ondermeer voor bedtextiel en accessoires). Daarnaast zijn er productontwikkelaars die in Delft zijn opgeleid in Industriëel Ontwerpen, en die een brug vormen naar de engineers elders in het bedrijf. Voor het managen van grootschalige projecten zijn enkele projectmanagers actief met een achtergrond in Technische Bedrijfskunde. Tevens houden marktonderzoekers zich bezig met het opbouwen van kennis in de organisatie zelf en in de markt. Het gaat daarbij ondermeer om de ontwikkeling van *consumer insights* die input geven aan strategische planning en productontwikkeling. Aan het hoofd van de afdeling staat de Manager Design & Marketing die lid is van het management team. Het Auping Design Team is verantwoordelijk voor strategische marketing, productontwikkeling en merkinnovatie, waarbij in de visie van Auping een sleutelrol is weggelegd voor design. De afdelingsfocus is gericht op merkontwikkeling dat binnen Auping vooral wordt opgevat als 'waarde-management'. Auping ontwikkelt onder invloed van designmanagement steeds meer een merkcultuurfocus (waarin merk- en marktgericht denken centraal staan) ter vervanging van de meer traditionele productfocus. Design wordt in die visie opgevat als een waardetoevoegend proces, waarvoor de merkidentiteit en de daarin vervatte merkwaarden de duurzame bron vormen. Vanuit deze bron worden 'vertalingen' gemaakt naar ondermeer productontwikkeling, merkontwikkeling en marketing.

Het Auping Design Team heeft een strategische en tactische focus en is verantwoordelijk voor de middellange- en lange-termijn ontwikkeling van de productportfolio.

De Manager Design & Marketing is verantwoordelijk voor de strategische product- en marketingplanning en voor de realisatie van de uitgezette strategie. Het meerjarenplan en jaarplan worden binnen het MT afgestemd en goedgekeurd.
Productontwikkeling binnen Auping heeft betrekking op een breed scala. Van spiraalbodems en matrassen tot meubels en accessoires (waaronder nachtkastjes, lampjes, dekbedden, kussens en bedtextiel). Zo ontwikkelde het team bijvoorbeeld de geheel nieuwe beddenlijn 'Match' en een aantal varianten binnen het 'Royal'-beddenprogramma.
Merkontwikkeling is gericht op het vergroten van de relevantie van het merk voor consumenten. Met dat doel ontwikkelt het team ondermeer een passende merktaal en richt het zich op de totale merkbeleving van consumenten. De marketingactiviteiten hebben betrekking op de communicatie naar consumenten, de ontwikkeling van retailformules en afstemming met het dealernetwerk. De activiteiten strekken zich uit tot het opzetten van verkooptrainingen aan dealers. Als voorbeeld van een retailformule kunnen we de Vision Store aanhalen; een in 1998 geïntroduceerd shop-in-shop concept dat tevens werd bekroond met een designprijs.
Het team voert in de regel zelf geen uitvoerende ontwerpactiviteiten uit en focust op wat genoemd wordt *design direction setting*. Gericht op het bepalen en bewaken van de 'look and feel' van het merk. Het Design Team werkt nauw samen met een keur aan externe leveranciers en ontwerpers: retaildesigners, industrieel ontwerpbureaus, textieldesigners en grafisch ontwerpers. Deze moeten in staat zijn briefings goed te interpreteren, de merk-DNA te begrijpen en bereid te zijn om intensief samen te werken. Het gaat om ontwerpers die een teamspirit hebben en synergie boven eigen faam en handschrift stellen.

7.3.2 Tactisch designmanagement beïnvloedt het designproces

Het tactisch designmanagement is doorgaans verantwoordelijk voor de designorganisatie. Onder het begrip designorganisatie kunnen we uiteenlopende zaken verstaan. Het kan gaan om een business unit of zelfstandig bedrijfsonderdeel dat is gespecialiseerd in designactiviteiten (zoals Philips Design), een designcentrum (zoals het Mexx Design Centre), een designafdeling (de afdeling vormgeving of ontwerpstudio in een organisatie), of een specifieke designmanagementafdeling (wanneer bijvoorbeeld het designwerk wordt uitbesteed). Maar we kunnen het begrip ook breder trekken naar organisaties die geen specifieke afdeling voor design- of designmanagementactiviteiten hebben ingericht. De verschillende functionarissen en specialisten die betrokken worden bij designactiviteiten, werken dan verspreid over de organisatie en worden meestal op projectbasis bij elkaar gezet. Zodra de verschillende designprojecten en -activiteiten aangestuurd en gecoördineerd worden vanuit een centraal punt, kunnen we spreken van een designorganisatie. Ook al heeft deze niet fysiek gestalte gekregen in de vorm van een eigen afdeling. Met het begrip designorganisatie duiden we op de organisatie van het designproces; het totaal aan designactiviteiten en de onvermijdelijk daarbij behorende competenties en vaardigheden, de processen en procedures, de systemen, de verantwoordelijkheden en het zeggenschap. Wanneer er geen formele afspraken zijn, of er geen enkele vorm van formele coördinatie plaatsvindt, kunnen we niet van een designorganisatie spreken.

Tactisch designmanagement wordt uitgevoerd op het niveau van individuele divisies of business units die doorgaans zijn afgestemd op een bepaalde product-marktcombinatie. Dit wordt ook wel aangeduid als decentraal bedrijfsniveau (business level), als onderscheid tegenover centraal organisatieniveau (corporate level). Er kan een duidelijk onderscheid gemaakt worden tussen een centraal deel op corporate niveau en een decentraal deel dat ligt bij de verschillende afdelingen, business units of divisies. We onderscheiden daarom twee niveaus waarop sprake kan zijn van een designstrategie:

- Corporate niveau; de *corporate design strategy* als verantwoordelijkheid van het centrale topmanagement.
- Bedrijfsniveau; de *business design strategy* als verantwoordelijkheid van het decentrale business unit-management.

Op het niveau van de *business design strategy* gaat het om de vertaling van de *corporate design strategy* naar specifieke communicatiedoelen, doelgroepen, productcategorieën of marktsegmenten. Een business unit is doorgaans georganiseerd rondom één of meerdere product/marktcombinaties en heeft een daarop gerichte focus. De *business design strategy* maakt deel uit van het totaal van de product- en merkstrategieën binnen een decentrale organisatie-eenheid.

De focus ligt op de ontwikkeling van unieke product- of serviceconcepten en de zoektocht naar nieuwe marktkansen. Tactisch designmanagement is betrokken bij het proces van strategievorming, voor zover dit een afdeling of een business unit betreft. Het kan gaan om designstrategieën met betrekking tot individuele producten of merken binnen het kader van de overkoepelende corporate design strategy. We kunnen dit verduidelijken aan de hand van het al eerder aangehaalde voorbeeld van Apple.

In dit voorbeeld kwam de corporate strategie van Apple naar voren. De verschillende business units en afdelingen binnen de organisatie gaan op basis hiervan aan de slag en ontwikkelen met behulp hiervan nieuwe producten en concepten, afgestemd op bepaalde marktsegmenten en doelgroepen. De iMac is zo'n productconcept waarvoor de product- en designstrategie is ontwikkeld binnen de overkoepelende 'corporate strategy'. De eerste iMac verscheen in 1999 op de markt en was afgestemd op het destijds sterk groeiende segment van internetgebruikers. Door middel van een 'draagbaar' apparaat, waarbij beeldscherm, processor én modem in één kleurrijk en bijzonder vormgegeven behuizing werden geïntegreerd, werd een gebruiksvriendelijk *plug-and-play* concept in de markt geïntroduceerd. Het productconcept paste uitstekend in het merkconcept van Apple; de iMac is een typisch Apple-product dat voldoet aan de voor dit merk geldende waarden en uitgangspunten. Inmiddels – vijf jaar later – heeft Apple alweer de derde generatie iMac geïntroduceerd. Op bedrijfsniveau wordt continu gewerkt aan productontwikkeling en gezocht naar nieuwe kansen voor de verschillende productlijnen (zoals de iBook, de Powerbook, de G4- en G5-processoren, OSX en niet te vergeten de iPod). Verschillende productlijnen die steeds worden afgestemd op specifieke marktsegmenten

en doelgroepen. Maar ondanks hun verschillen zijn het tegelijkertijd typische Apple-producten, met een productuiterlijk dat zich weet te onderscheiden van concurrenten.
Tot dusverre hebben we het gehad over producten, maar tactisch designmanagement heeft uiteraard betrekking op alle vier de ontwikkelingsstadia: productie, verpakking, promotie en marktexploitate. De lezer zal begrijpen dat het op bedrijfsniveau in feite gaat om de beheersing van simultane, dynamische processen waarbij engineering, product design, marketing en merkenmanagement intensief zullen samenwerken.

Issues binnen de scope van tactisch designmanagement:

- het designproces binnen de organisatie (processen, procedures, zeggenschap en de uitkomst ervan; de designkwaliteit);
- afdelings- en activiteitenplannen en budgetten;
- design *resources*: het interne en externe middelenpotentieel;
- designafdeling(en): locatie, services, doelen en afdelingsbeleid;
- designbeleid (designstrategieën) en designplannen: richtlijnen en kaders;
- designmanagement-systemen;
- designvaardigheden en creativiteit van de organisatie;
- competentie-ontwikkeling van medewerkers.

7.3.3 Operationeel designmanagement beïnvloedt de efficiency

Het succes van de uitgezette strategieën op corporate- en businessniveau hangt sterk af van de kwaliteit van de operationele designmanagement-activiteiten. Het gaat dan om de aard van het designproces en de individuele projectvoorstellen, de selectie van leveranciers, het aansturen/begeleiden van de designer of het designteam, de documentatie en administratie, het organiseren van de productie en implementatie, en het monitoren van de projectresultaten (effectmeting). Zeker wanneer ontwerpers van buiten worden aangetrokken, is het belangrijk dat een designmanager supervisie uitoefent over de relatie tussen de ontwerper en de eindopdrachtgever en verzekert dat het designresultaat goed is geïntegreerd in de organisatie. Dat wil zeggen dat het resultaat een optimale oplossing biedt voor het geformuleerde probleem, goed begrepen wordt en geïmplementeerd kan worden, en in lijn is met geldende beleidskaders.
Operationele vragen zijn bijvoorbeeld: hoe beheers ik een designproject, hoe brief ik ontwerpers en beoordeel ik deel- of eindresultaten? Hoe realiseer ik een zo goed mogelijk resultaat binnen de gestelde beperkingen van tijd en geld?

Designprojecten kunnen variëren in complexiteit, omvang en belang voor de organisatie. Corporate identity-projecten bijvoorbeeld zijn meestal grootschalig en complex en hebben een strategische lading. Bij enkelvoudige ontwerpopgaven daarentegen – bijvoorbeeld het ontwerpen van een bepaalde communicatie-uiting – is de omvang en complexiteit doorgaans beperkter. Het kaliber van de designprojectmanager zal met de aard van het designproject in overeenstemming moet zijn. Naarmate de designopgave vraagt om de inzet van uiteenlopende specialismen en meer samenwerking tussen uiteenlopende functionele managementgebieden, zal meer van het inzicht en de vaardigheden

van de designprojectmanager gevraagd worden. Bij projecten met een strategische lading zal eventueel de design director zelf de supervisie hebben.
Het management van designprojecten volgt deels de geldende opvattingen en technieken als het management van andersoortige projecten. Afwijkend is de vaardigheid van de projectmanager op designgebied om een specifieke designbrief te kunnen opstellen, ontwerpvoorstellen op hun merites en uitvoerbaarheid te beoordelen en de eindopdrachtgever over de gewenste ontwerpoplossingen te kunnen adviseren. Met name het beoordelingsvermogen ten aanzien van design is van belang. Hij moet het proces kunnen sturen en daarom inzicht in de aard van designprocessen hebben (zie ook paragraaf 5.3). Naar onze overtuiging is het van belang dat *design project managers* voldoende inhoudelijke kennis bezitten van van het ontwerpvak en de werkwijze van ontwerpers. Waarbij het zowel gaat om toegepaste methoden en technieken als om hun houding en gedrag. Het vinden van de juiste balans tussen collegiale betrokkenheid en professionele afstand blijkt eveneens van cruciaal belang voor het soepel verlopen van designprojecten.
Wanneer een projectmanager niet beschikt over voldoende materie- en ervaringsdeskundigheid, adviseren we een constructie te volgen waarbij de projectmanager weliswaar verantwoordelijk blijft, maar een designadviseur (expert) wordt aangetrokken om de projectmanager gedurende het traject inhoudelijk te ondersteunen en te adviseren.
Gewoonlijk functioneert een senior ontwerper met uitgebreide ervaring en leidinggevende kwaliteiten als designprojectmanager. De designprojectmanager geeft richting aan een project en draagt daarvoor de verantwoordelijkheid. Meestal volgens programmaspecificaties die designrichtlijnen bevatten, maar ook met behulp van marketinginformatie, technische data en andere relevante zaken. Het belangrijkste doel op dit niveau van designmanagement is (een reeks van), kwalitatieve ontwerpen binnen de beschikbare tijd en het budget te realiseren. De focus ligt bij operationeel designmanagement op de efficiëntie van het designproces en het designteam binnen de individuele designprojecten.

Issues binnen de scope van operationeel designmanagement:
- projectmatig werken: projectfasering, procedure;
- herkennen van typeringen van projecten (soort designproject);
- projectplan (programma van eisen, plan van aanpak, implementatieplan);
- projectstructuur en -organisatie;
- designonderzoek;
- liaison tussen eindopdrachtgever en projectteam;
- financieel management: inkoop en offertetraject, projectbudgettering, kosten-/batenanalyse;
- auteursrecht en merkrecht;
- projectdocumentatie en controlesystemen;
- productie en implementatie (voorbereiding, controle, en begeleiding bij invoering);
- evaluatie van designprojecten (monitoring van resultaat, marktonderzoek).

7.4 Designleiderschaps- en managementtaken

In de inleiding op dit hoofdstuk gaven we weer wat onder managementtaken kan worden verstaan. Daarbij introduceerden we het onderscheid tussen constituerende en dirigerende taken dat we koppelden aan de verschillende managementlagen in organisaties. Later in de tekst voegden we daar het verhaal over leiderschapsactiviteiten aan toe, die we zien als een belangrijke aanvulling op de designmanagementtaken. We lieten in dit hoofdstuk ook zien hoe deze activiteiten en taken kunnen samenhangen met specifieke vraagstukken en behoeften in organisaties. Al met al zal de lezer inmiddels een aardig beeld hebben van de taken die kunnen worden onderscheiden binnen de designmanagementfunctie. In deze paragraaf willen we proberen dit beeld nog verder aan te scherpen door de belangrijkste zaken op een rijtje te zetten. En daarmee een duidelijk antwoord te geven op de centrale vraag van dit hoofdstuk.

7.4.1 Strategische designmanagementtaken; gericht op designvisie

Design strategy management moet een relatie creëren tussen design en de identiteit en strategische positionering van de organisatie. De strategische designmanagementtaak is gericht op het creëren van een identiteit voor de organisatie en haar producten of diensten. En op het zichtbaar maken van de bedrijfsstrategie in haar producten, communicatiemiddelen, materieel, materiaal en haar omgeving. Door middel van een samenhangende benadering van de ontwerpactiviteiten binnen een organisatie, vastgelegd in de corporate design strategy, draagt het designmanagement bij aan de kwaliteit van het totale aanbod zoals dit wordt waargenomen door klanten, werknemers en andere stakeholders.

De belangrijkste taak van strategisch designmanagement is de selectie van de meest geschikte designstrategie in relatie tot de geformuleerde organisatiestrategie. Andere belangrijke activiteiten betreffen het ontwikkelen van veelomvattende designprogramma's met betrekking tot corporate identity, branding (de merkportfolio) en productontwikkeling (de productportfolio).

Strategisch designmanagement stelt designbeleid, standaarden en specificaties vast, onder aanvoering van het topmanagement. In grote multi-nationale bedrijven waarin meerdere *design directors* actief kunnen zijn, opereert de *chief design officer* vaak als boegbeeld voor het corporate designbeleid. Het komt ook voor dat de oprichter of eigenaar-ondernemer (eventueel de *designer-entrepreneur*) deze rol zelf vervult. Zoals in het geval van Steve Jobs van Apple, Rolf Fehlbaum van Vitra of Alberto Alessi van Alessi.

Strategisch designmanagement is verantwoordelijk voor het formuleren van designdoelen voor de business units (BU's), het alloceren van designbudgetten over de organisatie, en het controleren van de designresultaten binnen de BU's. Design strategy management brengt dus financiële controle en verslaglegging met zich mee.

Design strategy management is doorgaans nauw betrokken bij de merkportfolio en de merkarchitectuur om tot een sterke visuele uitdrukking van de merkstrategie te komen. Met dit begrip wordt gedoeld op de wijze waarop het hoofdmerk of meerdere individuele merken, submerken en/of labels worden verbonden aan de verschillende bedrijfsonder-

delen en producten. Het gaat daarbij om het onderling rangschikken van de merktekens. Deze visuele structurering is van betekenis voor de wijze waarop merkwaarde (*brand added value*) kan worden overgedragen tussen verschillende producten en diensten – met gebruikmaking van één of meerdere merken. Hoewel design hier geen doel is, speelt het een belangrijke rol bij merkstrategie om de doelen die het merk stelt te realiseren.
Strategisch designmanagement houdt zich tenslotte ook bezig met de mogelijkheden van juridische bescherming door middel van merkenrecht, beeldrecht, modelrecht en auteursrecht (onderscheidende vormen kunnen als merk gedeponeerd worden). Intellectuele eigendomsrechten vertegenwoordigen doorgaans een belangrijke economische waarde. Bovendien is het van belang dat inbreukmakers kunnen worden geweerd. Eventueel kunnen rechten worden gelicenseerd, hetgeen aantrekkelijke royalty-inkomsten kan genereren.

Box 7.7 De rol van designmanagement in het strategieproces

Het strategieproces bestaat uit de opeenvolgende fasen van analyse, formulering en implementatie. Strategisch designmanagement participeert in principe in alle drie fasen en brengt hierin passie, energie en creativiteit. In de fase van strategie-analyse gaat het om het identificeren van kansen, bedreigingen, sterkten en zwakten voor design – als kernstrategie of als toegevoegd element aan de ondernemingsstrategie.

Strategie-analyse → **Strategie-formulering** → **Strategie-implementatie**

Bekende instrumenten zoals de PEST-analyse, het vijf-krachten model van Porter en de SWOT-analyse, kunnen worden gebruikt om de kansen voor design in kaart te brengen. *Audits* ten aanzien van de designfunctie in de organisatie kunnen eveneens input geven, evenals vergelijkende analyses zoals *benchmarking* en *best practices*. Deze interne en externe analyses kunnen in de tweede fase van strategie-formulering worden gebruikt om de keuze-opties te identificeren, te evalueren en te kiezen. Een veel beproefde methode in deze fase is om scenario's te ontwikkelen. Door de verschillende designscenario's te visualiseren kan het beoordelings- en keuzeproces inzichtelijk worden gemaakt en de kwaliteit van de besluitvorming toenemen.
De derde en laatste fase betreft het vertalen van de strategische keuze naar concrete activiteiten en de uitvoering daarvan. Om een designstrategie succesvol te kunnen implementeren, moet een organisatie immers over de juiste competenties beschikken en op effectieve wijze georganiseerd zijn. Het implementeren van een designstrategie gaat daarom vrijwel altijd gepaard met aanpassingen in de organisatie en het ontwikkelen en invoeren van nieuwe designprogramma's. Het kiezen van de meest geschikte route om dit veranderingsproces te entameren, behoort eveneens tot de fase van strategie-implementatie. Denk hierbij aan strategische opties zoals voorwaartse of achterwaartse

integratie, diversificatie, internationalisering, alliantievorming, uitbesteding of *insourcing*.
Ten slotte moet een designmix worden bepaald. Het gaat hierbij om de allocatie van *design resources* en budgetten over de verschillende designafdelingen of -disciplines, in samenhang met de geformuleerde designstrategie. Als bijvoorbeeld prioriteit moet worden gegeven aan de verkoopomgeving, zal een groter deel van de beschikbare middelen worden aangewend voor retail design of architectuur.

7.4.2 Tactische designmanagementtaken; gericht op designfunctie

De tactische designmanagementtaak betreft het integreren van designbeleid in de diverse bedrijfsprocessen en managementdisciplines. Maar ook het optimaal inzetten van beschikbare middelen – mensen, systemen en procedures – voor de geplande designactiviteiten. Alsmede het coördineren van uiteenlopende designprocessen, het bewaken van de continuïteit van een eventuele designafdeling en het vereiste niveau van medewerkers.
Design resources management is verantwoordelijk voor:

- het opzetten en uitwerking geven aan samenhangend designbeleid voor verschillende delen van de organisatie (divisies of business units);
- het structureren en organiseren van alle design-activiteiten van een organisatie;
- het bewaken van processen, voortgang en financiën;
- het managen van alle resources (medewerkers, materialen, toeleveranciers, producenten).

Het opzetten van decentraal designbeleid

Bij het uitwerken en vertalen van *centraal* designbeleid naar *decentraal* designbeleid gaat het om specifieke designstrategieën ten aanzien van producten en merken, gericht op specifieke productcategorieën, doelgroepen en/of marktsegmenten. Tactisch designmanagement heeft tot taak om hieraan vorm te geven binnen de centraal vastgestelde corporate designstrategie. Knoers (2001) spreekt in dit verband van de 'controller-functie': het decentraal afleggen van verantwoording over de op centraal niveau vastgelegde uitgangspunten op designgebied.
Veranderingen op dit niveau vinden met zekere regelmaat plaats al naar gelang de snelheid waarmee markten zich ontwikkelen of omstandigheden veranderen. Er is sprake van middellange-termijn planning.

Het structureren en organiseren van alle designactiviteiten

Om de voorkomen dat acties verzanden of de beoogde kwaliteit niet wordt gerealiseerd, wordt designbeleid in praktijk gebracht op een planmatige en gestructureerde manier. Als eerste stap wordt een programma opgesteld dat beschrijft welke eisen men stelt aan de uitvoering en hoe de uitvoering tot stand moet worden gebracht en welke richtlijnen en specificaties hierbij gelden. Dergelijke designprogramma's maken een eenduidige werkwijze en een uniforme kwaliteit mogelijk. Tactisch designmanagement en kwaliteitsmanagement kennen dan ook veel parallellen. Hierbij kan men denken aan het horizontaal met verschillende afdelingen samenwerken en het borgen van een bepaald kwaliteitsniveau.

Het bewaken van processen, voortgang en financiën

Tactisch designmanagement is verantwoordelijk voor het inrichten van een designorganisatie. Medewerkers die bij de uitvoering van designprogramma's zijn betrokken, moeten beschikken over de vereiste kennis en vaardigheden. Bovendien moet coördinatie en controle plaatsvinden met het oog op kwaliteitsborging. Daarom moeten de verantwoordelijkheid en zeggenschap worden geregeld en moeten er goede afspraken komen voor de wijze van samenwerking. Ook is een deugdelijke financiering nodig, evenals een systeem voor planning en budgettering (financieel controlesysteem). Wanneer sprake is van een fysieke afdeling moet een locatie worden gekozen, de leveringscapaciteit worden vastgesteld en een dienstenaanbod worden bepaald op basis van het vastgestelde designbeleid. Uiteraard moeten voor het succes van de designorganisatie goede (open) communicatiekanalen met topmanagement, directie en andere specialisten worden onderhouden, om relevante informatie uit te wisselen en conflicten te vermijden.

Het managen van alle resources

Het gaat hier om het maximaal benutten van de beschikbare resources om optimaal uitvoering te geven aan de vastgestelde designprogramma's. Voor het succesvol uitvoeren, kan doorgaans geput worden uit een aantal middelen zoals menselijke vaardigheden (kennis en talent), faciliteiten (materialen, apparatuur, systemen) en financiële middelen (budgetten). Die middelen moeten toereikend zijn of waar nodig vermeerderd of verbeterd worden. Ook leverancierskeuze hoort hierbij. Het gaat dan om de selectie van *preferred suppliers* of de inrichting van een zogenaamd roster waarin is geregeld welke leveranciers (o.a. designbureaus) voor welke activiteiten kunnen worden ingezet. Tenslotte horen ook de vaardigheden en training van medewerkers van alle afdelingen (denk aan silent designers) tot de verantwoordelijkheid van tactisch designmanagement.

Het managen van een designafdeling

Een designorganisatie in de vorm van een fysieke designafdeling wordt meestal geleid door een afdelingshoofd, een chef studio of een designmanager. Wanneer deze algemeen verantwoordelijk is voor de uitwerking van centraal beleid, kunnen we spreken van een tactisch managementniveau. Wanneer het echter gaat om een operationele verantwoordelijkheid (het aansturen van de dagelijkse uitvoerende activiteiten) valt dit buiten de scope van tactisch designmanagement. We spreken dan van eerstelijns (uitvoerend) management dat direct verantwoordelijik is voor de uitvoering. In dat geval moet deze functie worden beschouwd op het niveau van operationeel designmanagement. De tactische managementfunctie houdt zich niet bezig met de uitvoering als zodanig, maar met het beleid voor de uitvoering.
Uiteraard kan het – afhankelijk van de schaal van de organisatie en het belang dat aan design wordt toegekend – ook gaan om een grootschaliger entiteit. Bijvoorbeeld in de vorm van een *design centre* of een zelfstandige business unit. Binnen grote multinationale orga-

nisaties maken doorgaans verschillende kleinere centra deel uit van het overkoepelende corporate design centre. De organisatiestructuur is daarbij afhankelijk van de graad van diversificatie, decentralisatie en geografische spreiding van de onderneming. Dergelijke designcentra op bedrijfsniveau worden geleid door een *design director* wanneer sprake is van een directiefunctie. De design director is verantwoordelijk voor het beschikbare middelenpotentieel (de design resources) binnen een business unit of divisie. Inclusief interne en extern ingehuurde medewerkers en een gedeelde verantwoordelijkheid voor de implementatie van de corporate design strategy.

Het managen van een designafdeling op tactisch niveau draait in hoofdzaak om creativiteitsmanagement, personeelsmanagement en financieel management. Daarnaast is een aantal praktische zaken van belang. Degene die de leiding heeft over de designafdeling zal ervoor moeten zorgen dat er een duidelijke werkstructuur is en een goede verdeling van taken en verantwoordelijkheden. Voor designmanagers op dit niveau houdt dat een aantal zaken in:

- het waarborgen van de continuïteit van de afdeling;
- het regelen en verantwoorden van afdelings- en projectbudgetten;
- het zorgen voor een goede werkplanning om de gewenste capaciteit te kunnen leveren;
- het kunnen inspelen op de uiteenlopende behoeften van interne klanten;
- het onderhouden van goede relaties met interne opdrachtgevers en externe leveranciers;
- motiveren en stimuleren van medewerkers, er dient een goed werkklimaat zijn;
- een toereikende graad van professionaliteit (Er moet voldoende kennis en ervaring zijn om opdrachten goed te kunnen uitvoeren. Niet alleen inhoudelijke vakkennis en ambachtelijke vaardigheden, maar bijvoorbeeld ook presentatievaardigheden of projectmanagement-vaardigheden.);
- het uitoefenen van directe supervisie wanneer noodzakelijk;
- voldoende afstemming en coördinatie binnen de afdeling om de vereiste kwaliteit en samenhang te kunnen leveren;
- de beschikbaarheid én naleving van goede werkinstructies en richtlijnen met het oog op kwaliteitsbewaking. (Er dient voldoende zelfdiscipline te zijn om bestaande designprogramma's te handhaven en te bewaken.);
- het documenteren en beschikbaar maken van nieuwe informatie voor alle belanghebbenden.

Als we het bovenstaande overzicht in ogenschouw nemen, kunnen we vaststellen dat wat voor een designafdelingsmanager geldt, tot op zekere hoogte ook voor willekeurige andere afdelingsmanagers geldt. Het bijzondere van deze designmanagementfunctie zit hem dus niet in algemene managementvaardigheden (waarvan de uitvoering op een aanvaardbaar niveau noodzakelijk is), maar in het begrijpen van de waarde van design voor de organisatie en het kunnen opsporen en benutten van kansen voor design. Om deze vervolgens te kunnen vertalen op een wijze die toegevoegde waarde genereert voor de organisatie. Andere aspecten zijn creativiteitsmanagement en de invloed op het argumentatieproces. Beide zijn in hoofdstuk vier aan de orde gekomen als bijzondere eigenschappen van designmanagement.

7.4.3 Operationele designmanagementtaken; gericht op designactie

We hebben deze taak al eerder kernachting weergegeven als het definiëren van een ontwerpopgave, het vinden van de meest geschikte ontwerper en het voor hem mogelijk maken om op tijd en binnen het afgesproken budget deze ontwerpopgave optimaal te kunnen vervullen. De operationele managementtaak heeft vooral betrekking op individuele, afgebakende designprojecten die binnen duidelijk grenzen in tijd en geld moeten worden uitgevoerd. De designmanager opereert dan ook vooral als projectmanager, projectleider of teamleider.

Voor de designprojectmanager is een aantal zaken van belang die we onderstaand puntsgewijs weergeven.

- Het aantrekken van de juiste specialisten en het hen motiveren en instrueren, evenals het zorgen voor een goed werkklimaat.
- Het zorgen voor voldoende kennis en ervaring om het project goed te kunnen uitvoeren. Niet alleen inhoudelijke vakkennis en ambachtelijke vaardigheden, maar ook presentatievaardigheden en kennis van managementtechnieken.
- Het binnen het project laten plaatsvinden van voldoende afstemming en coördinatie om de vereiste kwaliteit en samenhang te kunnen leveren. Een creatieve briefing dient in overleg met de eindopdrachtgever te worden opgesteld en de opdrachtgever moet kunnen worden geadviseerd over bepaalde uitvoeringsaspecten.
- Het opstellen van een goede werkplanning die nodig is om tijdig het gewenste projectresultaat te kunnen opleveren.
- Het onderhouden van een goede relatie met interne opdrachtgevers en overige betrokkenen gedurende het hele ontwerpproces.
- Het realiseren en implementeren van een goedgekeurd eindontwerp in overleg met de verantwoordelijke managers en specialisten binnen de organisatie en met de externe leveranciers en producenten.
- Het documenteren en archiveren van het projectresultaat.

7.5 Samenvatting en terugkoppeling

Met de inventarisatie in dit hoofdstuk is duidelijk geworden dat er grote verschillen bestaan in functieniveau en taken, designmanagers kunnen onderling sterk verschillen. Samenvattend kunnen we stellen dat strategisch designmanagement gericht is op *designvisie,* tactisch designmanagement op *designfunctie,* en operationeel designmanagement op *designactie.*

In hoofdstuk zes brachten we naar voren dat de richting waarin designmanagement zich kan ontwikkelen in hoge mate wordt bepaald door de strategische oriëntatie van organisaties. We benoemden drie typen designmanagement: *product designmanagement, corporate brand designmanagement* en *product brand designmanagement.* Deze typen designmanagement kunnen in principe op alle drie managementniveaus functioneren. Een product designmanager kan in principe als design strategy manager, als design resources manager of als design project manager werken. Hetzelfde geldt voor de twee andere typen.

Het is wel zo dat de design strategy manager als generalist zal moeten opereren om het volledige spectrum van alle verschillende deeldisciplines (product design, information design, environmental design en corporate identity design) te kunnen omvatten. Hij kan wel een zekere specialisatie of origine hebben in product designmanagement (wanneer hij bijvoorbeeld werkzaam is in de maakindustrie), maar zal tegelijkertijd ook thuis moeten zijn in bijvoorbeeld de wereld van communicatie, marketing en branding.

Op tactisch designmanagementniveau zal wellicht eerder sprake zijn van een bepaalde specialisatie. Dit is afhankelijk van de oriëntatie en strategiekeuze van de betreffende business unit of divisie waarin de designmanager actief is. Maar ook voor de tactische designmanager geldt dat deze over de grenzen van zijn eigen deeldiscipline heen moeten kunnen kijken en voldoende op de hoogte moet zijn van de andere deeldisciplines.

Voor operationeel designmanagement ligt het anders. Op operationeel managementniveau zal de specialisatie zich in de praktijk het meest nadrukkelijk voordoen. De design project manager is meestal gespecialiseerd in één van de drie typen designmanagement. Hij zal in de regel samenwerken met – of deel uitmaken van het hierop aansluitende functiegebied. Dat wil zeggen dat een product brand designmanager in de regel nauw zal samenwerken met de marketingafdeling (of daar eventueel door aangestuurd wordt of deel van uitmaakt), de corporate brand designmanager met de afdeling corporate communicatie en de product designmanager met de productontwikkelingsafdeling. We hebben geprobeerd het bovenstaande weer te geven in figuur 7.3.

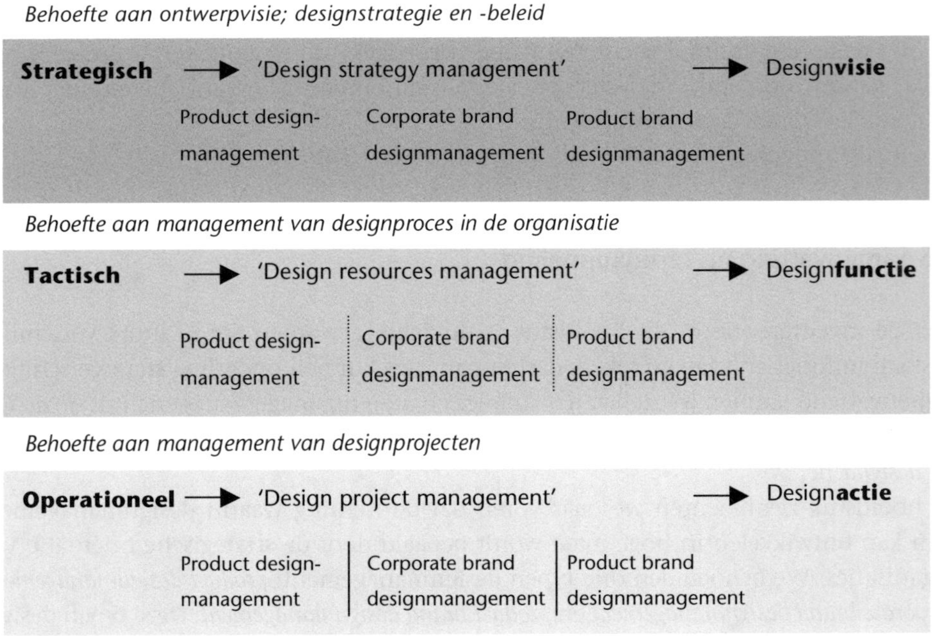

Figuur 7.3 Designmanagement-matrix

Ten slotte zijn er nog enkele aandachtspunten:

- Wanneer er sprake is van strategisch designmanagement, zal dit in de regel als zelfstandige functie opereren. In vrijwel alle gevallen is er dan een geloof in de kracht van design onder het eindverantwoordelijk management. Design is dan meestal aangewezen als één van de kerncompetenties van de onderneming of design vormt een belangrijk onderdeel van de strategische doelen. (In de geformuleerde missie kunnen we de strategische inzet van design in dat geval vaak teruglezen.) Wanneer dit geloof ontbreekt, zal strategisch designmanagement in de regel vrijwel niet aan de orde zijn.
- Veel organisaties onderscheiden op tactisch managementniveau geen designmanagementfunctie. Bij organisaties die product- of marktgeoriënteerd zijn, is meestal de product-of marketingmanager verantwoordelijk voor het formuleren van designdoelen. Design wordt dan vaak als instrumenteel binnen de product- of marktstrategie gezien en niet als een op zichzelf staande waarde. Design heeft in die situatie geen leidende rol, maar wordt gezien als een aanvullend attribuut om het verkoopvolume van het product te vergroten. Uiteraard kan deze zienswijze er toe leiden dat onvoldoende gebruik wordt gemaakt van het potentieel van design en dat design verkeerd wordt begrepen (als 'cosmetisch design'). Dit risico moet volgens Snelders & Thölke niet onderschat worden. Zij wijzen er in dit verband op dat design meestal weinig interessant is voor productmanagers die het differentiatiebeleid aansturen. *'Het duurt eenvoudig te lang voordat designwijziging aan de integrale productvorm een bijdrage levert, aan de verkopen en daarmee aan een goede beoordeling van de prestaties van de manager.'* (in: Hultink & Schoormans *et al*, 2004).
- Tactisch designmanagement is sterk gericht op het designproces in de organisatie. Dit proces moet net als alle andere bedrijfsprocessen, worden ingebed in de formele organisatie. Dit houdt in dat het voldoende moet worden beschreven in termen van procedures, zeggenschap en verantwoordelijkheden. Het is tegelijkertijd wel van belang dat designmanagers over processen heen kunnen blijven denken; zowel wat betreft het eigen designmanagementproces als de andere organisatieprocessen. We onderstrepen dat het designproces als zodanig een belangrijk middel is, maar geen doel.

7.6 Conclusie – beleidsontwikkeling en coördinatie staan centraal

We sluiten af met de belangrijkste bevindingen op een rijtje te zetten en een checklist voor designmanagers weer te geven (figuur 7.4). In hoofdstuk acht vervolgen we ons verhaal met de vraag hoe de designmanagementfunctie het meest effectief kan worden ingericht binnen de organisatiestructuur.

Uit de tekst komt naar voren dat de drie geïdentificeerde behoeften vooral betrekking hebben op beleid en coördinatie. Designmanagement als activiteit valt voor een groot deel samen met de beleidsontwikkelings- en coördinatiefunctie. Zonder een helder geformuleerd designbeleid zal het in de praktijk moeilijk – zo niet onmogelijk – zijn om design als bedrijfsmiddel op efficiënte en effectieve wijze in te zetten. De behoefte aan designmanagement lijkt dan ook nauw samen te hangen met het inzicht of de inzet van design binnen de organisatie wel of geen *beleidsfunctie* vereist. Designbeleid bestaat uit het aansturen van alle visuele manifestaties rondom product en merk (leidend tot zintuiglijke percepties en ervaringen), op een zodanige wijze dat deze elkaar aanvullen en versterken.

Het maakt verder een groot verschil of designmanagement louter als functionele discipline wordt aangemerkt, dan wel als cruciale kerncompetentie. Wanneer dit laatste het geval is, is het voor die organisaties essentieel dat zij designbeleid weten te integreren in de verschillende managementdisciplines en bedrijfsprocessen.

We kunnen verwachten dat zonder toereikende coördinatie evenmin een goed eindresultaat zal ontstaan (de optelsom van alle designgerelateerde activiteiten). Bij kleine organisaties kan de coördinatie plaatsvinden door wederzijdse afstemming. Bij een grotere organisatie is dit vaak niet mogelijk, omdat de werkprocessen veel complexer zijn. Een formele coördinatiefunctie en bijbehorende procedures zijn dan onvermijdelijk. In het volgende hoofdstuk onderzoeken we hoe dit vorm kan krijgen binnen de organisatiestructuur.

	Strategisch	Tactisch	Operationeel
Design-strategie	• Bepaal een organisatie-strategie waarin design-doelen zijn opgenomen • Bepaal een corporate designstrategie • Verzeker je ervan dat zowel de producten, communicatie als de omgeving, door de designstrategie worden gehergroepeerd • Zorg dat de designstrategie wordt opgenomen in de implementatie van de bedrijfsstrategie	• Coördineer de design-strategie met marketing-, productontwikkelings- en communicatieafdelingen • Bepaal designbeleid binnen product- en communicatiebeleid • Bepaal merkbeleid en de rol van design voor het merk	
Design-planning	• Programmeer design-projecten • Entameer designonder-zoek • Bepaal designstan-daarden: normen voor grafisch, product en ruimtelijk design	• Bepaal procedures en benodigde middelen (programmeren) • Bepaal standaard voor designprestaties • Bepaal relatie tussen design- en kwaliteits-management • Leg designprogramma vast	• Zorg voor juiste toepas-sing van designpro-gramma (richtlijnen en -specificaties). • Stel creatieve briefing op • Stel projectplan op • Bepaal projectfasering en prioritering van beheers-aspecten (TGKIO)
Structuur	• Representeer design op topmanagementniveau • Creëer een instelling die gunstig is voor design	• Bepaal rol, zeggenschap, en verantwoordelijkheid van medewerkers in bedrijfsstructuur • Creëer matrixstructuur voor projecten	• Selecteer ontwerpers • Bepaal het team en de werkwijze • Nomineer een 'design-kampioen'
Financiën	• Bepaal design-ratio's voor accountancy en audit • Stel een budget zeker voor implementatie van de designstrategie	• Stel een overzicht samen van leveranciers en contractvoorwaarden • Stel de geplande programmabudgetten veilig	• Beheers het project-budget • Begroot de designkosten
Human resources	• Creëer een klimaat dat gunstig is voor design • Stimuleer creativiteit in de organisatie	• Bepaal selectie(criteria) en beïnvloed loopbaan-ontwikkeling • Creëer begrip voor design onder managers	• Bepaal benodigde ontwerp- en overige competenties binnen projectteam • Creëer een gunstig werk-klimaat

Figuur 7.4 Checklist voor designmanagers (naar: Borja de Mozota, 2003)

	Strategisch	Tactisch	Operationeel
Informatie	• Verspreid corporate design-filosofie in de organisatie • Verzamel informatie o.a. door 'trendwatching' of 'customer reviews'	• Verspreid marketing-, design- en productie-plannen in de organisatie • Verspreid designkennis in de organisatie • Verspreid designprogramma's in de organisatie	• Ontwikkel begrip voor organisatiedoelen onder ontwerpers • Stel projectdocumentatie en controlesysteem op
Communicatie	• Communiceer de opdracht voor design in en buiten de organisatie • Communiceer over de corporate designstrategie	• Organiseer interne en externe communicatie over design	• Communiceer over het project (doelstelling, voortgang, resultaat) • Zorg voor open relaties met opdrachtgevers, partners en leveranciers
R&D (productontwikkeling)	• Stuur het interdisciplinaire ontwikkelingteam (multi-functioneel) aan • Selecteer segmenten en niches met hoog potentieel • Stem design-, marketing- en technologische trends op elkaar af • Ontwikkel nieuwe productconcepten	• Oriënteer op markt en gebruikers (tevredenheid en winstgevendheid) • Selecteer nieuwe concepten • Pas organisatie aan als gevolg van veranderingen in de waardeketen	• Organiseer de output (schetsen, mock-ups, prototypes)
Projectmanagement	• Supervisie in beslissingsfasen van kernprojecten • Integreer design in de fasen van ideevorming	• Supervisie in beslissingsfasen	• Zorg voor goede beheersing van projectfasen (TGKIO) • Beheers relaties met opdrachtgever en leveranciers
Branding	• Neem designonderzoek op in strategische marketing • Bepaal (of beïnvloed) de merkstrategie	• Ontwerp het merk en stel de waarde vast • Pas marktonderzoek zodanig aan dat design hierin een plaats heeft	• Zorg ervoor dat designoplossingen 'on brand' zijn • Pas marktonderzoek zodanig aan dat het geschikt is voor design
Evaluatie	• Vergelijk designprestaties met bedrijfsprestaties • Verifieer de samenhang van het designsysteem (het totale designprogramma)	• Evalueer het ontwerpproces en verbeter het • Evalueer invloed van design op klanttevredenheid • Evalueer de 'return on investment'	• Evalueer het ontwerpresultaat en de creatieve briefing • Verifieer imago-, markt- en merkeffecten

Vervolg figuur 7.4

8 De plaats in de organisatie

'It is far easier to determine what design management is, and how it is valued, than to lay down rules on how it should be organized, and who should do it.'
(Peter Gorb)

De centrale vraag in dit hoofdstuk betreft de wijze waarop designmanagement het meest effectief kan worden ingericht binnen de organisatiestructuur. Hierbij gaan we in op twee specifieke vragen. De eerste betreft de vorm: als staffunctie, als lijnfunctie of als hulpdienst? De tweede, hiermee samenhangende vraag betreft de plaats: als centrale functie op corporate niveau of juist decentraal op het niveau van de divisies of business units? De reden waarom we uitgebreid bij dit vraagstuk stilstaan is dat we zien dat de designmanagementfunctie in de praktijk vaak 'zweeft' in organisaties. De functie is onduidelijk of heeft onvoldoende positie en bevoegdheid, of er is een te grote afstand tot het eindverantwoordelijk management. Dit kan leiden tot veel verwarring, onbegrip en frustratie en kan een bedreiging vormen voor het succes en de continuïteit van de functie.
In paragraaf 8.1 leiden we het onderwerp in en lichten we de belangrijkste begrippen en concepten toe. Paragraaf 8.2 biedt een overzicht van de wijze waarop designmanagement een coördinatiefunctie kan vervullen. Vervolgens verkennen we twee opties voor de inrichting van designmanagement aan de hand van archetypische organisatiestructuren; in paragraaf 8.3 gaat het over designmanagement in de 'lijn-staforganisatie' en in 8.4 over de situatie in de 'lijnorganisatie met hulpdiensten'. In paragraaf 8.5 zetten we de voor- en nadelen die samenhangen met de verschillende organisatievormen nog eens op een rijtje. Daarbij geven we aan hoe ook de budgettering en waardering van de designmanagementfunctie hiermee samenhangt. We ronden zoals gebruikelijk af met de belangrijkste conclusies.

8.1 Verdeling van arbeid en coördinatie van activiteiten

Geen enkele organisatie die design professioneel wil inzetten, ontkomt aan het maken van een keuze hoe het designproces, de designspecialismen en de daarmee samenhangende designmanagementfunctie moeten worden georganiseerd. Daarbij maakt het in principe niet uit of sprake is van een gespecialiseerde afdeling of functie, of dat de designmanagementtaak is geïntegreerd in een andere managementfunctie met een andere functietitel. In ieder geval is de positie in sterke mate bepalend voor de taakstelling, de bevoegdheid en wijze van uitoefening. Uiteraard hangt dit ook samen met het managementniveau, zoals we in hoofdstuk zeven hebben gezien, maar in dit hoofdstuk concentreren we ons op de *positie* binnen de formele organisatie.

Besluitvorming over hoe de organisatie van designmanagement moet worden aangepakt, hangt nauw samen met de keuzes die de organisatie heeft gemaakt op het meer algemene gebied van de organisatiestructuur. In het vorige hoofdstuk brachten we naar voren dat het ontwerpen van de organisatiestructuur één van de drie hoofdfuncties is, die de kern van de inhoudelijke managementtaak vormen. Een structuur moet zodanig worden gekozen dat hierdoor de verschillende functionele processen die nodig zijn in verband met de gestelde organisatiedoelen (inkoop, marketing/verkoop, productie, productontwikkeling, financiën, en personeel), zo goed mogelijk worden bevorderd. Het succesvol functioneren van een organisatie is mede afhankelijk van de keuze van een adequate organisatiestructuur. Omdat organisaties heel verschillend kunnen zijn, maar ook omdat managementvisies onderling kunnen afwijken en inzichten kunnen veranderen, zullen in de praktijk steeds andere keuzen worden gemaakt. Toch zijn er ook bepaalde richtinggevende principes en basiskeuzen aan de orde.

Het ontwerpen van een organisatiestructuur is volgens Mintzberg (1979) een vraagstuk van *verdeling van arbeid* en het *coördineren van activiteiten* tegen de achtergrond van een gekozen strategie en de beschikbare mensen en middelen. Het gaat om de vraag wie wat doet en hoe de verschillende activiteiten op elkaar kunnen worden afgestemd, zodat het geheel voldoende richting krijgt. We gaan hier in de tekst nader op in. Voor het bepalen van de plaats van designmanagement in de organisatiestructuur moet een antwoord worden geformuleerd, ten aanzien van een complex van vragen die we in dit hoofdstuk zullen verkennen:

- Is er sprake van zodanige *specialisatie* dat dit de inrichting van een designmanagementafdeling of -functie vereist?
- Is een zodanige *coördinatie* van activiteiten noodzakelijk dat dit de inrichting van een designmanagementafdeling of -functie vereist?
- Is de eindverantwoordelijkheid voor designbeleid duidelijk? En is de designmanagementafdeling of -functie *beleidsbepalend* of *beleidscontrolerend*?
- Moet de designmanagementtaak *centraal* of *decentraal* vorm krijgen; wat is het laagste niveau in de organisatie dat beslissingen moet kunnen nemen op strategisch, tactisch of operationeel vlak?
- Hoeveel *controle* is hierbij nodig? In hoeverre moeten regels en procedures zijn vastgelegd; hoe stringent of globaal?

8.1.1 Verdeling van arbeid

Als de hoeveelheid werk binnen een organisatie niet meer door één persoon kan worden gedaan, moet het werk worden verdeeld over meerdere personen. De vraag is dan: wie doet wat? En: wie beslist over wat? Maar ook: hoe krijgt de samenwerking en onderlinge afstemming vorm? Om het werk te kunnen verdelen, ontstaat in de praktijk vaak een scheiding van leidinggevende en uitvoerende taken. Maar het kan bij verdeling van arbeid ook gaan om samenwerkende personen op hetzelfde niveau van leidinggeving of uitvoering. In dat geval ontstaat een scheiding in taken en verantwoordelijkheden

door een opdeling in verschillende functietypen, zoals een lijnfunctie, staffunctie of hulpdienst. We behandelen deze functietypen verderop in deze inleiding.
De kern van iedere organisatie wordt gevormd door de lijn. Dit wordt ook wel aangeduid als het hoofdproces of het primair proces. Bedrijfsresultaten hangen vooral af van de prestaties door de lijn. Keuning & Eppink (2004): *'Aan het hoofdproces ontleent de organisatie haar bestaansrecht; daar leeft ze van omdat in dit proces waardetoevoeging plaatsvindt.'* In veel organisaties zal het ontwikkelen, produceren en verkopen van producten of diensten als hoofdproces worden aangemerkt. Maar het hoofdproces kan ook beperkt blijven tot inkopen en verkopen wanneer het gaat om een handelsorganisatie. Naast het hoofdproces worden ondersteunende processen onderscheiden. Dit zijn alle overige bedrijfsprocessen die niet tot het hoofdproces worden gerekend. Ondersteunende processen zijn bijvoorbeeld het financieel proces, het personeelsproces, het informatietechnologieproces, het communicatieproces of het marketing-/verkoopproces. De activiteiten die met deze processen samenhangen worden als staffunctie of als zogenaamde hulpdienst ingezet om de lijnorganisatie te ondersteunen.
In een complexe organisatie komt taakverdeling tot stand door beide mechanismen. Zowel door het opdelen van de leidingevende en uitvoerende arbeid in de lijn, als door het onderscheiden van lijnactiviteiten en specialistische arbeid – ter ondersteuning van de lijn – in staf- of hulpdiensten. De inbreng van die arbeid is gericht op het effectiever en doelmatiger werken van lijnfunctionarissen.

8.1.2 Coördineren van activiteiten

De mate van coördinatie in organisaties kan sterk verschillen. Deze kan in gedecentraliseerde bedrijven beperkt zijn tot het minimum, wanneer alleen de administratie en financiering (budgettering) centraal is geregeld. Het *corporate centre* (het moederbedrijf) treedt dan op als financiële holding. Alle overige benodigde bedrijfsmiddelen zijn dan decentraal in de bedrijfseenheden (vestigingen, werkmaatschappijen of divisies) ondergebracht, die meestal los van elkaar opereren en zelf verantwoordelijk zijn voor hun bedrijfsvoering en resultaat. Wanneer geen sprake is van een minimale coördinatie, zien we vaak dat financiële coördinatie uitgebreid wordt met juridische zaken, personeelszaken, marketing, research & development enzovoort. De bindingen tussen het corporate center en de bedrijfseenheden zijn dan veel sterker en we spreken niet langer van een financiële holding. Wanneer er sprake is van maximale coördinatie zijn ook de processen en activiteiten van de verschillende bedrijfseenheden op elkaar afgestemd en moeten zij opereren binnen beleidskaders en richtlijnen die meestal centraal worden vastgesteld.
Maar waarom kiest de ene onderneming voor minimale coördinatie en een andere juist voor maximale? En waarom zijn er in de praktijk zulke grote verschillen? Bij het inrichten van organisaties is er sprake van een dilemma. Organisaties moeten aan de ene kant snel en flexibel kunnen inspelen op veranderingen in de markten waarin zij opereren, terwijl aan de andere kant de beschikbare resources binnen een organisatie zo efficiënt mogelijk moeten worden benut. Dit kan worden ondervangen door ervoor te zorgen dat de aanwezige specialistische kennis beschikbaar is wanneer deze nodig is, en door dubbeling van (vaak dure) specialistische functies zoveel mogelijk te voorkomen.

Het reactievermogen van een organisatie wordt aangeduid als responsiviteit, en het optimaal benutten van beschikbare middelen wordt doorgaans aangeduid als synergie. Het dilemma is een keuze voor responsiviteit of voor synergie. De gedachte is dat synergie coördinatie en afstemming vereist en dat dit leidt tot een afname van de responsiviteit. Coördinatie en afstemming kost tijd en dat gaat in de regel ten koste van de reactiesnelheid. Responsiviteit kan echter van levensbelang zijn. Wanneer bedrijven te langzaam reageren op ontwikkelingen in hun omgeving – of wanneer bijvoorbeeld de ontwikkeltijd van nieuwe producten of diensten te lang is – kunnen belangrijke kansen worden gemist en kunnen bedrijven op achterstand komen te staan.
Synergie moet leiden tot optimaal gebruik van de aanwezige specialistische kennis en ervaring. Deze specialistische functies worden daarom vaak zodanig ingericht dat de gehele organisatie hierover kan beschikken. In deze zin is synergie kostenbesparend. Een logische manier om synergie te bevorderen is iemand als coördinator te benoemen en deze hiërarchisch boven de bedrijfseenheden (divisies of business units) te plaatsen die moeten worden gecoördineerd. Zo'n centrale figuur moet wel over voldoende formele zeggenschap beschikken. Wanneer de coördinator de bedrijfseenheden duidelijke doelen (*targets*) geeft, die door hen moeten worden gerealiseerd, is er sprake van controle. Coördinatie tussen de bedrijfseenheden kan ook tot stand komen door onderlinge afstemming, zonder controle van hogerhand. Bijvoorbeeld omdat de eenheden dit zien als in hun eigen belang, of omdat ze het overstijgende organisatiebelang begrijpen. Coördinatie kan dus plaatsvinden door controle van bovenaf of door onderlinge afstemming (figuur 8.1).

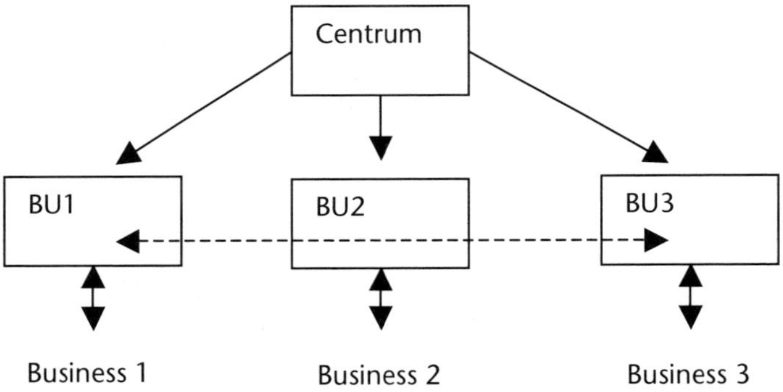

Figuur 8.1 Corporate coördinatie mechanismen

8.1.3 Organisatiestructuren

De lijnorganisatie is de grondvorm van elke organisatie (figuur 8.2). Centraal daarin staan begrippen als lijnrelatie en lijnbevoegdheid. Met een lijnrelatie wordt een hiërarchische of gezagsverhouding bedoeld, het geven van opdrachten en het toezicht houden op de uitvoering (lijn naar beneden). Maar ook het rapporteren en verantwoording afleggen aan de leiding (lijn naar boven). Lijnbevoegdheid gaat over het kunnen nemen van beslissingen, het kunnen geven van dwingende richtlijnen en aanwijzingen, het kunnen geven van opdrachten en het kunnen omzetten van een advies in actie. Lijnmanagers zijn niet alleen bevoegd om dit soort dingen te doen, maar tegelijkertijd ook verantwoordelijk voor de uitvoering, het eindresultaat. In de lijnorganisatie is het duidelijk wie de leiding heeft, wie opdrachten mag geven en aan wie men verantwoording moet afleggen. Iedere medewerker heeft in de verticale lijn met één chef te maken. Wanneer zich bij de uitvoering problemen voordoen moeten deze worden voorgelegd aan de chef, die vervolgens dient te beslissen wat er moet gebeuren. Als deze problemen de eigen afdeling overstijgen (bijvoorbeeld wanneer er sprake is van een afstemmingsprobleem met andere afdelingen), dient de chef contact te leggen met de gemeenschappelijke chef van de betreffende afdelingen. Deze gemeenschappelijke chef moet het probleem vervolgens zien op te lossen. Dit wordt wel aangeduid als het opschalen in de 'verticale lijn'; het opschalen naar een hoger beslissingsniveau.

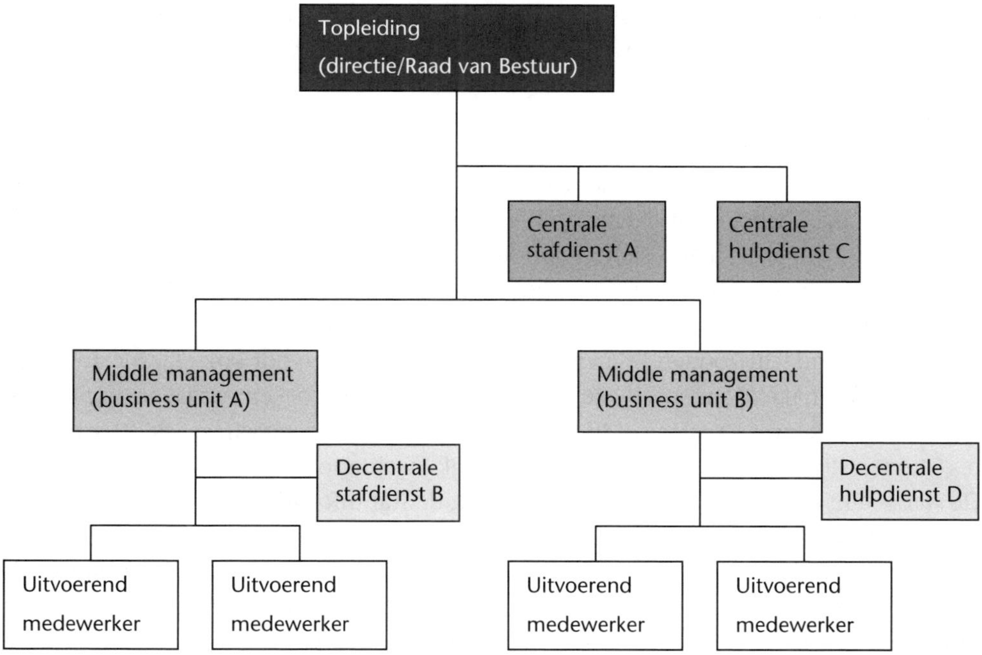

Figuur 8.2 De lijnorganisatie als grondvorm

Organisaties kunnen op verschillende manieren gestructureerd worden, maar in de literatuur worden in hoofdzaak drie veel voorkomende organisatiestructuren beschreven:

- *De lijn-staforganisatie*: als bedrijven het noodzakelijk vinden om bij het nemen van beslissingen over elementen van beleid, specialisten in te schakelen – bijvoorbeeld omdat de lijnmanagers niet als voldoende deskundig worden beschouwd – ontstaat de lijn-staforganisatie. Stafspecialisten staan hier ter beschikking van de directie en de lijnmanagers; de staffunctie ondersteunt hen gevraagd en ongevraagd met advies.

- *De lijnorganisatie met hulpdiensten*: als het zwaartepunt van de dienstverlening komt te liggen op vraagstukken van uitvoering in verschillende afdelingen in de organisatie, ontstaat een hulpdienst. Hulpdiensten leveren organisatiebreed (aan alle bedrijfseenheden) hun specialistische diensten, waarbij ze dwingende aanwijzingen kunnen geven. Ze helpen ook mee en verrichten uitvoerende taken ten behoeve van de lijn. Er is op deze punten een groot verschil met een staffunctie.
- *De matrix-organisatie:* als op verschillende momenten een wisselende inbreng vanuit diverse deskundigheidsgebieden moet worden geleverd ontstaat de matrix-organisatie. De specialisten zullen hier deel uitmaken van tijdelijke en soms meerdere projectteams tegelijkertijd, waarin zij hun kennis en kunde inbrengen. We treffen deze organisatiestructuur overwegend aan in kennisintensieve organisaties (gericht op hoogwaardige technologie, complexe logistiek, unieke projecten of evenementen) en bij maatschappen. Voor ons onderwerp is deze laatste structuur minder relevant; in het vervolg van de tekst gaat het met name over de eerste twee structuren.

Staffunctie

Bij het instellen van staffuncties gaat het vooral om het overdragen van denkwerk bij beleidsformulering, dus een adviesfunctie. De staf wordt geacht om de leiding en lijnmanagers bij te staan. De stafspecialist heeft vooral zogenaamde beleids- of planningstaken. Dergelijke taken hebben betrekking op het vooruitzien, voorspellen, plannen en organiseren; het scheppen van een kader voor de daadwerkelijke uitvoering. De staf staat ten dienste van leiding en lijnmanagers en houdt zich bezig met problemen die anders – door druk van alledaagse omstandigheden, gebrek aan tijd of aan specifieke deskundigheid – te weinig aandacht zouden krijgen. Uiteraard kunnen hiervoor ook externe adviseurs worden ingeschakeld om specifieke vraagstukken te onderzoeken, waarvoor binnen de organisatie de kennis, ervaring of tijd ontbreekt. Door de inbreng van specialistische kennis kunnen directie en lijnmanagers uiteindelijk kwalitatief betere beslissingen nemen. De staf oefent dus invloed uit. Elementair is dat de staf informatie geeft, zowel gevraagd als ongevraagd adviezen verstrekt en problemen opspoort en analyseert, maar zelf géén uitvoerende werkzaamheden verricht. Ook elementair is dat de *lijn* de adviezen van de staf niet hoeft op te volgen. De staf kan geen dwingende aanwijzingen geven of instructies opleggen maar heeft uitsluitend een adviesbevoegdheid; niet de staf, maar directie en lijnmanagers zijn eindverantwoordelijk voor de uitvoering en het resultaat wanneer ze een advies overnemen. Voor de stafspecialist is het daarom van belang dat zijn inbreng geaccepteerd wordt.

Stafdiensten kunnen op verschillende niveaus in de organisatie worden ingebouwd (figuur 8.2). Niet alleen op corporate niveau, maar ook op het niveau van divisies of business units kunnen staffuncties of -afdelingen voorkomen, zoals een afdeling marktonderzoek. Er kan in principe zelfs een dubbeling optreden wanneer dit als wenselijk wordt gezien. Men kan bijvoorbeeld denken aan de situatie waarbij marketingadviseurs op corporate niveau actief zijn, maar ook binnen een bepaalde bedrijfseenheid waar ze zich richten op een product-/marktcombinatie die alleen relevant is voor deze eenheid.

Hulpdienst

Als aan de staf ook coördinerende en controlerende taken met betrekking tot de uitvoering zijn opgedragen, spreken we niet langer van een staffunctie maar van een hulpdienst. Hulpdiensten zijn specialistische afdelingen die aan andere bedrijfseenheden tijdelijke diensten verlenen en daarbij een deel van de uitvoering verrichten. De wenselijkheid om gebruik te maken van de hulpdienst-constructie ontstaat als op bepaalde elementen van de uitvoering gestreefd moet worden naar een zekere mate van consistentie, uniformiteit of coördinatie. En wanneer de deskundigheid die hiervoor is vereist niet (of onvoldoende) in de lijn aanwezig is (Keuning & Eppink, 2004). Deze ondersteuning kan zich ook voordoen in de vorm van uitlenen of detacheren van hulpdienstmedewerkers.
Interessant is dat hulpdiensten – in tegenstelling tot stafafdelingen – vanuit hun specifieke deskundigheidsgebied wél de bevoegdheid hebben om dwingende aanwijzingen en instructies te geven en uniforme werkwijzen of procedures voor te schrijven (dat wil zeggen dat ze hun functionele bevoegdheid uit kunnen oefenen). Bovendien zijn andere bedrijfsonderdelen verplicht de hulpdienst te raadplegen voordat er beslissingen worden genomen op onderdelen die gerekend worden tot het specifieke deskundigheidsgebied van die hulpdienst. De afdeling Personeelszaken is een voorbeeld van zo'n hulpdienst. Het is in de meeste organisaties gebruikelijk dat bijvoorbeeld de aanstelling, beoordeling en het ontslag van een personeelslid via de afdeling personeelszaken loopt. Andere hulpdiensten zijn de afdeling inkoop, facility management, de technische dienst, de juridische afdeling of de centrale administratie. Ook een afdeling marketing of communicatie kan in de praktijk als hulpdienst zijn ingericht. Een hulpdienst kan, net als een stafdienst, op twee plaatsen in de organisatie worden ingericht (zie figuur 8.2):

- als *centrale* hulpdienst; op corporate niveau;
- als *decentrale* 'eigen' hulpdienst binnen een divisie, business unit of werkmaatschappij.

In de eerste situatie fungeert één centrale afdeling als hulp voor de decentrale bedrijfsonderdelen. In de tweede situatie geeft het eigen karakter van de desbetreffende organisatie-eenheid aanleiding om een eigen hulpdienst in te richten.

8.2 Designmanagement als coördinatiefunctie

Het verdelen van taken over verschillende functies, afdelingen, vestigingen of divisies brengt de noodzaak met zich mee om onderling samenhangende activiteiten te coördineren. Wanneer het designproces – en de daarmee samenhangende taken – zich uitstrekt over meerdere functies of bedrijfseenheden, is coördinatie aan de orde. Designmanagement kan dan als coördinatiefunctie worden ingezet.
De mate waarin coördinatievoorzieningen in de organisatiestructuur moeten worden ingebouwd, kan variëren op grond van de onderlinge afhankelijkheid tussen de bedrijfseenheden en de mate van samenhang tussen de activiteiten. Dit wordt aangeduid als interdependentie. De output van een afdeling kan de input van een vervolgafdeling vormen (die een vervolgbewerking in deze output aanbrengt) en dan is er sprake van hoge interdependentie. Als de output niet tijdig en volgens afgesproken specificaties

plaatsvindt, ontstaat er een probleem; het proces stokt. Men kan in dit verband denken aan de situatie dat andere afdelingen aan de slag moeten met de output van een designafdeling binnen het kader van productontwikkeling. Maar er kan ook sprake zijn van indirecte afhankelijkheid waardoor de coördinatiebehoefte kleiner is. Wanneer verschillende afdelingen designactiviteiten ontplooien binnen hun eigen taakstelling is de interdependentie laag. Het kan gaan om sterk uiteenlopende beslissingen met betrekking tot producten, communicatie, de werkomgeving of materieel, waarvoor ze doorgaans niet van andere afdelingen afhankelijk zijn. Dat de optelsom van deze activiteiten mogelijk onvoldoende kwaliteit en samenhang vertoont, kan wel als problematisch worden gezien. Daarom zal er in de regel wel een coördinatiebehoefte zijn, maar deze zal op een ander niveau ingevuld worden.

Coördinatie kan zich afspelen op maar liefst vijf niveaus (Mintzberg, 1979) en designmanagement kan op ieder niveau worden ingezet:

- een strategische top die de grote lijnen uitzet;
- het middenmanagement dat deze grote lijnen vertaalt naar werkprocessen;
- de beheersingsstaf die methoden ontwikkelt voor de standaardisatie van de werkprocessen;
- de ondersteunende staf die diensten verleent om de organisatieprocessen goed te laten verlopen;
- de uitvoerende medewerkers.

Een strategische top die de grote lijnen uitzet

Van dit hoogste coördinatieniveau kunnen we de volgende kenmerken noemen:

- de gedelegeerde bevoegdheid om de grote lijnen uit te zetten en beslissingen te nemen als het gaat om het designbeleid en de *corporate design strategy*;
- het opzetten van designprogramma's en designplanning met het oog op product- of merkontwikkeling;
- het uitzetten van opdrachten, projecten en budgetten aan decentrale bedrijfseenheden en het controleren van de resultaten.

Het middenmanagement dat deze grote lijnen vertaalt naar werkprocessen

Dit coördinatieniveau heeft betrekking op de volgende hoofdactiviteiten:

- het inrichten en ontwikkelen van het designproces in de formele organisatie (competenties, taken, verantwoordelijkheden, processen, systemen en procedures), afgestemd op de organisatiedoelen en -behoeften;
- het leidinggeven aan een designafdeling voor productontwikkeling en/of voor de realisatie van communicatie- en presentatiematerialen.

De beheersingsstaf die methoden ontwikkelt voor de standaardisatie van de werkprocessen

De beheersingsstaf heeft een beleidstaak en richt zich op zaken als:

- het ontwikkelen van kaders, richtlijnen en normeringen (documentatie) met betrekking tot designprogramma's;

- het bepalen van instrumenten en methodieken in verband met 'hoe er moet worden gewerkt';
- het bepalen met welke leveranciers de decentrale eenheden mogen werken (selectie 'preferred suppliers').

De ondersteunende staf die diensten verleent om de organisatieprocessen goed te laten verlopen

De ondersteunende staf richt zich op de uitvoering door:

- het inbrengen van gespecialiseerde kennis en ervaring bij de bedrijfseenheden (eventueel opleiden en trainen) in verband met designgerelateerde projecten;
- het adviseren en begeleiden van projecten;
- het maken van een vertaalslag van designrichtlijnen naar functionele gebieden of specifieke toepassingen (het aangeven hoe richtlijnen moeten worden toegepast in een bepaalde situatie).
- het adviseren over – en begeleiden van design-inkooptrajecten ('design procurement').

De uitvoerende medewerkers

De uitvoerende medewerkers houden zich bezig met:

- het realiseren van designprojecten of het laten vervaardigen van designwerk binnen de gestelde kaders;
- het handhaven en bewaken van bestaande programma's tijdens de uitvoering;
- het handhaven en bewaken van de beoogde samenhang en kwaliteit.

8.3 Designmanagement in de lijn-staforganisatie

In lijn-staforganisaties kan designmanagement een lijnfunctie zijn of een staffunctie. In de inleiding hebben we uiteengezet hoe deze typeringen kunnen worden begrepen en wat de kenmerkende verschillen zijn. Het belangrijkste dat hierin naar voren kwam, is het verschil in bevoegdheid. Bij de staffunctie is deze beperkt tot een adviesbevoegdheid terwijl de lijnfunctie bevoegd is om beslissingen te nemen, actie te ondernemen, opdrachten te geven en eventueel dwingende richtlijnen en aanwijzingen te geven. In deze paragraaf willen we verder verkennen wat dit betekent voor designmanagement. Is designmanagement als staffunctie wel levensvatbaar? Leidt de beperking van bevoegdheid in de praktijk niet tot een situatie van machteloosheid en een gebrek aan controle?

8.3.1 Designmanagement als lijnfunctie

Als een designmanager wordt geacht verantwoordelijk te zijn voor het ten uitvoer brengen van het primaire proces in een organisatie, is sprake van een *lijnfunctie*. We zagen dat eerder in de tekst bij Chris Bangle als verantwoordelijke manager voor de designafdeling van BMW. Het ontwerpen van auto's maakt deel uit van het primaire proces van BMW en als zodanig maakt de hiervoor verantwoordelijke manager deel uit van 'de lijn'. De designmanager als lijnmanager zal in de praktijk hoofd van een resultaatverantwoordelijke eenheid zoals een designafdeling of tijdelijke projectorganisatie zijn. De lijnmanager is daarmee rechtstreeks verantwoordelijk voor de te behalen bedrijfsresultaten. Als bijvoorbeeld een nieuw product in de markt mislukt, mede als gevolg van een verkeerd gekozen productuiterlijk, zal de verantwoordelijke designmanager hierop worden afgerekend. Van hem wordt verwacht dat hij overzicht heeft over het totaal aan activiteiten en de juiste keuzen kan maken.

In principe kan designmanagement in de lijn op alledrie de managementniveaus plaatsvinden, de lijn loopt van de topleiding (het eindverantwoordelijk management) naar de uitvoerend medewerkers (figuur 8.3). Aan het hoofd van de lijn kan een strategische designmanager staan, wanneer sprake is van een zelfstandige divisie. Strategisch designmanagement in de lijn is verantwoordelijk voor de corporate design strategy. Deze functie staat in de regel aan het hoofd van een resultaatverantwoordelijke bedrijfseenheid en opereert dicht bij de top van de onderneming (de directie of Raad van Bestuur). We kunnen hierbij denken aan de designorganisatie van grotere multinationals zoals Philips Design (box 5.4) of Renault Design (box 7.2). Maar ook bij Auping zien we deze lijnfunctie aan het hoofd van het Auping Design Team (box 7.6). In het vorige hoofdstuk zijn de taken die bij dit managementniveau horen al uitgebreid belicht.
Omdat lang niet alle organisaties design als een strategisch instrument zien, treffen we de designmanager in de lijn hoofdzakelijk aan op tactisch managementniveau of op operationeel niveau. Op tactisch niveau ligt het accent op beleidsontwikkeling en het scheppen van kaders voor een goede uitvoering. De lijnmanager op tactisch niveau is eindverantwoordelijk voor het afdelingsresultaat, maar houdt zich persoonlijk niet bezig met de uitvoering. Tactisch designmanagement in de lijn is verantwoordelijk voor het optimaal inzetten van de beschikbare middelen om vastgestelde doelen te realiseren. Tactisch designmanagement voert opdrachten vanuit de topleiding uit binnen gestelde strategische kaders en beleidslijnen. Daarbij maakt het tactisch designmanagement een vertaalslag naar afdelingsbeleid en actieplannen (meestal in de vorm van projectplannen). Het zorgt het ervoor dat de vereiste (creatieve) capaciteit en het budget beschikbaar is – en dat er werkbare procedures zijn. Deze lijnfunctie staat doorgaans aan het hoofd van een designafdeling of een vestiging. Renault Design of Philips Design bestaan bijvoorbeeld uit een aantal vestigingen of uit specifieke afdelingen die gekoppeld zijn aan de divisies binnen de onderneming. Maar ook veel andere organisaties hebben een ontwerpafdeling die verantwoordelijk is voor product- of merkontwikkeling.
Op operationeel managementniveau is de designmanager als lijnmanager verantwoordelijk voor de te behalen projectresultaten en houdt hij zich wél persoonlijk bezig met de uitvoering. Het verschil zit in de beleidsintensiviteit van de functie. Op operationeel niveau ligt het accent niet op beleidsontwikkeling, maar op beleidsuitvoering. Operationeel designmanagement in de lijn is verantwoordelijk voor de uitvoering van projecten. Deze lijnfunctie valt samen met het eerstelijns (uitvoerend) management en heeft betrekking op de directe aansturing van uitvoerend medewerkers.

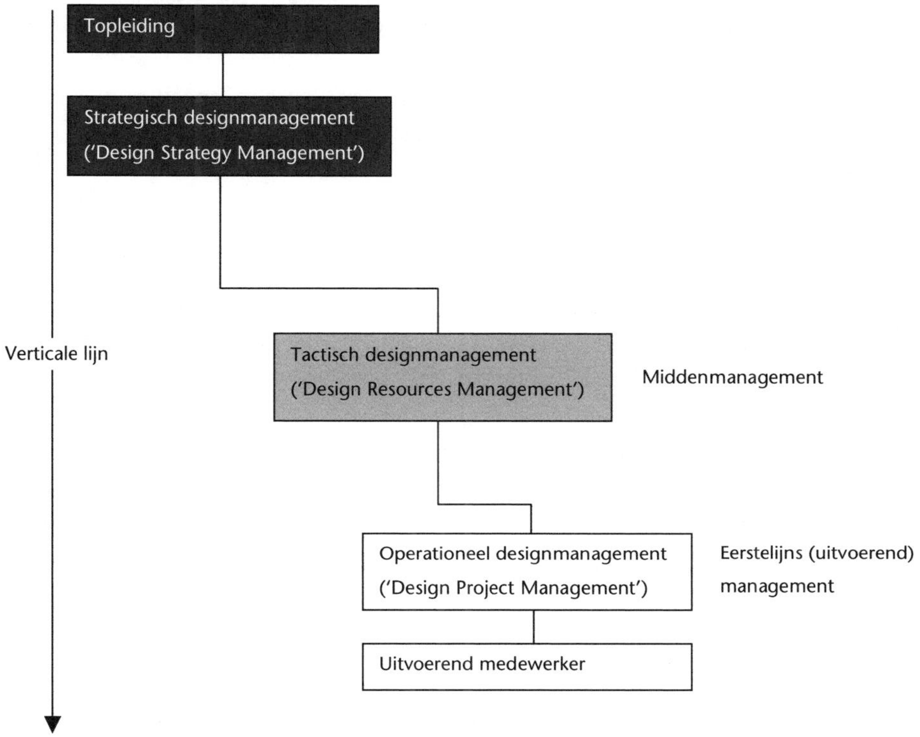

Figuur 8.3 Designmanagement in de lijn

Zoals gesteld is de uitgebreide bevoegdheid en de directe resultaatverantwoordelijkheid een kenmerk van lijnmanagement. In de praktijk zal het daarbij vooral gaan om designmanagement ten aanzien van producten (productdesign, -presentatie, -promotie en de verkoopomgeving). Volgens Gorb (1990) is het positief beïnvloeden van de brutomarge (dat wil zeggen het vergroten hiervan) door middel van design, dan ook de belangrijkste doelstelling van designmanagement in de lijn. Cruciaal in de beoordeling is de mate waarin (door het design te beïnvloeden) waarde wordt toegevoegd aan het product en/of merk en aldus wordt bijdragen aan de brutomarge. Brutomarge wordt gecalculeerd door de verkoopopbrengsten van de onderneming te nemen en hiervan de variabele kosten af te trekken. Onder variabele kosten wordt verstaan de productiekosten die bij een bepaalde productiecapaciteit variëren met de omvang van de productie. In de detailhandel is dit meestal de inkoopprijs die varieert met de omvang van het inkoopvolume.
Design(management) kan de brutomargeprestatie positief beïnvloeden door bij te dragen aan een reeks van kritische management-issues die bepalend zijn voor de aard en de winstgevendheid van producten. De lijst van deze kritische issues is eindeloos en varieert per bedrijfstak en per product. Men kan bijvoorbeeld denken aan:

- een zich onderscheidend en voor consumenten aantrekkelijk productuiterlijk;
- productinnovatie of lineaire productverbetering waardoor het functionele voordeel voor consumenten ten opzichte van alternatieven toeneemt;

- lijn- of merkextensies; het ontwikkelen van nieuwe productvarianten of het onder een bestaand merk brengen van andersoortige producten (uit nieuwe productcategorieën);
- het ontwikkelen van een productreeks waar design een sleutelrol speelt in de coördinatie, vereenvoudiging en promotie van de reeks;
- het verkorten van de 'time-to-market' door het ontwerpproces als onderdeel van het gehele productontwikkelings-, productie- en introductieproces te stroomlijnen en te verbeteren.
- materiaalbesparingen op componenten of verkorting van de assemblagetijd;
- besparingen op opslag- en transportcapaciteit (logistieke kosten) door het design;
- kwaliteitsmanagement (kwaliteit kan het beste gecontroleerd worden door deze intrinsiek in de ontwerpspecificaties op te nemen);

Wanneer een designmanagementfunctie als lijnfunctie is ingericht, zal dit bij voorkeur decentraal zijn (binnen een bepaalde bedrijfseenheid; een divisie, business unit, afdeling of functie). Bij een lijnfunctie is sprake van directe resultaatverantwoordelijkheid; deze functie zal daarom zodanig worden ingericht dat de lijnfunctie dichtbij de uitvoering opereert.

8.3.2 Designmanagement als staffunctie

Als de designmanager geen directe zeggenschap of verantwoordelijkheid heeft over het primaire proces in een organisatie, maar vanuit een specifieke deskundigheid een adviesfunctie vervult voor in principe de gehele organisatie, is er sprake van een *staffunctie*. Lijnmanagers kunnen zodanig bezet zijn door hun taken dat ze aan het onderzoeken van bepaalde structurele problemen in verband met het designproces niet toekomen. Het kan ook zo zijn dat ze te dicht op de uitvoering zitten om bepaalde designtrends- en ontwikkelingen te kunnen zien. Of ze kunnen kennis tekort komen om beleid met betrekking tot design te ontwikkelen. Daarom kunnen organisaties ervoor kiezen om designmanagement als staffunctie in te richten, ter ondersteuning van het lijnmanagement. (Door middel van onderzoek, advies, training of opleiding.) Op deze manier kan een tekort aan deskundigheid, vaardigheid of tijd worden ondervangen. En het is efficiënt; door de inzet van de designmanager als stafspecialist kan de lijnmanager zich op zijn taken blijven concentreren en neemt zijn omspanningsvermogen toe. Risico's zijn er ook. De designmanager als stafspecialist kan als te abstract en te weinig praktisch worden 'afgeserveerd'. Wanneer de stafspecialist geacht wordt zich met lange- en middellange-termijn beleid bezig te houden, ontstaat het risico dat de aansluiting op de korte-termijn behoeften van de lijn onvoldoende is. Het lijnmanagement staat immers onder druk om te presteren en zal in de regel ook op korte-termijn-prestaties worden afgerekend (bijvoorbeeld per kwartaal of halfjaar). Een adviseur die probeert meer structurele oplossingen te vinden, die moeilijker te realiseren kunnen zijn, kan daarom ervaren dat het lijnmanagement onvoldoende geïnteresseerd is. Voor het succes van de designmanager is het in ieder geval van belang dat hij uitstekende contacten onderhoudt met het lijnmanagement en

goed begrijpt op welke wijze zijn adviezen moeten worden gepresenteerd om te worden geaccepteerd en overgenomen.
Designmanagement als staffunctie kunnen we in principe op alledrie de managementniveaus tegenkomen (figuur 8.4). De topleiding laat zich in de praktijk vaak bijstaan door strategische planningsspecialisten. Wanneer de bijdrage van design als van strategische waarde wordt gezien, kan dit een behoefte aan strategische designplanning en beleidsvorming met zich meebrengen. De designmanager als stafspecialist adviseert de topleiding dan over het te voeren designbeleid en de te maken keuzen. Het kan bijvoorbeeld ook zijn dat advies wordt gevraagd inzake de beoordeling van designvoorstellen en -plannen die ingediend zijn door de bedrijfseenheden.
Het ligt voor de hand dat de strategische designmanagementfunctie als staffunctie op een hoog niveau in de organisatie in te richten, gezien het feit dat strategische beslissingen door het eindverantwoordelijk management moeten worden genomen. We kunnen daarnaast aanvoeren dat de corporate design strategy het totaal van de organisatie of onderneming betreft, en daarom een zaak is van het 'corporate centre'. In de meeste gevallen zal de strategische designmanager als stafspecialist rechtstreeks rapporteren aan de verantwoordelijke portefeuillehouder binnen de directie of Raad van Bestuur.
Wanneer op tactisch designmanagementniveau een staffunctie wordt ingericht heeft deze het karakter van een beheersingsstaf. In de vorige paragraaf introduceerden we dit begrip al. Deze staffunctie is beleidsintensief en richt zich op methoden om het designproces in de organisatie te verbeteren (onder andere door designbeleid te integreren in het beleidsproces en door bewustmaking, training en opleiding van lijnmanagers) en het designproces waar mogelijk te stroomlijnen of te standaardiseren (door goede procedures te ontwikkelen). Deze adviesfunctie richt zich vooral op *hoe* iets tot stand komt. *Wat* tot stand komt is de verantwoordelijkheid van de lijnmanager, maar deze kan de designmanager als stafspecialist wel vragen onderzoek te verrichten naar mogelijkheden om de outputkwaliteit te verbeteren.
Wanneer op operationeel designmanagementniveau een staffunctie wordt ingericht, wordt dit aangeduid als ondersteunende staf. De ondersteunende staf zal in de praktijk adviseren bij designprojecten, zonder zelf de projectverantwoordelijkheid te dragen. Wanneer bijvoorbeeld de projectleider van een designproject onvoldoende kennis van zaken heeft met betrekking tot design, kan deze zich laten bijstaan door een ervaren stafspecialist. Deze adviseert de projectleider over belangrijke aspecten zoals de selectie van het juiste ontwerppotentieel, de opdrachtformulering en creatieve briefing, de beoordeling van ontwerpvoorstellen en het ondersteunen van presentaties (het leveren van een goede argumentatie in verband met besluitvorming door de eindopdrachtgever).

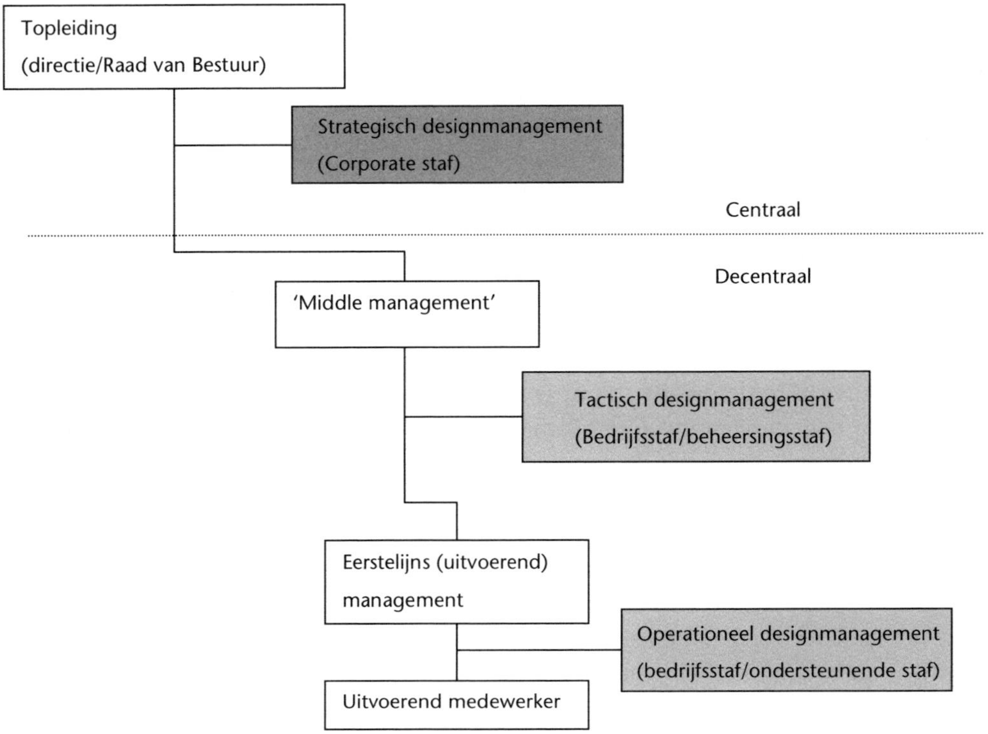

Figuur 8.4 Designmanagement als staf

Stafdiensten kunnen op verschillende niveaus in de organisatie worden ingebouwd. Niet alleen op corporate niveau, maar ook op het niveau van divisies of business units kunnen 'eigen' staffuncties of -afdelingen voorkomen. De situatie kan zich voordoen dat in verschillende business units eigen designmanagers zijn aangesteld die een staffunctie vervullen, naast een eventuele staffunctie op corporate niveau. Dit kan betekenen dat tussen de diverse staffuncties eveneens een coördinatievoorziening in de organisatiestructuur moet worden ingebouwd, om te voorkomen dat adviezen onvoldoende op elkaar aansluiten.

In principe kan men een centrale en decentrale staffunctie onderscheiden. We spreken dan over een corporate staf (centraal) of een bedrijfsstaf (decentraal). Van een decentrale bedrijfsstaf zal in de regel alleen sprake zijn bij een grote organisatie bestaande uit meerdere divisies. In andere situaties zullen staffuncties, uit schaal- en kostenoverwegingen, zoveel mogelijk centraal zijn ingericht, zodat deze beschikbaar zijn voor de gehele organisatie. Het adviseren en ondersteunen van lijnmanagers, veronderstelt een goede toegang tot interne en externe informatiebronnen. Ook daarom is een centrale positie dichtbij het topmanagement voor de hand liggend. Gorb (1990) wijst er ten slotte op dat corporate identity design altijd een centrale resource moet zijn en daarom ook centraal gemanaged moet worden: *'Only in this way can it comprehensively influence and modulate the various design activities of the business.'*

De kosten die samenhangen met de activiteiten van stafdiensten worden aangemerkt als 'overhead'. Dit zijn indirecte kosten die niet direct aan de vervaardiging van een bepaald product kunnen worden toegerekend. Men kan in dit verband denken aan de kosten voor presentatiebeleid (ondermeer het voeren van een corporate identity-programma). Overhead wordt ook wel als vaste of constante kosten getypeerd omdat deze kosten niet variëren met de omvang van de productie. De kosten zijn al gemaakt of lopen door, ook al ligt de productie stil. Organisaties doen regelmatig onderzoek naar de aansluiting tussen vraag en aanbod van diensten in de overheadsfeer. Wanneer een discrepantie wordt gesignaleerd tussen het profijt van de bijdrage die van de stafdienst wordt ervaren en de kosten die de dienst met zich meebrengt, zullen organisaties geneigd zijn te snoeien in deze voorzieningen. Voor het succes van designmanagement als stafdienst is daarom elementair dat de bijdrage door lijnmanagers begrepen en gewaardeerd wordt.
We merken op dat overheadfuncties kwetsbaar zijn; bij snoeioperaties gericht op bezuinigingen wordt in de regel het eerst het mes gezet in de overhead. Lijnfuncties en hulpdiensten worden meer in verband gebracht met een goed bedrijfsresultaat en daarom eerder ontzien. Designmanagement in de lijn wordt geacht toegevoegde waarde te genereren die zich vertaalt in directe opbrengsten (zogenaamde bottom line effecten). Design (en daarmee designmanagement) wordt hier veel eerder als een investering dan als een kostenpost aangemerkt, waarvan het resultaat kwantificeerbaar is in termen van toegenomen omzet, een groter afzetvolume, een groter marktaandeel of een hogere brutowinst.

Ten aanzien van de vraag die we opwierpen in de inleiding van deze paragraaf, kunnen we concluderen dat designmanagement als staffunctie wel levensvatbaar is, maar dat het risico aanwezig is dat er te weinig met adviezen wordt gedaan. Staffuncties kunnen het gebrek aan kennis of ervaring van lijnmanagers overbruggen, maar wanneer deze niet of onvoldoende vertrouwd zijn met design als bedrijfsinstrument, ligt het gevaar op de loer dat ze zullen kiezen voor meer vertrouwde instrumenten. In de praktijk zien we dat designmanagement als staffunctie vaak een 'missionaris'-rol inhoudt; er is veel passie, tact, inlevingsvermogen, pragmatisme en overtuigingskracht voor nodig om muren tussen afdelingen te slechten en lijnmanagers design effectief te laten benutten. Uit eigen ervaring als externe adviseurs weten we dat dit geen gemakkelijke rol is en dat hiermee veel energie en tijd gemoeid is waarbij gemakkelijk slijtage optreedt. Anderzijds is de voldoening enorm wanneer men ziet welke vooruitgang mogelijk is en hoeveel beter bedrijven uit de verf komen wanneer het lukt.
Een probleem van designmanagement als staffunctie is wel dat de controlefunctie ontbreekt. Designprogramma's vallen of staan bij de mate waarin ze worden nageleefd. Het hanteren van een designprogramma (zoals een huisstijl) vereist discipline van alle organisatieleden en wanneer deze ontbreekt kan de stafspecialist hiertegen niet optreden; hij kan niet voorschrijven hoe zaken moeten worden uitgevoerd. In dit opzicht is de bevoegdheid van designmanagement beperkt; de enige uitweg is vaak overtuigen en onderhandelen. Maar ook dat leidt meestal tot compromissen en weinig overtuigende oplossingen. Organisaties die consistentie en samenhang willen bereiken, zullen om dit te kunnen realiseren, vaak een zwaardere coördinatievoorziening moeten aanbrengen in de organisatiestructuur dan in de staffunctie.

8.4 Designmanagement in de lijnorganisatie met hulpdiensten

Ook wanneer de lijnorganisatie de grondvorm blijft, kan worden gekozen voor een combinatie met hulpdiensten in plaats van staffuncties. De vraag is wanneer en waarom deze keuze wordt gemaakt. Met de keuze voor een hulpdienst, verzwaard een organisatie in feite de ingebouwde coördinatievoorziening ten opzichte van de keuze voor een stafdienst. De bevoegdheid gaat verder dan een adviesbevoegdheid, de hulpdienst kan voorschrijven hoe iets moet worden gedaan. Dit hoeft niet te betekenen dat de responsiviteit van de organisatie hierdoor wordt aangetast. Het dilemma van 'responsiviteit versus synergie' wordt hier in onze visie opgelost door een 'best of both worlds' constructie; hulpdiensten zorgen voor snelheid én voor synergie. Bij hulpdiensten gaat het meestal om zaken die beter centraal geregeld kunnen worden of om zaken waar het lijnmanagement mee ontlast kan worden, omdat er kennis voor nodig is die niet of onvoldoende beschikbaar is of omdat ze veel tijd en aandacht van het lijnmanagement vragen. Wanneer er veel onderwerpen op het bordje van lijnmanagers liggen, kan gekozen worden voor een focus op hun kerntaken. Overige (meer specialistische) taken worden dan overgenomen door een hulpdienst die deels ook de uitvoering verricht.

Wanneer complexe onderwerpen vragen om specialistische expertise, is het vaak ook te duur om deze in de verschillende bedrijfseenheden te ontwikkelen, een centrale hulpdienst die voor de hele organisatie beschikbaar is, kan (kosten)efficiënter zijn. Als daarnaast zaken een zekere mate van uniformiteit of consistentie vereisen, kan een hulpdienst dit gemakkelijker realiseren omdat deze kan voorschrijven hoe zaken moeten worden aangepakt en uitgevoerd. De bevoegdheid van de hulpdienst is niet beperkt tot advisering zoals bij de stafspecialist, maar komt ook niet overeen met de lijnbevoegdheid. Dat zou de lijnmanager enorm beperken in het uitoefenen van zijn verantwoordelijkheid en het beginsel van het streven naar 'eenheid van leiding' en 'eenheid van bevel' aantasten. Medewerkers kunnen dan tegengestelde instructies krijgen, met alle gevolgen vandien (twee kapiteins op één schip). Het komt erop neer dat lijnmanagers hun bevoegdheid moeten delen – of moeten overdragen – op het punt van de specifieke expertise van de hulpdienst. Maar deze bemoeienis betreft in principe niet het primair proces. Wanneer design wordt gezien als onderdeel van het primair proces, zal er sprake zijn van designmanagement in de lijn en zal designmanagement in de regel niet als hulpdienst fungeren.

8.4.1 Designmanagement als hulpdienst

We kunnen ons goed voorstellen dat designmanagement als hulpdienst wordt ingericht, wanneer het designproces in de organisatie wordt aangemerkt als secundair proces. Het ondersteunt dan uiteenlopende managementdomeinen, zoals merkenmanagement, productmanagement, R&D, marketing en communicatie, in hun vaak talrijke presentatievormen en in het samenspel met de creatieve specialisten die hierbij betrokken zijn. Bovendien kan het designproces beter worden beheerst wanneer een centrale en gespecialiseerde hulpdienst hiervoor verantwoordelijk is.

Zoals eerder naar voren is gebracht is de beleids- en coördinatiefunctie wezenlijk voor designmanagement, in verband met het dirigeren en afstemmen van alle product- en merkuitingen en merkcontactpunten. Afhankelijk van ondermeer de heersende bedrijfscultuur kan het zo zijn dat een adviesfunctie hiervoor niet toereikend is en dat eventueel een dwingende aanwijzing moet kunnen worden opgelegd. Designmanagers binnen een hulpdienst adviseren en helpen bij de uitvoering van projecten in de lijn, maar hanteren daarbij wél de opgestelde designprogramma's en de daarmee samenhangende normen en richtlijnen.

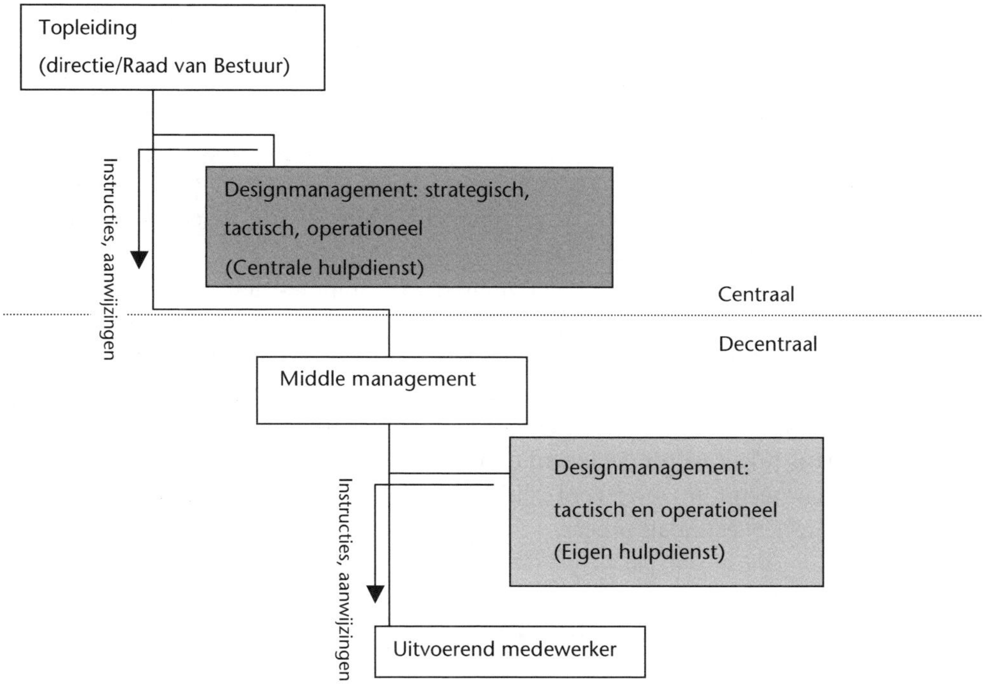

Figuur 8.5 Designmanagement als hulpdienst

Een hulpdienst wordt als wenselijk gezien als op bepaalde elementen van de uitvoering gestreefd moet worden naar een zekere mate van consistentie, uniformiteit of coördinatie, terwijl de deskundigheid die hiervoor is vereist onvoldoende in de lijn aanwezig is. Dit lijkt voor design te gelden; consistentie, coherentie en flexibiliteit van alle verschijningsvormen bepalen in hoge mate het succes.
Zeker bij grote organisaties bestaat het risico dat het merk- en productdesign teveel versnipperd wordt. En dat onvoldoende coördinatie plaatsvindt tussen de verschillende functionele gebieden (marketing, communicatie, inkoop, HRM, *facility management*, ICT et cetera). Dan kan designmanagement als hulpfunctie of hulpafdeling een coördinatierol vervullen – en kan de controle op het juiste kwaliteitsniveau en een juiste uitvoering van verschillende product- en merkuitingen op actieve wijze vorm krijgen. Er is wel een lastig element dat moet worden onderkend. De hulpdienst zal een vorm moeten vinden tussen dienstbaarheid (servicegerichtheid) en autonomie, in verband met de onvermijdelijk-

heid van een 'normatieve' opstelling. De hulpdienst wordt geacht beleid uit te stippelen, de strategie te bewaken, de middellange en lange termijn planning te bewaken en – indien nodig – dwingend regels en voorschriften op te leggen. Het is tegelijkertijd cruciaal dat lijnmanagers graag gebruik maken van de hulpdienst en er niet met een wijde boog omheen proberen te lopen of het contact tot een minimum beperken. De hulpdienst zal om dit alles te kunnen realiseren, een grote mate van flexibiliteit moeten koppelen aan goede sociale en communicatieve vaardigheden en een voldoende zakelijke opstelling. Ten slotte zal het succes van de hulpdienst toenemen wanneer ook voldoende overwicht (natuurlijke autoriteit), beleidsvisie en zelfdiscipline aanwezig zijn.
In principe kan een centrale en decentrale hulpdienst worden onderscheiden. We spreken dan over een eigen hulpdienst binnen een bedrijfseenheid (een business unit of divisie). Hiervan zal in de regel alleen sprake zijn bij een grote organisatie bestaande uit meerdere (internationaal opererende) divisies. In andere situaties zal de hulpfunctie uit schaal- en kostenoverwegingen, zoveel mogelijk centraal zijn ingericht, zodat deze beschikbaar is voor de gehele organisatie.
De kosten die samenhangen met de activiteiten van hulpdiensten worden, net als bij stafdiensten, aangemerkt als overhead. Dit zijn indirecte kosten die niet direct aan de vervaardiging van een bepaald product kunnen worden toegerekend. Wanneer onderzoek gedaan wordt naar de aansluiting tussen vraag en aanbod van diensten in de overheadsfeer, ligt het voor de hand dat het nut en de bijdrage van de hulpdienst door lijnmanagers doorgaans hoger wordt getaxeerd dan van de stafdienst. Dit omdat de stafdienst werk uit handen neemt en zorgt voor een deel van de uitvoering, er is dan sprake van een bijdrage aan het secundair proces.

Box 8.1 Designmanagement in de praktijk: Belastingdienst

Het Centrum voor Kennis en Communicatie (CKC) binnen de Belastingdienst is een voorbeeld van een centrale hulpdienst. Binnen dit centrum opereert ondermeer het huisstijlteam onder leiding van een designmanager met de functietitel 'landelijke huisstijlcoördinator'. Zoals in veel Nederlandse organisaties wordt niet van corporate identity design of brand design gesproken, maar van huisstijl. De Belastingdienst spreekt ook niet over haar corporate brand, maar feit is wel dat het merk door onderzoekers als het sterkste overheidsmerk wordt aangemerkt.
De designmanager opereert op tactisch managementniveau en is verantwoordelijk voor huisstijlbeleid. De belangrijkste taken zijn het opstellen van een meerjarenplan en een jaarplan, het ontwikkelen en onderhouden van de designprogramma's voor externe en interne communicatie, het budgetteren, organiseren en coördineren van projecten en het controleren van de uitvoering. De designmanager laat zich voor strategische vraagstukken bijstaan door externe adviseurs die tijdelijk worden ingehuurd. Voor meer operationele taken zijn binnen het huisstijlteam projectmanagers actief.
Normaliter rapporteert de designmanager aan het management van CKC, maar de uitzonderlijke bepaling geldt dat deze eventueel rechtstreeks contact met het eindverantwoordelijk management (de directeur-generaal) kan opnemen. Bovendien heeft

de designmanager een vetorecht, waarmee merkuitingen die te sterk afwijken van de bepalingen, kunnen worden geblokkeerd. Het huisstijlteam biedt vooral actieve ondersteuning aan communicatiespecialisten in de vestigingen en aan de meer dan 30.000 gebruikers binnen de organisatie, ondermeer door een helpdeskfunctie. Deze ondersteuning heeft betrekking op productontwikkeling en op communicatie- en presentatiebeleid, waarvan ook tekstredactie deel uitmaakt. Binnen het huisstijlteam zijn namelijk twee taalspecialisten actief, die programma's ontwikkelen voor helder en correct schriftelijk taalgebruik en die de medewerkers van de Belastingdienst hierin trainen. Gezien het grote belang dat de organisatieleiding hecht aan een consistent visueel- en presentatiebeleid, is de gekozen organisatievorm als centrale hulpdienst effectief.

8.4.2 Designmanagement als bedrijfsbureau

Een hulpdienst kan ook als bedrijfsbureau zijn ingericht. Binnen een bedrijfsbureau functioneren in de regel gespecialiseerde accountmanagers en projectmanagers. Deze worden ingezet voor bepaalde vraagstukken en organiseren projecten in opdracht van lijnmanagers of stafafdelingen. Deze kunnen verplicht zijn om bepaalde vragen bij het bedrijfsbureau neer te leggen waarmee ze niet zelf naar buiten mogen. Zo kan men zich voorstellen dat marketingcommunicatie-activiteiten centraal behandeld worden, waarbij ook de betrokkenheid van een designmanager als projectmanager of projectadviseur is geregeld.

Box 8.2 Designmanagement in de praktijk: Randstad

Binnen Randstad is een 'international design manager' actief die verantwoordelijk is voor het design van het Randstadmerk. Deze functionaris werkt in het verlengde van marketing. Er is een Brand Team samengesteld waarin marketingmensen zitting hebben, afkomstig uit de grootste landen waarin Randstad actief is. Het team staat onder aanvoering van de directeur Corporate Communications & Branding die de schakel vormt naar de Raad van Bestuur. Rondom dit team is een aantal werkgroepen actief, waaronder de werkgroep Huisstijl waarvoor deze designmanager verantwoordelijk is. Sinds een aantal jaren vervult Wim Vos deze functie. Binen Randstad is Vos is dé specialist voor nationale en internationale vraagstukken over huisstijl. Maar dit begrip moet breed worden opgevat; de huisstijl is nauw verweven met marketingcommunicatiebeleid.
Drie keer per jaar vindt een internationale marketing meeting plaats waarbij steeds een wisselend land optreedt als gastheer. Vos neemt hieraan deel, evenals communicatiemanagers uit de verschillende landen. In werkgroepen wordt gedurende deze meetings gewerkt aan bepaalde actuele onderwerpen. De resultaten hiervan geven input aan beleid en leiden tot nieuwe inzichten voor ondermeer het designmanagement. Ze vormen vaak de aanleiding voor het starten van nieuwe projecten.

Omdat het merk zowel internationaal als nationaal wordt ingezet (en er sprake is van 'global design'), is de designmanager actief voor zowel Randstad Holding als Randstad Nederland. Vos rapporteert formeel aan de directeur Communicatie Nederland, maar beweegt zich in de praktijk los door de organisatie. Toch zegt hij er aan te hechten een positie binnen Randstad Nederland in te nemen, omdat hij hierdoor gemakkelijker toegang heeft tot de vestigingen en een beter contact heeft met de uitvoeringspraktijk. Dit is belangrijk om vroegtijdig te kunnen anticiperen op toekomstige ontwikkelingen. *"Je moet proactief werken en problemen zien te voorkomen door tijdig programma's voor te bereiden. Als je op de rem moet gaan staan of achter de feiten aanloopt ben je weg. Daarom is het zo belangrijk om met mensen in het bedrijf te praten, hun vertrouwen te hebben en hun input te krijgen. Maar ook om zelf goed om je heen te kijken en ontwikkelingen aan te voelen"*. Vos is ervan overtuigd dat een dienstverlenende opstelling en open houding van elementair belang is: *"Designmanagers moeten geen macht hebben en geen bedreiging vormen voor iemand. Maar ze moeten wel gedreven zijn vanuit liefde voor het merk en passie voor design. Ik zeg altijd: de huisstijl is niet van mij maar van ons allemaal. Als ik alleen kan bepalen hoe zaken gedaan moeten worden, loopt het verhaal vast. De discussie met marketingmensen is niet altijd eenvoudig, maar houdt de zaak wel scherp"*. Anderzijds is hij ervan verzekerd dat hij voldoende dekking vanuit de directie heeft en dat er een éénduidig programma is geïmplementeerd dat de nodige houvast biedt.
Randstad Nederland heeft een communicatieafdeling opgezet, waarbinnen accountmanagers, communicatie-/projectmanagers en specialisten actief zijn. Vos maakt daarvan ook deel uit als vakspecialist en adviseur. Hij kan naast zijn eigen taken en projecten (op basis van een jaarplan) ook ingeschakeld worden als adviseur door de projectmanagers. De verantwoordelijkheid voor een juiste en zorgvuldige toepassing van design ligt in principe bij hen. De projectmanagers werken vanuit de vastgestelde huisstijlkaders en nemen de bestaande richtlijnen als uitgangspunt. Door middel van periodieke reviews wordt de gerealiseerde designkwaliteit geëvalueerd.

8.5 Samenvatting

In deze paragraaf presenteren we een samenvattend schematisch overzicht aan de hand van de mogelijke voor- en nadelen van de drie constructies: designmanagement als lijnfunctie, als staffunctie en als hulpdienst. Aan alledrie de organisatievormen zijn zowel voor- als nadelen verbonden. We maken in het overzicht geen onderscheid tussen de drie managementniveaus; de punten die we noemen zijn vrij algemeen geldig.

Designmanagement als lijnfunctie	
Voordelen:	**Nadelen:**
• Verantwoordelijkheid voor designresultaat is duidelijk en uitvoerende medewerkers weten waar zij aan toe zijn. • Coördinatie via controle is mogelijk: opdrachten en procedures, richtlijnen en instructies voor de uitvoering komen uit één punt, evenals toezicht en voortgangscontrole. • Operatie dichtbij de markt; met voldoende kennis van uitvoeringspraktijk. • Gespecialiseerde arbeid permanent beschikbaar. • Lagere kosten (minder overhead).	• Tekortschietende deskundigheid (lijnmanagers die van alle markten thuis zijn behoren tot de uitzonderingen). • Overbelasting van communicatielijn in verband met afstemming (tussen leidinggevende en uitvoerende). • Risico's van korte-termijn doelen en eigenbelang van de business unit. • Verantwoordelijkheid voor design is te laag in de organisatie belegd (corporate identity design is een centrale resource die niet overgelaten kan worden aan decentrale eenheden). • Risico van te weinig aandacht voor beleidsontwikkeling.

Designmanagement als staffunctie	
Voordelen:	**Nadelen:**
• Gespecialiseerde kennis beschikbaar ten behoeve van designbeleid in de lijn, waardoor kwaliteit van besluitvorming verbetert. • Overdragen van denkwerk aan staf is tijdbesparend voor de lijn. • Verantwoordelijkheid voor design is hoog in de organisatie belegd (hoewel eindverantwoordelijkheid in de lijn blijft). • Lange-termijn doelen zijn voldoende in beeld (de lijn staat onder druk van alledaagse omstandigheden en korte-termijn doelen). • Duidelijke scheiding tussen beleidsvorming en beleidsuitvoering.	• Grotere afstand tot de uitvoeringspraktijk (vooral bij centrale staffunctie). • Risico van 'ivoren toren' wanneer contact met basis (in de lijn) verloren gaat. • Coördinatie alleen via onderlinge afstemming mogelijk (via acceptatie en goed begrip) en niet via controle. • Risico van afwijzing van adviezen (wanneer deze te ingewikkeld of onvoldoende praktisch zijn). • Weerstand onder managers tegen 'bemoeizucht' van hogerop. • Hogere kosten (meer overhead): het aantrekken van specialisten kost relatief veel geld. • Gespecialiseerde arbeid niet direct beschikbaar voor primair proces.

Designmanagement als hulpdienst	
Voordelen:	Nadelen:
• Vereiste deskundigheid beschikbaar voor 'iedereen' (uitvoering in verschillende bedrijfseenheden). • Actieve ondersteuning van primair proces. • Inbreng van gespecialiseerde arbeid in de lijn wanneer dat nodig is. • Kleine afstand tot uitvoeringspraktijk (goede brug tussen beleid en uitvoering). • Minder versnippering in de uitvoering (meer consistentie, uniformiteit). • Coördinatie en controle is mogelijk (door verplichte consultatie en eventueel dwingende aanwijzing).	• Weerstand onder management tegen opgelegde regels en voorschriften. • Strategie en beleid kunnen 'in de verdrukking' komen (bij teveel nadruk op de uitvoeringspraktijk). • Problemen door onduidelijkheid of tegenstrijdigheid (wanneer werkinstructies van lijnmanager en hulpdienst niet met elkaar overeenstemmen). • Hogere kosten (overhead) in verband met het aantrekken van specialisten (maar wel kostenefficiënter dan een stafdienst omdat de hulpdienst ook een deel van de uitvoering verzorgt).

8.6 Conclusie – de coördinatiebehoefte bepaalt de structuurkeuze

Het antwoord op de vraag hoe designmanagement het meest effectief kan worden ingericht binnen de organisatiestructuur, hangt samen met de gewenste coördinatiebehoefte van een organisatie. Designmanagement kan in principe worden vormgegeven vanuit de lijn, vanuit de staf of vanuit een combinatie van die twee: de hulpdienst. Deze keuze heeft invloed op de wijze waarop designmanagement in de praktijk kan functioneren en hangt vooral samen met kenmerkende verschillen in *bevoegdheden*. Organisaties doen er daarom verstandig aan om eerst het beoogde doel en de rol van designmanagement te bepalen en vervolgens een passende voorziening in de organisatiestructuur aan te brengen. Hiervoor is het nodig om te bepalen in welke mate ze hun designactiviteiten willen coördineren en in welke mate deze specialistische activiteiten door lijnmanagers worden verricht.

Een eenduidig antwoord op de vraag of design gemanaged zou moeten worden als een lijn-, staf- of hulpfunctie is niet zondermeer mogelijk. Een antwoord kan waarschijnlijk het beste worden gevonden door naar de aard van het designmanagement te kijken. De in hoofdstuk zes geïdentificeerde typen designmanagement (zie paragraaf 6.3 en 6.4) zullen naar verwachting ieder op een bijpassende manier worden ingericht:

- *Product designmanagement* heeft betrekking op producten (productuiterlijk, -presentatie en -promotie) en zal doorgaans in de lijn worden ingebouwd. Het designproces met betrekking tot productontwikkeling zal in de regel deel uitmaken van het primair proces. Deze lijnfunctie zal in principe *decentraal* worden ingericht; dichtbij de uitvoering en bij de markt waarin de decentrale bedrijfseenheid opereert.

In gedecentraliseerde organisaties kunnen divisies, business units of werkmaatschappijen zelf verantwoordelijk zijn voor hun productportfolio. De decentrale portfolio gaat over productlijnen en productvarianten die zijn afgestemd op bepaalde marktsegmenten of doelgroepen. Uit deze situatie volgt dat gespecialiseerde functies die te maken hebben met het tactisch management van producten doorgaans op decentraal niveau zijn ingericht. Wanneer de verantwoordelijkheid voor de productportfolio op centraal niveau belegd is, bij de topleiding met het oog op het strategische karakter, zal als gevolg daarvan strategisch product designmanagement (met betrekking tot de corporate design strategy) ingericht worden als een *centrale* functie aan de top van de lijn.

- *Product brand designmanagement* heeft betrekking op individuele productmerken (waarbij de relatie met de organisatie niet of nauwelijks aan de orde is). Ook dit type designmanagement zal doorgaans in de lijn worden ingebouwd en decentraal opereren. Wanneer het eindverantwoordelijk management verantwoordelijk is voor de merkportfolio (met het oog op het strategische karakter van portfolio-management en de financiële waardering van merken) zal voor strategisch designmanagement eveneens een centrale positie worden gekozen. Als het designmanagement betrekking heeft op een portfolio van merken lijkt een centrale hulpdienst de beste optie. Vanuit de hulpdienst kan de visuele merkidentiteit van zowel afzonderlijke merken als de samenhang, in de portfolio worden gecoördineerd en gecontroleerd.
- *Corporate brand designmanagement* heeft betrekking op het geheel van de organisatie en hangt samen met strategische concepten als visie, missie en positionering. Dit type designmanagement zal in de regel als staffunctie op centraal niveau in de organisatie ingericht worden. Afhankelijk van de toepassing van corporate branding ontstaan verschillen. Bij een beperkt corporate merk (zie box 6.3) dat zich alleen richt op de financiële markt en de arbeidsmarkt, zal een staffunctie volstaan (meestal gekoppeld aan de afdeling corporate communications). Bij een volledig corporate merk dat zich ook op de afzetmarkt richt, kan eerder gedacht worden aan een hulpdienst. Designmanagement komt in deze situatie veel dichter richting het primair proces (het productie- of verkoopproces) en een hulpdienst is veel beter geëquipeerd dit te ondersteunen dan een stafdienst. De inzet van het volledig corporate merk vereist een overbrugging tussen de centrale organisatie (corporate niveau) en de decentrale bedrijfseenheden. En dat lijkt meer kans van slagen te hebben bij een hulpdienst. Corporate brand designmanagement kan ten slotte ook gaan om de verantwoordelijkheid voor het eigen (decentrale) divisie- of business unit-merk, wanneer gekozen is voor een *multi-branding* strategie voor de verschillende organisatie-onderdelen. Hieruit volgt een decentrale stafdienst die dicht tegen het eindverantwoordelijk management van de divisie- of business unit opereert.

Al met al heeft de verkenning in dit hoofdstuk naar de plaats in de organisatie enkele bruikbare aanknopingspunten opgeleverd, maar zoals gesteld zal steeds per situatie een beoordeling moeten worden gemaakt. Nu we in deel III de taken en positie hebben onderzocht, vervolgen we met de vraag of het onvermijdelijk is de designmanagementfunctie in eigen huis in te richten of dat uitbesteding of tijdelijk inhuren een optie kan zijn.

9 Zelf doen, tijdelijk inhuren of uitbesteden?

'De organisatie van de toekomst is een intelligente en lerende organisatie, is plat, is slank en wendbaar, doet die dingen waar ze echt goed in is, maakt in strategische samenwerkingsverbanden gebruik van de eigen kerncompetenties en van bekwaamheden van andere organisaties, doet aan strategische uitbesteding en neemt de 'best practices' over van andere organisaties.'

(Keuning & Eppink)

Wat zijn de voor- en nadelen van designmanagement in eigen huis en hoe kan deze nieuwe functie het beste worden geïntroduceerd? Is het onvermijdelijk deze functie 'in eigen huis' in te richten of kan de designmanagementfunctie eventueel worden uitbesteed of tijdelijk ingehuurd? In dit hoofdstuk gaan we in op de verschillende opties, waarbij we een onderscheid maken tussen de in dit boek gehanteerde designmanagementniveaus: strategisch, tactisch of operationeel. Niet het uitbesteden van ontwerpactiviteiten staat centraal, maar van designmanagement-activiteiten. Of ontwerpwerk wel of niet in eigen huis wordt gedaan is daarbij niet doorslaggevend, maar organisaties worden zich vaak wel bewust van de designmanagementfunctie wanneer er coördinatie en aansturing nodig is op uitbestede designactiviteiten.

Na een algemene inleiding op het vraagstuk van uitbesteding, belichten we in de paragrafen 9.2 tot en met 9.4 de drie opties. Vervolgens gaan we in paragraaf 9.5 nader in op verschillende scenario's voor invoering van de designmanagementfunctie. Het is daarbij de vraag of het beste kan worden gestart met eigen mensen (eventueel nieuw aangesteld binnen de organisatie) of door tijdelijk designmanagers in te huren. De diverse afwegingen en mogelijkheden komen in dit hoofdstuk uitgebreid aan de orde.

9.1 Outsourcing als trend

Van Weele (2005) heeft een interessant artikel geschreven over dit onderwerp met als titel 'Leveranciersmanagement: vier basisstrategieën'. In deze paragraaf nemen we de gedachtegang van deze auteur als uitgangspunt. Na een inleiding waarin we een aantal begrippen introduceren, maken we een vertaling van deze benadering naar het uitbesteden van designactiviteiten. In de volgende paragraaf gaan we specifiek in op ons onderwerp: designmanagement.

De concurrentiesituatie in veel markten dwingt veel bedrijven zich te concentreren op hun kernactiviteiten. Specialistische werkzaamheden die buiten die kernactiviteiten vallen, worden afgestoten of uitbesteed. Maar soms worden ook kernactiviteiten zelf uitbesteed. Veel ondernemingen worden dan ook steeds meer afhankelijk van hun leveranciers. Uitbesteding leidt tot een aantal voordelen: gespecialiseerde leveranciers kunnen activiteiten uitvoeren tegen lagere kosten, de organisatie wint aan flexibiliteit en innovatiekracht, bepaalde risico's kunnen worden overgedragen en het management kan zich meer richten op de kernactiviteiten. Uitbesteden van niet-kernactiviteiten leidt tot meer tijd en middelen, die gericht ingezet kunnen worden om de kerncompetenties van de organisaties te ontwikkelen. Aan deze focusgedachte ligt het besef ten grondslag dat een onderneming om uniek en succesvol te zijn, dient te beschikken over kennis en kunde op ontwerp-, productie- en distributieterrein. Het ontwikkelen van dergelijke hoogwaardige competenties vormt steeds vaker een centrale doelstelling in de strijd om de concurrentie voor te blijven.

Organisaties veranderen door uitbesteding van karakter. Het proces verschuift van productie naar drie kernactiviteiten: de ontwikkelfunctie, de eindassemblage en de marketing- en verkoopfunctie. De ontwikkelfunctie heeft betrekking op onderzoek (R&D), proces- en productontwikkeling en design. Bij de marketing- en verkoopfunctie gaat het er ondermeer om consumenteninzichten te verwerven als input voor productverbetering en new product development. In feite wordt een scheiding tussen beleid en uitvoering geïntroduceerd, waarbij de uitvoering zoveel mogelijk vorm krijgt door uitbesteding.

Managementadviseurs wijzen er op dat het voor organisaties noodzakelijk is om een goede aansluiting tussen beleid en uitvoering te bewaken. De kans is anders groot dat niet het geplande product, maar een product met geheel afwijkende kenmerken uit de bus rolt. Het managen van de leveranciersrelatie is eveneens een cruciale factor voor succesvolle uitbesteding. Van Weele (2005) wijst erop dat kwaliteitsproblemen in de regel voor 70% hun oorzaak vinden in een slechte procesvoering bij de uitbesteder. De resterende 30% is meestal aan de leverancier te wijten. De inkoopfunctie zou zich daarom volgens hem moeten ontwikkelen van een 'bestelfunctie' tot een echte managementfunctie, gericht op de interne en externe resources van de onderneming.

Soms overschatten organisaties die op een outsourcingbeleid overgaan, de deskundigheid en opvangcapaciteit van de eigen mensen in de organisatie om dit waar te maken. Uitbesteding brengt in de regel nieuwe coördinatiefuncties met zich mee die de verbinding moeten leggen van beleid naar uitvoering. Het vereist bepaalde competenties om beleid te kunnen vertalen naar operationele plannen en vervolgens naar concrete producten of diensten. En andersom, om voorstellen met betrekking tot de uitvoering te kunnen beoordelen tegen de achtergrond van het geformuleerde beleid. Niet iedereen is daartoe in staat. Het blijkt in veel gevallen dat de uitvoering wél kan worden uitbesteed, maar de inkoop-, coördinatie- en regierol niet. Het opdrachtgeverschap blijft onverminderd aan de orde en vraagt om voldoende professionaliteit, ervaring, beoordelingsvermogen en het op orde hebben van processen en besluitvormingsprocedures in de eigen organisatie.

De discussie rondom uitbesteden wordt in organisaties vaak eenzijdig gevoerd met het oog op kostenbesparing. Door uitbesteding kunnen niet alleen flinke kostenbesparingen maar ook tijdsbesparingen worden gerealiseerd. Leveranciers kunnen belangrijke bijdragen leveren op het gebied van zowel kostenverlaging, doorlooptijdverkorting (ontwikkeltijd) als kwaliteitsverbetering. Maar om dit te bereiken vereist het inkopen van producten en diensten vaak duurzame samenwerking met leveranciers: kwaliteit maak je samen. Een eenzijdige motivatie gericht op het bereiken van kostenbesparingen leidt vaak niet tot het gewenste resultaat. In de praktijk kan zelfs achteraf blijken dat uitbesteden fors duurder uitvalt. Er is veel tijd en energie gemoeid met het inkopen van producten. En er kunnen flinke kosten optreden, in verband met het herstellen van fouten die het gevolg zijn van het niet op orde zijn van de interne procesvoering. De coördinatiefunctie blijkt (om de externe leverancier aan te sturen en de met uitbesteding samenhangende interne processen op orde te brengen) in veel gevallen een dure functie te zijn. Het betreft vaak de inzet van specialistische managementfuncties die fungeren als brug tussen interne opdrachtgevers en externe leveranciers.

Op grond van welke argumenten kan nu over uitbesteding beslist worden? Wanneer komen activiteiten in aanmerking voor uitbesteding? Om deze vraag te kunnen beantwoorden kan het zinvol zijn om te onderzoeken wat de betekenis is van de betreffende activiteiten. Welke toegevoegde waarde bieden ze en welke risico's zijn verbonden aan uitbesteding van deze activiteiten? Managementadviseurs stellen een 'inkoop-portfolio'-benadering voor, waarbij inkoopproducten worden onderscheiden op grond van twee dimensies: de mate van invloed op het bedrijfsresultaat (het financieel risico dat met uitbesteding samenhangt; de invloed op de ROI) en de mate van toeleveringsrisico (het continuïteitsrisico dat ermee samenhangt). In dit portfoliomodel kunnen vier typen producten worden onderscheiden die ieder vragen om een bepaalde benadering (figuur 9.1).
Wanneer beide risico's laag zijn, worden deze producten als routineproducten of als *commodity* getypeerd. Dit betreft een grote verzameling eenvoudige activiteiten. Denk bijvoorbeeld aan kantoorbehoeften, schoonmaak, beveiliging, catering, salarisadministratie en onderhoud. Het inkoopproces is hierbij gericht op een gunstige prijs, maar vooral op het zo efficiënt mogelijk organiseren van de bestelfunctie (om de eigen organisatie zoveel mogelijk te kunnen ontlasten; uit onderzoek blijkt namelijk dat juist het inkopen van commodities een onevenwichtig groot tijdsbeslag op de organisatie legt).
Wanneer het financieel risico hoog is maar het toeleveringsrisico laag is, gaat het om producten die van verschillende leveranciers kunnen worden betrokken, maar die een relatief hoog aandeel in de kostprijs vertegenwoordigen. Het gaat meestal om materialen, componenten of halffabrikaten die verwerkt of geassembleerd worden tot een eindproduct. Van Weele (2005) noemt dit hefboomproducten omdat een geringe prijswijziging meestal sterk doorwerkt in de kostprijs van het eindproduct. Bedrijven zullen daarom vaak een 'verdeel en heers'-beleid volgen. Hierbij gaat het om het behalen van de beste koop op korte termijn, de laagste prijs en gunstigste leveringscondities.
Bij een hoog toeleveringsrisico is de onderneming in zekere mate afhankelijk van de leverancier. Daarom zal het inkoopproces in deze situatie gericht zijn op zekerstelling. Outsourcing van dergelijke producten brengt de noodzaak van risicobeheersing met zich mee. Wanneer de uitbestedingsrelatie stukloopt kunnen bedrijfsprocessen stagneren doordat de aanvoer stokt en kunnen belangrijke projecten worden afgebroken. En wanneer benodigde kennis – die zich nu buiten de deur bevindt – niet meer aanwezig is

in de onderneming zal de kennisleemte in de organisatie vrijwel direct manifest worden. Daarom wordt deze categorie betiteld als bottleneckproducten.

Omdat de leverancier in dit geval sterker is dan de uitbesteder, zal het inkoopbeleid gericht zijn op het creëren van een voorkeurspositie bij de leverancier. Eventueel tegen betaling van een hogere prijs, maar liever door uitstekende werkrelaties te ontwikkelen (op basis van een goede interne procesvoering door de uitbesteder). Daarnaast zal in deze situatie aan risicomanagement moeten worden gedaan (op basis van een risico-analyse en het onderzoeken van een alternatieve leverancier).

Als zowel het financiële als het continuïteitsrisico groot is, zal veel aandacht van het management nodig zijn. Het gaat dan om strategische producten en deze situatie wordt daarom als strategische uitbesteding bestempeld. De uitbestedingsrelatie zal in deze situatie vaak het karakter van *co-makership* aannemen (op duurzame samenwerking gericht), bijvoorbeeld wanneer een compleet bedrijfsproces wordt uitbesteed, zoals een productontwikkelings- of automatiseringsproces. Dit vereist een intensieve samenwerking omdat beide partners wederzijds van elkaar afhankelijk zijn voor hun succes.

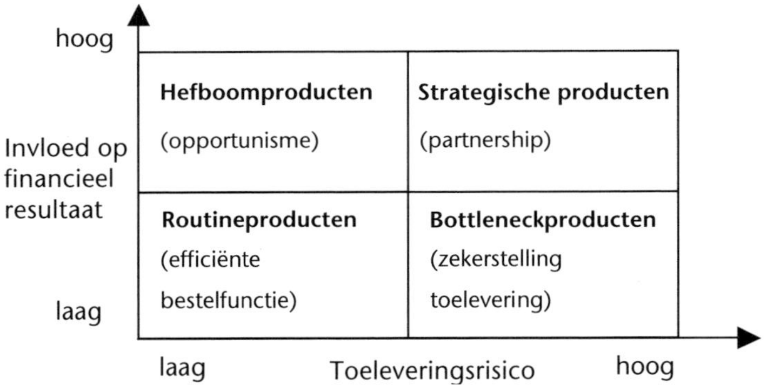

Figuur 9.1 De Inkoop-portfolio (naar: Van Weele, 2005)

9.1.1 Het uitbesteden van ontwerpactiviteiten

In de praktijk besteden veel organisaties hun belangrijkste ontwerpwerk uit aan gespecialiseerde ontwerpers. Maar er zijn ook bedrijven die dit in eigen huis houden. Uit recent onderzoek van het CBS blijkt dat het merendeel van de Nederlandse ontwerpers in dienst is van bedrijven (29 van de 46 duizend vormgevers). Een verklaring hiervoor zou kunnen zijn dat wanneer design een kernactiviteit of zelfs een kerncompetentie is, dat uitbesteding dan uitblijft. Maar deze verklaring gaat in de praktijk niet geheel op. Organisaties zoals IKEA, Philips en Mexx, met een uitgebreide ontwerpafdeling, zien design als kerncompententie. Maar dat wil niet zeggen dat er geen uitbesteding plaatsvindt. Ook Nike, die jaarlijks grote aantallen nieuwe producten introduceert, maakt daarvoor gebruik van de diensten van externe ontwerpers in aanvulling op de eigen ontwerpafdelingen.

Het inhuren van externe creativiteit kan een welbewuste keuze zijn voor bedrijven die hoge eisen stellen aan designkwaliteit. Het besef is vaak aanwezig dat topkwaliteit beter extern kan worden ingekocht als het gaat om individuele ontwerpprojecten (die duidelijk afgebakend zijn). Het gaat dan met name om het creatieproces dat uitbesteed wordt, maar zoals we hebben uiteengezet, omhelst het designproces veel meer dan dat (zie paragraaf 5.3). Denk bijvoorbeeld aan de voorbereiding en planning van individuele designprojecten, het selecteren van de beste ontwerpvoorstellen en het produceren en implementeren van een ontwerp. Dit zijn activiteiten binnen het ontwerpproces die doorgaans veel lastiger uit te besteden zijn, omdat deze activiteiten betrekking hebben op het beleidsproces en de interne procesvoering. Individuele designprojecten maken deel uit van een veel groter verband: het totale designproces in de organisatie dat wordt aangestuurd door middel van designbeleid of met de inzet van een corporate design strategy.

Wanneer komen designactiviteiten in aanmerking voor uitbesteding en wat zijn hierbij de overwegingen? Kunnen de criteria van financieel risico en continuïteitsrisico (zie de inkoop-portfolio) ook toegepast worden op deze activiteiten? Kunnen we op grond van deze criteria design ergens in de portfoliomatrix plaatsen? Om deze vragen te beantwoorden, moeten we ons afvragen of er situaties zijn waarbij design van invloed kan zijn op het bedrijfsresultaat van een onderneming of op de leveringscontinuïteit. Is er sprake van een financieel risico en/of een toeleveringsrisico en is dit risico laag of hoog? Zoals in dit boek op meerdere plaatsen en aan de hand van meerdere voorbeelden naar voren komt, is dit niet ondenkbeeldig. Een mislukte introductie als gevolg van een verkeerde ontwerpkeuze of van een te lange ontwerptijd (in het kader van productontwikkeling), kan directe en verstrekkende gevolgen hebben. Maar ook het vroegtijdig lekken van informatie over het productuiterlijk van nieuwe introducties kan gevolgen hebben en kan een reden zijn om niet uit te besteden. In andere situaties zal suboptimaal gebruik van design kunnen leiden tot achterblijvende prestaties. Het product of merk weet zich dan onvoldoende te onderscheiden en de aandacht van consumenten op zich te vestigen.
Wanneer we ons realiseren hoe verschillend ontwerpactiviteiten zijn, zullen de hiermee samenhangende risico's ook variëren. In feite kunnen alle vier typeringen van inkoopproducten van toepassing zijn op design. Toch denken we dat het inkoop-portfoliomodel een zeer bruikbaar instrument is voor designmanagement, en dat hiermee een zinvol inkoopbeleid kan worden gevoerd.
Design kan op grond van het inkoop-portfoliomodel in hoofdzaak getypeerd worden als hefboomproduct of als strategisch product. De invloed van design op het financieel resultaat zal immers vrijwel altijd hoger dan gemiddeld zijn. In hoofdstuk een en twee hebben we uitvoerig in kaart gebracht waarom dit zo is. In het kort komt het erop neer dat design een grote invloed kan hebben op de voorkeur en het gedrag van consumenten. Daarnaast beïnvloedt het ontwerp vaak rechtstreeks de kostprijs per eenheid/product en de productprestatie (door het materiaal, de samenstelling of constructie, de gebruikte technologie, de productiewijze enzovoort). We zijn in verband met de invloed op consumenten en stakeholders, geneigd om vooral brand design (corporate identity design), productdesign, verpakkingsdesign en retail design als hefboomproduct aan te wijzen.

Maar wanneer er ook sprake is van toeleveringsrisico, is een typering als strategisch inkoopproduct op zijn plaats. Dit kan het geval zijn wanneer sprake is van een langetermijn project met betrekking tot merkontwikkeling. Het uitbesteden van design zal ook als strategisch worden bestempeld, wanneer een productontwikkelingsproces als geheel wordt uitbesteed aan een ontwerpbureau.
Terugkerende, meer uitvoerende ontwerpwerkzaamheden op het terrein van styling of layout kunnen als bottleneckproducten worden getypeerd. Het financieel risico dat met deze activiteiten samenhangt zal doorgaans als lager dan gemiddeld worden beoordeeld, maar er kan wel sprake zijn van een meer dan gemiddeld toeleveringsrisico. Bijvoorbeeld wanneer andere leveranciers niet zondermeer in hetzelfde stramien kunnen werken en er als gevolg daarvan een stijlbreuk dreigt, of wanneer een uitgave moeten worden stopgezet bij onderbreking van de levering. Maar denk ook aan de situatie dat het creatieve niveau hoog is dat dit niet zomaar elders kan worden ingekocht, of dat de leverancier zodanige kennis en ervaring heeft opgebouwd met betrekking tot het onderwerp dat een lacune ontstaat.
Wanneer er sprake is van een situatie waarbij ook het toeleveringsrisico laag is kan design in principe als commodity worden beschouwd. Maar deze situatie zal zich naar onze beoordeling niet vaak voordoen. Het zou dan kunnen gaan om eenvoudig, gestandaardiseerd en routinematig ontwerpwerk of eenmalige en kleinschalige toepassingen, waarvoor een geringe mate van creativiteit en kennis benodigd is.
De bijbehorende patronen voor het management bij inkoop zijn in deze paragraaf al beschreven. De wijze waarop uitbesteding van designwerk kan worden gemanaged, kan hieruit worden afgeleid.

Om te kunnen bepalen om welk type inkoopproduct het gaat kunnen we ook een invalshoek gebruiken aan de hand van de classificatie in strategisch, tactisch en operationeel design (zie paragraaf 2.1.2). Tussen deze drie categorieën bestaan grote verschillen. Het ligt daarom voor de hand dat ook het inkopen een andere aanpak zal vragen.
Ontwerpactiviteiten die als *strategisch design* kunnen worden aangemerkt, hebben een duurzaam karakter en houden meestal verband met de strategische positionering van de organisatie en haar producten. Het gaat bijvoorbeeld om een nieuwe visuele merk- of productidentiteit (al dan niet in het kader van corporate identity) of het productuiterlijk van een nieuwe productlijn (zie paragraaf 2.1). Beslissingen ten aanzien van strategisch design kunnen niet gemakkelijk ongedaan worden gemaakt en zullen in de regel invloed hebben op het succes van organisaties en hun aanbod. *Tactisch design* kenmerkt zich door actualiteit en flexibiliteit. De doorgaans grote hoeveelheid designactiviteiten in deze categorie zijn op de korte- tot middellange termijn gericht en we kunnen daarom beargumenteren dat deze minder risicovol zijn. Alhoewel een bepaalde promotie of actie kan mislukken als gevolg van een verkeerde ontwerpkeuze, onvoldoende samenhang in de presentatie de merkbeleving en merkreputatie kan aantasten, en verkeerde keuzen ten aanzien van productstyling (in verband met seizoensvariaties of wisselende trends) kan leiden tot achterblijvende omzet. Het is bepaald niet zo dat hiervoor geen managementaandacht nodig is, maar fouten kunnen doorgaans gemakkelijker worden hersteld. *Operationeel design* raakt tenslotte de procesvoering en heeft veel raakvlakken met het

informatieverwerkings-, automatiseringsen- en administratieproces. Hoewel creativiteit hier niet de doorslag geeft maar functionaliteit, kunnen verkeerde ontwerpkeuzen op dit terrein een negatieve invloed hebben op de consumentenervaring en op het verloop van de betreffende bedrijfsprocessen.
Voor alledrie de categorieën zullen doorgaans uiteenlopende specialisten worden ingehuurd. Naast de aandacht voor de specifieke categorieën en de ontwerpspecialismen daarbinnen, is ook aandacht van het management voor het grotere geheel benodigd (het productontwikkelings- en presentatiebeleid als zodanig).

In de praktijk kunnen we vaststellen dat het inkopen van designwerk vaak niet als strategisch wordt gezien. Het uit de literatuur naar voren komende gebrek aan kennis onder managers, ten aanzien van design als bedrijfsinstrument, draagt hier ongetwijfeld aan bij. Wanneer de invloed van design op het financieel resultaat niet wordt onderkend, krijgt design het karakter van routineproduct. Design kan dan zelfs als een commodity worden opgevat: per leveringseenheid is de waarde gering en er zijn in de ogen van het management voldoende alternatieven voor de levering. Via het afsluiten van raamcontracten met een beperkt aantal geselecteerde leveranciers (preferred suppliers) worden gunstige prijzen en leveringscondities georganiseerd, alsmede levering op afroep. Deze benadering is erop gericht om de inspanning voor inkopers zo beperkt mogelijk te houden.
Maar ook wanneer design wordt gezien als een hefboomproduct zal het gevolg zijn dat opportunistisch wordt ingekocht en dat het inkoopbeleid kan worden getypeerd als 'verdeel en heers'. De focus ligt daarbij in de praktijk vrij eenzijdig op het prijsinstrument, gestimuleerd door de huidige designmarkt in Nederland. Deze wordt gekenmerkt door relatief veel aanbieders die zich onderling vrij slecht positioneren en daarom weinig onderscheidend vermogen bieden. De designkwaliteit is over het algemeen vrij hoog en het zal voor veel niet-gespecialiseerde designinkopers moeilijk zijn eventuele kwaliteitsverschillen te beoordelen. De Nederlandse designmarkt kan worden getypeerd als een kopersmarkt (waarin de macht ligt bij de kopers) die onderhevig is aan prijserosie. Bovendien zijn er aanwijzingen dat in de toekomst een felle prijsconcurrentie zal ontstaan op grond van uitbesteding naar Aziatische designproducenten. Het bereiken van kostenbesparing als doel van uitbesteding, zal in veel gevallen ongetwijfeld kunnen worden gerealiseerd als het gaat om het creatieproces. Maar de kosten voor creatie vormen vaak maar een klein deel van de totale projectkosten, inclusief de productie- en implementatiekosten. Schattingen lopen bij grotere projecten uiteen van vijf tot tien procent. Dat wil zeggen dat de implementatiekosten kunnen oplopen tot het tien- of twintigvoudige van de ontwerpkosten. Met name op dit terrein valt veel winst te boeken. Professionele designinkopers zullen in hun uitbestedingsbeleid met betrekking tot het feitelijke ontwerpwerk (het creatieproces) daarom vooral aandacht besteden aan kwaliteitsverbetering en doorlooptijdverkorting (in verband met productontwikkeling). In deel IV gaan we nader in op de onderwerpen leveranciersselectie en bureaurelatie.

Box 9.1 Designmanagement in de praktijk: Rijksmuseum Amsterdam

Het Rijksmuseum Amsterdam omvat – inclusief de vestiging op de luchthaven Schiphol – driehonderdtachtig medewerkers. Hiervan is een tiental direct of indirect betrokken bij, en verantwoordelijk voor, de realisatie van het visuele beeld dat deze overheidsorganisatie naar buiten brengt. Het beheren, onderhouden en publiek tentoonstellen van ons nationale culturele erfgoed aan een miljoen bezoekers per jaar is daarbij wellicht de meest in het oog springende activiteit. Maar ook hoogstaand wetenschappelijk onderzoek en een uitgebreide educatieve dienstverlening behoren tot de kerntaken. Naast de tentoonstellingen worden er jaarlijks vele catalogi, posters, boeken en geschenkartikelen geproduceerd. Kennismaken met het Rijksmuseum is dan ook kennismaken met een dynamische organisatie rondom een even unieke als wereldwijd erkende nationale kunstcollectie.
Als publieke organisatie wil 'het Rijks' een vitale plaats in ons heden innemen – en die ook waard zijn. Vormgeving komt hier dan ook tot stand in het spanningsveld tussen een aanbod dat historie en traditie in zich draagt, en het eigentijdse en toekomstgerichte beeld dat de organisatie wil uitdragen. Het vormgevingsbeleid dat daar het gevolg van is, is eerder op natuurlijke wijze ingebed in procedures dan tot expliciet onderwerp voor regelgeving of voorschriften gemaakt. Een impliciete vorm van designmanagement dus, sterk medebepaald door de cultuur van de organisatie en de lange historie die deze kent.
Typerend is de belangrijke rol die hierbij aan vormgevers van erkende statuur wordt toegekend. Voor de grote bouwkundige vernieuwing van het museum is een internationaal team van architecten samengesteld waarin vernieuwing, maar ook restauratie en expositie in de handen van erkende experts wordt gelegd. Voor het grafische deel van de visuele identiteit wordt een vergelijkbare route gevolgd. 'Hoofdarchitect' Irma Boom is sterk bepalend voor de eigen, grafische presentatiestijl van het Rijksmuseum, gebaseerd op een steeds opnieuw te beoordelen balans tussen de bekendheid en kracht van het unieke beeldmateriaal uit de collectie en de eigen visuele identiteit van het museum. Deze werkwijze komt voort uit het karakter van het 'product' dat hier gekoesterd wordt.
In een omgeving als deze is de zeggingskracht van vormgeving zo evident, dat men groot vertrouwen bij vormgevers durft neer te leggen. Beleid met betrekking tot de vertaling van visie naar vormgeving komt dan ook tot stand in nauw overleg met de externe adviseurs en wordt in hoge mate mede door hen bepaald. Bij het constateren van inconsistenties of het starten van een nieuwe lijn in de communicatie bijvoorbeeld, wordt aan de betrokken adviseurs gevraagd om in onderling overleg tot beleidsafspraken te komen. Essentieel voor designmanagement in deze omgeving is de selectie van de juiste (lees: hoogwaardige) externe adviseurs en het toetsen van hun werk aan de cultuur, traditie en toekomstvisie van de organisatie.

Samenvattend: op strategisch niveau is designmanagement ingeweven onderdeel van het algemeen management, waarbij de balans tussen traditie en toekomst sterk bepalend is. Op tactisch niveau is er sprake van formele organisatie op hoofdlijnen, waarbij externe adviseurs een belangrijke rol spelen in de inhoudelijke bepaling daarvan. Operationeel designmanagement ligt bij de diverse afdelingen, waarvan Exposities, Educatie en Communicatie & Marketing als voornaamste zijn aan te wijzen. Deze afdelingen werken autonoom. Onderlinge afstemming is er wel, maar niet op basis van beleidsafspraken. De realisatie van de vernieuwing en nieuwbouw, over enkele jaren, zal het moment bij uitstek zijn om het Rijksmuseum met vernieuwd élan aan de wereld te presenteren – en zal een extra aanzet vormen om synergie uit een goede onderlinge afstemming van vormgevingsbeleid te halen.

9.2 Designmanagement in eigen huis

In onze optiek kan geen enkele organisatie die design als bedrijfsinstrument aanmerkt, om de inzet van professioneel designmanagement in eigen huis heen. Organisaties kunnen dit instrument vrijwel niet effectief inzetten als de hiervoor benodigde competentie ontbreekt. Dit wil echter niet zeggen dat het de verantwoordelijkheid van één functionaris of één afdeling is. De designmanagementfunctie kan worden geïntegreerd in bepaalde lijnmanagementfuncties (op voorwaarde dat de benodigde competenties hiervoor aanwezig zijn) of er kan, eventueel aanvullend, een gespecialiseerde adviesfunctie of projectmanagementfunctie worden ingericht ter ondersteuning van lijnmanagers.
In de praktijk zetten de meeste organisaties design in om er hun identiteit, positie en aanbod mee tot uitdrukking te brengen. Het probleem, zoals uiteengezet in deel II, is dat daarbij meestal wel een coördinatiefunctie in een bepaalde mate aanwezig is, maar dat deze vaak verspreid is over de organisatie, versnipperd is geraakt of niet als een expliciete taak wordt opgevat (waardoor deze in functieomschrijvingen ontbreekt). Het gevolg daarvan kan zijn dat het resultaat achterblijft en het designinstrument onderbenut blijft. We gaven aan dat de achterliggende oorzaak hiervan is dat het designproces als zodanig onvoldoende wordt geïdentificeerd. Wanneer dit wel het geval is, groeit meestal het besef dat managementaandacht en een goede coördinatiefunctie nodig zijn om dit proces te structureren en in goede banen te leiden. Afhankelijk van het bewustzijn in de organisatie en de waarde en betekenis die toegekend wordt aan het designproces, kan de omvang van de designmanagementfunctie verschillen, evenals het niveau van de functie (strategisch, tactisch of operationeel). Naarmate erkend wordt dat design een strategische rol vervult, zal de coördinatiebehoefte toenemen en zal het designproces als een kernactiviteit worden aangemerkt.

Wanneer een organisatie haar designactiviteiten heeft ondergebracht in een interne afdeling, zal deze meestal geleid worden door een designmanager. Aan de keuze voor interne designactiviteiten zit eigenlijk altijd de keuze voor designmanagement in eigen huis vast. Maar ook wanneer designactiviteiten worden uitbesteed, blijft de interne designmanagementfunctie relevant om het uitbestedingsbeleid te coördineren en de inkoop- en regiefunctie in te richten. Uitbesteding van designwerk leidt in de praktijk doorgaans

tot hogere eisen aan de kwaliteit van de inkoopfunctie. Het inkopen van designwerk veronderstelt ondermeer kennis van de markt en van designprocessen. Maar het leidt ook tot hogere eisen aan het opdrachtgeverschap. De externe leverancier heeft niet alleen professioneel tegenspel nodig, maar ook de selectie van designvoorstellen vraagt om een goed beoordelingsvermogen. En er ontstaat een hogere eis met betrekking tot de interne procesvoering. Er kan nu niet meer via informele kanalen gehandeld worden (iets dat bij interne afdelingen vrij gewoon is). Er zijn formele afspraken en procedures nodig en het moet duidelijk zijn wie verantwoordelijk is en waarover zeggenschap heeft. De interne procesvoering met betrekking tot het designproces moet op orde zijn om uitbesteding succesvol te laten verlopen. In de praktijk zien we daarom wel dat organisaties die hun designafdeling hebben opgedoekt – en hun designwerk voortaan uitbesteden – een afdeling designmanagement ervoor in de plaats stellen.
Het is in principe mogelijk het gehele designproces uit te besteden. Maar ook dan zal veel aandacht van het management nodig zijn. Er is dan sprake van strategische uitbesteding, wat in de praktijk neerkomt op een intensieve samenwerking tussen de uitbesteder en de leverancier, die meestal het karakter van co-makership aanneemt. Ook dan zal een designmanagementfunctie in eigen huis onvermijdelijk zijn.

9.2.1 Voordelen van designmanagement in eigen huis

Het opzetten van een in-huis designmanagementfunctie of -afdeling biedt een aantal mogelijke voordelen op diverse terreinen:

- Toegankelijkheid en beschikbaarheid van specialistische kennis
- Procesoptimalisatie en doorlooptijdverkorting
- Kwaliteitsverbetering
- Vergroten van creativiteit en innovatievermogen
- Integratie en continuïteit

Toegankelijkheid en beschikbaarheid van specialistische kennis

Wanneer een gespecialiseerde adviesfunctie of projectmanagementfunctie intern beschikbaar is (als staf- of hulpdienst), kunnen de verschillende bedrijfseenheden hier gemakkelijker een beroep op doen. Veel merkeigenaren zullen ook als overweging aanvoeren dat het in lijn brengen van de merkuitingen en fysieke merkcontactpunten (bijvoorbeeld winkels, servicebalies, beurspresentaties en evenementen) het beste vanuit de organisatie zelf gecoördineerd kan worden. Het inzetten van designmanagers zal in hun optiek leiden tot meer coherentie tussen de verschillende designtoepassingen en daarmee een krachtiger manifestatie zijn van de onderneming in de markt.

Procesoptimalisatie en doorlooptijdverkorting

Procesoptimalisatie leidt tot betere rendementen en designmanagement kan hieraan een belangrijke bijdrage leveren. Voor ondernemingen die design als kerncompetentie onderkennen, is dit bijzonder relevant. Voor bedrijven die in zeer competitieve markten opereren is de snelheid waarmee producten worden ontwikkeld – van idee tot prototype – cruciaal; het razendsnel vertalen van de juiste trends en nieuwste technologieën naar succesvolle producten. Als voorbeeld hiervan kunnen we het modeketen Hennes & Mauritz noemen, dat maar liefst dertien collecties per jaar uitbrengt. Iedere week hangen nieuwe producten in de rekken. De organisatie vernieuwt op deze wijze regelmatig haar complete winkelcollectie in meer dan 1.000 winkels. Voor een bedrijf als H&M is procesoptimalisatie een cruciale succesfactor.

Kwaliteitsverbetering

Designmanagers in eigen huis hebben een beter begrip van bedrijfsspecifieke aspecten; de bedrijfscultuur en bedrijfsomgeving, het concurrentieveld en de specifieke markt(en) waarop de onderneming zich richt. Dit inzicht is nodig om te kunnen beoordelen in hoeverre creatieve ideeën benut kunnen worden en uitvoerbaar zijn.

Vergroten van creativiteit en innovatievermogen

Met de designmanagementfunctie in eigen huis kan winst kan worden geboekt door creativiteit en innovatie in de organisatie te stimuleren. De designmanager zal door het onderhouden van goede relaties en contacten binnen de organisatie signalen kunnen oppikken, kansen voor vernieuwing kunnen opsporen en proberen afdelingen enthousiast te maken. Door een verbinding tussen creatieve en zakelijke doelen te maken, zal hij de acceptatie voor nieuwe ideeën kunnen vergroten.

Integratie en continuïteit

Het in eigen huis hebben van designmanagers zal in de praktijk vaak leiden tot een betere integratie van het designproces in de bedrijfsvoering. Door designbeleid te integreren in het beleidsproces en door individuele designprojecten te laten plaatsvinden binnen het totale designproces in de organisatie en niet op ad-hocbasis of als incidentele acties.
Een ander voordeel is meer sturing op ontwerpideeën. Ontwerpers geven doorgaans alleen geselecteerde oplossingen voor een gegeven ontwerpopgave, terwijl ook de niet door hen geselecteerde oplossingen, bruikbare aanknopingspunten kunnen bieden. Eventueel zelfs voor andere ontwerpvraagstukken binnen de organisatie. Wanneer een interne designmanager overzicht over het gehele ontwerpproces heeft, kan hij ervoor zorgen dat een 'toevallig' goede ontwerpoplossing voor een bepaald probleem tot uitvoering kan worden gebracht en eventueel ook breder kan worden toegepast.

9.2.2 Nadelen van designmanagement in eigen huis

Een mogelijk nadeel hangt samen met het risico van bedrijfsblindheid. Hiermee doelen we op de mogelijkheid dat interne functionarissen zo verweven raken met de organisatie dat ze hun kritische vermogen verliezen. Creativiteit kan geremd of geblokkeerd worden door teveel kennis omtrent de aanwezige problematiek (bedrijfscultuur, interne verhoudingen, techniek enzovoort) Er kan dan een houding ontstaan van 'kan niet, want...' in plaats van 'zou kunnen, als...'. Juist voor designmanagers is het van belang dat zij kritisch blijven kijken naar bestaande processen en procedures – en kansen weten op te sporen.

Daarnaast kan het zicht op ontwikkelingen in de buitenwereld op de achtergrond raken, waardoor belangrijke marktkansen gemist worden. Zeker wanneer designmanagers op tactisch niveau opereren zullen ze veel tijd en aandacht moeten besteden aan trends en ontwikkelingen in de markt. Maar het gevaar kan zijn dat ze teveel in beslag worden genomen door interne beheersproblemen.
Deze mogelijke nadelen kunnen uiteraard worden ondervangen. Bijvoorbeeld door congres- en beursbezoek te stimuleren of door middel van training (op het terrein van trendonderzoek en *creative problem solving*-technieken). Maar ook door designmanagers te selecteren op hun nieuwsgierige aard en ambitieuze houding.

Box 9.2 Designmanagement in de praktijk: Albert Heijn

Albert Heijn heeft ervoor gekozen om alle voorkomende creatieve werkzaamheden uit te besteden en zich uitsluitend te richten op de inkoop, aansturing, coördinatie en productiebegeleiding van merkgerelateerde designattributen. Met andere woorden: de eerste conceptontwikkeling (designplanning en briefing) wordt in eigen huis gedaan, ontwerp en productie worden uitbesteed. Als het gaat om advisering wordt gedeeltelijk expertise van de ontwerpbureaus ingeschakeld. Hetzelfde geldt voor projectmanagement dat voor een deel bij de ontwerpbureaus wordt ondergebracht. Ontwerpwerkzaamheden worden volledig extern verzorgd. In verband met de intrinsieke waarde van het merk kiest Albert Heijn ervoor om de productiebegeleiding uit het oogmerk van kwaliteitsborging en coördinatie ('gate keeper'-functie) wèl in eigen huis te doen. Daarbij gaat veel aandacht uit naar consistentie in verband met de verschillende gesegmenteerde huismerklijnen (het basishuismerk en de biologisch, excellent en express plusmerken) en het gebruik van taal en productinformatie op verpakkingen. Voor prepress-productie wordt daarnaast met een centrale en vaste partner gewerkt die ook het digitale databeheer verzorgt (van productiebestanden).

Er is niet altijd sprake van uitbesteding geweest; tot begin jaren tachtig was er een omvangrijke afdeling 'Ahead' die het totale communicatie- en ontwerptraject in eigen huis verzorgde. De twee belangrijkste argumenten die nu genoemd worden om geen vormgevingsactiviteiten in eigen huis te halen zijn:

- Kosten: aanstelling van topcreatieven is kostbaar. *Talent scouting*, opleiding en training zijn dan nodig en kosten eveneens veel tijd en geld.
- Capaciteit: de *design-to-market*-tijd bedraagt maximaal 28 weken. Dat wil zeggen vanaf de eerste conceptvorming totdat het vernieuwde product in het winkelschap staat.

Zowel het door Albert Heijn gehanteerde ambitieniveau ten aanzien van ontwerpkwaliteit, als de vereiste snelheid brengt met zich mee dat interne realisatie als onhaalbaar wordt gezien, zeker wanneer men zich realiseert dat er steeds gelijktijdig een reeks designtrajecten loopt.
De designmanager is verantwoordelijk voor bureaukeuze en fungeert als gedelegeerd opdrachtgever naar de bureaus. De designmanager is formeel verantwoordelijk voor

de aansturing van de bureaus en pleegt wanneer nodig interventies. Deze aansturing is proactief, op basis van creatieve briefings. Het uitbestedingsbeleid vindt gepland en gestructureerd plaats. Er wordt gewerkt met drie vaste leveranciers (designbureaus) die onderling verschillen in aard, omvang en positie. Hiermee zijn vaste afspraken in de vorm van een raamcontract gemaakt. De leveranciers zijn niet vooraf aan specifieke merkattributen, productcategorieën of labels gekoppeld. Het gaat steeds om een keuze op grond van criteria als:

- Structuur van het bureau (aanwezigheid van projectmanagement)
- Ervaring met betreffende productcategorie (rekening houdend met 'conflicting accounts')
- Creatief niveau en kennisniveau (met betrekking tot strategie en conceptontwikkeling)
- Chemie tussen mensen (bijvoorbeeld tussen de interne eindopdrachtgever – category of channel manager – en het bureau)

Hiermee hanteert AH het preferred suppliership, een vorm van samenwerking die in veel gevallen een belangrijk instrument is voor effectief designmanagement.

9.3 Tijdelijk inhuren van een designmanager

Met name voor het midden- en kleinbedrijf kan tijdelijk inhuren een goede oplossing zijn. In het MKB worden doorgaans minder specialistische managementfuncties in de organisatiestructuur ingebouwd, in verband met de schaal van de onderneming. Als gevolg van onvoldoende bekendheid met het designproces, kunnen deze bedrijven de risico's van designinvesteringen als hoog percipiëren ('het kost veel geld en tijd en de uitkomst is onzeker'). Dit kan ertoe leiden dat belangrijke kansen blijven liggen om het aanbod beter te onderscheiden van de concurrentie en de toegevoegde waarde voor consumenten en afnemers te vergroten. Een tijdelijk ingehuurde designmanager kan de onervaren organisatie over deze drempel heen helpen en het risico beheersbaar maken. Gelukkig blijken bedrijven, die zich onvoldoende ervaren achten in productontwikkeling, in de praktijk vaak gedurende het productontwikkelingsproject externe expertise in te huren (Gemser, 1997).

Maar ook voor grote organisaties geldt dat wanneer tijdelijk extra capaciteit nodig is bij grote en complexe operaties, inhuren uitkomst kan bieden. In de markt treft men gespecialiseerde designmanagementbureaus en zelfstandige designmanagementadviseurs aan. Deze bieden kennis en diensten aan op het terrein van onderzoek, auditing, beleids- en strategie-ontwikkeling, design planning, interim-management en projectmanagement. De zelfstandige adviseurs zijn vaak mensen die op senior- of partnerniveau aan bureauzijde hebben gefunctioneerd en die beschikken over een uitgebreide ervaring in complexe en grootschalige designprojecten. De designmanagementbureaus richten zich met name op het adviseren over de haalbaarheid en de projectorganisatie, de implementatie van merk- en huisstijloperaties, en het opzetten van een beheer- en onderhoudsorganisatie, inclusief de inrichting van digitale beheertools.

Inhuren van strategisch designmanagement

Externe designmanagementadviseurs kunnen een bijdrage leveren aan het strategieproces of aan het ontwikkelen van designbeleid of een passende corporate design strategy. Maar het kan ook zo zijn dat een onderneming behoefte heeft aan hulp om een visie te ontwikkelen op haar totale innovatie- of designbeleid, ter aanvulling van de bestaande kennis en kunde. Op operationeel en tactisch niveau is er dan bijvoorbeeld wel sprake van voldoende coördinatie, maar door het gemis aan een stevig fundament in de vorm een overkoepelende visie of meerjarenplan, blijven acties steken en komt de vernieuwing niet goed van de grond.
Ook wanneer er sprake is van vernieuwing van de productportfolio, wijziging van de merkstrategie of identiteitsontwikkeling als gevolg van een fusie, herpositionering of andersoortige merkoperatie, zullen de meeste organisaties tijdelijk behoefte hebben aan externe expertise ten aanzien van dergelijke strategische vraagstukken. Er zijn maar weinig bedrijven die zonder hulp van buiten een dergelijk traject kunnen realiseren.
Bij grootschalige en complexe projecten kan ook een designmanager op strategisch niveau worden ingehuurd. De noodzaak om hiervoor een permanente organisatie in te richten ontbreekt dikwijls; na oplevering van het project wordt de projectorganisatie ontbonden of in een geheel andere vorm voortgezet. De Engelse designmanagement consultant Raymond Turner werd gedurende vier jaar ingehuurd als hoofd van het designteam Eurochannel en stuurde tussen 1993 en 2002 het designteam aan dat verantwoordelijk was voor de nieuwe Terminal 5 op Heathrow Airport. Ook zette hij het concept en de grote lijnen uit voor de Heathrow Express; een snelle treinverbinding tussen de luchthaven en centraal Londen.

Inhuren van tactisch designmanagement

Het inhuren van een designmanager op tactisch niveau kan uiteenlopende doelen hebben. Binnen een bepaalde business unit of divisie kan een externe designmanagementadviseur worden ingehuurd om te helpen een designbeleid of designstrategie te formuleren en te implementeren. Dit kan betrekking hebben op de ontwikkeling van individuele producten of merken, gericht op een specifiek marktsegment of een bepaalde productcategorie. De ingehuurde designmanager kan ook kennis inbrengen of supervisie uitoefenen, en daarmee een bijdrage aan professionalisering leveren. Hij kan met zijn kennis van de designbranche de juiste mensen (het juiste ontwerptalent) voor de organisatie selecteren en zorgen voor richtlijnen, briefings en beoordelingswijzen die tot een verbeterde output zullen leiden. Ten slotte kan deze *design resources manager* ook tijdelijk worden ingehuurd als interim manager wanneer reorganisatie van een designafdeling aan de orde is.

Inhuren van operationeel designmanagement

Wanneer er sprake is van een individueel designproject – met als kenmerk de begrenzing van activiteiten in doel, tijd en geld – kan voor de duur van het project tijdelijk een designmanager worden ingehuurd als daarvoor de interne capaciteit ontbreekt. Het kan dan gaan om extra capaciteit of specifieke expertise om een specifieke ontwerpopgave op te lossen. Of om tijdelijke ondersteuning te bieden bij de implementatie van design-

oplossingen. Bijvoorbeeld het implementeren van een nieuw brand design, een nieuw product of een huisstijl.
Projecten zijn er in alle soorten en maten. Kleine, overzichtelijke ontwerpopdrachten die volgens vastgestelde specificaties moeten worden vervaardigd, zullen in de praktijk door een junior functionaris kunnen worden behandeld. Grotere of complexere designprojecten, waarvoor slechts globale creatieve richtlijnen of kaders gelden, zullen een meer senior niveau vereisen. Zeker wanneer de ontwerpopgave nog niet is gedefinieerd en het zicht op een oplossing voor een bepaald designgerelateerd vraagstuk nog ontbreekt, zal in de regel een senior designprojectmanager moeten worden ingezet.

9.3.1 De voor- en nadelen van tijdelijk inhuren

Uiteraard zijn er zowel voordelen als nadelen verbonden aan het tijdelijk inhuren. Een belangrijk voordeel is de flexibiliteit om – afhankelijk van het betreffende vraagstuk – de benodigde specialistische kennis en kunde in huis te halen op die momenten dat het nodig is. Bijvoorbeeld wanneer productontwikkeling aan de orde is of het creëren van een nieuw merk. Het tijdelijk inhuren van specialisten biedt de mogelijkheid om toegang te krijgen tot de beste mensen (adviseurs en projectmanagers). Deze mensen zullen in de regel nieuwe energie, ideeën en inspiratie inbrengen. Een frisse kijk van buitenaf kan een impuls geven aan het bewustzijn en de motivatie in een organisatie. Maar denk ook aan het gezegde dat 'vreemde ogen dwingen'; door externe partijen aangedragen oplossingen worden vaak eerder geaccepteerd. Soms tot frustratie van interne functionarissen die zien dat zaken die zij in het verleden niet konden realiseren, nu ineens wel opgepikt worden. Daarnaast is er ook het kostenaspect. Wanneer het niet om een fulltime functie gaat, kan inhuren een financieel aantrekkelijk alternatief vormen. Aan het inhuren van designmanagementadviseurs hangt weliswaar een prijskaartje, maar wanneer hun inzet beperkt blijft in tijd – gericht op het oplossen van een specifiek vraagstuk – kan de investering overzichtelijk blijven.
Een gebrek aan continuïteit kan eventueel een nadeel zijn van tijdelijk inhuren. Plannen worden dan onvoldoende opgevolgd omdat er bijvoorbeeld te weinig begrip of kennis in de organisatie bestaat. Of omdat de dagelijkse operatie hiervoor te weinig ruimte laat. Dit kan deels worden ondervangen door de externe designmanagement-adviseur niet alleen een plan te laten opstellen, maar deze ook betrokken te houden bij de executie en implementatie (eventueel op de achtergrond). En door hem in een later stadium te betrekken bij het monitoringproces (designonderzoek of auditing). Een ander nadeel kan zijn dat de ingehuurde designmanager onvoldoende specifieke kennis heeft van de organisatie (cultuur, structuur, marktomstandigheden et cetera) en niet beschikt over voldoende goede contacten binnen de organisatie, waardoor verkeerde beoordelingen kunnen worden gemaakt. Het verdient daarom aanbeveling een extra tijdsinspanning te reserveren om de tijdelijke externe kracht zich voldoende in te laten werken.

9.4 Het uitbesteden van designmanagement

Naast het uitbesteden van ontwerpwerk, behoort ook dat van designmanagement-activiteiten tot de mogelijkheden. Met name als deze betrekking hebben op individuele designprojecten. Het uitbesteden van de gehele designmanagementfunctie lijkt ons echter niet haalbaar. Zoals in de tekst duidelijk is geworden is het designproces een bedrijfsproces dat zich uitstrekt over meerdere functionele gebieden waarbij verschillende afdelingen betrokken zijn; men kan dit proces eenvoudigweg niet uit de organisatie snijden.
Uitbesteden is gericht op het scheiden van beleid en uitvoering, waarbij de beleidsverantwoordelijkheid doorgaans bij de organisatie blijft. Het is daarnaast de taak van de uitbesteder om de interne bedrijfsvoering op orde te hebben. Om de aansluiting tussen externe designleveranciers en de interne procesvoering te organiseren, zal vanuit de organisatie gewerkt moeten worden. Er zal een interne organisatie moeten staan die de planning van het designproces en de selectie en aansturing van leveranciers verzorgt. En er zal een goede opdrachtgever moeten zijn die zijn rol professioneel en met verve vervuld (omdat zonder professioneel tegenspel, effectief design eerder een uitzondering dan een regel is).
Ten aanzien van de vraag wanneer designmanagementactiviteiten kunnen worden uitbesteed zijn er twee zaken van belang: of er wel dan niet sprake is van een kernactiviteit, en wat het betreffende managementniveau is. In organisaties waar competenties met betrekking tot productontwikkeling en productpresentatie belangrijk zijn, zal designmanagement als een kernactiviteit worden aangemerkt. Kernactiviteiten komen doorgaans minder voor uitbesteding in aanmerking.
Als we de verschillende designmanagementniveaus in ogenschouw nemen kunnen we nog een belangrijk verschil aangeven. Het tactische designmanagementniveau is beleidsgericht en beïnvloedt het designproces in de organisatie (zie ook paragraaf 7.3.2). Op tactisch niveau moet daarom *in* de organisatie worden gewerkt. Tactische managementactiviteiten komen daarom veel minder voor uitbesteding in aanmerking dan strategische of operationele managementactiviteiten, waarbij het gaat om advieswerk of projectmanagement.

Van uitbesteding van designmanagementactiviteiten is sprake als een designopdracht niet alleen betrekking heeft op het creatieproces, maar is uitgebreid met non-designactiviteiten. Organisaties kunnen ervoor kiezen om hun ontwerpopdracht uit te breiden tot een deel van het planningproces en het implementatieproces (zie paragraaf 5.3). Met betrekking tot het *planningsproces* kan het gaan om activiteiten op het terrein van strategie- en ideevorming of de sourcing van het designproject. Dat wil zeggen het adviseren over de inrichting van de projectorganisatie en het leiding geven daaraan, het opstellen van een plan van aanpak en het uitwerken van een budgetteringsvoorstel. Of het kan in de planningfase gaan om onderzoeksactiviteiten in verband met identiteitsanalyse, merkarchitectuur of naamgeving.
De designopdracht kan ook uitgebreid worden met designmanagementactiviteiten die betrekking hebben op het *implementatieproces*. Het gaat dan om het uitbesteden van activiteiten op het terrein van projectmanagement, productievoorbereiding en -begeleiding

en het opzetten van (digitale) documentatie- of beheersystemen. Denk bijvoorbeeld ook aan het opstellen van een implementatieplan, het begeleiden van interne werkgroepen die belast zijn met de implementatie of het tijdelijk opzetten van een externe helpdesk. Uitbreiding van de ontwerpopdracht tot het *monitoringproces* (evaluatie van het projectresultaat door middel van marktonderzoek) lijkt niet voor de hand liggend, omdat niet mag worden verwacht dat de leverancier een onafhankelijke en objectieve beoordeling van de eigen prestaties kan maken.
Het uitbesteden van designmanagementactiviteiten vereist een duurzame werkrelatie en leent zich daarom minder voor opportunistisch inkoopbeleid. De externe partij zal vertrouwd moeten zijn met de 'ins and outs' van de organisatie om succesvol te kunnen opereren. Denk aan de benodigde kennis en ervaring met betrekking tot de desbetreffende productcategorie, de specifieke bedrijfscultuur, de bedrijfsomgeving, het concurrentieveld en de markt waarop de onderneming zich richt.
Het opbouwen en onderhouden van goede interne relaties met verschillende managers kan eveneens van belang zijn. Voorstellen van een partij waarmee men geen persoonlijk contact onderhoudt, lopen het risico gemakkelijker te worden afgewezen. Wanneer de designmanager kant en klare oplossingen aandraagt, kunnen eveneens acceptatierisico's ontstaan (het 'not invented here'-syndroom). De acceptatie van de aangeboden oplossing vereist meestal voldoende participatie en afstemming met degenen in de organisatie die er verder mee aan de slag moeten en die verantwoordelijk zijn voor het eindresultaat. In de praktijk komt het er vaak op neer dat de externe designmanager een extensie vormt van de organisatie.

9.4.1 De voor- en nadelen van uitbesteding

De voordelen van het uitbesteden van designmanagementactiviteiten vallen deels samen met de voordelen van uitbesteding van ontwerpwerk. Een belangrijk voordeel ligt op het terrein van het vergroten van de flexibiliteit en de capaciteit. Een ander groot voordeel kan zijn het contact met de buitenwereld, externe leveranciers hebben doorgaans te maken met veel verschillende organisaties in verschillende markten. Hun ervaringen kunnen cumuleren tot een brede visie en hun inbreng kan leiden tot nieuwe energie, frisse ideeën en inspiratie.
Een nadeel van uitbesteding kan zijn dat de designmanager niet of onvoldoende aanspreekbaar is voor vragen en problemen binnen de organisatie. Eventuele andere nadelen hebben te maken met het risico van 'dubbeling' of onvoldoende aansluiting in de planningsactiviteiten, onvoldoende aansluiting op interne doelen of een te grote afhankelijkheid van externe partners. Dubbeling of onvoldoende aansluiting in de planningsactiviteiten kan ontstaan wanneer de planning van individuele projecten onvoldoende samenhang vertoont met centraal designbeleid, of wanneer men het centrale designbeleid opnieuw ter discussie stelt. Extern aangedragen oplossingen kunnen onvoldoende aansluiten op interne doelen, omdat de interne realiteit vaak afwijkt van het beeld van externen. Als het gaat om de haalbaarheid of wenselijkheid van een designoplossing zijn externe leveranciers vaak veel optimistischer. Interne opdrachtgevers kunnen dan van mening zijn dat de analyse wel deugdelijk is, maar dat de geboden oplossing 'niet goed voelt'.

Het risico van een te grote afhankelijkheid ontstaat als de leverancier veel kennis opbouwt, maar deze niet beschikbaar stelt aan de organisatie. Wanneer designbeleid en designprogramma's onvoldoende gedocumenteerd zijn, kan eveneens een probleem ontstaan in de overdracht naar andere partijen. Wanneer de uitbestedingsrelatie stukloopt, kan blijken dat de benodigde kennis niet meer aanwezig is in de organisatie. Duidelijke afspraken over auteursrechten (intellectueel eigendom) en de overdracht van documentatie – in het geval van het ontbinden van de overeenkomst – mogen daarom in geen enkel contract ontbreken.
Het risico van een te grote afhankelijkheid ontstaat ook als een organisatie de regie uit handen geeft. Wanneer er geen interne visie is en alle verwachtingen op de externe partij zijn gericht. Wij vinden dat organisaties kritisch moeten zijn wanneer designmanagementactiviteiten samen met ontwerpactiviteiten worden uitbesteed aan het designbureau waarmee men een relatie onderhoudt. De kwaliteit van het projectmanagement kan bij creatief gedreven bureaus soms te wensen over laten. Daarnaast is van belang dat advieswerk niet wordt 'ingekleurd' door de aanwezige competenties, specialismen, creatieve ambities of commerciële doelen van het bureau. Dit blijkt in de regel lastig; onze ervaring is dat de uitkomst zich meestal laat raden. Een onafhankelijk en 'middelenvrij' advies lijkt in de praktijk vooral voorbehouden aan gespecialiseerde adviespraktijken die zelf geen ontwerpwerkzaamheden verrichten.

Box 9.3 Designmanagement in de praktijk: Gazelle

Als oudste nog producerende fabrikant van kwaliteitsfietsen in ons land behoeft Gazelle nauwelijks enige introductie. Zowel in *share of mind* als in *share of market* staat dit merk al jaren aan de top van een branche die de Nederlanders koesteren als een geliefd onderdeel van hun nationale cultuur. Een positie die overigens niet leidt tot zelfgenoegzaamheid, maar slechts een aansporing blijkt te zijn tot voortdurende investeringen in marktverkenning en innovatie, gericht op ontwikkeling van comfort en gebruiksgemak. Met als resultaat een indrukwekkende productie van zo'n 300.000 fietsen per jaar. Nederland is een fietsende natie.
Historisch gezien is het ontwerpen van rijwielen een assemblage-activiteit. Frames, aandrijvingen, spatborden, zadels, handgrepen, remsystemen, verlichting, ieder onderdeel is voortdurend onderwerp van studie en verbetering – zowel bij de producent zelf als bij de talloze toeleveranciers van onderdelen. Ook aan belangstelling van ontwerpers heeft het nooit ontbroken, of het nu ging om het uitdenken of verfraaien van nieuwe onderdelen of het bedenken van geheel nieuwe typen fietsen. Veel positieve aandacht dus, maar met een versnippering aan functionaliteiten en uiterlijkheden tot gevolg, die leidde tot een ongedifferentieerd beeld van het totale productaanbod.
De concurrentie is fel en concentreert zich op innovaties, patenten en een uiterlijke verschijningsvorm die de beoogde doelgroep recht in het hart moet raken en overhalen om juist DIT model aan te schaffen. 'Een fiets moet smoelen' beamen zowel de producent als de ontwerper, in de wetenschap dat het uiterlijk van een fiets regelrecht in relatie staat tot haar verkoopcijfers. Het belang van design wordt dan ook ingezien

en de bijdrage van design wordt primair gezocht in differentiëren en verkoop stimuleren – passend binnen de marktgeoriënteerde onderneming die Gazelle is. Hoewel er gezocht wordt naar mogelijkheden om niet alleen de functie, maar juist ook de vorm tot *brand identifier* te maken, draait design op deze plek in hoofdzaak om innoverende technologie en aansprekende uitmonstering. Naast marketing hebben ook de productontwikkelaars, de inkoopafdeling (wiens toeleveranciers zich graag door aangepast design onderscheiden) en de verkoopafdeling (werkend onder grote concurrentiedruk) eigen interesses wanneer het gaat om design.
Met zoveel verschillende belangen en zoveel verschillende betrokkenen is het complex om een idee tot een succesvol product te maken. Binnen Gazelle verloopt het designmanagementproces om die reden via overlegstructuren waarbij alle betrokken afdelingen vertegenwoordigd zijn. Op strategisch niveau is dat de innovatie-stuurgroep waar de keuzes voor belangrijke toekomstige thema's bepaald worden. Denk daarbij aan verkeersveiligheid, vergrijzing, urbanisatie, vrijetijdsbesteding et cetera. Daaronder, in kleinere gremia, worden tactische beslissingen genomen ten aanzien van de zich jaarlijks verjongende cycli van modellen, onderdelen en productgrafiek. Uitwerking vindt zowel in de eigen fabriek plaats als bij de (vele) verschillende toeleveranciers. De rol en plaats van design daarbij is niet vastomlijnd en marketing- en productmanagement zijn in dit proces sterk bepalende partijen.

In dit verband mag de naam van ontwerper Peter van der Veer niet ongenoemd blijven. Waar veel van zijn collega's zich concentreren op het creatieve aspect, is hij – terwijl zijn ontwerpen regelmatig prijzen winnen – evenzeer geïnteresseerd in de manier waarop zijn werk in de ontwikkelingsprocessen van zijn opdrachtgever een rol speelt. Een zelfgekozen positie van waaruit hij, zowel kritisch reagerend op wat hij aantreft als dienstbaar aan het proces, intensief met Gazelle samenwerkt. Door zijn inbreng kwam er een heldere structuur in het aanbod, die hij zichtbaar maakte in de vormgeving van onderdelen en eindproducten. Een pragmatische aanpak van designmanagement – zij het niet onder die titel. Met een symbiotische en inmiddels twintigjarige relatie tussen het zelfstandige ontwerpbureau VanderVeer Design en haar opdrachtgever als gevolg. Kritisch, maar ook dienend. Begrijpend, maar ook eigenwijs. Proactief, maar ook afwachtend. Designmanagement ten voeten uit.

9.5 Diverse invoeringsscenario's

Zoals we in hoofdstuk vijf hebben belicht zijn er vijf manieren om het designproces in een organisatie te managen, waarvan het inrichten van een functie (een persoon of afdeling) één van de belangrijkste is. Wanneer organisaties willen starten met de designmanagementfunctie kan dit op verschillende manieren, zoals dat geldt voor iedere organisatieverandering. Bekend zijn ondermeer de 'proeftuin'-aanpak en het insijpelingsscenario. Een proeftuin is een apart project dat naast de dagelijkse operatie wordt opgestart en hier verder los van staat; een ervaringsles die bij positief resultaat de basis vormt voor vervolgstappen. Eventuele afbreukrisico's worden daarmee beperkt, maar bij een tegenvallend resultaat kunnen verdere initiatieven ook uitblijven. Wanneer gekozen wordt voor een proeftuinproject, wordt nog een voorbehoud gemaakt; al naar gelang het succes zal de proeftuin door een definitieve aanleg opgevolgd worden. Het ligt overigens voor de hand dat afbreukrisico's kunnen worden verminderd door hiervoor ervaren mensen aan te trekken. Omdat dit in de regel met forse loonkosten gepaard gaat, lijkt het tijdelijk inhuren van externe expertise in de proeftuinfase een zinnige optie.

Het laten insijpelen van een bepaalde verandering veronderstelt geen grootscheeps strak gepland traject, maar een vrij informeel proces waarbij de vernieuwing zich gaandeweg moet ontwikkelen en tot bloei moet zien te komen.

Weinig organisaties zullen ervoor kiezen om in één keer een complete designmanagement-organisatie op te tuigen. De kans lijkt ons klein dat er een lacune van die omvang geconstateerd wordt, of dat de visie van het management opeens zo ingrijpend verandert dat hiertoe wordt besloten. Een groeiscenario ligt meer in de lijn der verwachting. We kunnen drie managementniveaus onderscheiden en in principe kan op ieder niveau een start worden gemaakt met de invoering van een designmanagementfunctie. Onderstaand schetsen we een beeld.

9.5.1 Invoering op strategisch niveau

De gedachte achter dit scenario is een top-down insijpelingseffect, met als doel om designbeleid te laten doordringen in de diverse geledingen van de organisatie. Het is denkbaar dat de eindverantwoordelijke ondernemer of CEO overtuigd is geraakt van de noodzaak van een adequaat designbeleid en daarom een designmanager in zijn directe omgeving aanstelt. Een strategische oriëntatie kan bijvoorbeeld aan het licht hebben gebracht dat het noodzakelijk is voor de betreffende onderneming om design (in het kader van productontwikkeling) als kerncompetentie te ontwikkelen. In veel productcategorieën is de rol van design cruciaal geworden. Maar ook dienstverleners kunnen tot het inzicht komen dat hun onderscheidend vermogen vooral in hun corporate identity en hun merk ligt. Wanneer het merk als business driver wordt gezien, zal in de regel de behoefte aan goed designmanagement toenemen. Het in lijn brengen van de visuele merkidentiteit met de visie, missie, strategie en positionering van de onderneming wordt dan een belangrijke opgave. Evenals het synchroniseren van de merkuitingen en -contactpunten tot een coherente merkbeleving.

Het gevolg van invoering op strategisch niveau zal zijn dat er sprake is van een top-down introductie, waarbij een centraal vastgestelde corporate design strategy wordt ontwikkeld en ter uitvoering wordt opgedragen aan decentrale divisies, business units of afdelingen. Uiteraard is de acceptatie hiervan een kritische succesfactor. In de regel nemen business unit-managers een kritische houding aan ten opzichte van door het hoofdkantoor opgelegd beleid. Daar ligt een eerste hindernis die moet worden genomen. Ook met het oog op de vaak beperkte kennis en ervaring met betrekking tot design als bedrijfsmiddel, zal het nodig zijn de introductie van een designstrategie zorgvuldig te begeleiden. De topleiding zal in de praktijk waarschijnlijk op de zeepkist moeten om overal in het bedrijf uit te leggen wat de bedoeling is (zoals CEO Herman Wijffels dat deed binnen de Rabobank-organisatie tijdens de merkoperatie in 1995, en de heer Loudon bij AkzoNobel). Tegelijkertijd kunnen trainingen aan lijnmanagers worden ingezet om een beter begrip over het potentieel van design als bedrijfsinstrument te kweken en duidelijk te maken hoe dit effectief kan worden benut.

De controle op een juiste uitvoering (het afleggen van verantwoording voor het resultaat door de decentrale bedrijfseenheden) zal in de regel ook centraal plaatsvinden. Wanneer deze resultaten als onvoldoende worden beoordeeld, zal de behoefte aan professionalisering op tactisch niveau ontstaan. Dit zal mogelijk worden vertaald in de komst van een centrale hulpdienst of van decentrale staffuncties op het terrein van designmanagement. Om de decentrale uitvoering van de corporate design strategy succesvol te laten plaatsvinden, zal in de praktijk specifieke kennis en ervaring nodig zijn. In veel gevallen zal specifiek designbeleid nodig zijn of zullen designstrategieën voor individuele producten of merken op business-niveau nodig zijn.

Het voordeel van deze aanpak is dat er gestart wordt met een duidelijk fundament dat de basis vormt voor verdere ontwikkeling. Een ander voordeel is dat de topleiding als initiatiefnemer aangesloten is en gecommitteerd is aan de vernieuwing.

9.5.2 Invoering op tactisch niveau

De gedachte achter dit scenario is een aanpak op procesniveau, met als doel een integratie van design te bewerkstelligen in de diverse designgerelateerde bedrijfsprocessen binnen de organisatie. Gericht op het ontwikkelen van nieuwe, unieke producten of serviceconcepten en de zoektocht naar nieuwe marktkansen. Wanneer het eindverantwoordelijk divisie- of businessunitmanagement de noodzaak inziet om het designproces met dit doel beter te organiseren, kan het inrichten van een designmanagementfunctie op tactisch niveau uitkomst bieden. Het is wel van belang dat men zich realiseert dat op dit niveau het accent niet ligt op de uitvoering, maar op beleidsontwikkeling en het scheppen van de juiste kaders voor een goede uitvoering. Het gaat vooral om de vertaling van strategisch beleid naar concrete, organisatiebrede programma's en de planning, bemensing en budgettering daarvan.

De designmanager heeft niet alleen tot taak om nieuwe kansen op te sporen en te vertalen naar kansrijke productverbetering of -ontwikkeling, maar ook om coherentie te bereiken tussen productuiterlijk, -presentatie, -promotie en de verkoopomgeving. Eventueel zelfs tussen de verschillende productlijnen. Daarmee opereert tactisch designmanagement vooral op de *markt*kant. Maar er is ook een *organisatie*kant: tactisch designmanagement kan ook fungeren als integratiemanagement, wanneer het tot taak heeft om centraal beleid tot uitdrukking te laten komen in de diverse uitingen van verschillende business units of divisies en om de interne procesvoering te verbeteren. En andersom; om decentrale plannen op te werken tot centraal beleid. Het is de taak van designmanagement om bruggen te bouwen, eenheid en onderscheid in alle organisatie-uitingen duidelijk te maken en personen en groepen hier deelgenoot van te maken. Evenals begrip en commitment onder lijnmanagers te creëren.

Een start op tactisch niveau heeft in onze visie zowel een voordeel als een nadeel. Het voordeel is dat in de lijn en dichtbij de markt geopereerd wordt en de afstand van het corporate centrum tot de bedrijfseenheden geen rol speelt; het corporate centrum stuurt het designbeleid (nog) niet aan. Het nadeel is dat er geen centraal designbeleid is vastgesteld, waardoor het voor de tactische designmanager bijzonder lastig manouvreren kan zijn. Hij mist dan houvast en een fundament om op te bouwen: het grotere raamwerk ontbreekt om voldoende samenhang te kunnen bereiken. De designmanager kan dit ondervangen door aansluiting te zoeken bij de geformuleerde bedrijfsplannen en hiervan een vertaling te maken naar tactisch designbeleid. Dit is echter beslist geen gemakkelijke opgave. Op een bepaald moment zal de behoefte worden gevoeld om dit met de topleiding af te stemmen en te formaliseren. Wanneer de aansluiting tussen het tactische designbeleid en de visie, missie en strategische positionering van de organisatie geformaliseerd moet worden, ontstaat in de praktijk de behoefte of zelfs de noodzaak om een passende corporate design strategy te ontwikkelen. Hiervoor kan eventueel de tijdelijke hulp van een externe adviseur worden ingeschakeld. Maar er kan ook worden opgeschaald naar een hoger niveau door het implementeren van de strategische designmanagementfunctie in de organisatie.

Het is uiteraard ook denkbaar dat een (nieuwe) designafdeling wordt opgezet onder leiding van een designmanager. Een reden hiervoor kan zijn dat de kwaliteit van het ingekochte externe ontwerpwerk niet overeenstemt met de wensen en doelstellingen van het management. Bijvoorbeeld omdat de kwaliteit van het ingekochte ontwerpwerk teveel varieert en de consistentie onvoldoende is. Maar het kan ook zo zijn dat de designoplossingen niet goed toegesneden zijn op de specifieke eisen vanuit de organisatie. Of dat een hoge mate van vertrouwelijkheid is geboden om te voorkomen dat informatie met betrekking tot geplande marktintroducties vroegtijdig lekt naar de concurrentie.
De tactische designmanagementfunctie kan ook worden geïntroduceerd om een bestaande ontwerpafdeling te professionaliseren. Zo'n afdeling zal uiteraard zodanig moeten functioneren dat voldaan wordt aan de wensen van interne opdrachtgevers. Voor het succes van de interne designafdeling geldt daarom dat zij zoveel mogelijk marktconform dient te opereren: levertijden, projectbudgetten en de kwaliteit van de interne dienstverlening mogen niet teveel afwijken van wat in de markt gebruikelijk is. Dit vereist een zakelijke houding van afdelingsmedewerkers en tevens heldere werkrelaties tussen interne opdrachtgever en opdrachtnemer. In de praktijk zijn deze relaties vaak niet voldoende helder en afgebakend. Hierdoor worden werkrelaties bemoeilijkt omdat de designmanager geacht wordt zowel flexibel en servicegericht naar interne opdrachtgevers te zijn, als de uitgezette beleidskaders en richtlijnen te bewaken. Kwaliteitsbeheersing brengt doorgaans een normatieve opstelling met zich mee; de designmanager opereert vaak als het 'geweten' van het merk.
Een belangrijk punt is tevens of er sprake is van 'verplichte winkelnering'. Interne opdrachtgevers zijn dan gedwongen hun ontwerpwerk onder te brengen bij de designafdeling. Is de afdeling zeker van voldoende interne afname (wat makkelijk leidt tot een minder alerte houding) of moet zij de concurrentie aangaan met externe marktpartijen (wat makkelijk leidt tot frustratie)?

9.5.3 Invoering op operationeel niveau

De gedachte achter dit scenario is een bottom-up groeieffect, met als doel het designbeleid te laten doordringen in de diverse geledingen van de organisatie. Bijvoorbeeld doordat het succes van een concreet pilotproject leidt tot een beter begrip van de rol van design als bedrijfsinstrument en tot meer acceptatie. Nieuwe projecten moeten hieruit volgen. Al naar gelang de successen, kunnen initiatieven vervolgens worden uitgebreid naar andere functionele gebieden en managementniveaus. Een succesvol project dat bijvoorbeeld betrekking heeft op productverbetering kan dan worden opgevolgd door een meer strategisch new product development-traject. En vervolgens kan dit ook aan productmarketing worden gekoppeld enzovoorts. Naarmate het groeit, zal een behoefte ontstaan aan meer integratie van de designfunctie in de organisatie en kan een tactisch designmanagementniveau worden geïntroduceerd. En uiteindelijk wellicht een strategische designmanagementfunctie.

De introductie vindt in dit scenario plaats op het niveau van eerstelijns (uitvoerend) management: hands-on door middel van een concreet project. Na een aantal succesvolle projecten ontstaat draagvlak voor een bredere aanpak. Verschillende auteurs pleiten voor een introductie van de designmanagementfunctie op dit concrete projectniveau. Zij wijzen er tegelijkertijd op dat dit alleen kans van slagen heeft wanneer – zelfs bij een enkelvoudige project – senior managers deze projecten ondersteunen en deze vanuit een strategisch karakter benaderen. Daar zit hem echter de kneep; het senior management is doorgaans slechts zelden direct betrokken bij de operatie. Hoewel er dikwijls op wordt gewezen dat het essentieel is dat het management is gecommitteerd aan de inzet van designmanagement en ook openlijk uiting geeft aan dit committment. Initiatieven die op een lager niveau in de organisatie worden geëntameerd, zonder een dergelijk committment, zijn gedoemd te verzanden bij gebrek aan aandacht en erkenning. Auteurs uit de kring van het Design Management Institute (DMI) hameren daarom op de noodzaak dat designmanagers rechtstreeks rapporteren aan het senior management. Maar voor operationeel management zal dit niet realistisch zijn, het is vaak te ver verwijderd van het senior management. Speciale constructies zullen nodig zijn om directe toegangslijnen te creëren. Wij betwijfelen of het zo werkt in de praktijk, ons lijkt deze benadering nogal optimistisch.

Anderen wijzen er op dat pilot-projecten alleen zinvol zijn wanneer het succes en de resultaten worden aangetoond door middel van onderzoek. De effectiviteit van het design moet kunnen worden gevalideerd. Zonder dit bewijs van effectiviteit zal het moeilijk zijn om intern commitment met het oog op financiering van designactiviteiten te realiseren. Wij kunnen ons aansluiten bij deze zienswijze. Over dit onderwerp hebben we in hoofdstuk drie geschreven en daarin wordt duidelijk dat effectiviteitsonderzoek nog geen gemeengoed is. Dat is dus een kritisch punt bij invoering op operationeel niveau.

9.6 Conclusie – tactisch designmanagement kan niet worden uitbesteed

De voor- en nadelen van designmanagement in eigen huis zijn in de tekst uitgebreid belicht en we zijn geneigd om meer voordelen dan nadelen te zien; het meeste mag worden verwacht van een professionele invoering in eigen huis. Hoewel het wel degelijk mogelijk is bepaalde designmanagementactiviteiten uit te besteden of hiervoor tijdelijk mensen in te huren, kan de designmanagementfunctie of het designmanagementproces als zodanig niet in zijn geheel worden uitbesteed. Het designmanagementproces maakt deel uit van het beleidsproces en heeft betrekking op uiteenlopende organisatiebehoeften en organisatiefuncties. Deze hebben zowel betrekking op de producten (wat je maakt of verkoopt), de omgeving (waar je het maakt of verkoopt), de communicatie (hoe je uitlegt wat je doet) als het gedrag (ten opzichte van elkaar en de buitenwereld). Een onderscheidende positionering vraagt om voldoende samenhang hiertussen, waarbij het geheel meer is dan de som der delen. Met name tactisch designmanagement kan hieraan een goede bijdrage leveren. De kracht van designmanagement in eigen huis ligt vooral in het integrerende karakter, terwijl dit bij uitbesteding onvoldoende uit de verf kan komen of zelfs verloren kan gaan. Strategische en operationele designmanagementactiviteiten – waarbij het gaat om advieswerk of projectmanagement – komen eerder in aanmerking voor tijdelijk inhuren of uitbesteden, maar voor echt succes is de aanwezigheid van beide managementniveaus eigenlijk onontbeerlijk. Zowel de verankering in het strategieproces als de uitvoering door eerstelijns management zijn belangrijk. Anders bestaat het risico dat tactische designmanagement-inspanningen onvoldoende hun basis vinden in het strategisch beleid en onvoldoende tot uitvoering komen in de operatie.

Uiteraard zijn aan iedere keuze mogelijke voor- en nadelen verbonden. Deze zijn in de tekst al uitvoerig aan de orde gekomen. We geven de belangrijkste in figuur 9.2 schematisch weer als samenvatting. Op de vraag wanneer het beste voor zelf doen, tijdelijk inhuren of (gedeeltelijk) uitbesteden kan worden gekozen, is op deze plaats geen eenduidig antwoord te formuleren. Organisaties verschillen onderling sterk. De bedrijfsspecifieke omstandigheden moeten uitwijzen welke optie het beste kan worden gekozen. Een aantal punten kan in de overweging worden betrokken:

- de hoeveelheid designwerk;
- het type designwerk (ondermeer de mate van complexiteit);
- het gehanteerde ambitieniveau ten aanzien van design (heeft design een strategische rol?);
- de schaal waarop de organisatie opereert;
- de marktomgeving waarin de onderneming opereert (de mate van veranderlijkheid);
- de bedrijfsfilosofie.

Bij grote organisaties met veel designwerk kan ook een combinatie van de drie opties aan de orde zijn. Naast een vaste designmanagement-capaciteit zal voor bepaalde projecten tijdelijk versterking worden ingehuurd. Andere, daarvoor geschikte individuele designprojecten, zullen uitbesteed worden met uitbreiding van enkele non-designactiviteiten.

	Voordelen:	*Nadelen:*
Intern	• Gemakkelijker coördinatie • Meer controle over creatief proces • Beter toegesneden op organisatie en bedrijfsproces • Toegankelijkheid (beschikbaarheid) van gespecialiseerde kennis	• Gebrek aan creativiteit/nieuwe ideeën • Risico van 'bedrijfsblindheid' • Verlies grip op externe ontwikkelingen
Extern	• Nieuwe ideeën en inspiratie • Toegang tot beste mensen • Toegang tot aanvullende expertise wanneer nodig • Ruimte om verschillende opties te onderzoeken	• Gebrek aan begrip van bedrijfsspecifieke zaken • Niet dagelijks beschikbaar/toegankelijk • Probleem in coördinatie met bedrijfsactiviteiten • Acceptatie-risico ('not-invented-here' syndroom) • Continuïteitsrisico

Figuur 9.2 De voor- en nadelen van designmanagement in eigen huis

9.6.1 Ten slotte

Er is nog een aspect voor een succesvolle invoering van de designmanagementfunctie, dat in de tekst tot dusverre wellicht onvoldoende aandacht heeft gekregen. Het betreft in onze optiek een randvoorwaarde: designmanagers moeten hun eigen rol en de rol van design – en de waarde ervan – helder kunnen communiceren in de taal van managers. Daarom is het essentieel dat ze niet alleen hun eigen rol, maar ook de rol van design in het bedrijfsleven begrijpen. Peter Phillips (2003) schrijft hierover: *'If you don't understand why you are valuable, or why design is valuable, then no one else will either.'* Het is niet genoeg voor een designmanager om zelf te 'geloven' waarom hij waardevol is. Het gaat erom dat hij daadwerkelijk weet hoe en in welke situatie design toegevoegde waarde kan genereren voor de onderneming of organisatie – én dat hij dit effectief kan communiceren naar anderen. Om te beginnen moeten mensen over echte kennis beschikken en over een helder begrip van de toegevoegde waarde die design kan bieden. De designmanager zal voortdurend duidelijk moeten maken op welke wijze design kan worden ingezet om oplossingen voor bedrijfsvraagstukken te bieden, zoals een marketingprobleem. Daarbij vormen creativiteit en esthetiek geen doel op zich, maar zijn het middelen om een goede oplossing te kunnen bieden. Om door managers op andere plaatsen in de organisatie gewaardeerd te worden als een gelijkwaardige partner, moeten designmanagers datgene wat ze doen, kunnen relateren aan bedrijfsresultaten. Alles begint dus met een goed begrip van de (toegevoegde) waarde die de designmanager kan bieden. Vervolgens gaat het er om geloofwaardigheid en vertrouwen op te bouwen door drie factoren (Phillips, 2003):

- het herkennen van de rol van design binnen de onderneming of organisatie; het oplossen van zakelijke problemen met visuele concepten;
- het vestigen en onderhouden van wederzijds waardevolle relaties; door proactief gedrag, een zakelijke instelling en een goed gevoel voor de behoeften in de organisatie;
- het implementeren van efficiënte werkwijzen en -processen; gestructureerd, met voldoende controlepunten, helder en meetbaar.

In dit derde deel van dit boek hebben we de organisatie van designmanagement in beeld proberen te brengen. We hebben onderzocht welke taken kunnen worden onderscheiden, hoe designmanagement in de organisatiestructuur kan worden ingebouwd en welke benadering kan worden gekozen voor de introductie van deze managementfunctie. In het volgende hoofdstuk in deel IV gaan we in op de rollen die designmanagers in de praktijk vervullen en de kennis en competenties waarover ze dienen te beschikken. Zoals daaruit zal blijken, staat in de praktijk hun eigen zienswijze daarbij centraal evenals het niveau waarop ze acteren.

Deel IV
Integratie – de praktijk van designmanagement

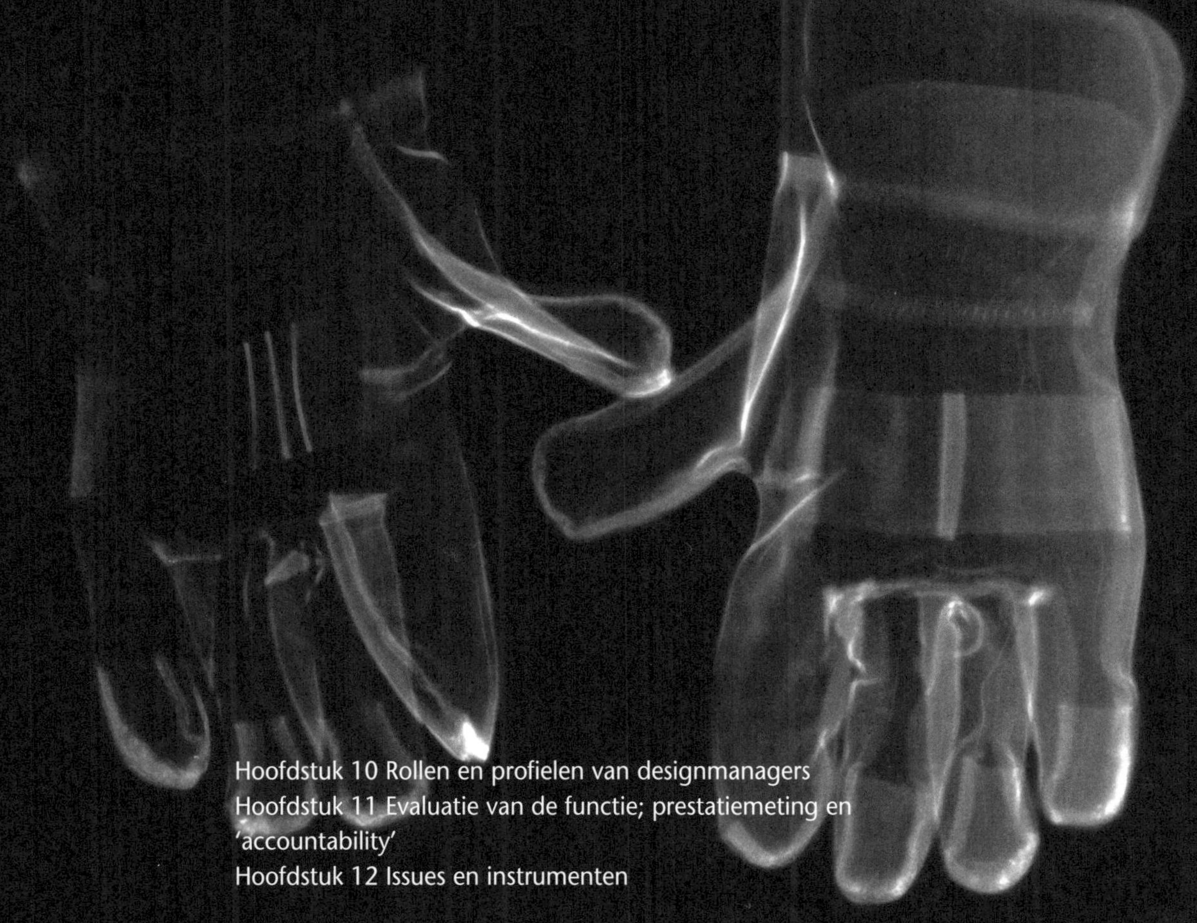

Hoofdstuk 10 Rollen en profielen van designmanagers
Hoofdstuk 11 Evaluatie van de functie; prestatiemeting en 'accountability'
Hoofdstuk 12 Issues en instrumenten

In dit deel komt een aantal meer praktische overwegingen en zaken aan de orde. Hoofdstuk tien gaat over uiteenlopende rollen van designmanagement, beroepsprofielen en competentieprofielen. Voor het succes van de designmanagementfunctie is het nodig dat de rol voldoende duidelijk is en dat er een goede functieomschrijving voorhanden is, waarin de verantwoordelijkheid en zeggenschap is geregeld. In hoofdstuk elf verkennen we de wijze waarop evaluatie van de designmanagementfunctie vorm kan krijgen. Hoofdstuk twaalf behandelt de belangrijkste instrumenten voor designmanagers. We sluiten af met een beschouwing over het toekomstperspectief van designmanagement.

10 Rollen en profielen van designmanagers

'(...) we believe that managers play a critical role in steering the design process: they should legitimise and preserve the leading role of designers in early stages of product development; implement consistent product policies through careful selection of projects; promote reflection on and revision of design philosophy in light of external feedback; and spread awareness of the design philosophy throughout the organisation to ensure consistent brand policies and sales behaviour.'

(Ravasi & Lojacono)

Een goede functieomschrijving zal in de praktijk een belangrijke bijdrage leveren aan het succes van de designmanagmentfunctie. Om dit op te stellen is het noodzakelijk om een goed overzicht te hebben van wat de functie inhoudt qua taken, kennis, vaardigheden en gedragingen. Omdat het een relatief nieuwe functie betreft waarmee oganisaties veelal nog geen ervaring hebben opgedaan, brengen we deze aspecten in dit hoofdstuk in kaart. Hiermee geven we antwoord op de vraag op grond van welke inzichten een goede omschrijving kan worden gevonden.

In een korte inleiding introduceren we de belangrijkste begrippen. In paragraaf 10.2 verkennen we de basisvaardigheden van designmanagers aan de hand van de schaarse literatuurbronnen op dit gebied. Daarbij gaan we ook in op de vraag of een designmanager een designopleiding moet hebben doorlopen of niet. Voor het succes van de functie is het verder van belang dat de doelstellingen van de organisatie en de desbetreffende manager voldoende 'matchen'. Daarom staan we in paragraaf 10.3 stil bij uiteenlopende rolopvattingen en kenmerkende verschillen. We introduceren het PBOI-concept dat vier rollen voor managers onderscheidt: de producent (P), de beheerder (B), de ondernemer (O) en de integrator (I). Verder reiken we de lezer drie ideaaltypische rollen aan: de scenarist, de bruggenbouwer en de vakspecialist. Ten slotte vullen we dit aan met een overzicht van typerend managementgedrag. In paragraaf 10.4 presenteren we drie functieprofielen gerelateerd aan het strategische, tactische en operationele managementniveau (de design strategy manager, de design resources manager en de design project manager). We vervolgen dit in paragraaf 10.5 met een overzicht van bijbehorende competentieprofielen.

Noot: Voor dit hoofdstuk zijn ondermeer als bronnen geraadpleegd: de Studiegids Ichthus Hogeschool '96-'97'; het Studieprogramma '03 van de Masteropleiding Designmanagement van Hogeschool INHOLLAND en de door het LOCO opgestelde Competentiebeschrijving HBO Communicatie (LOCO staat voor landelijk overleg communicatie-opleidingen). Tevens zijn de beroepsniveauprofielen van de VVO (de vereniging voor overheidscommunicatie) en BVC (de beroepsvereniging voor communicatie) als bron gebruikt en is een overzicht van designmanagementactiviteiten geraadpleegd, zoals opgesteld door Alan Topalian (1994). Daarnaast zijn enkele functieomschrijvingen van designmanagers door ons onderzocht.

10.1 Functiebeschrijvingen en competentieprofielen

Organisaties hebben bepaalde doelen. Om deze te kunnen realiseren trekken ze de benodigde bronnen aan (mensen, kapitaal en grondstoffen), formuleren ze beleid en richten ze systemen in. De mensen die ze aantrekken hebben eveneens bepaalde doelen en zien hun lidmaatschap van de organisatie als een mogelijkheid om deze te kunnen realiseren. Ze brengen hun vaardigheden, kennis en gedragingen in om de organisatiedoelstellingen mee te helpen realiseren met als doel hiervoor beloond te worden. Maar meestal is niet alleen een financiële beloning hun doel, maar ook het verder ontwikkelen van kennis en vaardigheden (persoonlijke en professionele groei). Om te komen tot een succesvolle ruilrelatie gaat het erom de organisatiedoelen en de individuele doelen, verwachtingen en mogelijkheden zo goed mogelijk op elkaar af te stemmen. De functie en rol moeten hierover duidelijkheid verschaffen, eventueel aangevuld met richtlijnen en procedures. Werving en selectie kosten bovendien tijd en geld. Voordat succesvolle organisaties hierover een beslissing nemen, zorgen zij ervoor dat zij precies weten hoe een vacature de organisatie zal helpen om haar doel te bereiken.

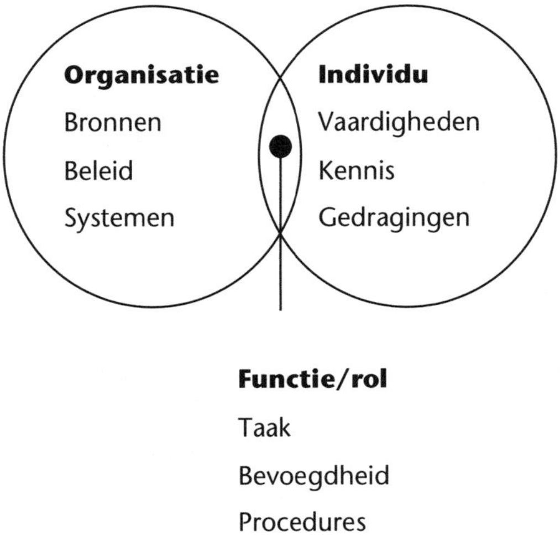

Figuur 10.1 Functie/rol als afstemmingscriterium

In een functiebeschrijving wordt een samenhangend geheel van taken, bevoegdheden en te onderhouden onderlinge relaties uitgewerkt. Het is een expliciete beschrijving van de rol welke de functionaris geacht wordt te spelen binnen het geheel van de structuur

van de organisatie en binnen de onderlinge rolverdeling. Hiermee wordt duidelijk welke positie hij inneemt in de organisatie, welke beslissingen de functionaris zelfstandig kan nemen en voor welke beslissingen hij eventueel wie dient te consulteren. Het geeft als het ware het speelveld aan waarbinnen geopereerd moet worden. Naast de te spelen rol wordt ook de te verwachten bijdrage en de hiermee samenhangende verantwoordelijkheid beschreven. Wanneer een goede functiebeschrijving voorhanden is, zal over en weer duidelijk zijn wat de bedoeling is. Ook het evalueren van de functie (functiewaardering) krijgt meer betekenis omdat door de beschrijving concrete beoordelingscriteria voorhanden zijn. Zeker voor nieuwe functies heeft het daarom zin om een omschrijving te maken. Anders kan de functie gemakkelijk in de organisatie gaan 'zweven'.
In aanvulling op een functiebeschrijving wordt vaak een competentieprofiel opgesteld. Competenties zijn het geheel van bekwaamheden waarover de manager beschikt, die hem/haar in staat stelt kennis, inzichten, vaardigheden en gedragingen op de juiste plaats en tijd te hanteren, passend in de context van de organisatie en de situatie. Het is het vermogen om binnen een bepaalde situatie te kiezen uit een reeks beschikbare alternatieven en deze keuze om te zetten in planmatig handelen.
Bij competentiemanagement gaat het erom de behoeften en doelstellingen van de organisatie in overeenstemming te brengen en te houden met de wensen en mogelijkheden van de manager. Competenties kunnen immers verder worden ontwikkeld door bijvoorbeeld training en opleiding. Het competentieprofiel kan ondersteuning bieden bij loopbaanontwikkeling, functie-evaluatie en werving en selectie. Tevens geeft het de betrokken manager inzicht in de eisen die aan zijn functioneren gesteld worden en in de mogelijkheden die binnen de organisatie aanwezig zijn voor persoonlijke ontwikkeling.
Voor succesvolle organisaties geldt dat de competenties waarover managers moeten beschikken om mensen effectief te leiden, te managen en te ontwikkelen, duidelijk geformuleerd zijn en worden begrepen. Dat wil zeggen dat deze organisaties weten welke mensen ze nodig hebben om hun doelen te kunnen bereiken. Maar ook dat managers kunnen beschrijven welke kennis, vaardigheden en gedragingen zij hiervoor nodig hebben. En dat medewerkers kunnen beschrijven wat hun manager behoort te doen om hen effectief te leiden, te managen en te ontwikkelen (Bron: Investors in People Nederland).

Verderop in dit hoofdstuk presenteren we een aantal functie- en competentieprofielen. Hiermee beogen we een algemeen bruikbaar overzicht te bieden. Deze profielen zijn geen absolute maatstaf voor succesvol functioneren, maar geven eerder een goede indicatie van te verwachten prestaties. De profielen kunnen ook worden gebruikt om te reflecteren op het eigen professionele niveau van de lezer en als basis voor opleidingsprogramma's. Vanuit deze profielen is vast te stellen welke opleidings- of trainingsbehoefte een manager heeft, die als designmanager aan de slag wil.

10.2 Vaardigheden van designmanagers

Een manager is volgens Keuning & Eppink (2004) iemand die het handelen van andere mensen in een organisatie op gang brengt en stuurt. Hij geeft richting aan processen, mensen en middelen om bepaalde doelstellingen te bereiken. Om de taak van een manager goed te begrijpen moeten we het werk van een manager als één geheel beschouwen. Toch zijn er volgens Mintzberg (1979) drie hoofdactiviteiten die specifieke vaardigheden vergen:

- *Interpersoonlijke activiteiten*: het naar buiten vertegenwoordigen van de organisatie; het tonen van leiderschap en het opbouwen en onderhouden van een netwerk van formele en informele contacten.
- *Informationele activiteiten*: het zoeken en ontvangen van informatie die de manager in staat stelt om tijdig de juiste beslissingen te nemen en betrouwbare informatie te verstrekken, zowel binnen als buiten de organisatie.
- *Besluitvormende activiteiten*: het via besluitvorming omzetten van informatie in planmatige actie. Het zoeken naar kansen, nemen van initiatieven, ontwerpen van structuren, sturen van veranderingsprocessen en beheersen van crisis-situaties (en het voorkomen van herhaling).

Voor designmanagers gelden deze drie hoofdactiviteiten net zoals voor andere managers. In functieprofielen voor designmanagers zullen de noodzakelijke vaardigheden ten aanzien van deze drie hoofdactiviteiten teruggevonden moeten kunnen worden. Uiteraard zal de omschrijving ook afhankelijk zijn van het betreffende managementniveau. De drie hoofdactiviteiten bieden een goede opstap, maar we zoeken naar een nauwkeuriger beeld, waarin het specifieke karakter en de toegevoegde waarde van de designmanager duidelijker naar voren komt.
Onder andere het Britse CNAA (Council of National Academic Awards) heeft een designmanagement curriculum-model opgesteld. Dit is door de Koreaanse wetenschapper Chung (1998) verder uitgewerkt en door ons vertaald in onderstaand overzicht. Er is sprake van overlapping in de vaardigheden op de drie niveaus; het begrip en de kennis op projectniveau zouden ook behulpzaam kunnen zijn voor de designmanager op topniveau. Het overzicht doet een uitspraak over de vereiste vaardigheden van de verschillende typen designmanagers op hoofdlijnen.

In een denkbeeldige organisatie kunnen drie typen designmanagers aan het werk zijn; de design strategy manager op strategisch (corprorate) niveau, één of meer design resources managers op tactisch niveau en meerdere design project managers op operationeel niveau. Alle drie typen moeten naar de mening van Chung kunnen voldoen aan twee vereisten, ongeacht hun niveau in de designmanagement-hiërarchie. De eerste vereiste is een set van vaardigheden op het terrein van *creative problem solving* en ontwerpen. (Met dit eerste begrip wordt geduid op creativiteitstechnieken waarbij het zogenaamde laterale denken centraal staat.) Designmanagers moeten bedreven zijn in de aard en geschiedenis van design en haar esthetische en juridische aspecten. Hieronder vallen ook creatieve technieken en esthetische beoordeling. Dit is van cruciaal belang, omdat de designmanager verantwoordelijk is voor het selecteren van de meest geschikte designoplossing uit een palet van alternatieven. Hij dient ook gevoelig te zijn voor aanwijzingen die ontwerpers kunnen helpen om een specifiek ontwerpprobleem op te lossen. Deze vaardigheid ontstaat uit een uitgebreid en gedetailleerd begrip van de structuur van ontwerpproblemen, van veranderingen in designtrends, van de potentiële behoeften van consumenten en van *state of the art* productietechnieken.

De tweede vereiste voor de succesvolle designmanager, is de beheersing van technische en conceptuele vaardigheden en een talent voor het ontwikkelen van menselijke relaties. Onder technische vaardigheden wordt ook verstaan de administratieve kennis om informatie te verzamelen, data te analyseren en plannen te maken (zoals een designplan, een plan van aanpak of een projectplan). Conceptuele vaardigheden helpen de designmanager om de relaties tussen de afzonderlijke delen van een geheel te begrijpen, door grondige observatie en situatie-diagnose. Conceptuele vaardigheden maken het tevens mogelijk designstrategieën en designprogramma's te formuleren en belangrijke beslissingen op het gebied van design te nemen. Sociale vaardigheden helpen om menselijke relaties te begrijpen en effectief te communiceren. Om succesvol te zijn, dienen designmanagers *last but not least* te beschikken over uitstekende presentatie- en onderhandelingsvaardigheden.

	Basisvaardigheden	Specifieke vaardigheden
'Design project manager'	• Aard en geschiedenis van design • Sociaal-economische aspecten van design	• Beheersen van designprojecten • Korte- termijn planning en budgettering • Operationele besluitvormings-technieken
'Design resources manager'	• Ethische en juridische aspecten van design • Karakteristieken van designwerk	• Managen van designorganisatie • Middellange termijn planning en budgettering • Tactische besluitvormings-technieken
'Design strategy manager'	• Design en het bedrijfssysteem • Aard van designmanagement	• Managen van corporate design • Lange-termijn planning en budgettering • Strategische besluitvormings-technieken

Figuur 10.2 Vaardigheden van designmanagers (naar: Chung, 1998)

Hoewel bovengenoemde eigenschappen en vaardigheden nauw met elkaar zijn verweven, zijn sommige vaardigheden belangrijker dan andere, afhankelijk van het designmanagementniveau waarop ze worden ingezet. Conceptuele vaardigheden zijn bijvoorbeeld het meest cruciaal op strategisch niveau. De design strategy manager draagt de verantwoordelijkheid voor het nemen van de belangrijkste strategische beslissingen. Deze zijn doorgaans gebaseerd op een brede variatie van informatie; van economisch klimaat, industrietrends, de maatschappelijke en concurrentiële omgeving waarin de onderneming opereert, consumenten- en lifestyletrends enzovoort. Al deze informatie moet worden vertaald naar succesvolle concepten.

Technische vaardigheden zijn meer noodzakelijk op het operationele niveau van designmanagement, waar de *design project manager* verantwoordelijk is voor het laten vervaardigen van creatieve ontwerpoplossingen, en de productie en implementatie ervan. Voor de design project manager zijn algemene managementvaardigheden gewenst, aangevuld met specieke kennis van projectmatig werken (Wijnen *et al.*, 1996), een brede algemene kennis van marketing-, communicatie- en productmanagement en financiële administratie (in verband met budgettering, kosten/baten-analyse en inkoop).
Belangrijke vaardigheden van de design resources manager liggen op het terrein van creativiteitsmanagement, personeelsmanagement en financieel management. Maar ook kennis en vaardigheden met betrekking tot organisatiegedrag en -theorie, juridische zaken en eigendomsrecht, merkenleer en communicatie- en reclametheorie, kunnen een zinvolle rol spelen bij designmanagement op tactisch niveau.

10.2.1 Wel of geen ontwerpervaring?

De algemene opvatting binnen designmanagementkringen is dat ontwerpdeskundigheid vereist is. Ook wij sluiten ons hierbij aan: een belangrijk stuk van de toegevoegde waarde die designmanagers kunnen bieden, ligt in hun beoordelingsvermogen als designspecialist. Ontwerpdeskundigheid kan tot op zekere hoogte los staan van ontwerpervaring, wanneer bijvoorbeeld de designmanager wel een ontwerpopleiding heeft gevolgd, maar zelf niet of nauwelijks actief is geweest als ontwerper. Of omgekeerd, wanneer hij vanuit bijvoorbeeld een accountmanagementfunctie veel ervaring met ontwerpprojecten heeft opgedaan, zonder zelf in het vakgebied geschoold te zijn.
Het hebben van een ontwerpopleiding of ontwerpervaring, strekt in onze optiek dus tot aanbeveling. Een design project manager zonder kennis van designprocessen blijkt in de praktijk kwetsbaar te zijn. Zonder ontwerpdeskundigheid zal de inhoudelijke sturing in het project ontbreken; de projectmanager kan de consequenties van een bepaalde ontwerpoplossing niet overzien en is niet in staat alternatieven af te wegen of de opdrachtgever te adviseren in het keuzeproces. De projectmanager kan niet de verantwoordelijkheid voor de gepresenteerde designoplossing op zich nemen en is 'gedwongen' deze te delegeren naar de ingeschakelde designspecialist. Deze laatste moet in dit geval zijn eigen werk kritisch onderzoeken en evalueren. Dat lijkt geen wenselijke situatie, temeer omdat niet kan worden uitgesloten dat deze zijn eigen creatieve ambitie en doelstellingen zal volgen. Ook al is dit mogelijk niet in het belang van de organisatie.
Waneer een projectmanager onvoldoende kennis van zaken heeft, is het raadzaam dat deze zich op de organisatorische kant richt, en een programma-manager (bijvoorbeeld een designmanagement-adviseur) naast zich zoekt die de inhoudelijke kant voor zijn rekening neemt. Eventueel kan dit ook worden ondervangen wanneer designspecialisten binnen een hulpdienst beschikbaar zijn. Deze kunnen dan meehelpen in het project.
Voor design strategy managers en design resources managers geldt dat hun autoriteit en positie niet zal worden erkend wanneer ze met onvoldoende kennis van zaken en beoordelingsvermogen opereren. Wanneer zij zelf over onvoldoende ontwerpdeskundigheid en -ervaring beschikken, zullen ze externe ontwerpadviseurs en designmanagement-adviseurs moeten aantrekken voor het ontwikkelen van designstrategieën en designpro-

gramma's en het formuleren van designbeleid. Het is dan de vraag wat de toegevoegde waarde is die de designmanager zelf kan bieden.

10.3 Rollen van designmanagers

Om te kunnen beoordelen welke professionele bijdrage een designmanager aan het succes van de organisatie levert, moet eveneens duidelijkheid zijn over de rol die de designmanager vervult. Deze rol blijkt in de praktijk vooral samen te hangen met de eigen zienswijze van personen; hun professionele opvatting ten aanzien van de taakuitoefening. Daarom is het raadzaam vast te stellen welke rol- en gedragstypering het beste past bij de aard van de organisatie. Deze analyse kan worden gebruikt voor werving en selectie, maar ook voor evaluatie en beoordeling van het functioneren van designmanagers. De dagelijkse activiteiten van designmanagers hangen sterk samen met hun persoonlijke opvatting over het vak en hun veelal impliciete visie op de eigen rol. Deze kan sterk variëren: van een rol als bewaker en controleur tot een rol als 'createur'. Denk aan de designmanager in driedelig krijtstreep, of de creatief die eigen regels stelt en zijn onafhankelijkheid tot uitdrukking brengt in een opvallende persoonlijke stijl. Het is belangrijk te bepalen welke rolopvatting als functioneel moet worden gezien binnen de organisatie. Daarom introduceren we het PBOI-concept dat vier rollen voor managers onderscheidt: de producent (P), de beheerder (B), de ondernemer (O) en de integrator (I). Verder reiken we de lezer drie ideaaltypische rollen aan: de scenarist, de bruggenbouwer en de vakspecialist. Ten slotte vullen dit aan met een overzicht van typerend managementgedrag.

10.3.1 Producent, beheerder, ondernemer of integrator?

Het PBOI-concept (Adizes, 1981 in: Ten Have *et al.*, 1999) biedt een overzichtelijk kader waarmee inzicht kan worden verkregen in de verschillende managementrollen en de passendheid van die rollen. Deze zijn gebaseerd op twee variabelen: interne/externe gerichtheid en lange-/korte-termijn gerichtheid. Het concept onderscheidt op grond hiervan vier rollen voor managers: de producent (P), de beheerder (B), de ondernemer (O) en de integrator (I). Deze rollen worden door iedere manager in meer of mindere mate ingevuld. Het belang van de verschillende rollen varieert echter per situatie. Bepalende factoren zijn bijvoorbeeld het soort organisatie, de omvang, de markt waarin de organisatie opereert en de groei- en ontwikkelingsfase van de organisatie. Zo ligt het voor de hand dat in de eerste fase van een organisatie er behoefte zal zijn aan een accent op de ondernemersrol, terwijl in latere fasen de rol van beheerder of integrator meer geaccentueerd zal worden. Met nadruk vermelden wij hierbij dat het nooit zal gaan om een exclusieve rol. Alle vier de rollen zijn van belang voor managers, en afhankelijk van het moment in het proces en de persoonlijksstructuur van de manager zal het accent dan hier, dan daar liggen.

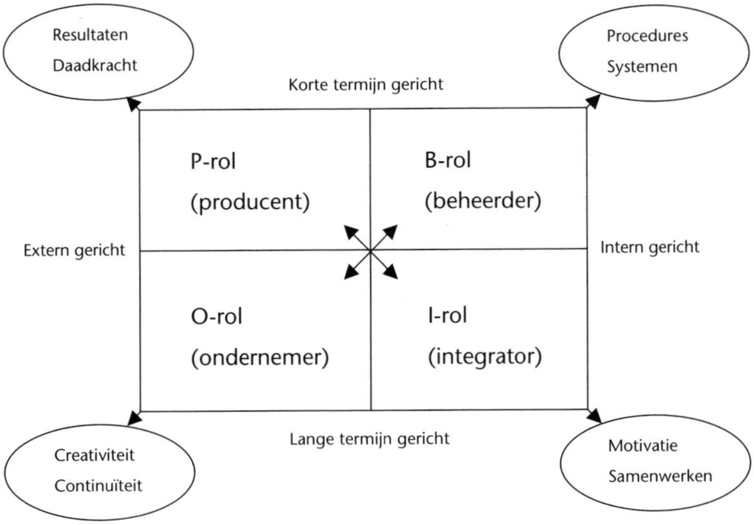

Figuur 10.3 Het PBOI–concept (bron: Ten Have et al., 1999)

De P-rol: de designmanager als producent

Wanneer het accent ligt op de rol van de designmanager als producent, zal deze overwegend praktisch zijn ingesteld en vaak goed kunnen organiseren. Hij zal zich richten op het profileren van de producten en het bedrijf in de markt, het helpen realiseren van commercieel succes en het bereiken van de vanuit het merk gestelde doelen. De P-designmanager opereert op het vlak van operationeel management en bij voorkeur vanuit een lijnfunctie of hulpdienst. Hij wordt door andere managers gewaardeerd om daadkracht, snelheid, organisatietalent en creativiteit.

Hierbij moet echter opgemerkt worden dat het oog voor het totale designproces soms ontbreekt, evenals kennis en vaardigheden op het strategisch vlak. De P-designmanager is vooral extern en op de korte termijn gericht, waardoor het geheel rommelig kan verlopen en weinig beklijft. De adviesrol van deze designmanager is doorgaans beperkt. Het ontwikkelen van adviesvaardigheden en kennis op het vlak van strategie vormt dan ook een eerste uitdaging voor dit type designmanager.

De producent-rol komt het beste tot zijn recht in bedrijven met een marktoriëntatie, of die de behoefte hebben tot het versterken hiervan. Ook technische of producerende bedrijven en organisaties met een sterke resultaatgerichte cultuur zullen de designmanager met een accent op deze rol kunnen waarderen.

De B-rol: de designmanager als beheerder

Wanneer het accent ligt op de rol als beheerder zal de designmanager overwegend procesgericht zijn. Hij zal zich richten op een programmatische aanpak van het designproces. Het ontwikkelen, distribueren en beheren van ontwerpnormen en -richtlijnen horen daarbij. De designmanager kan in deze rol op het vlak van tactisch management

opereren, alhoewel de korte-termijn gerichtheid hiermee op gespannen voet staat. Hij zal bij voorkeur vanuit een hulpdienst opereren.
Op een meer operationeel niveau kan deze designmanager zichzelf zien als het geweten van de organisatie- of merkidentiteit. De designmanager fungeert dan in de praktijk vooral als bewaker of coördinator (bijvoorbeeld door het controleren van producten op juiste uitvoeringsspecificaties).
Soms zien we deze designmanager in de praktijk ook als iemand die vooral op het proces stuurt en minder op de inhoud. Het leveren volgens afspraak is dan zijn belangrijkste doelstelling. Onvoldoende flexibiliteit en oog voor commerciële doelen of kansen, kunnen een risico vormen. De interne gerichtheid kan ertoe leiden dat er onvoldoende oog is voor het benutten van marktkansen. Ook kan de aanpak meer op behoud dan op vernieuwing gericht zijn waardoor te weinig aansluiting op de actualiteit plaatsvindt. Een objectieve afweging tussen de investering in systemen en procedures (tijd en middelen) en de opbrengsten is hier met name van belang.
Dit type designmanager zal vooral gewaardeerd worden in wat grotere en complexere organisaties die al langer bestaan. Het belang van consistente presentatie- en communicatievormen wordt door deze organisaties onderkend en men acht het daarom nodig dat de interne werkprocessen op orde zijn. De B-rol komt het beste tot zijn recht in bedrijven met een procesoriëntatie, of bedrijven die de behoefte hebben tot het versterken hiervan. Bijvoorbeeld omdat de procesbeheersing te wensen overlaat. Met name overheids- en uitvoeringsorganisaties zullen de designmanager met een accent op de beheerdersrol kunnen waarderen.

De O-rol: de designmanager als ondernemer

Wanneer het accent ligt op de rol van de designmanager als mee-ondernemende kracht in de organisatie zal zijn taak overwegend gericht zijn op het ontwikkelen van nieuwe ideeën en het vinden van nieuwe wegen om de continuïteit van de organistatie ook op termijn zeker te stellen. Hij neemt initiatieven, is bereid risico's aan te gaan en heeft een goed oog voor de grote lijn: hoofd- en bijzaken worden snel van elkaar onderscheiden. Waarmee tegelijk het aspect is aangegeven dat aandacht verdient: hoe belangrijk – cruciaal zelfs – een goed concept ook is, goed design valt of staat met aandacht voor detail op ieder niveau. Organisatie, productie, invoering, instructie, motivatie en monitoring; elk aspect in de keten van het managementproces heeft volledige aandacht nodig.
De designmanager als ondernemer opereert op het vlak van strategisch management en bij voorkeur vanuit een directiefunctie. Deze designmanager heeft flair en gevoel voor – een vaak persoonlijke – stijl. Hij weet mensen te motiveren en aan zich te binden door hen een visie en een horizon te bieden en wordt gewaardeerd om de energie die hij inbrengt en de daadkracht waarmee hij problemen te lijf gaat. Het zijn vaak de kleinschalige – of kleinschalig en gedecentraliseerd werkende – organisaties waarin dit type designmanager maximaal gewaardeerd wordt, met name waar markten voortdurend in beweging zijn en sterke concurrentie heerst. Denk in dit verband aan de modewereld, de *fast moving consumer goods* (FCMG's) en trendgevoelige technologie en apparatuur.

De I-rol: de designmanager als integrator

Wanneer het accent ligt op de rol als integrator zal de designmanager overwegend gericht zijn op planning en coördinatie. Een goede regie en geïntegreerd denken en werken staan hoog in zijn vaandel. Dit type designmanager zal op een tactisch managementniveau opereren en bij voorkeur vanuit een staffunctie. Hij is zich bewust van het belang van zijn advies- en overtuigingskracht; hij ziet zichzelf vooral als adviseur en is beleidsgericht. Hij is een aanhanger van 'buiten winnen = binnen beginnen' en zorgt ervoor dat er een goede basis wordt gecreëerd voor succesvolle designactiviteiten. Deze designmanager heeft oog voor organisatievraagstukken en strategie. Hij werkt vanuit een brede oriëntatie en is sterk gericht op dialogen en het opbouwen van begrip en draagvlak. Meestal stuurt hij een designafdeling of externe leveranciers aan. Het risico bestaat dat hij teveel in interne projectgroepen terecht komt en zijn werkterrein onvoldoende afbakent. Of dat hij als te theoretisch wordt beschouwd. Het eventuele gevolg hiervan kan zijn dat de designmanager niet de support vanuit de organisatie krijgt die hij nodig heeft om goede resultaten te behalen.
Deze designmanager zal vooral gewaardeerd worden in een omgeving waarin het belang van een goed designbeleid wordt onderkend. De kwaliteit van het designproces – om dit beleid optimaal tot uitvoering te kunnen brengen – wordt dan als een kritische factor gezien voor het succes van de organisatie.

10.3.2 Scenarist, bruggenbouwer of vakspecialist?

De rollen van designmanagement kunnen eveneens worden beschouwd in termen die verband houden met de drie managementniveaus: strategisch, tactisch en operationeel (naar Kitchen in: Van Riel, 2003):

- Strategisch niveau: *problem solving facilitator*. Deze rol is gericht op het actief oplossen van designvraagstukken op strategisch niveau (scenario-ontwikkeling, visie en leiderschap).
- Tactisch niveau: *design facilitator*. Intermediaire rol van designmanager, de ideale bruggenbouwer die mensen (binnen en buiten de organisatie) met elkaar in gesprek kan brengen.
- Operationeel niveau: *design technician*. Sterk uitvoerende rol gericht op het concreet laten vervaardigen van designwerk.

Hieronder gaan we verder in op deze drie rollen. Ze vormen een aanvulling op het PBOI-concept en brengen een aantal meer bijzondere aspecten naar voren.

'Problem solving facilitator': de designmanager als scenarist

Over de strategische rol van de designmanager is al veel aan de orde gekomen in de tekst. Wat nog onvoldoende belicht is gebleven, is de specifieke vaardigheid op dit terrein; het kunnen oppikken van allerhande signalen, prikkels, ideeën en trends in de samenleving; het selecteren van relevante elementen hieruit en het maken van een samenhangende vertaling hiervan in een creatieve visie. En het actief uitdragen van deze visie en het omzetten hiervan naar een *corporate design strategy*. Dit is uiteraard een bijzondere rol waarvoor een bijzonder talent is vereist.

Stefano Marzano – *CEO* en *chief creative officer* van Philips Design – is een goed voorbeeld van iemand die deze rol vervult. In een aantal inspirerende publicaties (1995, 1998) heeft hij zijn visie ontvouwd en verslag gedaan van diverse scenario-studies die onder zijn leiding tot stand zijn gekomen (zie box 10.1). Concreet gaat het in deze rol om het faciliteren van de strategische activiteiten op topniveau in de organisatie, waarbij creatieve denkprocessen en conceptualisering centraal staan.

Box 10.1 **De rol van Marzano als scenarist binnen Philips**

De rol van Stefano Marzano als scenarist komt goed naar voren in zijn rol binnen het Philips-concern. Al jaren pleit hij ervoor apparaten en systemen te ontwikkelen vanuit de gebruiker en niet vanuit de technologie. De huidige situatie wijst uit dat hij een fundamentele verandering in de strategische koers van de onderneming heeft weten te bereiken, wat opmerkelijk is binnen een concern dat van oudsher sterk technologisch gedreven is. Onder de noemer *'the simplicity imperative'* zoekt Philips nu naar de ontwikkeling van apparaten die high-tech zijn in hun prestatie, terwijl deze technologie eenvoudig door mensen is te gebruiken. Met het oog op deze *ergonomische fit* (zie ook paragraaf 5.1), investeert Philips veel in onderzoek naar maatschappelijke trends en behoeften van mensen. Philips Design speelt hierin een belangrijke rol. In het *Visions of the Future*-project uit 1996 liet Philips Design zien wat de electronica-industrie binnen vijf tot tien jaar mogelijk zou kunnen maken. Toen het project na vijf jaar werd geëvalueerd, bleek dat 60 procent van de concepten al werd toegepast in producten en systemen.

Philips Design en Philips Research werken sinds 2002 samen in een gemeenschappelijk laboratorium; het HomeLab in Eindhoven. In het HomeLab worden nieuwe concepten getest in een omgeving die weinig verschilt van de gangbare woning. Ook op business unit-niveau worden projecten opgezet met een sterk conceptueel en visionair karakter. In 2003 ontwikkelden Philips Design en Philips Medical Systems, in het project *Ambient Experience Pavilion,* een visie over de wijze waarop technologie in ziekenhuis-systemen kan worden toegepast, vanuit de behoeften van volwassen patiënten, kinderen en hun ouders. Het project toonde hoe het ziekenhuis van de nabije toekomst eruit zou kunnen zien, als basis voor de ontwikkeling van nieuwe productconcepten. Centraal hierbij staan verbetering van de logistieke processen en de dienstverlening in samenhang met de beleving van patiënten en hun begeleiders.

Inmiddels heeft dit project geresulteerd in een concreet product. De Ambient Experience is een diagnostisch apparaat dat röntgenfoto's en MRI- en CAT-scans maakt waarbij een patiënt tijdens het onderzoek interactief wordt geanimeerd. De Ambient Experience is een opstapje naar de toekomst waarin design volgens Marzano draait om *'het tastbaar maken van ervaringen en het creëren van waarde door co-design met de eindgebruiker, opdat diens leefmilieu wordt verbeterd. Want we zullen in de toekomst meer en meer met onze 'ambient' omgeving communiceren',* aldus Marzano.

(Bron: Marc Vlemmings, 'Philips houdt het simpel', *MarketingTribune* **bijlage Brand Design, 2004)**

'Design facilitator': de designmanager als bruggenbouwer

Op tactisch niveau fungeert de designmanager in de praktijk vaak als bruggenbouwer, hij of zij zorgt voor een succesvolle afstemming tussen de behoefte van de organisatie en de creativiteit (en originaliteit) van ontwerpers. Ontwerpers hebben vaak een gebrekkige achtergrond in management, ze zijn er niet of nauwelijks in getraind. Omdat hun creativiteit zo belangrijk is voor instellingen en ondernemingen, moet hiervoor een modus worden gevonden. Oftewel, er dient een situatie te worden gecreëerd waarin die creativiteit optimaal tot zijn recht komt én kan worden begrepen en succesvol toegepast door de lijnmanagers van de onderneming. Het kweken van begrip onder lijnmanagers voor de toegevoegde waarde van design en voor de 'eigenheid' van dit vakgebied is geen eenvoudige rol. Ondernemingen worstelen vaak met het dilemma tussen vertrouwenwekkende zekerheid en de noodzaak tot veranderen en ontwikkelen. Creatieve experts – zeker wanneer zij van buiten komen – worden daarbij vaak gezien als te zeer op hun eigen ideeën gericht, te weinig doordrongen van de wensen en eisen van de opdrachtgever en niet gedisciplineerd genoeg om zich te voegen in bestaande processen.

Om deze rol als bruggenbouwer met succes te vervullen moet de designmanager over een uitgebreid arsenaal aan kennis en sociale en communicatieve vaardigheden beschikken. Hij is per definitie zowel specialist als generalist, die een brede algemene kennis op het terrein van organisatie, marketing, merken en communicatie, koppelt aan specialistische kennis op het terrein van design. Bijvoorbeeld ten aanzien van productvormgeving, grafische vormgeving of ruimtelijke vormgeving.

'Design technician': de designmanager als vakspecialist

Vooral de operationele designmanager heeft veel kennis van zaken in huis met betrekking tot ontwerpprocessen, ontwerpvaardigheden, vaktechnische kennis en productiekennis. Onder vaktechnische kennis valt bijvoorbeeld kennis van reproductietechnieken en informatie-technologie, maar ook kennis van het communicatieproces en marketingtechnieken. Al deze kennis heeft de designmanager nodig om zijn rol goed te kunnen vervullen. Designprojecten zijn in de regel complex en houden niet op bij de goedkeuring van een ontwerpvoorstel. De productie en implementatie van het design brengt veel technische en organisatorische aspecten met zich mee.

De vakspecialist zit dicht bij de uitvoeringspraktijk en is gericht op het bereiken van concrete producten. In tegenstelling tot het tactische niveau, waarop de designmanager vooral gericht is op processen, gaat het hem vooral om de vereiste productkwaliteit.

De slag die designprojectmanagers moeten maken om te kunnen doorgroeien naar een hoger managementniveau in de organisatie, is in de praktijk vaak lastig te maken. Hun sterke productfocus kan hen in de weg staan om de tactische, procesgerichte managementrol met succes op zich te nemen. De designmanager dreigt dan een productspecialist te blijven die in de uitvoering blijft steken – en wiens hart vooral uitgaat naar 'het bereiken van schoonheid voor het oog'. Zeker belangrijk, maar slechts een deel van de kracht die design voor een organisatie kan hebben.

10.3.3 Gedragstyperingen van designmanagers

Ten slotte kunnen we managers onderscheiden in verschillende typen als het gaat om hun gedrag. Keuning & Eppink (2004) geven een overzicht van enkele veel gebruikte typeringen:

- *Uithuizig*: de manager brengt zijn tijd grotendeels buiten de organisatie door om orders binnen te halen of informatie te vergaren.
- *Vergaderaar*: de manager besteedt een groot deel van zijn tijd aan vergaderen buiten de eigen afdeling.
- *Trouble shooter*: de manager versnippert zijn tijd en onderhoudt veel kortstondige contacten.
- *Teambuilder*: de manager legt zich toe op bouwen van een hecht team dat zo effectief mogelijk functioneert.
- *Manager-specialist*: de manager verricht veel bureauwerk, leest en schrijft veel en werkt vaak alleen.

Stuk voor stuk herkenbare typeringen, ook al zijn het uitvergrotingen van de werkelijkheid. De vraag doet zich voor in welke situatie dergelijk typisch gedrag functioneel, danwel wenselijk is. Opnieuw beargumenteren we dit aan de hand van de drie managementniveaus die we eerder hebben vastgesteld: strategisch, tactisch en operationeel designmanagement.

De design strategy manager zou een uithuizig type kunnen zijn en wellicht zelfs *moeten* zijn. Denk aan het observeren van (internationaal) consumentengedrag en markten; het uitwisselen van gedachten en het representeren van de onderneming in de buitenwereld (hij is het boegbeeld van corporate design); het opdoen van ervaringen en inzichten via professionele contacten en netwerken; het bezoeken van toonaangevende congressen, seminars, exposities enzovoort. Ook kunnen we hier verwijzen naar zijn rol bij strategische partnerships, allianties en *co-makerships*. Denk in dit verband bijvoorbeeld aan de samenwerkingen tussen Philips met bedrijven zoals Alessi, Douwe Egberts, Levi's en Nike.

Ook de 'manager-specialist' kunnen we op strategisch niveau tegenkomen. Het vergaren van kennis en inzichten, het doordenken van mogelijke scenario's en het formuleren van een visie en strategie is iets dat studie vereist. In de praktijk zijn dergelijke designmanagers vaak belezen en erudiet. Ze hebben uitgebreide kennis van filosofische concepten, inzicht in historische en maatschappelijke ontwikkelingen, kennis van bedrijfsstrategieën en zakelijke managementconcepten et cetera. Met het oog op de strategische activiteiten kunnen we vaststellen dat een succesvolle designstrategie zelden in het isolement van een ivoren toren of het laboratorium zal ontstaan. De combinatie uithuizig type en manager specialist lijkt ons daarom ideaaltypisch. Er kan wel een risico ontstaan wanneer deze designmanager te weinig zichtbaar is voor de organisatieleden.

Op tactisch managementniveau vinden we in hoofdzaak drie archetypen; de vergaderaar, de *trouble shooter* en de *teambuilder*. Onderstaand gaan we hier verder op in.

Tot de taken van een design resources manager behoort het onderhouden van open communicatielijnen naar lijnmanagers. Bovendien is hij gericht op het totale designproces binnen de organisatie. Daarbij raakt design uiteenlopende onderwerpen en gebieden door haar multidisciplinaire aard. Het heeft ondermeer een plaats in de business-strategie, marketing, investeringsmanagement, operations management en informatietechnologie. Het kan dus eenvoudigweg niet zo zijn dat de design resources manager alleen binnen de grenzen van de eigen afdeling opereert; hij zal veel relaties moeten onderhouden. Een risico kan ontstaan wanneer de designmanager als vergaderaar te weinig met de eigen afdeling bezig is.

Ten aanzien van de rol van 'trouble shooter' kan worden opgemerkt dat dit niet altijd een positieve kwalificatie is. Deze designmanager lijkt achter de feiten aan te rennen en te weinig substantieel bezig te zijn ('drukdrukdruk', 'overal en nergens mee bezig' en 'brandjes blussen'). Het is daarom de vraag of de designmanager op deze wijze wel voldoende waarde toevoegt aan de organisatieactiviteiten. De designmanager die als zodanig kan worden getypeerd, zou meer tijd moeten besteden aan het organiseren van goede werkprocessen en een goede middellange termijn planning (ook omdat geldt: voorkomen is beter dan blussen...).

Daarentegen is de kwalificatie 'teambuilder' in onze optiek zeer positief voor de design resources manager. Zeker wanneer deze de leiding heeft over een designafdeling. Een dergelijke rol past bij de manager die vooral gericht is op de eigen afdeling. Afdelingsmedewerkers zullen in dit geval een zelfstandige en succesvolle rol kunnen spelen, omdat zij de zekerheid hebben van voldoende aandacht en ondersteuning – en het vertrouwen van een stimulerende leider. De rol van teambuilder is ook op operationeel managementniveau zinvol, wanneer er sprake is van complexe projecten waarbij meerdere interne en externe specialisten zijn betrokken. Het bereiken van een effectief resultaat binnen de gestelde kaders van tijd en geld, maakt een grote betrokkenheid en inzet van projectmedewerkers noodzakelijk. Vaak zijn deze ook in andere projecten betrokken en gaat het er om hun beste kwaliteiten op tafel te krijgen. Een hecht en enthousiast team waarin de verschillende specialisten hun beste kennis en kunde inbrengen, zonder wantrouwen naar elkaar, vormt de basis voor een succesvol projectresultaat.

Box 10.2 **'Het merk, dat ben ik'**

De rol van professionals blijkt in de praktijk vooral samen te hangen met de eigen zienswijze van personen; hun professionele opvatting ten aanzien van hun taakuitoefening. Het onderzoeksbureau Censydiam deed in 2003 – in opdracht van het vaktijdschrift MarketingTribune – onderzoek naar de verschillende typen marketeers en nam hun relatie met het merk als uitgangspunt. Censydiam vond vier categorieën:

- *Merkhoeder*: deze heeft een afstandelijke relatie tot het merk en stelt zich ten dienste van het merk. Hij beschouwt het merk als een anker voor de business en als iets dat je goed moet bewaken.

- *Merkmanager*: deze heeft ook een afstandelijke relatie tot het merk. Voor hem is het een instrument waarmee hij zijn bekwaamheid kan uiten, maar zijn stelling is dat het merk er is voor de doelgroep.
- *Merkeigenaar*: het merk staat ten dienste van hemzelf; het is voor hem een visitekaartje en een manier om zich te onderscheiden. ('Het merk, dat ben ik'.)
- *Merkbouwer*: deze stelt zich in dienst van het merk op een zeer constructieve wijze en ervaart een persoonlijke band met het merk. Hij beschouwt het merk als een levend organisme waar je samen de schouders onder zet.

Het zijn typeringen waarin we ook designmanagers kunnen herkennen. De creatieve en visionaire strateeg zal zich vooral als 'merkeigenaar' afficheren. Terwijl de op controle en beheersing gerichte designmanager zich vooral 'merkhoeder' zal voelen. De echte professional zal het van professioneel niveau vinden getuigen om enige distantie ten opzichte van het onderwerp te behouden, en zich vooral 'merkmanager' voelen. Hij zal eerder geboeid zijn door de vakinhoudelijke opgave ten aanzien van het merk, dan gebonden zijn aan het merk zelf (zoals de merkeigenaar dat wél is). De designmanager als 'merkbouwer' voelt zich als 'visueel geweten' sterk verbonden met het merk en is vooral operationeel gericht. In de praktijk zien we dit regelmatig, de designmanager is vrijwel één met het merk en streeft naar een goede beheersing en een perfecte uitvoering.

(Bron: BureauTribune no. 34, p. 38)

10.4 Drie functieprofielen

In deze paragraaf presenteren we profielen voor designmanagementfuncties. Hiermee dragen we de bouwstenen aan voor meer specifieke functiebeschrijvingen. We onderscheiden daarbij een strategisch, een tactisch en een operationeel managementniveau (STO). In de praktijk zien we dat deze scheiding niet altijd duidelijk wordt toegepast in functieprofielen. We zien regelmatig dat de operationele designmanagementfunctie gecombineerd wordt met tactische activiteiten. Of andersom, de tactische managementfunctie met operationele activiteiten. Hierdoor ontstaat vaak veel verwarring. Hoewel flexibiliteit een groot goed is – en functiebeschrijvingen vooral niet naar de letter maar naar de geest moeten worden nageleefd – pleiten we er tegelijkertijd voor zoveel mogelijk duidelijkheid te creëren.

De profielen kunnen uiteraard ook worden verwerkt in functiebeschrijvingen van managers die verantwoordelijk zijn voor designactiviteiten, maar die niet onder de functietitel designmanager werken. In de praktijk ontbreken de taken en bevoegdheden ten aanzien van designactiviteiten vaak, wegens onbekendheid hiermee van de personeelsfunctionaris. Met als frequent gevolg dat managers naar eigen inzicht handelen en ook niet beoordeeld worden op deze taken. Verbetering van deze situatie begint in onze optiek met een adequate beschrijving van de diverse designmanagement-taken in functieomschrijvingen.

De drie STO-modaliteiten kunnen worden verbijzonderd aan de hand van de verschillende typeringen van designmanagement: product designmanagement, corporate brand designmanagement en product brand designmanagement (zie hoofdstuk 6). Deze verbijzondering zal vooral samenhangen met betrekking tot specifieke activiteiten op het terrein van productontwikkeling, productdesign, corporate identity of branding. De vereisten zijn per profiel zo generiek beschreven, dat ze in principe toepasbaar zijn voor uiteenlopende bedrijven (met een product- of een marktoriëntatie), non-profit- en overheidsorganisaties. Er dient in de praktijk een verbijzondering en adaptie te worden gemaakt naar de geldende behoeften en bedrijfsomstandigheden.

We vragen verder aandacht voor het feit dat er geen differentiatie in senior of junior niveau is gemaakt. Een dergelijk onderscheid zal in de regel vooral spelen op het niveau van design project management, projectmanagers zijn er in alle maten en gewichten. Op het niveau van design strategy management kunnen we er van uitgaan dat designmanagers altijd een senior profiel zullen hebben. Op het niveau van design resources management kan dit in zekere zin variëren. In de praktijk zien we dat niet alle managers van ontwerpafdelingen op tactisch managementniveau opereren. Managers van een ontwerpteam of een kleine afdeling (studio) zullen in praktijk een meer operationele functie hebben. Ze zijn dan vooral op projectniveau actief en worden niet geacht een beleidsintensieve functie te vervullen. We hebben ervoor gekozen om hiervoor niet een apart profiel in te richten, deze functionarissen worden door ons geschaard onder het profiel design project manager.

Voor design project managers geldt dat hun 'zwaarte' in de praktijk zal afhangen van de complexiteit van de aan hun opgedragen designprojecten. Zeker wanneer er leiding gegeven moet worden aan een designteam, zal een meer senior niveau vereist zijn. Wanneer designprojecten beleidsintensief en complex zijn (en een tactische lading hebben), dient het beroepsprofiel design resources manager te worden gekozen. Bij zeer grote projecten met een strategische lading adviseren we te kiezen voor het profiel design strategy manager.

Functietitels

De door ons gebruikte aanduidingen zullen meestal niet overeenkomen met de functietitels die in de praktijk worden gebruikt. We kozen voor deze benamingen om onze uiteenzetting zo helder mogelijk te maken. Om een indruk te geven van het soort functietitels dat we in de praktijk tegenkomen geven we een overzicht dat verre van volledig is. De indeling is slechts tentatief:

Design strategy manager	Design resources manager	Design project manager
Chief Design Officer Chief Creative Officer Vice President Design & Innovation Design director ...	Design director Hoofd afdeling vormgeving Designmanager Manager Design & Innovatie Product designmanager NPD manager Brand design manager Visual Identity Manager	Senior designer Teamleider Designmanager Huisstijlcoördinator Bedrijfsstijlmanager Hoofd studio Manager visuele communicatie ...

Figuur 10.4 Designmanagement functietitels

10.4.1 Beroepsprofiel Design Strategy Manager

Deze designmanager participeert in strategievorming en strategische planning en is een echte conceptdenker. Hij geeft sturing aan het designbeleid van de onderneming door het ontwikkelen en formuleren van een corporate design strategy en daarvan afgeleide individuele designstrategieën. Zowel met betrekking tot identiteitsontwikkeling, de product- en merkportfolio als de visuele communicatie. De relatie met innovatie is evident: hij is een sterk visiegerichte deskundige tussen de organisatie en de veranderende behoeften van uiteenlopende stakeholders (waaronder consumenten). Het ontwikkelen van vernieuwende en onderscheidende concepten en het vertalen daarvan naar designbeleid zijn hem op het lijf geschreven.

- Academisch werk- en denkniveau en afgeronde universitaire, MA of MBA-opleiding
- Minimaal drie tot vijf jaar relevante werkervaring (in strategisch management of als strategisch adviseur).
- Aantoonbaar inzicht in – en ervaring met design.
- Brede scope en kennis, uitstekende algemene ontwikkeling.
- Ervaring met betrekking tot identiteitsvraagstukken, productontwikkeling, merkontwikkeling en marketingcommunicatie strekt tot aanbeveling.

Beroepshouding:
- Charismatisch en bevlogen, met een passie voor design (design leader).
- In bezit van overtuigingskracht en natuurlijke autoriteit.
- Ambitieus en initiatiefnemer.
- Creatief van geest, met een groot analytisch denkvermogen.
- Snel van begrip en doortastend.

Ten aanzien van het strategieproces is het de taak van de specialist om te adviseren over strategieformulering en strategie-implementatie. Daarnaast ondersteunt hij met scenario-ontwikkeling en visualisaties de strategiekeuze. De designmanager signaleert ontwikkelingen in de interne en externe omgeving. Hij beschikt over een brede kennis en kan met behulp hiervan het strategisch afbreukrisico van voorgenomen beslissingen van het hoogste management inschatten, zowel vanuit de algemene invalshoek van het organisatiebelang als vanuit een specifieke designoptiek. Tevens beoordeelt hij de relevantie van de opgespoorde (inter)nationale designtrends en -issues en brengt deze in het proces van de strategische beleidsvorming. Meer specifiek gaat het om lange-termijn corporate identity-ontwikkeling en het zichtbaar maken (tot uitdrukking brengen) van de strategische positionering. De specialist werkt samen met het topmanagement en draagt bij aan het ontwikkelen van een houdbaar concurrentievoordeel voor de organisatie. Hij rapporteert aan de directie of de verantwoordelijke portefeuillehouder binnen de directie of raad van bestuur.

Activiteiten; dagelijkse gang van zaken

Zelfstandig:

- Diagnosticeren en analyseren van strategische, beeldbepalende situaties: vanuit meerdere invalshoeken en met oog voor de gevolgen op langere termijn; scenario's opstellen
- Adviseren over organisatieprocessen die met design ondersteund moeten worden
- Bepalen van doel en bijdrage die design moet leveren aan het realiseren van de organisatiedoelstellingen
- Bepalen van de mate ('graad') van centralisatie en integratie van designactiviteiten
- De keuze van designstrategie bepalen
- Vorm, inhoud en uitvoering geven aan het geïntegreerd designbeleidskader
- Inrichten van het designproces
- De juridische en financiële onderbouwing en borging van design organiseren
- Eindverantwoordelijk zijn voor de visuele manifestaties van corporate identity, merken en producten (de volledige visuele output van de organisatie)
- Bedenken en introduceren van designmanagement-systemen
- Evalueren van de (economische of winst-)bijdrage en de impact van design voor de organisatie
- Het evalueren van de designmanagementpraktijk binnen de organisatie
- De eigen organisatie representeren op het hoogste niveau
- Relevante actoren binden aan de eigen organisatie (bijv. strategische samenwerking op designgebied)
- Desgewenst optreden als woordvoerder/onderhandelaar voor de leiding van de organisatie

Ondersteunend:

- De organisatieleiding helpen bestaande netwerken te benutten en nieuwe netwerken te bouwen
- Organisaties of onderdelen daarvan met elkaar in dialoog brengen
- Gevraagd en ongevraagd op organisatieniveau interventies plegen

Projecten:

- Leiding geven aan designprojecten die betrekking hebben op de organisatie als geheel waarbij uitvoerig aandacht wordt besteed aan: opdrachtformulering, einddoelen, tijdsduur, tussentijdse mijlpalen, rapportage, personele inzet, rolverdeling en begroting

10.4.2 Beroepsprofiel Design Resources Manager

Deze designmanager is een generalist die sturing geeft aan alle denkbare designspecialismen (engineering design, ergonomie, productvormgeving en styling). Hij is thuis in alle relevante deeldomeinen en behoudt daarover het overzicht (product design, environmental design, communications design en corporate identity design). Hij is een deskundige tussen de organisatie en intern en/of extern ontwerppotentieel. Het aansturen van medewerkers, het ten dienste van interne klanten opereren en het optimaliseren van de procesvoering zijn hem op het lijf geschreven.

- HBO werk- en denkniveau. Bij voorkeur technische, commerciële, grafische of creatieve richting. Een afgeronde MA- of masteropleiding in designmanagement (MDM) strekt tot aanbeveling.
- Drie tot vijf jaar relevante managementervaring (binnen een creatieve afdeling).
- Ervaring met beleidsontwikkeling en financiële werkzaamheden (investeringen, budgettering, doorbelastingen en tarieven).
- Aantoonbaar inzicht- en ervaring met design; affiniteit met grafische processen en/of productontwikkeling.
- Brede scope en kennis, goede algemene ontwikkeling (oog voor maatschappelijke ontwikkelingen en trends).

Beroepshouding:
- Ambitieus en initiërend; proactief.
- Creatief van geest, met een groot organisatievermogen.
- Flexibel en vasthoudend.
- Teamplayer; sociaal vaardig.
- Snel van begrip en doortastend.
- Toegankelijk, behulpzaam.
- Procesgericht.

De designmanager is verantwoordelijk voor het vaststellen van een dusdanig designbeleid, dat door de operationalisatie hiervan, het organisatiedoel en de corporate design strategy optimaal gerealiseerd kunnen worden. Het opstellen van designplannen waarmee dit beleid geoperationaliseerd kan worden, maakt hiervan tevens deel uit. Hij is daarnaast verantwoordelijk voor het optimaal inzetten van de beschikbare design resources (designspecialisten, middelen en systemen) binnen de organisatie. Tevens heeft hij een coördinerende taak met betrekking tot de kwaliteit, flexibiliteit, consistentie en relevantie van alle visuele uitingen in de breedste zin van het woord (product- en/of merkgerelateerd).
De designmanager fungeert op businessniveau. De belangrijkste onderwerpen zijn product- en merkontwikkeling, positionering en differentiatie. Hij heeft een trendwatchfunctie binnen de organisatie en is verantwoordelijk voor het signaleren van relevante ontwikkelingen en het structureel toetsen van het design hieraan. Hij heeft een adviserende rol naar beleidsbepalers en heeft toegang tot beleidsniveau. Hij adviseert op

tactisch en uitvoerend niveau binnen de decentrale divisie of business unit, over het op de juiste wijze inpassen (d.w.z. binnen de vastgestelde identiteit en 'design strategy') van kansrijke organisatie- en marktontwikkelingen, in bestaande of nieuwe producten, processen en merkmanifestaties.

Een andere belangrijke taak is de organisatie vertrouwd te maken met het belang van consistent, passend en kwalitatief hoogwaardig design, zowel door middel van inspiratie als door educatie (workshops/cursussen/lezingen). Hij wordt eveneens geacht de functie 'voorlichting en externe betrekkingen' in te vullen ten aanzien van ontwerpzaken en de visuele identiteit; het verzorgen van spreekbeurten op congressen, gastcolleges en het onderhouden van perscontacten.

De designmanager als manager van een designorganisatie (bijv. een designcentrum of -afdeling) is verantwoordelijk voor het functioneren hiervan. Om deze taak goed te kunnen vervullen, dient hij te beschikken over een breed scala van managementvaardigheden op het terrein van Human Resources Management (HRM), creativiteitsmanagement, supervisie, financiën, planning, rapportage en relatiebeheer.

De designmanager dient zelf uiteraard vakinhoudelijk bij te blijven middels vakbladen, congressen, seminars en training. Tot zijn taken behoort verder het opbouwen en onderhouden van een concurrentiearchief.

Hij fungeert als centraal aanspreekpunt voor alle designproblematiek binnen de organisatie en onderhoudt daartoe een persoonlijk netwerk met alle relevante managers en specialisten binnen de organisatie (silent designers). De designmanager werkt samen met het middenmanagement en draagt bij aan het versterken van de concurrentiepositie van de organisatie. Hij rapporteert aan de design strategy manager (op corporate niveau) en aan de directie van de business unit of divisie.

Activiteiten; dagelijkse gang van zaken
Zelfstandig:
• Analyseren van complexe interne en externe situties, verbanden leggen en alternatieve oplossingsrichtingen bedenken • Diverse designactiviteiten van de organisatie coördineren vanuit een corporate designbeleidskader • Leidinggeven/aansturen aan medewerkers/werkzaamheden van designorganisatie (locatie, diensten, doelen, planning en budget) • Leiden van afdelingsoverleg en voeren van functioneringsgesprekken • Processen, procedures en richtlijnen ontwikkelen (voor zover deze designactiviteiten betreffen) • Rapporten, beleidsplannen, designplannen, voorstellen en adviezen schrijven • Designonderzoek opzetten • Briefings en programma's van eisen opstellen, waaronder onderzoeksopdrachten • Briefen van alle in te zetten disciplines en specialisten • Fiatteren en controleren van investeringen • Offertes beoordelen en budgetten bewaken • De kwaliteit van de diensten van derden beoordelen (supervisie op designplanning en designkwaliteit) • De toepassing van designprogramma's (huisstijl en corporate, product en brand design) bewaken, ondermeer door het opzetten en formaliseren van een controlesysteem • Werkzaamheden uitvoeren in het kader van specifieke designtoepassingen • Presentaties verzorgen voor uiteenlopende groepen • De eigen organisatie representeren op alle niveaus, behartiging van afdelingsbelangen • Het eigen netwerk onderhouden, intern relatiebeheer en promotie van de eigen afdeling • Op peil houden van kennis en vaardigheden van medewerkers • Structurele review van afdelingsresultaten (design audit) • Opbouwen van een (afdelings)archief
Ondersteunend:
• Interdisciplinaire samenwerking bevorderen • Adviseren van projectmanagers • Gevraagd en ongevraagd procesinterventies plegen op projectniveau • Wanneer nodig ondersteunen van projectmanagers/medewerkers bij complexe designprojecten
Projecten:
• Leiding geven aan complexe designprojecten waarbij uitvoerig aandacht wordt besteed aan: opdrachtformulering, einddoelen, productie- en implementatieproces, tijdsduur, tussentijdse mijlpalen, rapportage, personele inzet, rolverdeling en begroting

10.4.3 Beroepsprofiel Design Project Manager

Deze designmanager geeft sturing aan specifieke designprojecten op het gebied van productontwikkeling of visuele communicatie. Hij is doorgaans thuis in één of meerdere specifieke designcategorieën (bijvoorbeeld verpakkingen, websites of huisstijlen). Hij is een deskundige tussen de organisatie en interne of externe ontwerpers. Het aansturen van projectmedewerkers, het ten dienste van interne klanten opereren en het bereiken van een optimaal resultaat binnen de gestelde kaders van het project, zijn hem op het lijf geschreven.

- HBO werk- en denkniveau (eventueel universitair bij productontwikkeling). Bij voorkeur technische, commerciële, grafische of creatieve richting.
- Drie tot vijf jaar relevante werkervaring (binnen een creatieve afdeling).
- Aantoonbaar inzicht- en ervaring met design; affiniteit met grafische processen en/of productontwikkeling.
- Aantoonbare ervaring met methodieken en systemen op het terrein van projectmatig werken.
- Goede algemene ontwikkeling en een brede interesse.

Beroepshouding:
- Creatief van geest, maar zeer georganiseerd.
- Flexibel en vasthoudend.
- Teamplayer: sociaal vaardig.
- Sympathiek: in bezit van voldoende inlevingsvermogen.
- Toegankelijk, behulpzaam.
- Nuchter en stress-bestendig.
- Resultaatgericht.

De primaire taak van de designmanager heeft hier betrekking op het managen van enkelvoudige of meervoudige designprojecten. Hij is verantwoordelijk voor de te behalen projectresultaten. Hij oriënteert zich op onderwerp, doel, doelgroep, de situatie en de beleidscontext en koppelt het resultaat hiervan zonodig terug naar de opdrachtgever. Hij heeft een visie op de visuele identiteit van de organisatie en zorgt ervoor dat producten voldoen aan de door de organisatie gestelde vorm- en stijleisen en aan de vormgevingseisen van het betreffende medium. Resultaten vertonen een goede balans tussen kosten en baten.
De designmanager werkt samen met design- en andere specialisten binnen en buiten de organisatie en geeft eventueel leiding aan een projectteam. Daarnaast adviseert hij over de implementatie van design en heeft hij de supervisie over relevant designonderzoek (pre-testing, nulmeting en monitoring van projectresultaten). Hij draagt hiermee bij aan het versterken van het onderscheidend vermogen van producten (diensten en waren).
Hij rapporteert aan de opdrachtgevende manager. In een lijnorganisatie zal dit de manager van de eigen afdeling betreffen. In een projectorganisatie kan dit ook een manager communicatie, marketing, productontwikkeling, HRM, productie of operations betreffen (één van de functionele managementgebieden), of de manager van een divisie of business unit.

Activiteiten; dagelijkse gang van zaken

Zelfstandig:

- Verzamelen, ordenen, analyseren en interpreteren van data
- Mondeling/schriftelijk informatie verstrekken (gevraagd en ongevraagd)
- Adviseren over de inzet, uitvoering en productie van designtoepassingen
- Project- en uitvoeringsplannen schrijven (inclusief projectbudgettering)
- Briefings opstellen voor designspecialisten en toeleveranciers
- Selecteren van designspecialisten en toeleveranciers
- Offertes aanvragen en beoordelen
- Planning van uitvoeringszaken bewaken en bijbehorende budgetten
- Productieplanning opstellen en productiecoördinatie verzorgen
- Het productieproces bewaken en productiekwaliteit beoordelen
- Intern (door)presenteren van ontwerpvoorstellen en adviseren van opdrachtgever in keuzetraject
- Adviseren over uitwerken en implementeren van ontwerpoplossingen
- De organisatie representeren op eigen niveau

Ondersteunend:

- Assisteren bij de uitvoering van meervoudige en complexe designprojecten

Projecten:

- Organiseren, coördineren en uitvoeren van enkel- of meervoudige designprojecten waarin bij de uitvoering aandacht wordt besteed aan: opdrachtformulering, einddoelen, productie- en implementatieproces, tijdsduur, tussentijdse mijlpalen, rapportage, samenwerking, personele inzet, rolverdeling en begroting
- Administreren van projecten (begroting, budgetbewaking, financiële administratie)
- Inrichten van een projectteam en daaraan leiding geven
- Zorgdragen dat de binnen het project geformuleerde organisatie-, merk-, communicatie- of marketingdoelstellingen adequaat vertaald worden in vormgeving
- Opzetten van projectdocumentatie en projectarchief
- Informeren van belanghebbenden (eventueel inrichten van helpdesk)
- Designonderzoek laten uitvoeren en begeleiden (bijvoorbeeld pre-testing en monitoring)
- Projectevaluatie organiseren

10.5 Competentieprofielen: vakinhoud, context en vaardigheden

In een aparte bijlage geven we een uitgebreid overzicht van competenties per managementniveau. Hiermee dragen we de bouwstenen aan voor meer specifieke omschrijvingen, maar ook voor competentie-ontwikkeling (in verband met functiewaardering of training en opleiding).

Niet alle designmanagers zullen aan alle genoemde competenties kunnen voldoen. Daarnaast zijn niet alle competenties even relevant in een gegeven situatie. Er kan een selectie en meer specifieke invulling worden gekozen; passend bij de mogelijkheden van de betreffende designmanager en bij de doelen van de organisatie. Tegelijkertijd zullen sommige competenties als essentieel kunnen worden aangemerkt. We adviseren de lezer te reflecteren op het eigen niveau aan de hand van deze profielen.

Het overzicht is steeds onderverdeeld in drie categorieën (vakinhoud, context en vaardigheden), die ieder zijn opgesplitst in twee aspecten:

- Vakinhoud: designkennis
- Vakinhoud: designbeleid ontwikkelen
- Context: relevante gebieden
- Context: in- en externe omgeving
- Vaardigheden: persoonsgebonden
- Vaardigheden: ambachtelijk

De aanduiding vakinhoud spreekt voor zichzelf, het gaat om kennis die voor het succesvol uitoefenen van de functie van direct belang is. Het begrip context heeft betrekking op de vaak complexe omgeving waarbinnen designmanagers hun taken uitoefenen en die samenhangt met een aantal aanpalende en overlappende vak- en kennisgebieden. Zoals in de tekst naar voren gebracht, is er doorgaans sprake van veel raakvlakken, hetgeen een wissel trekt op het kennisniveau van designmanagers. Om een waardevolle bijdrage te kunnen leveren is een zekere (basis)kennis nodig van de betreffende gebieden. Het aan de dag leggen van een brede interesse zal daarom zeker behulpzaam zijn.

10.5.1 Generieke competenties

Er bestaat een algemeen geaccepteerd inzicht dat op ieder functieniveau sprake zal moeten zijn van een aantal generieke competenties. Voor het HBO-bachelor onderwijs zijn deze in 2004 geformuleerd door het LOCO (Landelijk Overleg Communicatie Opleidingen) We vermelden ze volledigheidshalve:

- Methodisch en reflectief kunnen denken en handelen
- Creatief en innovatief kunnen denken en handelen
- Vraagstellingen breed en multidisciplinair kunnen aanpakken
- Probleem- en oplossingsgericht kunnen werken
- In staat zijn draagvlak te creëren op alle niveaus (terugkoppelen en overtuigen en volwaardige gesprekspartner zijn)
- Intern en extern kunnen communiceren
- Samen kunnen werken en functioneren in een team
- Adequaat kunnen handelen met betrekking tot wensen/behoeften van de opdrachtgever en doelgroepen (intern/extern)
- Kunnen handelen op basis van maatschappelijk verantwoordelijkheidsbesef
- In internationaal perspectief kunnen denken en werken.

10.6 Conclusie – maatwerk is vereist

We hebben in dit hoofdstuk geen kant en klare oplossingen aangereikt maar wel een aantal gedachten, vertrekpunten en bouwstenen, op grond waarvan een passende functieomschrijving en hierop aansluitend competentieprofiel kunnen worden gevonden. In het kader van competentiemanagement zou zoiets ook niet passen; dit vereist in de praktijk maatwerk, toegesneden op individuele situaties. Vrijwel niemand is gelijk als het gaat om doelen, verwachtingen en mogelijkheden. En ook voor organisaties geldt dat ze te verschillend van elkaar zijn om een standaard functieomschrijving te kunnen hanteren. We dagen de lezer daarom uit om met het aangeleverde materiaal verder aan de slag te gaan.

Wanneer er in een organisatie sprake is van onbekendheid en onbegrip (ten aanzien van designactiviteiten, het designproces en de mogelijke bijdrage hieraan) kunnen designmanagers hun positie vaak verbeteren door zelf aan te geven welke rol ze kunnen vervullen en welke kennis en vaardigheden ze daarbij kunnen inzetten. Wanneer ze hun functie transparant maken zal dit leiden tot een beter begrip en meer waardering binnen de organisatie.
Dat brengt ons op het volgende onderwerp; het evalueren van de designmanagentfunctie. Want als er duidelijkheid is over de taak, rol en houding, kan ook een actief beleid worden gevoerd ten aanzien van functiewaardering en -ontwikkeling.

11 Evaluatie van de functie; prestatiemeting en *accountability*

'The prime reason of success for every investment in design must be the achievement of objectives set.'
(Alan Topalian)

In hoofdstuk drie is het onderwerp designeffectiviteit al uitvoerig aan de orde geweest. In dit hoofdstuk gaat het dan ook niet over de effectiviteit van design als bedrijfsinstrument, maar om de effectiviteit van designmanagement als bedrijfsactiviteit. De centrale vraag, die we in dit hoofdstuk behandelen, is op grond van welke inzichten, instrumenten en onderzoeksmethoden, de (effectieve) bijdrage van designmanagement kan worden bepaald. Nieuwe functies moeten zich in de praktijk kunnen bewijzen; in dit hoofdstuk verkennen we de mogelijkheden hiertoe.
In een inleidende paragraaf schetsen we het probleem van evaluatie en introduceren we de belangrijkste begrippen. Voor prestatiemeting is een aantal managementmodellen beschikbaar waarvan we in paragraaf 11.2 de belangrijkste introduceren en kort toelichten. Vervolgens gaat paragraaf 11.3 in op kwaliteitsmanagement op basis van ISO 9001; een bekende standaard op het terrein van kwaliteitszorg. Paragraaf 11.4 belicht de kenmerkende verschillen tussen korte en lange-termijn prestaties. Strategische managementactiviteiten hebben immers betrekking op lange-termijn doelstellingen, terwijl operationele activiteiten op korte-termijn resultaat zullen moeten opleveren.

11.1 Het zich bewijzen van een nieuwe functie

Uiteraard is het voor de continuïteit van de designmanagementfunctie van belang dat minimaal voldaan kan worden aan de verwachtingen van het management. Het zal in de eerste plaats duidelijk moeten zijn welke verwachtingen het management mag hebben ten aanzien van designmanagement. Zoals in de tekst naar voren is gekomen is dit niet altijd duidelijk wegens gebrek aan vertrouwdheid met design als bedrijfsinstrument. We hebben een aantal zaken aangedragen, waarmee de lezer verder aan de slag kan, om deze verwachtingen scherper op het netvlies van het management te brengen. Zo is het van elementair belang dat er een heldere en goede functiebeschrijving is, waarmee taken, verantwoordelijkheid, rol en positie binnen de organisatie duidelijk zijn. Maar ook een passend competentieprofiel kan een rol vervullen bij de evaluatie van de functie. Daarnaast zal de designmanager noodgedwongen de eigen rol zelf actief moeten uitdragen en goede voorlichting moeten geven aan interne partijen. Zodat zij begrijpen welke bijdrage ze mogen verwachten.

In de tweede plaats moet inzichtelijk worden gemaakt wat de resultaten zijn van de inspanningen. Hierbij kan het gaan om managementactiviteiten met betrekking tot het gevoerde designbeleid of de designstrategie, de kwaliteit van het designproces in de organisatie of individuele designprojecten. (Afhankelijk van het desbetreffende managementniveau: strategisch, tactisch of operationeel.) Deze resultaten kunnen bijvoorbeeld door middel van onderzoek worden achterhaald of onderbouwd. Maar het kan ook zijn dat er (financiële) informatie binnen de organisatie beschikbaar is die uitwijst in hoeverre het designmanagement succesvol is.
Een probleem dat zich voordoet is dat de bijdrage van designmanagement soms moeilijk kan worden geïsoleerd van andere functionele gebieden. Zoals we uiteengezet gezet hebben, zijn designmanagers verantwoordelijk voor de kwaliteit van het (totale) designproces in de organisatie. Eén van de belangrijkste criteria voor het succes is de mate van integratie van dit designproces in de verschillende bedrijfsactiviteiten en -processen (zoals het productontwikkelings-, inkoop-, verkoop-, productie- of distributieproces). Designmanagers zouden er vooral voor moeten zorgen dat lijnmanagers design als bedrijfsinstrument optimaal weten toe te passen en te benutten. Daarmee is de rol van veel designmanagers in de praktijk vooral faciliterend en is de designmanager niet alleen verantwoordelijk voor het resultaat. In de praktijk zullen de afzonderlijke functionele managementgebieden het succes dan ook graag willen claimen. Organisatieleden willen elkaar onderling nog wel eens aftroeven; 'succes heeft altijd vele vaders en falen is een weeskind...'
Wanneer de verantwoordelijkheid van de designmanager direct betrekking heeft op de prestaties van een designorganisatie of een individueel designproject, is de effectiviteit van de functie veel gemakkelijker inzichtelijk te maken. Ook wanneer er sprake is van designmanagement als een lijnfunctie zullen de bedrijfsresultaten voor zich spreken. Maar wanneer het gaat om een staf- of hulpdienst kan dit een stuk ingewikkelder liggen.

Afhankelijk van de heersende organisatiecultuur zullen normen op het terrein van functie-evaluatie en -waardering variëren. Maar met name in commerciële bedrijven (en wanneer deze een Anglo-Amerikaanse cultuur aanhangen) zal vereist zijn dat functies 'afrekenbaar' zijn. In vaktermen wordt dit ook wel aangeduid als *accountability*. Het moet duidelijk zijn aan wie daadwerkelijk de resultaten en toegevoegde waarde kunnen worden toegeschreven; wie waarop afgerekend kan worden. Vaak ook omdat aan de geleverde prestaties bonussen zijn gekoppeld en het van belang is om zo eerlijk mogelijk vast te kunnen stellen wie daar recht op heeft.
Accountability houdt in dat kristalhelder is wat van de designmanager wordt verwacht in termen van taken, doelen en verantwoordelijkheden. En dat daar ook met regelmaat en op transparante wijze inzicht in wordt gegeven, zodat de beoordeling van het resultaat correct kan plaatsvinden. Daarbij gaat het om een combinatie van meten en monitoren, managen en gericht verbeteren. Accountability begint bij de inrichting en kwaliteit van het managementproces (zie ook paragraaf 5.3).
Het achteraf in beeld brengen en verklaren volstaat niet. Vanaf het begin moet duidelijk worden vastgelegd op welke wijze de kwaliteit, effectiviteit en efficiency van designmanagementactiviteiten wordt gemeten; de factoren waarmee het succes of falen inzichtelijk worden gemaakt. Door van tevoren te bepalen wat de verwachtingen zijn van

een bepaalde designmanagementactiviteit, kan zowel tijdens de uitvoering als achteraf worden beoordeeld of de gestelde doelen worden gerealiseerd. Zo nodig kan de designmanager daarbij tekst en uitleg geven.

Een laatste punt dat we in deze korte inleiding naar voren willen brengen, is dat er veel verwarring kan bestaan tussen designeffectiviteit en designmanagementeffectiviteit. Designeffectiviteit heeft vooral betrekking op individuele objecten (als artefact; de output van het creatieproces). Designmanagementeffectiviteit heeft betrekking op het procesresultaat dat veel breder kan worden gedefinieerd dan het creatieproces (zie paragraaf 5.3). Wanneer een designmanager verantwoordelijk is voor een bepaald ontwerpproject zal zowel de kwaliteit van het proces als de effectiviteit van de gekozen designoplossing worden aangemerkt als zijn bijdrage. Hoewel uiteraard de betreffende designer in de eerste plaats deze toegevoegde waarde heeft gecreëerd. Echter, door ondermeer zijn beoordelingsvermogen om het 'beste' ontwerp te selecteren en dit vervolgens te benutten en tot uitvoering te brengen, heeft de designmanager deze toegevoegde waarde vergroot.
Designmanagement gaat over visie, beleid, strategie, procesmanagement, middelenmanagement en projectmanagement. Maar ook over de beoordeling van designkwaliteit en de sturing en coördinatie van ontwerpwerk. De waarde van de designmanagementfunctie komt daarom deels voort uit de 'output' van de designactiviteit. Maar naast dit gerealiseerde designresultaat zijn er tal van andere aspecten van belang voor de evaluatie en beoordeling van de designmanagementfunctie.

11.2 Prestatie-indicatoren en managementmodellen

Designmanagementprestaties kunnen in de praktijk worden gemeten in zowel financiële (kwantitatieve) als niet-financiële (kwalitatieve) termen. De meest gebruikte financiële prestatie-indicatoren zijn de bedrijfsomzet, de kostprijs per eenheid/product en de hiermee samenhangende brutomarge, de kosten van het productontwikkelingsproces en de omzet van een designafdeling. De niet-financiële indicatoren zijn: klanttevredenheid, creativiteit en innovatie (Hertenstein & Platt, 1997). We komen soms ook situaties tegen waarbij deze indicatoren anders 'verpakt' zijn. Philips hanteert bijvoorbeeld de opbrengsten van producten die minder dan twee jaar oud zijn als indicator. De gedachte hierachter is dat in de eerste periode na marktintroductie de bruto marge het aantrekkelijkst is, het product hoeft dan minder op prijs te concurreren. Een tweede indicator bij Philips is een goede spreiding van R&D-budgetten over de verschillende markten (opkomende, groeiende of volwassen markten). De terugverdientijd van designinvesteringen in opkomende en groeiende markten zal logischerwijs korter zijn en daarmee zal de R.O.I. (Return of Investment) van design verbeteren.
Prestaties van designmanagement kunnen verder worden omschreven in termen van *effectiviteit* (de mate waarin gestelde doeleinden worden bereikt) en *efficiency* (de mate waarin – met behulp van de beschikbare middelen – het beste resultaat wordt behaald). Mede bepalend zijn verder de aard van de organisatie, de positie van de designmanager (lijn of staf) en het betreffende functieniveau (strategisch, tactisch of operationeel).

Zoals we verderop in deze paragraaf uiteenzetten, kunnen voor prestatiemeting verschillende perspectieven worden gekozen. Niet alleen een financieel perspectief maar bijvoorbeeld ook een intern-procesperspectief. Vanuit deze beide perspectieven onderscheiden we de dimensies tijd en geld. Wanneer we een beoordeling maken vanuit het financieel perspectief is de factor geld cruciaal. Voor een beoordeling vanuit het intern-procesperspectief vormt het designproces een belangrijk onderwerp en daarbij is de factor tijd cruciaal. Zoals uit het bovenstaande voorbeeld van Philips blijkt, beïnvloeden tijd en geld elkaar. Ook vanuit het financieel perspectief is tijd een kritische factor. 'Tijd is geld', zodat tevens vanuit het intern procesperspectief de factor geld een rol speelt. Beide dimensies tijd en geld hebben betrekking op de prestaties van designmanagers:

- Tijd als organisatie-instrument: time-to-market (first-to-market)
- Tijd als ROI-instrument: terugverdientijd van de opbrengst uit investeringen
- Geld als budget instrument
- Geld als ROI-instrument

Tijd als organisatie-instrument

Tijdsbesparingen kunnen worden bereikt door een goede organisatie van het designproces met het oog op de interne procesvoering. Voor een efficiënt designproces geldt dat van meet af aan rekening wordt gehouden met de totale beschikbare ontwikkel-, productie- en implementatietijd (inclusief introductie-inspanningen). Goed procesmanagement en voldoende procesdiscipline zijn daarbij nodig om kritische doelstellingen met betrekking tot marktintroductie te realiseren. Denk in dit verband bijvoorbeeld aan een kortere ontwikkel- of doorlooptijd door middel van een geïntegreerd designproces of het realiseren van kritische deadlines met het oog op het strategisch voordeel van het 'de eerste' zijn.

Tijd als ROI-instrument

De terugverdientijd van designinvesteringen zegt veel over het succes van designmanagers; een korte terugverdientijd wijst op effectiviteit. Zoals uit het voorbeeld van Philips duidelijk wordt, kunnen de juiste investeringsbeslissingen deze terugverdientijd bekorten. Nadat initiële investeringen zijn terugverdiend neemt de winstmarge toe, het is daarom zaak om deze terugverdientijd zo kort mogelijk te houden. Uiteraard kan dit worden bereikt door de hoogte van de investering zo laag mogelijk te houden (hoe lager hoe eerder terugverdiend), maar ook door een zo hoog mogelijke waarde voor consumenten te creëren (waardoor meer mensen geïnteresseerd zullen zijn) of door investeringen af te stemmen op de potentie van een betreffende markt. Bedrijven zullen overigens niet alleen zo snel mogelijk hun investeringen willen terugverdienen, maar vervolgens ook zoveel mogelijk willen kapitaliseren. Dat wil zeggen met de gedane investering zoveel mogelijk winst maken.

Tijdsbesparing kan tenslotte ook de basis vormen voor een hoger rendement op designinvesteringen. Bij het ontwerpen van producten kan bijvoorbeeld blijvende winst worden bereikt door het ontwerp te richten op tijdsbeparingen in de uitvoering, de productie en assemblage van de verschillende componenten, maar ook in de levering of de onderhoudsservice.

Geld als budgetinstrument

Door het verminderen van de hoeveelheid materialen en/of componenten in producten kan kostenreductie en eventueel kostprijsbesparing worden gerealiseerd (een lagere kostprijs per eenheid product).

Het internationale management consultancy Booz/Allen/Hamilton stelt dat een designgedreven kostenreductie het mogelijk maakt voor producerende bedrijven om 10 tot 30% besparingen te realiseren (Koehler & Weissbarth, 2004). Met de methodologie van *design driven cost reduction* wordt gedoeld op het verminderen van kosten door het productdesign te modificeren van zowel de huidige producten als van producten in ontwikkeling. Denk in dit verband ook aan designaanpassingen die leiden tot een vermindering van de milieubelasting en de daarmee gepaard gaande kosten (bijvoorbeeld betere recyclebaarheid, minder belastend materiaalgebruik et cetera).

Geld als ROI-instrument

De opbrengsten hangen vaak samen met de schaal waarop een massaproduct kan worden verkocht. Hoe meer ervan verkocht wordt, hoe lager de kostprijs per eenheid/product. Design kan hieraan bijdragen door een bijzondere toegevoegde waarde te creëren waardoor meer mensen het zullen kopen. Bij nicheproducten, afgestemd op specifieke gebruikersgroepen of marktsegmenten, hangen de opbrengsten nauw samen met het prijspremium waarmee ze kunnen worden verkocht. Design heeft al vele malen bewezen de prijselasticiteit te kunnen vergroten of een prijspremium te kunnen realiseren. We durven de stelling zelfs wel aan dat het design van veel producten, verpakkingen of merken in steeds hogere mate de prijs bepaalt die een consument bereid is te betalen.

Designmanagement kan afhankelijk van de situatie een bijdrage leveren. Maar er is ook nog een derde mogelijkheid. Gemiddeld wordt volgens de auteurs Koehler & Weissbarth 70% van de kosten van ieder nieuw product bepaald door de productspecificaties en het ontwerp. Hiermee doelen ze niet op de ontwerpkosten 'an sich', maar op de productie-, distributie-, leverings- en onderhoudskosten die samenhangen met de gemaakte ontwerpkeuzen. Om voldoende marge op producten te kunnen realiseren, moeten de productiekosten – die in de ontwerpspecificaties liggen besloten – daarom volgens hen beter worden beheerst. Overigens kan dit verstrekkende gevolgen hebben voor het designproces wanneer dit ertoe leidt dat kostenanalyse-teams vroegtijdig interveniëren in het creatieproces. Er zal dan met name in de fase voor het creatieproces (het opstellen van Programma van Eisen) en bij de evaluatie van ontwerpvoorstellen meer aandacht besteed worden aan het kostenaspect.

Nog twee prestatie-indicatoren: identiteit en relevantie

Naast de dimensies tijd en geld kunnen nog twee dimensies worden aangewezen om de effectiviteit van designmanagers te meten: identiteit en relevantie. We hebben deze uitgebreid in hoofdstuk drie behandeld met betrekking tot individuele designobjecten of -concepten. Beide dimensies kunnen worden beoordeeld als meer intrinsieke designkwaliteiten en kunnen deels aan designmanagementprestaties worden gekoppeld. Deels omdat de toegevoegde waarde in principe van de ontwerper of het ontwerpteam komt, maar ook omdat de designmanager deze toegevoegde waarde verder kan vergroten. We kunnen daarom spreken van een indirecte prestatie. Bij onderzoek naar de effectiviteit van designmanagement op de twee dimensies identiteit en relevantie, meten we in hoeverre men erin slaagt om met behulp van het gevoerde designbeleid of de designstrategie tot het gewenste afnemersgedrag te komen. Het gaat hierbij niet zozeer om de effectiviteit van individuele designobjecten of -concepten maar vooral om die van de gevoerde designprogramma's en om de samenhang en zeggingskracht van het geheel (zie verder hoofdstuk drie).

In het vervolg van deze paragraaf presenteren we drie bekende en veel toegepaste managementmodellen voor prestatiemeting:

- de Balanced Scorecard Strategy Map
- Benchmarking
- EFQM- of INK-model

We zullen aangeven hoe deze ook kunnen worden gebruikt voor het beoordelen van de bijdrage van designmanagement.

11.2.1 Balanced Scorecard

Het algemeen management van organisaties hanteert voornamelijk een eenzijdig kwantitatief, financieel perspectief bij het beoordelen van effectiviteit. Terwijl designmanagers eerder een kwalitatief perspectief hanteren. Daarmee is het risico van een *mismatch* aanwezig. Voor het beoordelen van designmanagementprestaties pleiten wij daarom voor een evenwichtige benadering, waarbij niet alleen aandacht is voor financiële prestaties, maar ook voor de bijdrage van design aan innovatie, *customer value* (de toevoeging van waarde voor de klant) en bedrijfsprocessen. De Balanced Scorecard van Kaplan & Norton (1996) is zo'n managementmodel dat zich richt op evenwichtige prestatiemeting. Dit model werd verder doorontwikkeld tot de Balanced Scorecard Strategy Map (Kaplan & Norton, 2004). Naast het gangbare financiële perspectief (wat telt voor onze aandeelhouders?) biedt het een drietal aanvullende perspectieven:

- Klantenperspectief: hoe komen we over op onze klanten?
- Intern procesperspectief: wat is de toegevoegde waarde van onze belangrijkste bedrijfsprocessen?
- Intern leer- en groeiperspectief: in welke mate is de organisatie in staat innovatie, verandering en verbetering daadwerkelijk te realiseren?

Met de *balanced scorecard* (BSC) kan worden voorkomen dat men te éénzijdig stuurt op louter financiële indicatoren. De BSC wordt ingezet om de realisatie van de bedrijfsstrategie te monitoren, door te kijken naar de verschillende indicatoren. De behaalde resultaten kunnen met dit model vergeleken worden met de oorspronkelijke doelstellingen met betrekking tot klanten, financiën, bedrijfsprocessen en innovatie. Het instrument geeft informatie op basis waarvan de strategie of de strategie-implementatie kan worden bijgesteld. De te bereiken effecten op de vier strategische resultaatgebieden worden vertaald in bedrijfsdoelstellingen. Deze doelstellingen (*objectives*) worden vervolgens naar kritische succesfactoren (*measures*) en prestatie-indicatoren (*targets*) uitgewerkt en uiteraard ook naar actieplannen (*initiatives*).

Figuur 11.1 De relatie tussen de vier perspectieven (bron: Peelen et al., 1999)

Kaplan & Norton geven de voorkeur aan de ontwikkeling van een BSC voor de gehele organisatie. Maar er kunnen uiteraard ook afgeleide scorecards worden gemaakt voor specifieke organisatiefuncties, zolang deze maar goed aansluiten op de card van het gehele bedrijf. Zo heeft Peelen laten zien dat een marketing balanced scorecard kan worden ingericht (Peelen *et al.* 1999). Edwin Rooseman (2004) heeft aangetoond dat de BSC ook gebruikt kan worden om het designproces in een organisatie te beoordelen en de effectiviteit ervan op de langere termijn te monitoren. Het model is volgens hem met name geschikt voor het meten van prestaties op het terrein van corporate identity design en brand design. Zijn uitgangspunt is dat een corporate identity-programma zo veelomvattend is en verweven met alle facetten van een organisatie, dat hiervoor een methodiek moet worden gekozen die een evenwichtige beoordeling mogelijk maakt. Het BSC-model zelf hoeft daarvoor niet gewijzigd te worden, wél gaat het erom de juiste meetpunten te kiezen. En er moet duidelijkheid zijn over de definitie, doelen en de invloed van het designproces op de organisatie. Uit het onderzoek van Rooseman komt naar voren dat deze duidelijkheid lang niet altijd bestaat. Designmanagers die met de BSC willen werken, zullen hier als eerste aandacht aan moeten besteden. Vervolgens moeten de voor de desbetreffende organisatie meest relevante meetpunten worden gekozen en ingericht. Deze zullen in de praktijk voor iedere organisatie anders gedefinieerd zijn. De BSC kan bijvoorbeeld laten zien dat de kwaliteit van het design (de fysieke output van de designactiviteiten) weliswaar leidt tot een hoge klantwaardering, maar dat het interne designproces als zodanig onvoldoende functioneert of dat de organisatie onvoldoende in staat is design te integreren in haar verdere activiteiten en bedrijfsvoering. Daarnaast kan de BSC uitwijzen in hoeverre design rendeert en wat de kosteneffecten en bottom-line opbrengsten van het designproces zijn. De uitkomst en interpretatie van de meting kunnen worden gebruikt om bijstellingen in het designbeleid, de corporate design strategy of in de interne procesvoering (met betrekking tot het designproces) te formuleren en gerichte actie te ondernemen. Door periodieke meting kunnen de gewenste verbeteringen op de verschillende dimensies worden gemonitord.

Wanneer we de Balanced Scorecard ombouwen naar een specifieke Design Balanced Scorecard kunnen de vier perspectieven als volgt worden ingevuld:

- Leer- en groeiperspectief > Informatie, evaluatie, innovatie en organisatie
- Intern procesperspectief > Designactiviteiten
- Klantperspectief > Klantresponsen (extern/intern)
- Financieel perspectief > Designresultaten

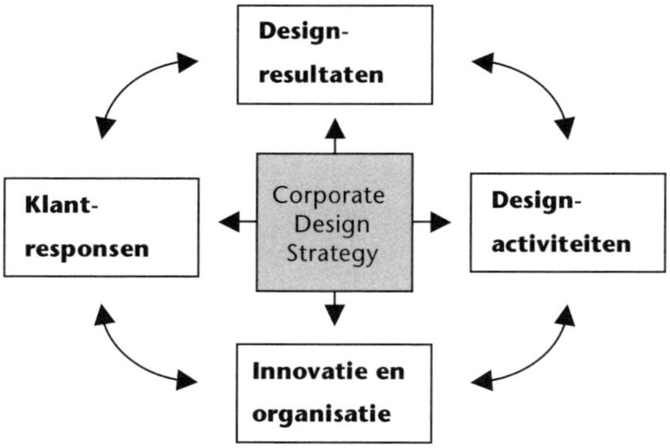

Figuur 11.2 De Design Balanced Scorecard (adaptie van: Peelen et al., 1999)

Informatie, evaluatie, innovatie en organisatie

Hier betreft hier verbeterpunten in de designfunctie van de organisatie; de wijze waarop de organisatie aan haar vermogen bouwt om nu en in de toekomst kwalitatief hoogwaardige prestaties te blijven leveren ten aanzien van de inzet van design als bedrijfsinstrument (inclusief het vermogen om te leren van missers). Dit perspectief heeft betrekking op het totale designproces in de organisatie en de integratie van design in de verschillende bedrijfsactiviteiten en -processen. Het gaat om de interne procesvoering in al haar facetten, inclusief het trainen van lijnmanagers, de kwaliteit van informatiesystemen en het inbouwen van verbetercycli (zie paragraaf 5.3). Maar ook om de werk- en organisatiecultuur, samenwerking en afstemming en het aanwezige leiderschap.

Designactiviteiten

De indicatoren binnen het 'designactiviteiten-perspectief' meten *hoe* (met welke designprocessen en designprojecten) de organisatie de juiste klant identificeert, benadert en bedient. Bijvoorbeeld met betrekking tot innovatieprocessen of bedrijfsvoeringprocessen. Meer specifiek kan het gaan om productontwikkeling, merkontwikkeling, corporate identity-ontwikkeling en corporate- of marketingcommunicatie. Deze processen en activiteiten kunnen gericht zijn op het realiseren van een corporate design strategy of meer specifieke designstrategieën (die betrekking hebben op individuele producten of merken en afgestemd zijn op specifieke markten, groepen of segmenten). Designactiviteiten kunnen betrekking hebben op uiteenlopende deeldomeinen en designdisciplines. (Denk aan de classificatie van Gorb: product design, environmental design, information design en corporate identity design.)

Klantresponsen (intern/extern)

Hierin staat de toegevoegde waarde centraal die design voor klanten heeft (de customer added value). Het betreft alle niet-financiële waarderingsaspecten voor zover deze samenhangen met het gevoerde designbeleid. Het kan gaan om het assortiment, de kwaliteit (perceptie van prijs, kwaliteit, duurzaamheid of werking) om het product-, merk- of winkelimago of om reputatie en preferentie. Deze indicatoren tonen aan in hoeverre de organisatie in staat is om met haar designbeleid of -strategieën klanten aan te trekken, maar ook in hoeverre de klanten het merk- of productdesign waarderen.

Designresultaten

In dit vierde perspectief staat de vraag centraal in hoeverre de gekozen designstrategie(ën) ook tot verbetering van de bedrijfsresultaten leiden. Naast bottom-line effecten zoals winstbijdrage en omzetgroei, kunnen ook indicatoren als brutomarge of terugverdientijd hier aan de orde zijn. Verder kunnen design equity in het verlengde van merkwaarde (zie paragraaf 2.2), klantwaarde en marktpositie aan bod komen. Tenslotte kan het ook gaan om het verbeteren van de kostenstructuur van de designorganisatie of een betere verdeling en benutting van designbudgetten.

11.2.2 Benchmarking

Een ander bekend managementmodel voor prestatiemeting is *benchmarking*. Benchmarking biedt de mogelijkheid middels interne en externe vergelijking te komen tot een weging en beoordeling van bedrijfsprestaties. Benchmarking staat voor het systematisch vergelijken van de prestaties van een bedrijf of een bedrijfsonderdeel (bijvoorbeeld een ontwerpafdeling) met die van andere bedrijven of bedrijfsonderdelen. Het idee erachter is dat het nemen van een voorbeeld aan andere bedrijven (de kunst afkijken) kan leiden tot nieuwe inzichten en verbeteringen. Benchmarking is gericht op het analyseren van de sterkten en zwakten van de organisatie en de bedrijfsprocessen. Het leidt tot geobjectiveerde prestatienormen (de werkelijke positie ten opzichte van anderen) en tot inzicht in het verbeterpotentieel van de organisatie of het betreffende bedrijfsonderdeel. De benchmark moet belangrijke verbeterpunten, voorbeelden en ideeën boven water halen. Het probleem is echter vaak dat het moeilijk is om prestaties van de één te vergelijken met die van de ander. Het bekende verhaal van de appels en peren... Er zijn echter geavanceerde benchmark-instrumenten op de markt die het mogelijk maken om bedrijfsprestaties onderling goed te kunnen vergelijken, rekening houdend met de onderlinge verschillen.
Benchmarking kan voor beide partijen (benchmarker en benchmarkingpartner) voordelig zijn. Deelname aan een benchmarkproject kan de relaties versterken en goodwill genereren. Zo zit een aantal uitvoeringsorganisaties binnen de overheid (zogenaamde ZBO's oftewel zelfstandige bestuursorganisaties) in een benchmark-groep. Hun prestaties worden gemeten en onderling vergeleken. Voor iedere deelnemende organisatie is de vraag: hoe goed doen we het eigenlijk? En wat kunnen we van elkaar leren? Deze organisaties werken doorgaans binnen een prestatiecontract dat is afgesloten tussen de opdrachtgever (een ministerie) en de desbetreffende uitvoeringsorganisatie. Het prestatiecontract vermeldt op tal van aspecten de normen waaraan moet worden voldaan en de meet-indicatoren. Zoals op het terrein van klanttevredenheid en de mate waarin burgers compliant gedrag vertonen (dat wil zeggen de mate waarin ze aan hun verplichtingen voldoen). Daarbij speelt uiteraard ook de efficiëntie, van het proces waarin burgers worden bevraagd over hun situatie, een rol. Designmanagementprestaties (in het verlengde van de strategische positionering en het merk- en communicatiebeleid) zullen in de regel

samenhangen met de prestatienormen. Bijvoorbeeld als het gaat om de kwaliteit van online dienstverlening of informatie-uitwisseling met behulp van transactie-websites of formulieren. Of om de inrichting van servicebalies of de kwaliteit van communicatie- en presentatiemiddelen die van invloed zijn op de klantwaardering.

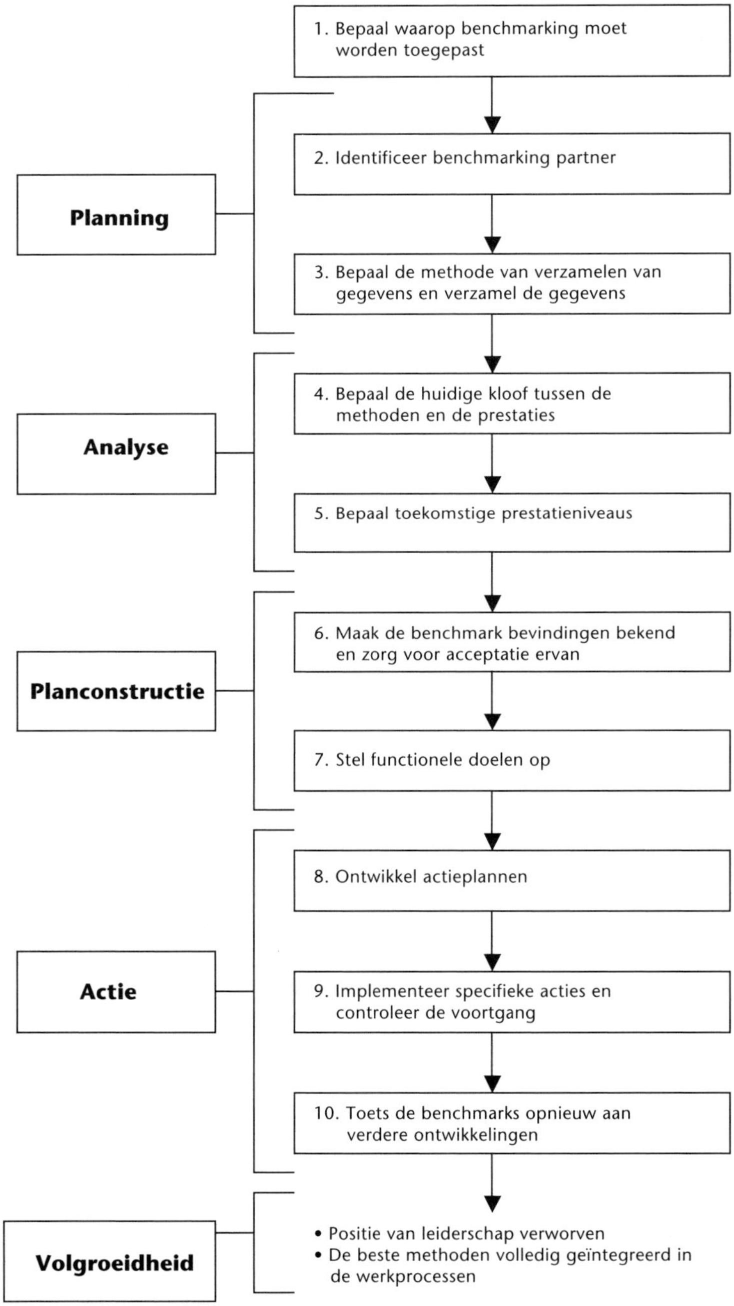

Figuur 11.3 Het 10-stappenplan van Xerox (bron: Camp, 1989 in: Peelen et al., 1999)

Het verdient aanbeveling de onderzoeksdoelstelling vooraf nauwkeurig vast te stellen; welke vergelijking levert het beste resultaat? In de praktijk kunnen vier typen benchmarking worden onderscheiden (Waalewijn in: Peelen *et al.*, 1999):

- *Interne* benchmarking: vergelijking met andere onderdelen van dezelfde organisatie (bijvoorbeeld wanneer er meerdere designafdelingen zijn ingericht, verspreid over de divisies).
- *Concurrentiebenchmarking*: vergelijking met directe concurrenten.
- *Functionele* benchmarking: vergelijking met niet-concurrerende organisaties op dezelfde functionele activiteit (zoals productontwikkeling of design).
- *Generieke* benchmarking: vergelijking van bedrijfsprocessen die gebruik maken van verschillende functies en die uitgevoerd worden in verschillende bedrijfstakken.

Het opzetten en uitvoeren van een benchmarkproject is in de praktijk kostbaar en vergt een aanzienlijke tijdsinvestering. Wanneer er sprake is van een strategische rol van designmanagement (als design een kritische rol vervult voor het bedrijfssucces) kan een concurrentiebenchmarking of een functionele benchmarking buitengewoon nuttig zijn. In de praktijk blijkt benchmarking namelijk een zeer effectief instrument te zijn om concurrentievoordeel te behalen. Het designproces als zodanig leent zich ook goed voor een generieke benchmarking. Bedrijven kunnen veel leren door te kijken naar het designproces in andere bedrijfstakken en met name als het gaat om de wijze waarop verschillende functies zijn ingericht die betrokken zijn bij dit proces (met name productontwikkeling, marketing en communicatie).

Om aan te geven hoe een benchmarkproject er normaliter uitziet, sluiten we dit onderwerp af met het bekende en veel toegepaste 10-stappenplan van Xerox (figuur 11.3).

11.2.3 Kwaliteitsmanagement: het EFQM- of INK-model

Het EFQM-model (*European Foundation of Quality Management*) is in Nederland beter bekend als het INK-model (INK staat voor Instituut Nederlandse Kwaliteitszorg). Het model helpt managers bij het op transparante wijze beoordelen en verbeteren van de kwaliteit van de organisatie. Het is een herkenbaar en hanteerbaar besturingsmodel dat de verschillende kernonderwerpen ordent en combineert in vijf organisatiegebieden en vier resultaatgebieden. Door per resultaatgebied prestatie-indicatoren te definiëren en deze vervolgens te meten, kan stuurinformatie worden verkregen die vervolgens kan worden teruggekoppeld naar de vijf organisatiegebieden. Uiteraard met als doel om te komen tot kwaliteitsverbetering.

Het INK-model vormt een alternatief voor de BSC. Het model wordt ook wel toegepast als basis voor zelfevaluatie (ook wel: *self assessment*) en voor benchmarking. Dat wil zeggen dat de vijf organisatiegebieden en vier resultaatgebieden de basis vormen voor beoordeling of vergelijking.

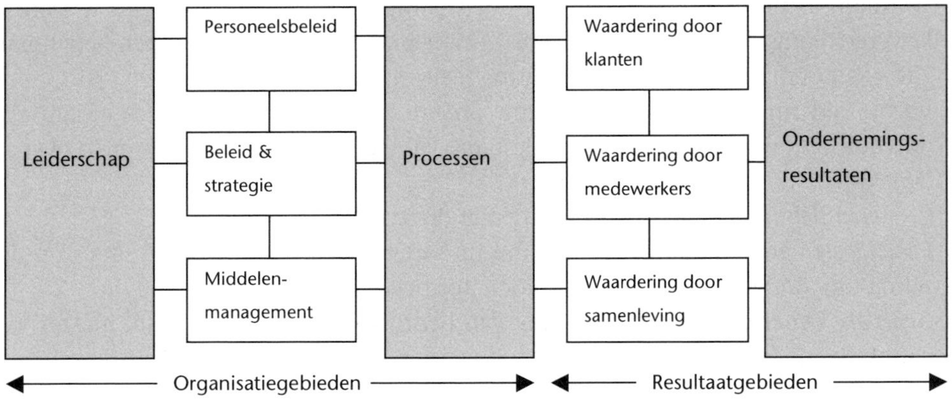

Figuur 11.4 Het EFQM/INK-model voor kwaliteitsmanagement

Als het gaat om de vijf te onderscheiden organisatiegebieden, gaat het erom te laten zien op welke wijze design ingezet wordt om de relatie tussen leiderschap en processen te versterken. Paragraaf 4.1.3 biedt hiertoe een overzicht. In concreto kan het gaan om de efficiëntie ten aanzien van middelenmanagement. Een visual identity- of huisstijlprogramma is in feite een kwaliteitsprogramma waarmee ook efficiënte werkprocessen en een uniforme presentatiekwaliteit worden nagestreefd. Designmanagement heeft betrekking op de kwaliteit van bedrijfsmiddelen wanneer het is gekoppeld aan de inkoopfunctie (denk aan de kwaliteit van de bedrijfsomgeving; zie ook environmental design). Maar het kan ook gaan om het op adequate wijze tot uitdrukking brengen van strategie en beleid. Wanneer deze op een begrijpelijke, aansprekende en motiverende wijze tot uitdrukking worden gebracht, zullen deze in de regel eerder navolging vinden binnen de organisatie.

Designmanagers die opereren in een organisatie welke het INK-model hanteert, doen er verstandig aan hun inspanningen te relateren aan de vier resultaatgebieden. De waardering van het seniormanagement zal toenemen naarmate de designmanager kan laten zien op welke wijze zijn inspanningen bijdragen aan de vier resultaatgebieden. Het model biedt naar onze ervaring hiertoe uitstekende aanknopingspunten:

- *De waardering door medewerkers* hangt nauw samen met de mate waarin zij zich kunnen identificeren met de organisatie. Het voeren van een *corporate identity* kan hieraan een belangrijke bijdrage leveren. De designinspanningen kunnen bijdragen aan een sterk intern imago.
- *De waardering van klanten* hangt nauw samen met de kennis van de producten/diensten en het dienstverleningsproces (ook wel aangeduid als merkkennis). En uiteraard met de perceptie van productprestaties of van de toegevoegde waarde die het merk biedt. Design heeft in de regel een grote tot zeer grote invloed op de perceptie en waardering door klanten (extern imago). De designmanager zal dit binnen de specifieke context van de organisatie moeten onderbouwen of aantonen (zie ook deel I).

- *De waardering door de maatschappij* hangt nauw samen met de mate van vertrouwdheid met de organisatie en haar doelen. Het hanteren van een heldere en expressieve visuele identiteit, die de activiteiten en producten van een onderneming signeert en verbindt, zal doorgaans een belangrijke bijdrage aan de ondernemingsreputatie leveren.
- De *financiële en niet-financiële ondernemingsresultaten* – als vierde resultaatgebied – hangen samen met de waardering van klanten en leveranciers, medewerkers en de maatschappij. Zonder deze waardering zullen de resultaten logischerwijs achterblijven of slechts op korte termijn gelden. De invloed van het designproces op de ondernemingsresultaten kan als volgt worden beredeneerd. In de marketing- en merkenleer gaat men uit van drie opvolgende stadia: merkkennis, merkhouding en merkgedrag (waaronder koopgedrag). Een goede kennis van de producten/diensten en een positieve houding ten aanzien van de organisatie en haar aanbod, zullen in deze theorie leiden tot meer belangstelling, meer afname en hogere klantentrouw. Dit vertaalt zich bijvoorbeeld in een hogere marge, een groter marktaandeel of meer omzet. Er is een plausibele verklaring te vinden voor de wijze waarop designactiviteiten kunnen bijdragen aan de waardering door medewerkers/leveranciers, klanten en de maatschappij – en de daarmee samenhangende ondernemingsresultaten.

Het vinden van specifieke prestatie-indicatoren in alle vier de resultaatgebieden vereist uiteraard een oriëntatie op de ondernemingsstrategie en een analyse van het in samenhang daarmee geformuleerde beleid. Vervolgens kunnen deze indicatoren de basis vormen voor het designbeleid en de te voeren corporate design strategy.
Wanneer het ontbreekt aan concrete geformuleerde doelen voor design, is een vertaalslag nodig van andersoortig geformuleerde doelen naar specifieke doelstellingen voor designmanagement. Daarbij kan het zeer de moeite lonen om op zoek te gaan naar relevante aangrijpingspunten en een heldere analyse te maken van de integrerende en samenhangende designactiviteiten binnen het INK-model. Design wordt niet altijd onderkend als een strategisch instrument. We hebben in onze eigen adviespraktijk dan ook verschillende malen gezien hoe bedrijfsplannen volledig voorbij gaan aan de rol van design. Wanneer men er in slaagt deze strategische rol zodanig te formuleren dat deze als begrijpelijk en relevant wordt gezien door het algemeen management, ontstaat ruimte voor het voeren van een actief designbeleid. Een voorwaarde is dan uiteraard wel dat deze strategische rol wordt geformuleerd in samenhang met het INK-model en binnen de geformuleerde doelstellingen in het bedrijfsplan.

11.3 Kwaliteitsmanagement op basis van ISO 9001

Ontwerpers zien kwaliteit veelal als synoniem voor creativiteit, oorspronkelijkheid of kunstzinnigheid. Hoewel dit belangrijke aspecten zijn die van invloed zijn op de kwaliteit van het eindproduct, is er ook nog zoiets als kwaliteit van het bedrijfsproces of het dienstverleningsproces. Een veel gebruikte definitie van kwaliteit is: de mate waarin het afgenomen product (een waar, dienst of idee) overeenkomt met de verwachtingen (eisen en wensen) van de klant over het product. Er is dus vaak sprake van een 'en/en situatie';

zowel de inhoudelijke kwaliteit van het geleverde, als de wijze waarop de levering heeft plaatsgevonden zijn aspecten van kwaliteit. Dit geldt in algemene zin maar zeker ook voor een interne of externe ontwerpafdeling. Weggeman (2003) wijst in dit verband op de sterke correlatie tussen de kwaliteit van het proces en de kwaliteit van het resultaat. Hoewel een sterk resultaat bij een slecht proces in theorie mogelijk is ('de weg er naar toe was een ramp, maar het resultaat mag er zijn') zal dit in de praktijk meestal niet het geval zijn. Dit geldt ook voor de omgekeerde situatie ('de weg er naar toe was schitterend, maar het resultaat valt tegen'). Vaker zullen proces en resultaat met elkaar samenhangen ('de weg er naar toe was een ramp en het resultaat valt ook tegen' of 'de weg er naar toe was schitterend en het resultaat mag er ook zijn'). Er valt daarom veel voor te zeggen om aandacht te besteden aan het proces in het kader van kwaliteitsmanagement. Een goede kwaliteit van het designproces in de organisatie vraagt om samenwerking en coördinatie en deze vereisen op hun beurt goede afspraken en procedures.

Bedrijfsprocessen kunnen in een kwaliteitssysteem worden vastgelegd. Hiermee wordt een geheel van regels, werkwijzen en maatregelen bedoeld. Deze set van afspraken wordt schriftelijk vastgelegd in procedures en/of werkinstructies. Een kwaliteitssysteem biedt de mogelijkheid meer structuur in een organisatie te brengen en de wijze waarop activiteiten worden uitgevoerd systematisch te verbeteren. Hierdoor neemt de kwaliteit van de dienstverlening toe, bijvoorbeeld door meer betrouwbaarheid in doorlooptijd en betere afstemming. Maar er kunnen ook aanzienlijke kostenbesparingen worden bereikt door noodzaak, nut en efficiency van de procedures te onderzoeken. Andere voordelen zijn: meer duidelijkheid over taken en verantwoordelijkheden, betere toegankelijkheid van gegevens door uniform gegevensbeheer en gemakkelijkere overdracht van werkzaamheden. Het voldoen aan gestandaardiseerde kwaliteitseisen versterkt het vertrouwen in de organisatie en daarmee haar concurrentiepositie. Volop voordelen dus, maar men dient wel te bedenken dat grotere organisaties over het algemeen meer behoefte hebben aan beheersing van processen en standaardisatie dan kleinere. Een logische zaak wanneer werkzaamheden over meer schijven lopen en door meer medewerkers moeten worden verricht. Het kwaliteitssysteem moet passen bij de organisatieomvang en in de praktijk werkbaar zijn.

Vaak wordt bij de opbouw van een kwaliteitssysteem gekozen voor een erkend model, zoals ISO 9001. De term ISO staat voor *International Standardisation for Organisation.* Het model bestaat uit vier hoofdelementen:

- Directieverantwoordelijkheid: eisen aan de sturing van de organisatie en van het kwaliteitssysteem.
- Management van middelen: eisen aan het beheer van productiemiddelen (resources, zoals medewerkers, informatie en infrastructuur).
- De voortbrenging van producten/diensten (procesmanagement): eisen die van toepassing zijn op de primaire activiteiten van de organisatie.
- Meten, analyseren en verbeteren: eisen ten aanzien van het meten van proces output, meten van klanttevredenheid en uitvoeren van interne audits. (Auditing als instrument wordt behandeld in hoofdstuk twaalf.)

ISO 9001 vermeldt een flink aantal designgerelateerde clausules, waarin vereisten zijn beschreven waaraan moet worden voldaan om gecertificeerd te kunnen worden (figuur 11.5).

Clause > Requirement

4.3 Contract Review

The company must have a management system to ensure that the customer and the company have reached an agreement and that the company has good reason to believe that it can meet its contractual commitments.

4.4.1 Design Control–General

The company must have a management system to control its product design process. These procedures should ensure that all agreed-upon customer requirements are met before the design is released.

4.4.2 Design and Development Planning

A management system must ensure that each design project is adequately planned. The system should ensure that the designers understand their responsibilities. This project planning information should be updated on an appropriate and regular basis.

4.4.3 Organizational and Technical Interfaces

The company must have a management system that formally manages the interfaces between design and any other parts of the organization that are affected by design decisions.

4.4.4 Design Input

The company must have a management system to ensure that product/project requirements are defined and documented at the outset of each design effort. This must be coordinated with the Contract Review process (clause 4.3).

4.4.5 Design Output

The company must have a management system to ensure that (a) design outputs are clearly documented; (b) design outputs are compared with design inputs; (c) design outputs are checked against safety and usage requirements; and (d) design outputs are fully checked before they are released.

4.4.7 Design Verification

The company must have a management system to periodically check its interim design outputs against the requirements set out in its design inputs.

4.4.8 Design Validation

The company must have a management system to periodically check that the product design is responsive to the stated users needs and requirements.

4.4.9 Design Changes

The company must have a management system that ensures that design changes are approved before they are implemented. This system must also ensure that no unauthorized changes are made and that all changes are properly recorded.

4.5.1 Document and Data Control

The company must have a management system that controls all of its quality-related documents and records, including those of external origin such as product standards and customer drawings.

Figuur 11.5 Designgerelateerde voorzieningen voor ISO 9001

4.5.2 Document Approval and Issue
The company must operate a management system to ensure that key documents are identified and controlled. This system must identify the people responsible and curb peoples' ability to make unauthorized changes. It must also ensure that obsolete documents are promptly removed from circulation to prevent their inadvertent usage.
4.5.3 Document Changes/Modifications
The company must operate a management system that ensures each document change is reviewed and approved by the units that issued the original version. The system should ensure that decision makers know why the changes are necessary, and it should maintain a master list of all revisions.
4.16 Control of Quality Records
The company must have a management system to identify, collect, index, file, store, and dispose its quality-related records.

(Vervolg figuur 11.5)

De kern van een kwaliteitssysteem bestaat uit procesbeschrijvingen (ook wel: procedures) van alle relevante activiteiten van een organisatie of afdeling daarbinnen. Ook voor designafdelingen zijn er systemen beschreven. Zoals in het handboek 'De Ontwerppraktijk en Kwaliteitsmanagement' (2000), dat procesbeschrijvingen van het totale ontwerpproces bevat. Dit handboek is ontwikkeld door de BNO-werkgroep Kwaliteitszorg in samenwerking met KPMG Certification. Het handboek kan worden gebruikt als basis voor ISO-certificering, maar ook voor het verbeteren van specifieke bedrijfsprocessen binnen een designorganisatie. Denk aan een betere voorbereiding en aansturing van ontwerpprojecten of een betere communicatie en informatievoorziening naar de eindopdrachtgever. Door knelpunten in de planning, administratie en documentatie van ontwerpprojecten op te lossen, ontstaat meer tijd voor het creatieve proces met een betere output als resultaat.

11.4 Korte- en lange-termijn prestaties

Naarmate er geen directe baten tegenover staan, is het hoger management geneigd design(management) als een sluitpost op de begroting te blijven zien (*MarketingTribune* nr. 11, 2004). Wanneer wel directe baten kunnen worden aangetoond (bottom-line opbrengsten) neemt de waardering toe. Dit is de reden waarom marketinggerelateerde designinvesteringen doorgaans hoger worden gewaardeerd dan andersoortige designinvesteringen. Niet van iedere designinvestering zijn de directe opbrengsten gemakkelijk aan te tonen. Maar bijvoorbeeld bij verpakkingsdesign blijkt het in de praktijk relatief eenvoudig om directe baten aan te tonen. Zoals een stijging van omzet of marktaandeel na introductie van een nieuwe verpakking, zonder dat er sprake is geweest van een gerichte reclame-inspanning om de nieuwe verpakking onder de aandacht van consumenten te brengen. Zo signaleerde Skil in 2003 dat een nieuwe verpakking voor elektrisch

handgereedschap, in de vorm van een nieuwe kunststof koffer en een grafische wikkel, tot 15% omzetstijging leidde. Bij een nagenoeg gelijkblijvende kostprijs per verpakking en zonder reclame- of communicatieactiviteiten richting de doelgroep. De hoogte van de investering (de initiële ontwerpkosten) was relatief beperkt en de terugverdientijd was in dit geval kort.
In veel gevallen ligt het wat ingewikkelder om directe baten aan te tonen, zeker wanneer designinvesteringen deel uitmaken van een brede en geïntegreerde marketingaanpak. Het is dan noodzakelijk de designeffecten te isoleren binnen de marketingmix. Een goede nulmeting, voor het moment van marktintroductie, wordt daarom vaak als essentieel gezien, maar specifiek designonderzoek kan ook in een later stadium worden verricht (zie hoofdstuk drie).
Er schuilt ook een gevaar in een op directe baten gerichte benadering. Wanneer managers worden afgerekend op de korte-termijn (kwartaal of halfjaarresultaten) kan dat ertoe leiden dat ze zich op korte-termijnsuccessen zullen richten en niet openstaan voor meer ingrijpende en onzekere vernieuwingen. Voor veel productmanagers geldt dat zij niet eens beginnen aan een geïntegreerd productontwikkelingtraject. Omdat veranderingen in vormgeving veel voorbereidingstijd vragen, de uitkomst als te onzeker wordt ervaren en het te lang duurt voordat veranderingen een bijdrage leveren aan de verkopen en daarmee aan een goede beoordeling van de prestaties van de manager (Snelders & Thölke in: Hultink & Schoormans, 2004). Deze managers kiezen liever voor eenvoudige korte trajecten met een voorspelbaar en snel resultaat. Uiteraard kan dit de organisatie op achterstand zetten; productontwikkeling en innovatie zijn essentieel voor het toekomstig succes.
Wanneer lange-termijneffecten buiten beeld blijven, kan de designmanager het slachtoffer worden van korte-termijnredeneringen die uitsluitend gericht zijn op het behalen van directe baten. Designmanagement levert bijvoorbeeld een aanzienlijke bijdrage aan de *corporate identity* van een organisatie en daarmee aan reputatievorming, hetgeen op langere termijn ook financieel zijn vruchten zal afwerpen (reputationele winst zal zich vertalen in hogere waardering en een betere marktpositie). Deze bijdrage van het designmanagement aan reputatievorming zal wel moeten worden onderbouwd en inzichtelijk gemaakt. Verderop in deze paragraaf zullen we aangeven hoe dit kan worden gedaan. Wanneer onderzoek naar de lange-termijneffecten achterwege blijft, ontstaat het risico dat de toegevoegde waarde die de designmanager kan bieden aanhoudend onderwerp van discussie wordt.

Het is in onze optiek van belang om de relatie tussen het niveau waarop de designmanager actief is en de aard van de meetfactoren goed in de gaten te houden. Deze moeten op elkaar zijn afgestemd. Dat wil zeggen dat de strategische en operationele functie in samenhang met respectievelijk lange- en korte-termijneffecten moet worden geëvalueerd.
Voor de strategische designmanager met een lange-termijn planningshorizon, biedt het meten van korte-termijn designeffecten weinig soelaas. Iedere strategie en daarom een designstrategie ook, heeft tijd nodig om effect te bereiken. Een overkoepelende *corporate design strategy* heeft overigens meer tijd nodig dan een (individuele) productstrategie. Het

is juist deze tijdsfactor die maakt dat resultaten niet alleen in termen van omzetontwikkeling, maar ook in imago- en reputatiewinst gemeten kunnen worden. Andersom maakt het beoordelen van een operationele designprojectmanager op basis van reputatiemeting eveneens weinig indruk. Hiermee wordt het concrete projectresultaat niet inzichtelijk. Het ligt daarom voor de hand dat in de praktijk de prestaties van de drie designmanagementniveaus ieder op een geëigende wijze worden gemeten. In onderstaande tekst gaan we hier verder op in.

11.4.1 Prestatiemeting op strategisch managementniveau

De wijze waarop strategische doelen worden geëvalueerd, is van invloed op de wijze waarop ook de strategische waarde van design kan worden gevalideerd. Bijvoorbeeld in termen van reputatiemeting, merkwaardeontwikkeling (design equity) en koerswaardeontwikkeling. Strategisch designmanagement zal *overall* worden beoordeeld in termen van imago, reputatie en waardering van de onderneming, haar producten en merken. De resultaten van een (lange termijn) *corporate design strategy* laten zich vrijwel alleen op een dergelijk abstract eindniveau becijferen.
De invloed van de afzonderlijke markt-, product-, merk-, communicatie- en designstrategieën in hun onderlinge samenhang blijft een lastig terrein voor onderzoek. Vaak geldt dat het totaal meer is dan de som der delen en dat resultaten daarom in een meer holistisch verband moeten worden beschouwd. De bijdrage van afzonderlijke strategieën aan het succes van de ondernemingsstrategie is in veel gevallen niet of vrijwel niet te isoleren. Dat geldt ook voor de bijdrage van een designstrategie aan een bepaalde product- of merkstrategie. In de praktijk zullen de dominante (meer geaccepteerde) functionele managementgebieden het succes dan ook graag willen claimen. Het zal vaak moeilijk zijn om reputatieverbetering exclusief aan de invloed van designwijziging toe te wijzen. Evengoed overigens als aan de exclusieve invloed van productontwikkeling, marketing of communicatie.
Zo was de herpositionering van SNS-Bank in 2003 een succesvolle operatie. Een in het oog springend element was de invoering van een binnen het domein (financiële dienstverlening) destijds vernieuwend en opvallend merkdesign, als onderdeel van het corporate branding programma. Het nieuwe design sloot op een begrijpelijke wijze aan op de gekozen merkwaarden en bracht deze 'actief' tot uitdrukking. Tegelijkertijd werd ook een marketingcommunicatieoffensief ingezet, waarbij het merk verder werd geladen met de nieuw gekozen propositie. Het effect van de vernieuwing was niet zonder meer toe te wijzen aan design. Maar zeker ook niet aan reclame. Omdat reclame echter een gevestigde waarde vertegenwoordigt, redeneert men in de praktijk vaak gunstig ten opzichte van reclame en minder gunstig ten opzichte van design. Er bestaat een natuurlijke neiging om het effect eerder aan advertising toe te dichten dan aan design. Deze neiging lijkt ons in het geval van SNS-Bank onjuist, hoewel we in deze case niet beschikken over gevalideerde onderzoeksresultaten. Het nieuwe merkdesign heeft naar onze beoordeling ongetwijfeld het onderscheidend vermogen van het merk aanzienlijk vergroot en een flinke impuls gegeven aan het gewijzigde imago. Daarmee heeft het de herpositionering waarschijnlijk mede tot een succes gemaakt. In theorie vormt het merkdesign de kern

van de merkbekendheid; de uiterlijke merktekens fungeren immers als een 'trigger' voor het op gang brengen van het associatieproces in de gewenste richting. Wanneer het onderscheidend vermogen te gering is, of wanneer de nieuw gekozen merkbetekenissen en -waarden niet goed tot uitdrukking komen in het merkdesign, kunnen stakeholders deze eenvoudigweg niet of minder goed waarnemen. In het ergste geval ervaren ze zelfs een incongruentie in de boodschap en de verschijningsvorm van het merk.
Eerder wezen we ook op het verschil in *permanente* media en *actuele* media. We beargumenteerden dat strategisch design betrekking heeft op permanente media, terwijl reclame betrekking heeft op actuele media. Ook dit is een argument voor de toegevoegde waarde van design in het geval van SNS-Bank. Aangezien strategisch design sterker bij de merkidentiteit zal moeten aansluiten dan actuele media, wordt bijvoorbeeld duidelijk dat reclamebureaus verder van het merk afstaan dan designbureaus. Er zijn wel argumenten aan te voeren om de centrale bijdrage van design in deze case te onderbouwen. Goed designonderzoek zal de acceptatie hiervan verder kunnen vergroten.

Reputatieontwikkeling

Reputatie kan aangeduid worden als de *overall* evaluatie (de totaalindruk) van een organisatie op het gebied van veronderstelde bekwaamheden en verantwoordelijkheden in vergelijking met concurrenten (Van Riel, 2003). De input voor deze totaalindruk wordt gevormd door imago's; percepties van deelaspecten. Denk bijvoorbeeld aan het productimago, het winkelimago of het sociaal imago. Steeds meer ondernemingen kunnen de ontwikkeling van hun (merk)reputatie in Nederland en daarbuiten volgen op basis van jaarlijks onderzoek. Er is een aantal 'standaard' meetinstrumenten beschikbaar, zoals de Reputatie Blauwdruk van Blauw Research, de Brand Asset Valuator van Young & Rubicam, de 'Reputation Quotient' van het Reputation Institute en de branchespecifieke 'Image & Performance Barometer'.
Voor designmanagement is het van belang te achterhalen op welke wijze en in hoeverre het bedrijf een goede reputatie geniet als gevolg van zijn gehanteerde designstrategie. De reputatie van IBM valt bijvoorbeeld voor een deel samen met de kwaliteit van het gevoerde designbeleid. En hetzelfde geldt voor Apple, Swatch, Braun en Benetton. Om duidelijkheid hierover te krijgen is specifiek onderzoek nodig naar de verschillende imago's die tezamen de reputatie vormen. Wanneer bijvoorbeeld het productimago, het merkimago of het winkelimago wordt gezien als de verantwoordelijkheid van designmanagement, is het zinvol dit imago te achterhalen en te bepalen in hoeverre bijvoorbeeld het productimago van invloed is op de reputatie als totaalbeoordeling. Maar uiteraard ook in hoeverre het gevoerde designbeleid van invloed is op dit productimago.
Imago-onderzoek kan relatief eenvoudig worden uitgevoerd met gebruikmaking van uiteenlopende technieken als het Kelly Reporting Grid, Natural Grouping, Q-sorting, Photo Sorting, Attitudemeting of de KS-techniek (Van Riel, 2003). Het gaat te ver om hier al deze technieken toe te lichten. Met name *Photo Sorting* biedt voor designmanagement interessante mogelijkheden omdat het gebruik maakt van visuele stimuli. Een voorbeeld van een instrument dat is gebaseerd op deze techniek, is Visualistics® van Blauw Research. Dit maakt gebruikt van gevalideerd beeldmateriaal in de vorm van landschapsfoto's – waarvan bekend is welke emotie(s) elke foto uitdrukt. Het kan voor zowel kwalita-

tief als kwantitatief onderzoek worden ingezet. Het voordeel van het gebruik van visueel materiaal is dat eventuele psychologische barrières hierdoor worden omzeild (zoals sociale wenselijkheid of rationalisatie). Mensen kunnen primair hun gevoelens ten opzichte van een testobject uiten zonder naar de juiste woorden te hoeven zoeken.

Een andere interessante methode voor reputatieonderzoek is de RQ-methode van het Reputation Institute in Boston (RQ staat voor *Reputation Quotient*). Hierin worden zes reputatie drivers naar voren gebracht: *emotional appeal, products & services, vision & leadership, workplace environment, financial performance* en *social responsibility*. Vooral de eerste twee zijn relevant voor de beoordeling van designmanagement, direct gevolgd door workplace environment. Voor de reputatiescore ten aanzien van emotionele aantrekkelijkheid kan identiteitsontwikkeling als belangrijke prestatie-indicator worden aangewezen. Reputatiemanagement vraagt daarom om de expressie van een geprononceerde identiteit via visuele communicatie. Voor de reputatiescore ten aanzien van producten en diensten kan de bijdrage van design(attributen) aan de consumentenervaring en -waardering worden gemeten. Het productuiterlijk en de productpresentatievormen kunnen de gepercipieerde kwaliteit, de productverwachting en de gepercipieerde waarde voor klanten vergroten. Designmanagement kan daarnaast ook een aanzienlijke bijdrage leveren aan 'workplace environment'; de kwaliteit van de werkomgeving. Het begrip werkomgeving moet overigens breder worden opgevat dan de kantoor- of winkelomgeving. Het gaat om de verschillende omgevingen waarin een product of dienst wordt ontwikkeld, geproduceerd, onder de aandacht gebracht, verhandeld, geleverd of onderhouden.

De reputatie driver visie & leiderschap is indirect van toepassing op designmanagement: deze driver komt mede tot uitdrukking door de manifestatie van alle hiervoor genoemde middelen (het totale presentatiebeleid). Naarmate de samenhang en zeggingskracht hiervan groter is, zal dit een positief effect hebben op de reputatie.

Merkwaarde-ontwikkeling

De prestaties van strategisch designmanagement kunnen ook vanuit een merkenperspectief worden beschouwd. De belangrijkste reden voor strategisch designmanagement ligt dan in de ontwikkeling en groei van de brand equity. Hiervan is sprake als de corporate design strategy bijdraagt aan de merkwaarde en merkbetekenis. Wanneer designmanagement als zodanig presteert zal het een bron van economische waarde voor de onderneming zijn.

We introduceerden in hoofdstuk twee het concept design equity (naar analogie van brand equity) om deze economische waarde van design te kunnen identificeren. Het gaat hierbij om de mate waarin design in staat is merkvoorkeur te genereren en daadwerkelijk aankoopgedrag te stimuleren. Om te achterhalen in hoeverre het designbeleid of de corporate design strategy bijdraagt aan design equity, moet onderzoek worden verricht. Zoals we aangaven is het noodzakelijk het merkimago en de consumentenervaring te deconstrueren, om te kunnen achterhalen welke designelementen en ontworpen merkattributen een positief effect hebben op consumentengedrag en in welke mate (zie verder paragraaf 2.2.3).

11.4.2 Prestatiemeting op tactisch managementniveau

Tactisch designmanagement richt zich primair op beleidsniveau en dient als zodanig te worden beoordeeld. Daarvoor is het nodig te achterhalen wat de invloed van het gevoerde beleid is op de reputatie- en merkwaardeontwikkeling. Hierbij is vooral de kwaliteit van eventuele designplannen en reeds geïmplementeerde designprogramma's aan de orde, deze plannen en programma's vormen de basis voor individuele designprojecten en de daarmee gerealiseerde designkwaliteit (de visuele output of artefacten). In de tekst hierboven is al aangegeven hoe dit in beeld kan worden gebracht.
Het kan op tactisch niveau ook gaan om designstrategieën met betrekking tot individuele producten of merken. Het succes van dergelijke producten en merken kan deels worden herleid tot het gevoerde designbeleid en de daarmee samenhangende strategiekeuze.

Veel tactische managementactiviteiten hebben niet direct betrekking op de designkwaliteit. Tactisch designmanagement zal in de eerste plaats gewaardeerd worden op grond van de mate waarin het (totale) designproces bijdraagt aan het succes van de organisatie. Het is de taak van tactisch designmanagement om dit proces te organiseren. Daarnaast kunnen ook de prestaties van de designafdeling als resultaat worden aangemerkt. Zowel in kwantitatieve zin (de geleverde hoeveelheid werk, de omzet-/winstbijdrage en het netto afdelingsresultaat) als in kwalitatieve zin (de gerealiseerde designkwaliteit). Met name *auditing* door een onafhankelijke externe partij, of door middel van *self-assessment,* kan uitwijzen in welke mate het designproces bijdraagt aan het succes en in hoeverre resources, procedures en programma's op orde zijn. Het doel van auditing is zekerheid te verkrijgen over de effecten van designmanagement op het middellange-termijnbeleid – en om de mogelijkheden voor verdere verbetering op te sporen.
Bij auditing (dat in het volgende hoofdstuk zal worden besproken) kan het benchmarkmodel of het EFQM/INK-model als basis fungeren. Verder is de balanced scorecard uitermate geschikt voor prestatiemeting op tactisch designmanagementniveau. Centraal in dit model staat strategie-implementatie. Bij tactisch management gaat het vooral om de optimale inzet van het beschikbare middelenpotentieel om de uitgezette corporate design strategy succesvol te kunnen realiseren. Beoordelingscriteria kunnen worden gevonden in het benutten van de juiste marktkansen, de inzet van de juiste competenties, de effectieve wijze van organisatie en procesvoering, de ontwikkeling en invoering van nieuwe designprogramma's en de kwaliteit van informatie- en beheersystemen. In de inleidende paragraaf hebben we al uiteengezet hoe de verschillende managementmodellen kunnen worden toegepast om dergelijke managementprestaties te achterhalen.

11.4.3 Prestatiemeting op operationeel managementniveau

Operationeel designmanagement zal voornamelijk gewaardeerd worden op basis van het korte-termijn succes van individuele designprojecten. Hierbij moet worden gedacht aan relatief eenvoudige en overzichtelijke ontwerpopgaven zoals een serieverpakking, een productvariant of een communicatie- of presentatiemiddel binnen de huis- of merkstijl. Het resultaat hangt deels samen met de gerealiseerde ontwerpkwaliteit (geleverd door de designer of het designteam) en deels met het door de designmanager gevoerde projectmanagement. Het daaraan ten grondslag liggende ontwerpbeleid, alsmede de designprogramma's waarbinnen in de regel gewerkt moet worden, zijn onderwerp van tactisch designmanagement. Het is dus de vraag wat op operationeel niveau als prestatie kan worden aangemerkt.

Als het gaat om de geleverde *designkwaliteit*, menen we dat deze prestatie toegerekend kan worden aan de designprojectmanager. Deze treedt namens de organisatie op als gedelegeerde opdrachtgever en is daarom verantwoordelijk voor de geleverde ontwerpkwaliteit; zeker wanneer de designmanager in de lijn opereert. Deze rol heeft ondermeer betrekking op de creatieve briefing, de beoordeling en selectie van ontwerpvoorstellen en de interne advisering aan de eindopdrachtgever. De beoogde designkwaliteit wordt meestal voorgeschreven door het designprogramma en de daarin vervatte uitgangspunten, richtlijnen en normen. De operationele designmanager moet deze op een juiste wijze kunnen toepassen en in overeenstemming brengen met specifieke aanvullende eisen. Het ontwerp zal daarnaast ook uitvoerbaar moeten zijn tegen acceptabele kosten. Andere prestaties kunnen zijn: het bereiken van eventuele besparingen op productie-, distributie- of onderhoudskosten. Of indirecte besparingen door het verbeteren van werkprocessen (de interne procesvoering).

Als het gaat om de geleverde *projectmanagementkwaliteit* is van belang of het project binnen de gestelde beperkingen van tijd, geld en kwaliteit is gerealiseerd. Dat wil zeggen binnen de kwaliteitsdoelstelling, het beschikbaar gestelde projectbudget en de met de eindopdrachtgever overeengekomen projectplanning. Met name de kosten en doorlooptijd van het design- of productontwikkelingsproces zullen een indicatie zijn voor de efficiëntie van het designmanagement. Maar een succesvolle implementatie of een soepel verlopend veranderingsproces kunnen evenzeer als prestatie worden aangemerkt. Het gaat dan om de wijze waarop, als afgeleide doelstelling binnen een designproject, bedrijfsprocessen of werkmethoden worden omarmd binnen de organisatie. Andere prestatie-indicatoren kunnen zijn: het onderhouden van een goede relatie met de eindopdrachtgever, het voldoende motiveren van ontwerper(s) of eventueel andere projectteamleden (en het hen goed laten samenwerken) of het tijdig inspelen op veranderingen.

Projecten zijn in de regel duidelijk afgebakend en omschreven in termen van te behalen resultaten, op grond waarvan kan worden vastgesteld wat het succes is. Projecten kunnen tegelijkertijd zeer divers van karakter zijn en als gevolg daarvan kunnen de doelstellingen uiteenlopen; van interne tot externe doelen en van kwalitatieve tot kwantitatieve doelen. De geleverde prestatie zal doorgaans worden beoordeeld in termen van efficiëntie; het best haalbare resultaat binnen de gestelde beperkingen en aanwezige mogelijkheden.

11.5 Conclusie – een proactieve opstelling is elementair

In dit hoofdstuk is een aantal inzichten, instrumenten en onderzoeksmethoden naar voren gebracht waarmee de bijdrage van designmanagement kan worden achterhaald. Het zal duidelijk zijn dat effectmeting en prestatiemeting uitermate belangrijk zijn voor het succes van de designmanagementfunctie. Veel managers zijn echter onvoldoende bekend met het fenomeen design en designmanagement om de effecten en prestaties te kunnen bepalen. De verweving met andere functionele gebieden zorgt er voor dat gemakkelijk onduidelijkheid en misverstanden kunnen ontstaan. In de praktijk is daarom een proactieve opstelling ten aanzien van prestatiemeting wenselijk. De designmanager zal zelf duidelijk meetbare succesindicatoren moeten formuleren, aan de hand waarvan men het eigen werk doorzichtig maakt. Deze indicatoren hangen samen met het managementniveau en maken het voor anderen mogelijk om te beoordelen of men op een hoog of een laag niveau van professionaliteit bezig is. In feite gaat het om het plegen van verwachtingsmanagement door:

- Een heldere en goede functieomschrijving te organiseren (waarin taken, verantwoordelijkheid, rol en positie binnen de organisatie duidelijk zijn).
- De eigen rol actief uit te dragen (goede voorlichting hierover te geven aan interne partijen).
- De eigen prestaties te onderzoeken.

We adviseren designmanagers verder om proactief naar het senior management te rapporteren over de bereikte resultaten. Periodieke design- en/of designmanagementaudits kunnen daarvoor een basis vormen (eventueel als *self assessment* uitgevoerd of door onafhankelijke auditor). Maar ook extern marktonderzoek (kwalitatief en kwantitatief designonderzoek) kan worden ingezet ter onderbouwing en validering. We komen hier in het volgende en laatste hoofdstuk op terug, waarin we verschillende instrumenten voor designmanagers de revue laten passeren.

12 Issues en instrumenten

'De spanning tussen opgelegde beperkingen, onzekere factoren, mogelijkheden en voorkeuren van het publiek, hoort bij design.'
(Jeanne Liedtka)

In dit laatste afrondende hoofdstuk bieden we ter completering een overzicht van diverse issues en instrumenten die voor designmanagement van belang kunnen zijn. We doen dat aan de hand van de vier management-hoofdactiviteiten: planning, evaluatie, implementatie en monitoring. Deze kwamen al aan de orde in hoofdstuk vijf, waar we de *designmanagementcyclus* introduceerden. We volstaan daarom met een inleidende paragraaf waarin we dit model kort herhalen, om de opzet en structuur van dit hoofdstuk uit te leggen. Vervolgens behandelen we in vier paragrafen steeds één hoofdactiviteit en de daaraan gekoppelde issues en instrumenten. We introduceren ook het onderwerp consumentenonderzoek dat een rode draad vormt in dit hoofdstuk en dat in drie van de vier hoofdactiviteiten aan de orde komt: planning, evaluatie en monitoring.
In paragraaf 12.2 staan de planningsactiviteiten centraal. We behandelen hier vier onderwerpen: consumentenonderzoek, designplanning, bureauselectie en het briefingsproces. In paragraaf 12.3 gaat het over evaluatieactiviteiten en gaan we kort in op het onderwerp consumentenonderzoek. Paragraaf 12.4 is een tekst over de implementatieactiviteiten waarbij de onderwerpen implementatieplan, introductiestrategie en beheer & onderhoud aan de orde komen. In paragraaf 12.5 staan de monitoringsactiviteiten centraal aan de hand van drie verschillende onderwerpen: consumentenonderzoek, monitoring van de bureaurelatie en auditing. We sluiten zoals gebruikelijk af met enkele conclusies.

12.1 De designmanagement-hoofdactiviteiten

Het volledig potentieel van design als bedrijfsinstrument kan alleen worden ingezet wanneer er sprake is van een volwaardig managementproces. Wat we hiermee bedoelen is in hoofdstuk vijf aan de orde gekomen, waarin we een overzicht van dit proces presenteerden. In essentie gaat het om vier hoofdtaken: formulering van de ontwerpopgave, ontwikkeling van de ontwerpoplossing, overgang (implementatie van de gekozen ontwerpoplossing) en reactie (het vaststellen in hoeverre de ontwerpoplossing leidt tot de gewenste resultaten). Deze vier hoofdtaken dienen breed opgevat te worden. Een taak als 'het formuleren van de ontwerpopgave' kan betrekking hebben op individuele ontwerpprojecten, maar ook op een designstrategie of designprogramma. Het schema laat zien dat het om een cyclisch proces gaat, waarbij de opvolgende managementactiviteiten bestaan uit planning, evaluatie, implementatie en monitoring (figuur 12.1).
In de praktijk blijven de planningsactiviteiten vaak beperkt en de monitoringsactiviteiten grotendeels achterwege. Dit leidt ertoe dat doelstellingen en te behalen resultaten

vaak onderbelicht blijven, evenals de controle van resultaten. Het gevolg kan zijn dat designactiviteiten op ad hoc basis tot stand komen (als losse initiatieven) en er weinig zicht is op de mogelijkheden van verbetering. Het ligt verder voor de hand dat bij gebrek aan monitoring, leerervaringen van reeds uitgevoerde managementactiviteiten niet zullen worden meegenomen in nieuwe activiteiten. Om op een systematische wijze invulling te kunnen geven aan verbeterdoelstellingen (door middel van verbetercycli) dienen planning en monitoring daarom als een essentieel onderdeel van het managementproces te worden opgevat. Plannen voor vernieuwing worden dan gemaakt op basis van probleemonderzoek. En de realisatie van vernieuwing wordt opgevolgd door resultaatonderzoek en effectmeting. Zonder deze activiteiten kan in feite niet worden gesproken van een volwaardig managementproces.

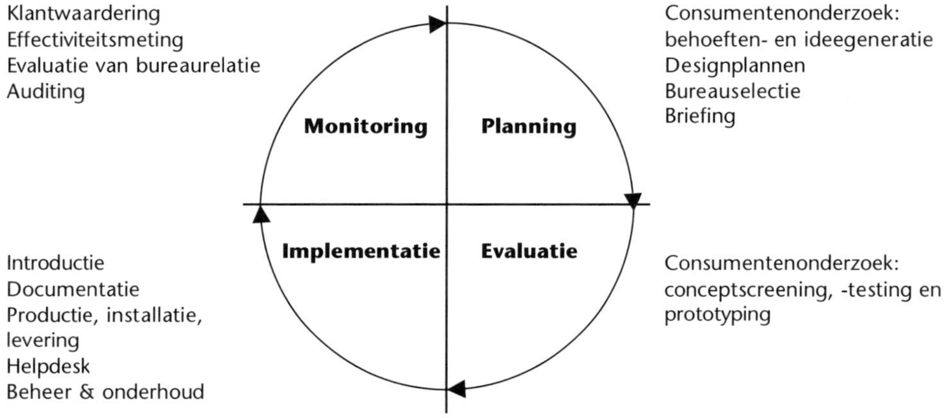

Figuur 12.1 Designmanagement-activiteiten

Met name twee instrumenten zijn voor planning en monitoring van belang: het designplan en de design-audit. We zien deze als essentieel voor de verdere ontwikkeling en acceptatie van het vakgebied. Beide tools zijn echter niet algemeen bekend en geaccepteerd. Daarom belichten we deze in dit hoofdstuk. Uiteraard vereist het opstarten en 'eigen maken' van deze instrumenten een flinke inspanning van designmanagers. Zeker als het gaat om het maken van de eerste opzet. Beide zijn bedoeld als 'ongoing' programma's. Na de eerste opzet zal het steeds gemakkelijker worden en zal de hoeveelheid werk drastisch afnemen. Wanneer de plannings- en monitoringsprogramma's één keer lopen, zal het in de regel gaan om beleidsbijstellingen, tenzij op een zeker moment besloten wordt de organisatiestrategie drastisch te wijzigen. Op dat moment zullen ook designplannen en managementprogramma's verdergaand moeten worden aangepast.
De kwaliteit van de instrumenten zal naar onze verwachting meegroeien met de ontwikkeling van de designmanagementfunctie in de organisatie. Het loont daarom alleszins de moeite hiermee aan de slag te gaan.

12.1.1 Consumentenonderzoek

Consumentenonderzoek kan voor de verschillende designmanagementactiviteiten worden ingezet. Voor de *planningsactiviteiten* kan men onderzoek inzetten om behoeften van consumenten te achterhalen. Men kan uit de reacties van respondenten op bestaande producten of uitingen, behoeften voor verbetering of mogelijkheden voor differentiatie afleiden. Hiermee kunnen ideeën gegenereerd worden en kan input worden verkregen voor conceptontwikkeling. Voor de *evaluatieactiviteiten* kan men de feedback van consumenten gebruiken om de meest interessante concepten en ontwerpvoorstellen te selecteren en input te krijgen voor doorontwikkeling en verbetering. Eventueel kan men verderop in het ontwerpproces (een klein aantal) uitgewerkte ontwerpen testen om te onderzoeken wat de reactie is of hoe groot de interesse zal zijn. Concreet kan het daarbij bijvoorbeeld gaan om het productuiterlijk; de productvorm, materiaal- en kleurkeuze. Designonderzoek kan in dit stadium ook worden ingezet om de koopintentie of de prijsstelling te kunnen bepalen (op grond van de maximale aanschafprijs die respondenten bereid zijn te betalen). Eventueel kan men ook een vergelijkingstest doen met reeds bestaande objecten. Denk in dit verband aan voorbeelden van concurrenten en vergelijkbare designs waarmee men de voorkeur van consumenten kan onderzoeken.
Voor de *implementatieactiviteiten* vervult consumentenonderzoek hoegenaamd geen rol. Het definitief ontwerp is normaliter reeds vastgesteld voordat de implementatie van start gaat. Bij de implementatie ligt het accent op productie, levering en introductie. Pas na de introductie kan, met het oog op *monitoringsactiviteiten*, opnieuw consumentenonderzoek worden ingezet in de vorm van markttests. Dit om te achterhalen wat de waardering voor het uiteindelijke resultaat is. Figuur 12.2 is een schematisch overzicht van de verschillende stadia van consumentenonderzoek.

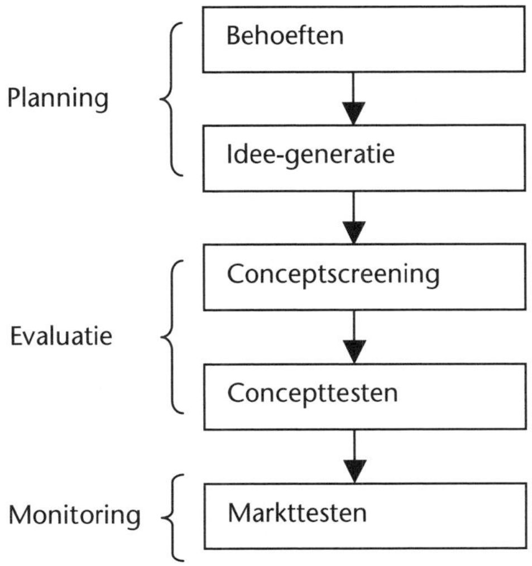

Figuur 12.2 De verschillende stadia van consumentenonderzoek in het designmanagementproces (naar: Creusen & Stockmans, 2004)

Bij monitoring kan het eindresultaat worden bepaald op basis van cijfermatige gegevens, zoals omzetstijging, hogere marge, vergroting van het marktaandeel, toename van het aantal gebruikers, toename van de gebruiksfrequentie enzovoorts. Dergelijke cijfers worden meestal door een interne financiële afdeling geleverd. De waarde van harde cijfers kwam al eerder aan de orde, maar een nadeel is dat dergelijke bewijzen alleen *achteraf* kunnen worden geleverd. Dat wil zeggen na productie en introductie, wanneer de investering nauwelijks meer valt terug te draaien. Wanneer in een eerder stadium van een project stuurinformatie gewenst is (om ontwerpvoorstellen te evalueren en hun effect te kunnen voorspellen) of wanneer interne cijfers ontbreken, is extern marktonderzoek in de regel noodzakelijk. De praktijk wijst uit dat, alhoewel het onderzoeken van reclame-effecten zeer gebruikelijk is, onderzoek naar designeffecten in de praktijk nog zeer beperkt plaatsvindt. Zo blijkt ondermeer uit een inventarisatie van de BNO-werkgroep Design & Effectiviteit. De meeste nieuwe logo-, product- of verpakkingsontwerpen worden ongetest in de markt gezet en na introductie niet of nauwelijks gemeten op hun werking.
Een verklaring hiervoor hangt mogelijk samen met de hoogte van onderzoekskosten, in verhouding tot het gemiddelde designbudget. Er lijkt een relatie te bestaan tussen de hoogte van het projectbudget en de waarde die het management aan onderzoek toekent. En designbudgetten zijn over het algemeen veel lager dan bijvoorbeeld reclamebudgetten (campagnes kunnen als gevolg van productiekosten en media-inkoop miljoenen bedragen). Designprojecten zullen ook minder vaak als strategisch worden aangemerkt. Wanneer echter de totale kosten inclusief productie- en implementatiekosten in beeld zijn, alsmede de eventuele afbreukrisico's, kan dit ertoe leiden dat de behoefte aan onderzoeksinformatie toeneemt. Designmanagers kunnen wellicht zelf ook iets doen aan de risicoperceptie van het senior management, door hen meer bewust te maken van de mogelijke effecten (zie hoofdstuk twee). Deze risico's worden vaak onderschat. Naarmate het gepercipieerde financiële risico groter is (en wanneer innovaties als van strategisch of economisch belang worden gezien) zal de neiging om te investeren in deugdelijk onderzoek toenemen.

'Research can never replace personal judgement'

Hoewel we graag zouden zien dat de onderzoekspraktijk met betrekking tot design een normale procedure wordt, is tegelijkertijd een relativering op zijn plaats. Consumentenonderzoek kan bijzonder waardevol zijn, maar moet op zijn juiste waarde worden beoordeeld en niet worden overschat. Conclusies zijn vooral richtinggevend en dienen niet te stellig te worden opgevat: 'dit zeggen consumenten dus het is zo'. Welk resultaat een onderzoek ook oplevert, het zal hoogstens worden gebruikt als onderbouwing (in de vorm van calculaties en argumentaties) om te komen tot beslissingen. Er zal echter altijd iemand moeten zijn die de feitelijke beslissingen neemt, hoe rationeel of emotioneel gefundeerd ook (en niet zelden gebaseerd op tegenstrijdige informatie). Een beslissing ten aanzien van design blijft in de praktijk vooral afhankelijk van het persoonlijke beoordelingsvermogen van de opdrachtgever en diens visie, leiderschap en ondernemerschap.
Ontwerper Joost Alferink van het Rotterdamse ontwerpbureau Waacs – dat verantwoordelijk is voor het succesvolle ontwerp van de Senseo-koffiezetter – is van mening dat met het raadplegen van eindgebruikers op zich niets mis is, maar dat het oordeel van de leek

niet té leidend moet zijn bij het beoordelen van spraakmakend design. En dat durf aan opdrachtgeverzijde niet mag ontbreken. Hij onderstreept zijn visie met een anekdote uit het productontwikkelingsproces van de Senseo. Het bureau leverde drie concepten voor de consumententest. *'Uiteindelijk werd een goed, maar wel een beetje braaf ontwerp er door negentig procent van het panel uitgehaald'.* Dat ontwerp bleek te lijken op een Italiaans apparaat en daarom op merkrechtelijke bezwaren te stuiten. *'Vervolgens werd concept nummer twee gekozen waarop de respondenten echter tijdens het onderzoek polariserend hadden gereageerd: óf het was geweldig of het was helemaal niks'.* (Bron: *MarketingTribune* bijlage Brand Design, oktober 2005.) Het resultaat van deze tweede keus – het grote succes van de Senseo – mag inmiddels als bekend worden verondersteld (zie box 2.2).
Managers kunnen geneigd zijn te kiezen voor een brede acceptatie van een ontwerp, ook als dit samenhangt met een gemiddelde waardering. Een onderscheidend en vernieuwend design zal in de regel sterkere reacties oproepen dan een ontwerp dat aansluit op datgene wat reeds bekend is. Het biedt weliswaar kans op een hogere waardering, maar vormt in de ogen van het management ook dikwijls een groter risico.

12.2 Planningsissues en instrumenten

In deze paragraaf zijn er vier uiteenlopende planningsactiviteiten die we de revue willen laten passeren: consumentenonderzoek, designplanning, bureauselectie en het briefingsproces annex het opstellen van een designbrief.

12.2.1 Consumentenonderzoek (ideegeneratie)

Voor de planningsactiviteiten kan men onderzoek inzetten om behoeften van consumenten te achterhalen. Men kan bijvoorbeeld uit de reacties van respondenten op bestaande producten of uitingen, behoeften voor verbetering of mogelijkheden voor differentiatie afleiden en op grond daarvan ideeën genereren. Door bij productontwikkeling vanaf het begin eindgebruikers centraal te stellen, kunnen ideeën gegenereerd worden en kan input worden verkregen voor scenario- en conceptontwikkeling.
Deze vorm van kwalitatief onderzoek, die wel wordt aangeduid als *Human Centered Research*, vindt vaak plaats in de vorm van werksessies waarin de onderzoekers participeren en observeren. Bijvoorbeeld een fabrikant van keukenmessen, die zijn producten wil vernieuwen, kan ervoor kiezen om een groep consumenten in het kader van onderzoek uit te nodigen voor kooksessies. Enkele professionele en amateurkoks uit de doelgroep, aangevuld met engineers en ontwerpers, gaan daarbij met de huidige producten aan de slag en bespreken hun eisen en wensen ten aanzien van het gebruik van snijgereedschap in de keuken. Naast de huidige producten kunnen eventueel ook concurrerende producten of enkele nieuwe productideeën aan bod komen. Het doel hiervan is kansen voor productvernieuwing of bijvoorbeeld een nieuwe marktbenadering op te sporen.
Een opvallende trend bij dit soort consumentenonderzoek is de inzet van menswetenschappers. Met name grote bedrijven die veel technologie toepassen, waaronder Xerox, Intel en Philips zetten steeds vaker antropologen en psychologen in, ter ondersteuning

van hun design-, R&D- en marketingafdelingen, om te achterhalen wat consumenten eigenlijk willen. Hun specialiteit is het beschrijven van culturele praktijken door middel van participerende observatie. Ze bezoeken bijvoorbeeld gastfamilies om hun leefomgeving en dagelijks leven te observeren en hun motieven te achterhalen. Of ze observeren gebruikers in een nagebootste thuissituatie, zoals in het HomeLab van Philips. Daarmee kan het nadeel van veel marktonderzoek worden ondervangen. Dit nadeel is dat mensen vaak sociaal wenselijke antwoorden geven. En dat het in traditioneel marktonderzoek niet precies duidelijk wordt wat mensen werkelijk doen en hoe ze dat doen en waarom. De gedachte achter de inzet van antropologen, sociologen en psychologen is dat cultuur (gebruikers en hun wensen) de technologie overheerst en niet andersom. Kennis van culturen, zoals bijvoorbeeld kantoorculturen, consumentenculturen of nationale culturen, dient te leiden tot producten met een hogere toegevoegde waarde voor gebruikers. Bijvoorbeeld door een hogere gebruiksvriendelijkheid van user interfaces en displays of door toevoeging van een bepaalde symbolische waarde. Maar het veldwerk van antropologen hangt ook samen met de globalisering en wordt ook gebruikt voor het ontwikkelen van nieuwe producten voor nieuwe markten, zoals China en India.

Hoewel consumentenonderzoek in de fase van design planning kan leiden tot belangrijke nieuwe inzichten, zal vooral creativiteit de doorslag geven om verkregen inzichten te vertalen naar nieuwe ideeën, scenario's en concepten. Specifieke behoeften op een bepaald gebied zijn moeilijk direct aan consumenten te vragen. Voordat er draadloze telefoons waren, konden mensen niet zeggen dat ze hier behoefte aan hadden, omdat ze niet wisten dat dit technisch mogelijk was. Ze konden wel de problemen opnoemen die ze op dat moment ondervonden bij het telefoneren (Creusen & Stokmans, 2004). Bij ontwikkeling van een nieuw product zijn dergelijke inzichten onmisbaar, maar er is wel creativiteit voor nodig om deze kennis te vertalen in een concept zoals 'mobiele telefoon'.

12.2.2 Designplanning

Het designplan vormt een belangrijke basis voor designmanagement. Zoals bijvoorbeeld het reclameplan of het communicatieplan dat is voor marketingcommunicatie. Of het productplan voor productmanagement. Het designplan vormt de basis voor het succes van de designmanagementfunctie. Ook met het oog op accountability is het designplan van belang: het maakt de geplande designmanagementinspanning begrijpelijk en transparant. Het designplan is de beschrijving van een geplande, beleidsmatige aanpak van bepaalde vormgevingsactiviteiten die richting geeft aan het creatieve proces en die voortkomt uit een strategische keuze. Het is bedoeld om fouten te voorkomen, maar bovenal om inzicht te creëren, richting te geven en om te inspireren. Het planmatig bekijken van de designopgave vanuit verschillende gezichtspunten op grond van onderzoek en analyse, moet ertoe leiden dat een effectieve aanpak en oplossing wordt geformuleerd. Op grond van designplannen worden bijpassende designprogramma's ontwikkeld. Het designplan geeft de beleidsmatige kaders en richtlijnen in hoofdlijnen, een designprogramma vormt de concrete en meer gedetailleerde vertaling en uitwerking hiervan.

Designplannen kunnen op basis van de planningstermijn worden aangemerkt als korte-termijnplanning (periode van één jaar), middellange-termijnplanning (twee tot vijf jaar) of lange-termijnplanning (meer dan vijf jaar). We kunnen op grond van de planningstermijn dergelijke plannen omschrijven als respectievelijk, operationeel, tactisch of strategisch.
Designplannen staan niet op zichzelf maar zijn meestal verbonden met andere plannen of vormen daarvan een uitwerking. Een *strategisch* designplan zal direct gekoppeld zijn aan het ondernemingsplan (en daarmee aan de overkoepelende ondernemingsstrategie). Bij een marktgeoriënteerde onderneming zal eveneens het marketingplan richting geven aan het designplan. Het strategisch designplan fungeert in ondernemingen die design als een belangrijke onderscheidende kracht zien, zoals bijvoorbeeld producenten van duurzame gebruiksgoederen. Het geeft op centraal niveau richting aan decentrale productontwikkeling en visuele communicatie. *Tactische* designplannen zullen in de regel fungeren als een uitwerking van het strategisch designplan en in het verlengde liggen van individuele merk- en/of productstrategieën. Het tactisch designplan is de decentrale uitwerking van de corporate design strategy (het centrale designbeleid), afgestemd op specifieke product/marktcombinaties, doelgroepen of segmenten. Een *operationeel* designplan heeft doorgaans betrekking op een bepaalde reeks ontwerpactiviteiten die in korte tijd moeten worden uitgevoerd en die een korte geldigheidsduur hebben. Een dergelijke plan is een operationalisering van een tactisch designplan. Hieronder lichten we de drie soorten designplanning verder toe.

Strategische designplanning

In een strategisch designplan wordt richting gegeven aan de toekomstige designactiviteiten van de organisatie. Het zorgt ervoor dat de uiteenlopende designactiviteiten richting en vaart krijgen op een zodanig wijze dat een overtuigend en coherent geheel ontstaat. Het strategisch plan moet ervoor zorgen dat men beter is voorbereid op onverwachte ontwikkelingen, zodat de juiste beslissingen tijdig kunnen worden genomen.
Floor & Van Raaij (1995) brengen vier voordelen van strategische planning naar voren, die we als volgt vertalen naar ons onderwerp:

- *Vroegtijdig inspelen op veranderingen*: door vroegtijdig het effect van externe factoren in te schatten en alternatieve strategieën te ontwikkelen, kan men met meer succes op kansen en bedreigingen inspelen. Vaak zien bedrijven te laat veranderingen aankomen. Zo werd recent de leidende positie van Sony's Walkman verdrongen door het succes van Apple's iPod. Maar ook de 'ad-ban' voor tabakswaren en alcohol (het verbod op bepaalde vormen van reclame) vraagt om alternatieve strategieën.
- *Identificeren van winstmogelijkheden*: zonder strategische planning is het identificeren van lange-termijn winstmogelijkheden een gok. Denk bijvoorbeeld aan de richting waarin de product- en merkportfolio moet worden ontwikkeld om het rendement van de onderneming te vergroten.
- *Betere marktbewerking*: de strategische designplanning moet ervoor zorgen dat de designmix juist is samengesteld en dat de hiervoor benodigde budgetten zijn veiliggesteld. Dat wil zeggen dat de designmix (de verschillende designtoepassingen van productie tot verpakking, promotie en marktexploitatie) goed is afgestemd op de

geformuleerde doelen. De allocatie van designbudgetten over de verschillende merk- of productattributen is dan niet gebaseerd op toeval, invloed of machtsposities, maar is een weloverwogen en doelgerichte keuze.

- *Gefundeerde investeringsbeslissingen*: diepte-investeringen, bijvoorbeeld in verband met productvernieuwing, moeten op langere termijn renderen. Het strategisch plan vormt de basis voor de beoordeling hiervan. Het gros van de marktintroducties mislukt; een goede strategische planning kan helpen om de kansen van mislukking te verminderen.

Strategische planning wordt vaak toegepast in het kader van portfoliomanagement. Organisaties kunnen hun product- en merkportfolio's systematisch ontwikkelen, ondermeer door middel van productplanning en in het verlengde daarvan designplanning (zie ook paragraaf 6.2.1). Het planningsproces is een cyclische managementactiviteit, omdat de omstandigheden voortdurend zullen veranderen en strategische plannen erop gericht zijn om daar voortdurend op te kunnen anticiperen. Denk aan nieuwe technologieën, marktverschuivingen, veranderende concurrentieverhoudingen, demografische ontwikkelingen, wet- en regelgeving, trends, et cetera. Als de situatie daartoe aanleiding geeft, moeten strategieën (waaronder de designstrategie) worden aangepast. En waar de markt zeer snel verandert zal de planningstermijn in de regel kort zijn.

In het strategisch designplan wordt de visie geformuleerd over de (toekomstige) rol die design voor de organisatie dient te vervullen met betrekking tot haar visie, missie, identiteit, positionering en strategie. Vanuit deze visie op design worden designdoelstellingen geformuleerd voor de gehele organisatie: de corporate design strategy. Het gaat dan om concrete resultaten en effecten, zowel met betrekking tot de corporate identity of branding, als tot de merkportfolio en de productportfolio (inclusief new product development). Vervolgens wordt ook uiteengezet wat de designstrategie behelst, die is gekozen om de geformuleerde doelen te realiseren.

Het plan beschrijft de richting waarin de business units of divisies moeten werken voor wat betreft hun designactiviteiten. Ook doelen met betrekking tot integratie van het designproces in de bedrijfsactiviteiten worden geformuleerd. Het designplan geeft daarnaast aan hoe het designbudget wordt gealloceerd over eventuele designafdelingen en over de verschillende merk- en productgerelateerde designinspanningen (waarmee prioriteiten worden toegekend). Denk in dit verband aan de classificatie in *corporate identity design, product design, environmetal design* en *information design*. Daarnaast vermeldt het plan op welke wijze beoordeling en monitoring van de beoogde resultaten en effecten plaatsvindt.

Box 12.1 **Designmanagement in de praktijk: PANalytical**

PANalytical ontwikkelt, produceert en verkoopt röntgenapparatuur en de bijbehorende software. Met deze laboratoriumapparatuur kunnen materialen worden geanalyseerd en gekarakteriseerd. PANalytical is marktleider en opereert wereldwijd met meer dan 800 medewerkers via kantoren in 60 landen en laboratoria op drie continenten. Het van origine Nederlandse bedrijf heeft haar hoofdkantoor in Almelo en is een voormalige Philips-dochter. Het kwam in 2002 in handen van Spectris; een aan de Londense beurs genoteerd conglomeraat van zestien bedrijven in hoogwaardige meet - en regelapparatuur.

PANalytical heeft als Philips-dochter altijd een zorgvuldig designbeleid gevoerd onder invloed van Philips Design. Maar toen het in 2002 op eigen benen kwam te staan, moest het een eigen weg zien te vinden. De oriëntatie van veel werknemers was nog vaak Philips. Het bedrijf wilde daarom afstand nemen van het verleden zonder een geforceerde breuk te creëren. Na de ontwikkeling van de nieuwe naam (PANalytical) en dito interim huisstijl, realiseerde het bedrijf zich dat een lange en middellange termijn visie en een samenhangend merken- en designbeleid nodig waren om een sterk merk te kunnen bouwen en een koers uit te zetten voor de nieuwe organisatie, ondermeer met het oog op productontwikkeling en marketingcommunicatie. 'Branding' als centraal idee was echter nog nieuw in de organisatie.

Onder leiding van 'Brand & Communications manager' Folke Meijer werd daarom de hulp ingeroepen van een extern designmanagement-adviesbureau (PARK). Als eerste stap werd de merkpersoonlijkheid (merkwaarden) gedefinieerd in samenhang met de missie, positionering en de feitelijke organisatie-identiteit. Op grond hiervan werden de overall-bouwstenen voor alle designdisciplines benoemd. Per designdiscipline werden vervolgens externe designleveranciers geselecteerd die de opdracht kregen een programma te ontwikkelen en dit te documenteren:

- Product design (industrial design en packaging).
- Interaction design (bedieningssoftware; navigatie, interface).
- New Media Design (webapplicaties).
- Graphic design (lay-out, beeld, fotografie).
- Booth, event & facility design (beurzen, tentoonstellingen, congressen, in- en exterieur gebouwen et cetera).
- Copy design (taalgebruik en 'tone of voice').

Verder bestaat er nog de wens om in de naaste toekomst een programma te ontwikkelen voor 'Behavioral design' (stijlkenmerken van gedrag in samenhang met de merkidentiteit).

De programma's maken inzichtelijk welke richting het management voor ogen staat en hoe de samenhang is tussen de verschillende organisatiefuncties. Meijer: *"In de loop van de afgelopen twee jaar dat hier voor elk van de designdisciplines externe deskundigen aan het werk waren, zijn door ons twee D-Days of Designer Days georganiseerd, om alle elementen intrinsiek te verbeteren en op elkaar af te stemmen, maar zeker ook om het geheel meer te laten worden dan de som der delen. Zo hebben alle ontwerpers met ons een integraal kader van randvoorwaarden voor het welslagen van het totale project benoemd, dat sindsdien mede als 'richtlijn' bij de invoering en implementatie van ons merkbeleid is gehanteerd. De internal branding, het scheppen van een intern draagvlak, als conditio sine qua non was hiervan een onderdeel".*

De feitelijke invoering vindt niet top-down plaats (opgelegd door het management) maar door middel van actieve participatie van verantwoordelijke afdelingen. Een top-down benadering zou ook moeilijk passen binnen de cultuur: PANalytical is een kennisintensieve organisatie waarin zeer hoog opgeleide professionals actief zijn. Er is daarom gekozen om niet een eigen afdeling op te tuigen maar om via de lijn te opereren. Een 'brand board' (waarin naast Meijer ook de CEO zitting heeft) stuurt het gehele proces aan. Vijf 'task forces' zijn actief om de onderscheiden designdisciplines te ontwikkelen en te incorporeren in de bedrijfsprocessen en beleids- en actieplannen. Meijer stemt verder af met een groep 'brand champions' in de verschillende regio's. De doelstelling is helder: het ontwikkelen van een merkcultuur moet leiden tot meer cohesie en consistentie, een gemeenschappelijke grond, een duidelijke richting waarin professionals kunnen werken en voldoende integratie van de verschillende organisatiefuncties. De aandacht voor design richt zich op de fysieke manifestatie hiervan in de producten en de uiteenlopende merkverschijningsvormen en -contactpunten. Drie jaar na de start van dit proces zijn er goede resultaten zichtbaar, hoewel er nog veel te doen is, zoals het meten van de effectiviteit. Er is sprake van een stap-voor-stap benadering waarin branding en design langzaam maar zeker deel uitmaken van het werk van managers en een plaats krijgen in het informele en formele planningsproces.

Tactische designplanning

Op tactisch niveau beschrijft het designplan hoe – binnen de geformuleerde corporate design strategy – op het niveau van een decentrale business unit of divisie gewerkt moet worden. Op tactisch niveau dient immers, binnen de specifieke context van productcategorieën, marktsegmenten en doelgroepen, aanvullend beleid geformuleerd te worden. Ook ten aanzien van het gebruik en management van design dient de corporate design strategy voor specifieke onderdelen van de merk- en productportfolio verder te worden uitgewerkt.

Het tactisch designplan kent een organisatorische component waarin het beleid ten aanzien van de decentrale designafdeling wordt geformuleerd. Hierbij wordt aangegeven op welke wijze de beschikbare resources worden ingezet. Voor wat betreft het designbudget wordt aangegeven hoe dit over de verschillende merk -en productattributen wordt ingezet. Denk hierbij aan productdesign, verpakking (*structural design* en *graphic design)*, promotie en marktexploitatie (bijvoorbeeld showroom-, winkelinrichting of de inrichting van ontvangst- en werkruimten). Ook beleid met betrekking tot de organisatie en integratie van het designproces in de decentrale divisie, business unit of werkmaatschappij, behoort in het tactisch designplan te worden opgenomen. Denk aan voorlichtings- en trainingsactiviteiten, het onderhouden van proactieve relaties met de 'silent designers' binnen de organisatie of aan de kwaliteit van het projectmanagement. Ten slotte kan een tactisch designplan heel specifiek de beschrijving van een concreet designprogramma zijn op middelenniveau. Het kan bijvoorbeeld beschrijven welke bijdrage design levert aan het creëren van eenheid en onderscheid binnen een uitgebreid productenpakket, vaak geproduceerd door meerdere organisatieonderdelen. Maar ook hoe door middel van design, betekenis en lading kan worden gegeven aan een merk (door vormgeving van presentatie- en communicatiemiddelen). En hoe *alignment* gerealiseerd dient te worden tussen de vele merkuitingen en merkcontactpunten. Een dergelijk tactisch designplan is sterk verbonden met marketing en communicatie en zal in de regel ook in samenwerking met verantwoordelijke afdelingen tot stand komen. Het tactisch designplan op middelenniveau fungeert als basis en houvast bij alle verdere designactiviteiten en -projecten.

Operationele designplanning

Een operationeel designplan heeft doorgaans betrekking op een bepaalde reeks ontwerpactiviteiten die in korte tijd moeten worden uitgevoerd en die een beperkte geldigheidsduur hebben. Wanneer er bijvoorbeeld sprake is van snel wijzigende productlijnen, zoals we dat kennen binnen bijvoorbeeld de mode-industrie, is het maken van een dergelijk plan effectief. Ieder seizoen verandert de collectie en het designplan bevat daarvoor de ontwerpuitgangspunten. Het designplan moet dan ook klaar zijn voordat de stoffen worden ingekocht en de ontwerpers aan het werk gaan.

Een operationeel designplan kan functioneren als een zogenaamde *master briefing*. Een dergelijke masterbriefing heeft betrekking op een reeks ontwerpactiviteiten en fungeert als ijkpunt voor deelbriefings (voor specifieke individuele projecten en deelprojecten) en voor de beoordeling van de gewenste ontwerpkwaliteit.

Operationele designplannen kunnen ook fungeren als projectplannen. Een projectplan bevat minimaal een beschrijving van:

- de aanleiding voor het project;
- het doel van het project;
- het gewenste resultaat;
- de gestelde randvoorwaarden;
- de kwaliteitscriteria voor het design;
- de fasering en planning;
- de organisatie;
- de communicatiemiddelen;
- de beheersaspecten (financiën, ondersteunende processen).

Om dergelijke plannen op te stellen zijn verschillende methodieken en formats in omloop. Eén daarvan is de methodiek Projectmatig Werken (Wijnen *et al.*, 1996), een methode gebaseerd op het faseren en beheersen van projecten. Bij designprojecten kan een voortraject worden onderscheiden en een uitvoeringstraject. In het voortraject zijn er achtereenvolgens de initiatiefase (oriëntatie en analyse), de definitiefase (projectplan en initiële projectbriefing) en de conceptfase (creatieve visie, globale ideeontwikkeling en richtingkeuze uitmondend in de design brief). Dit voortraject valt eigenlijk samen met wat we operationele designplanning noemen. Het uitvoeringstraject bestaat uit het voorlopig ontwerp (de creatie en evaluatie van ontwerpvoorstellen), het definitief ontwerp (uitwerking en specificatie), de productie, de implementatie (alle activiteiten die verbonden zijn met de invoering) en de monitorings- of nazorgfase.

Bij projectmatig werken wordt gestuurd op vijf beheersaspecten: tijd, geld, kwaliteit, informatie en organisatie (TGKIO). In de praktijk kan niet aan alle vijf beheersaspecten in gelijke mate worden voldaan. Het vooraf stellen van duidelijke prioriteiten met betrekking tot de vijf beheersaspecten is daarom wenselijk. Het informatieproces, bijvoorbeeld in verband met het verkrijgen van voldoende begrip en instemming binnen de organisatie, kost in de regel tijd en geld. Wanneer tijd belangrijker is dan informatie, zal het project dus anders moeten worden ingericht dan wanneer informatie belangrijker is dan tijd. In het projectplan wordt vastgelegd welke beheersaspecten het belangrijkst zijn (prioritering) en welke activiteiten zullen worden ondernomen om een goede beheersing hiervan te realiseren. Specifieke deelplannen kunnen betrekking hebben op een bepaalde fase, zoals bijvoorbeeld een implementatieplan betrekking heeft op de implementatiefase.

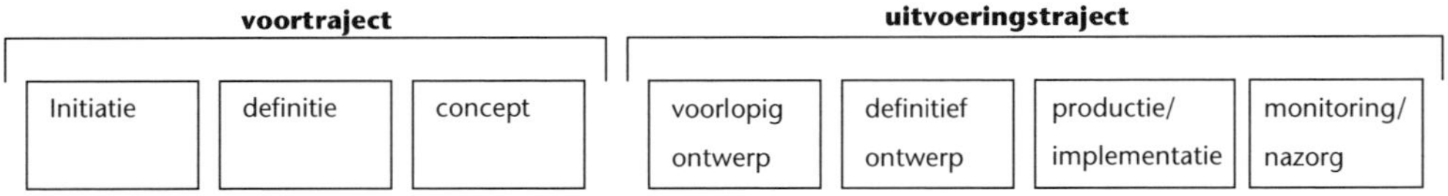

Figuur 12.3 Fasering van designproject

Project Start Up

Binnen de methodiek projectmatig werken wordt aanbevolen om bij de start van een project (de initiatieffase) een zogenaamde *Project Start Up* te schrijven. Dit document bevat – puntsgewijs weergegeven – de belangrijkste zaken rond het project en fungeert om alle (vaak versnipperde) informatie te ordenen en toegankelijk te maken. Ook wat nog niet bekend is, wordt in de PSU aangegeven. Bovendien dwingt de projectmanager zichzelf hiermee om te verifiëren of er voldoende basis is voor een succesvol project.
Met behulp van de PSU ontstaat een eerste beeld van wat het project inhoudt. Voor geoefende projectmanagers is het een snelle en doeltreffende methode waarmee alle betrokkenen op één lijn kunnen worden gebracht en waarmee men onderling kan checken of het beeld van wat het project behelst juist en volledig is. Verder fungeert de PSU vaak als een beslisdocument voor een definitief 'go/no go'. De investering in tijd om de PSU te maken, betaalt zich doorgaans ruimschoots terug.
De PSU beschrijft achtereenvolgens:

- Aanleiding: van financiële, juridische, organisatorische, strategische, politieke of historische aard, waarbij ook gekeken wordt naar ontwikkelingen in de markt, samenleving en trends.
- Huidige situatie: de probleemstelling en de gevolgen van het probleem, waarbij de urgentie naar voren komt.
- Doelstellingen: de doelen die intern en extern bereikt moeten worden.
- Resultaten: alle concrete producten die geleverd moeten worden en data in hoofdlijnen.
- Afbakening: de projectresultaten die wel nodig zijn, maar die niet binnen de projectopdracht vallen.
- Randvoorwaarden (en kritische succesfactoren): de voorwaarden die essentieel zijn om het project tot een goed einde te kunnen brengen.
- Effecten: de gewenste en mogelijk ongewenste effecten die zich kunnen voordoen.

12.2.3 Bureauselectie

Het selecteren van partners of leveranciers op het terrein van design is de taak van designmanagement. Daarbij gaat het om het aantrekken van het benodigde ontwerppotentieel: het creatieve talent, de strategische expertise of de organisatie die nodig is als aanvulling op de eigen capaciteit. Er is een groot aanbod en een grote variatie, van eenmansbedrijfjes tot full-size internationale designbureaus. Deze kunnen sterk verschillen in cultuur en opvattingen. En er zijn tal van specialisaties in deeldisciplines, zoals bijvoorbeeld verpakkingsontwerpen, letterontwerpen of interface design. Organisaties kunnen kiezen voor één of enkele full-service bureaus of juist voor kleine, gespecialiseerde bureaus. Maar ook voor een combinatie van een groot full-service bureau èn enkele gespecialiseerde kleine bureaus. Ze kunnen duurzame relaties aangaan, bijvoorbeeld om een merk te bouwen, of kiezen voor korte relaties gericht op het verkrijgen van nieuwe impulsen.
Een ander aspect is dat creativiteit geen standaard product is, maar vorm krijgt door de interactie tussen opdrachtgever en opdrachtnemer. De rol van de opdrachtgever is in de praktijk van grote invloed op de kwaliteit van het geleverde werk. Bijvoorbeeld door de kwaliteit van de interne procesvoering en van het briefingsproces. Daarom verdient het aanbeveling om bij bureauselectie ook de eigen organisatie en het designmanagement onder de loep te nemen.
De BVA (Associatie van Adverteerders) gaf in 1998 een handleiding bureauselectie uit, gebaseerd op een stappenplan (figuur 12.4). Uit het aantal stappen blijkt dat een goede bureauselectieprocedure nogal wat aandachtspunten bevat en de nodige tijd en energie vergt. We gaan niet op alle stappen van het selectieproces in (een aantal spreken min of meer voor zichzelf) maar behandelen het onderwerp selectieprocedures en selectiecriteria in de tekst. Als instrument gaan we daarnaast kort in op het onderwerp rostering.

1	Probleemidentificatie (waarom selectie?)
2	Formeren projectteam/aanstellen projectleider eventueel inschakelen externe adviseur
3	Vaststellen randvoorwaarden selectie (rol huidige bureau, soort selectie, vergoedingen)
4	Bepalen selectiecriteria/opstellen bureauprofiel
5	Oriëntatie en longlist-selectie
6	Shortlist-selectie
7	Voorbereiding presentatie en briefing
8	Bureaupresentaties
9	Evaluatie en eindselectie (feedback aan niet-geselecteerde bureaus)
10	Samenwerkingsovereenkomst (eventueel persbericht)

Figuur 12.4 Het bureauselectieproces (naar: BVA, 1998)

Selectieprocedures: algemene oriëntatie of competitie?
Er zijn drie soorten selectieprocedures bekend: de algemene oriëntatie, de creatieve competitie en de strategische competitie. De vraag welke procedure het best kan worden

gekozen, is mede afhankelijk van de aard van het designvraagstuk en de benodigde aanvulling op de eigen capaciteit. Bij een *algemene bureauoriëntatie* worden enkele bureaus uitgenodigd om een bureaupresentatie te houden, waarbij ze iets over hun werkwijze, aanpak en ervaring vertellen, hun werk tonen en meestal enkele relevante cases presenteren. Deze aanpak werkt goed als een organisatie veel gewicht toekent aan een goede beheersing en organisatie, of aan de kostenstructuur van het bureau. Het bureau dat het meest aanspreekt en vertrouwen weet te wekken, wordt doorgaans als beste geselecteerd.

Bij de *creatieve competitie* presenteren enkele bureaus die hiervoor zijn uitgenodigd een ontwerpconcept op basis van een afgegeven briefing. Meestal wordt het bureau dat het als best beoordeelde concept heeft weten te presenteren, als winnaar geselecteerd. Deze aanpak werkt goed wanneer het creatieve talent van het designbureau voorop staat, maar er zitten wel de nodige addertjes onder het gras. Het creatieve resultaat vormt zelden het eindresultaat; in de creatieve competitie ontbreekt de interactie tussen opdrachtgever en opdrachtnemer die nodig is om tot een succesvol resultaat te komen. In feite begint daarom na de selectieprocedure het eigenlijke ontwerptraject.

Een *strategische competitie* is meestal gericht op het vraagstuk van strategisch design. Voor corporate identity, brand design of product design trajecten wordt aan enkele geselecteerde bureaus gevraagd om hun visie op de problematiek neer te leggen en een plan van aanpak in te dienen. De ervaring en de advieskwaliteit vormen dan, naast een presentatie van eerder creatief werk, de selectiecriteria.

Selectiecriteria

De selectiecriteria kunnen feitelijk sterk verschillen per type organisatie, markt en categorie. Voor een producent van consumentengoederen of een retailer kan het anders liggen dan voor een dienstverlener, een overheidsorganisatie of een producent van duurzame goederen. Afhankelijk hiervan kan een bepaald soort kennis en ervaring vereist zijn, zoals met betrekking tot marketing, merk- of productontwikkeling. Maar ook het betreffende type design kan een rol spelen. We introduceerden het onderscheid in strategisch, tactisch en operationeel design om hiermee aan te geven dat het om verschillende grootheden gaat (zie hoofdstuk twee). Voor de ontwikkeling van strategisch design is een ervaren full-service bureau met advieskwaliteit wellicht een goede keuze, omdat het gaat om het opzetten van een breed designprogramma dat verbonden is met de bedrijfs- en marktstrategie. Terwijl voor tactisch design dat zich richt op actualiteit een klein creatief bureau een goede keuze kan zijn.

Als mogelijke selectiecriteria kunnen we aanvoeren:

- Omvang (aantal medewerkers, gespecialiseerde functies, overhead).
- Schaal (locaal, regionaal, landelijk of internationaal).
- Aanwezige kennis (bijvoorbeeld met betrekking tot strategieontwikkeling, technologie, marketing- of communicatievraagstukken).
- Vaardigheden (bijvoorbeeld op het terrein van accountplanning of projectmanagement).
- Aanwezige designspecialismen.
- Ervaring met soortgelijke projecten (kennis van de markt).

- Werkwijze (bijvoorbeeld wel/geen direct contact tussen opdrachtgever en creatieven).
- Creatieve stijl (de persoonlijkheid van het bureau; wel of geen specifieke signatuur).
- Faciliteiten (beschikbaarheid werkruimten, prepress-afdeling, modellenmakerij et cetera).
- Locatie (afstand, bereikbaarheid).

Op basis van een interne analyse kan men de gewenste rol, de werkzaamheden en het bureauprofiel bepalen. Het gaat erom dat een duidelijke keuze wordt gemaakt die aansluit bij de aard van de ontwerpopgave en bij de eigen mogelijkheden en capaciteiten. Een juiste inschatting van de eigen ervaring, deskundigheid, capaciteit en organisatiekwaliteit (binnen de opdrachtgevende organisatie) is daarom het eerste en belangrijkste selectiecriterium. Naarmate er meer expertise en capaciteit in eigen huis is, zal het accent doorgaans verschuiven naar het creatieve talent als belangrijkste criterium.

'Rostering'

Kenmerkend voor designopdrachten in Nederland is dat ze meestal op projectbasis worden uitgevoerd. Wanneer organisaties meer procesgericht willen werken (onder invloed van designmanagement), kunnen ze ervoor kiezen om met zogenaamde *rosters* te werken. Deze in Engeland gebruikelijke vorm van langdurige samenwerkingscontracten met een aantal *preferred suppliers* biedt grote voordelen voor beide partijen (Gommer & Heijmans, 1997). Het roster is een instrument waarmee een tactische designmanager kan sturen op de benodigde designkwaliteit. Met het roster kan hij medewerkers richtlijnen aanbieden voor het optimaal selecteren van een leverancier per specifiek type opdracht. Aan de uiteenlopende designbehoeften die een organisatie heeft, worden steeds één of enkele bijpassende bureaus gekoppeld. Het roster schrijft voor welk bureau voor welk type werk ingeschakeld dient te worden. Hiermee wordt voorkomen dat bureaus elkaar overlappen (en teveel hetzelfde zijn) of dat voor bepaalde ontwerpopgaven geen geschikte leveranciers beschikbaar zijn. Het roster bevordert ook een efficiënt inkoopproces. Door zorgvuldig een beperkt aantal leveranciers te selecteren binnen het roster, wordt voorkomen dat met teveel verschillende partijen wordt gewerkt. Tenslotte bevordert het lange-termijnrelaties met ontwerpbureaus, waardoor de kwaliteit van de samenwerking en het vertrouwen kan groeien en de aanwezige kennis verder kan worden opgebouwd.

12.2.4 Briefingsproces en designbrief

In de praktijk zien we dat veel briefingsdocumenten te wensen overlaten. De meeste zijn eerder communicatiebriefings (geschikt voor communicatiebureaus) dan designbriefings. Er wordt vaak wel uitvoerig ingegaan op merk-, markt- en communicatiedoelstellingen, maar doelstellingen ten aanzien van de vormgeving ontbreken of worden meestal niet of onvoldoende expliciet gemaakt. Designbureaus moeten vaak nodeloos veel tijd en energie investeren om te achterhalen wat de opdrachtgever precies voor ogen staat. Vaak heeft deze wel een bepaald idee, maar kan hij dit niet onder woorden brengen. Van designmanagers mag worden verwacht dat zij hier wel op adequate wijze toe in staat zijn.

Wellicht het belangrijkste instrument voor designmanagement, is de designbriefing. Een goede briefing is cruciaal voor het welslagen van een designproject. Zonder een duidelijke analyse van de bestaande situatie, een helder beeld van de gewenste situatie en duidelijke beoordelingscriteria, is het voor een ontwerper niet of nauwelijks mogelijk een passende oplossing te bieden voor de problematiek van de organisatie. Wanneer een goed briefingsproces achterwege is gebleven, blijft onduidelijk hoe en op grond waarvan creatieve resultaten moeten worden beoordeeld.
In de praktijk blijkt het onvoldoende aansluiten van de verwachtingen en ambities van de opdrachtgever op de geboden oplossing een veel voorkomende situatie. Niet zelden loopt een in gang gezet proces vast, omdat gaandeweg blijkt dat de management- en communicatiedoelstellingen niet helder zijn. Zoals we eerder naar voren hebben gebracht, heeft het creatieve ontwerpproces een subjectief karakter. Derhalve is de uitkomst ervan moeilijk te beheersen. Om een dergelijk proces zodanig aan te sturen dat het beoogde resultaat kan worden gerealiseerd, is een zo nauwkeurig mogelijke beschrijving van het beoogde resultaat vereist. De mate waarin vooraf de doelen, eisen, verlangens en verwachtingen zijn omschreven en doorgepraat, bepaalt voor een groot deel 'het gemak' van de interne besluitvorming. De investering in een goed briefingsproces betaalt zich daarom meestal ruim terug, zowel in tijd- als geldbesparing.

Voor een goed briefingsproces is het aan te raden een aparte briefing te schrijven voor het eigen management en één voor de ontwerper(s) van de eigen ontwerpafdeling of het te selecteren designbureau. De briefing voor het eigen management noemen we ook wel de *initiële projectbrief*. Die voor de ontwerpers noemen we de *designbrief*. Een designbrief zal voor het eigen management in de regel niet toereikend zijn. Het gaat hen vooral om de beslissing ten aanzien van de designinvestering als zodanig, waarbij met name de omvang van het project (inclusief interne organisatie-aspecten) en de afbakening behandeld moeten worden. Voor de ontwerpopgave is veel van die informatie slechts onnodige ballast.
In de praktijk zullen de meeste ontwerpers bij het ontbreken van een deugdelijke designbrief zelf proberen hierin te voorzien, om greep te krijgen op het ontwerpvraagstuk of om een beoordelingskader te creëren. De ontwerper moet nu op basis van deskresearch of interviews 'teruggraven' en proberen doelstellingen boven water zien te krijgen of deze zelf te bedenken. Hij kan daarbij gemakkelijk fouten maken of zaken over het hoofd zien. Wanneer wel een initiële projectbriefing door de opdrachtgever is geschreven, maar het opstellen van een designbrief achterwege blijft, verdient het aanbeveling deze taak aan het bureau op te dragen in de vorm van een *design debrief*. Deze debrief wordt bij voorkeur door een accountplanner van het designbureau geschreven, op basis van de initiële projectbriefing, en ter verificatie aan de opdrachtgever voorgelegd. De debriefing stelt de designmanager in staat om na te gaan of het bureau de vraag van de opdrachtgever goed heeft begrepen en of bij de ontwerper(s) levende nieuwe ideeën de moeite waard zijn om te overwegen. In deze fase van kan een project nog relatief gemakkelijk worden bijgestuurd; in latere fasen worden bijsturingen als zeer verstorend en demotiverend ervaren. Een goede debriefing kan op het hele proces veel geld, tijd en teleurstelling uitsparen.

De initiële projectbrief

De initiële projectbrief fungeert intern als voorbereiding. Het dient ertoe om te verifiëren of er overeenstemming is bij de beslissers over de geformuleerde doelstellingen. Daarmee biedt het ook een basis voor bureauselectie. Aan de hand hiervan kan een *longlist* en *shortlist* worden opgesteld van te benaderen designbureaus. In het verlengde van de initiële projectbrief moet daarom worden vastgesteld welke criteria van belang zijn voor de bureauselectie. Een initiële projectbrief is voor ontwerpers veelal ongeschikt om mee te werken, niet zelden omdat deze teveel (voor hem niet-relevante) informatie bevat en de creatieve mogelijkheden erdoor worden ingeperkt. De meeste ontwerpers hebben daarom een specifieke designbrief nodig.

In de brief voor het eigen management staan ondermeer de doelstellingen, de achtergrond en de afbakening van het project. De initiële projectbrief is volledig en bevat informatie over de kaders en de randvoorwaarden waarbinnen het project uitgevoerd moet worden. Deze berichtgeving dient eenduidig te zijn en geen ruimte te laten voor verschillende interpretatie. De brief is bedoeld voor interne besluitvorming en bevat de mogelijkheid om te checken of de wederzijdse verwachtingen goed zijn afgestemd. Er zijn een aantal concrete onderwerpen die we hierna toelichten:

- de achtergrond en aanleiding voor het project;
- concrete doelstellingen;
- precieze opdracht (de *deliverables*);
- relatie met andere uitingen/kanalen;
- taakverdeling: wie doet wat?
- logistiek en planning: hoe en wanneer?

Achtergrond en aanleiding

De achtergrond van een designproject kan worden gevormd door economische of niet-economische overwegingen of randvoorwaarden waarbinnen geopereerd moet worden. Wanneer het onderwerp *corporate identity* aan de orde is, kunnen ook organisatorische en motivationele overwegingen aan de orde zijn. Onderwerpen kunnen zijn: de merkidentiteit en de propositie, de positionering van het merk, de (markt)omgeving, de merkstructuur en de middelen die moeten worden ingezet om de positie van het merk te versterken. Uiteraard is het belangrijk dat er voldoende bewustzijn en een goed gevoel van urgentie naar voren komt uit de wijze van beschrijving.

Concrete doelstellingen

In de projectbrief dienen altijd duidelijke designdoelen en in aansluiting daarop beoordelingscriteria te worden vermeld, evenals de beoogde effecten. Daarnaast kan het gaan om specifieke marketing-, communicatie- of organisatiedoelstellingen (op corporate, divisie- of business unit-niveau). We kunnen verder een onderscheid aanbrengen tussen functionele en instrumentele doelstellingen (als proces of als instrument). Doelstellingen dienen zo specifiek mogelijk te worden omschreven. Ook eventuele randvoorwaarden die aan de orde zijn moeten worden weergegeven. Bijvoorbeeld op grond van merkrechtelijke, financiële of capaciteitsbeperkingen.

Precieze opdracht (deliverables)

De projectbrief dient te vermelden welke zaken moeten worden opgeleverd. Dit kan variëren van rapportages, onderzoeksresultaten en ontwerpschetsen tot werktekeningen, data, instructies en productiespecificaties. De kosten van het project kunnen anders ook niet nauwkeurig worden begroot worden, laat staan dat er sprake kan zijn van betrouwbaar management.

Relatie met andere uitingen/kanalen

Omdat veel merken en producten vandaag de dag in een multichannel-omgeving opereren, zal een ontwerpoplossing vaak ook vertaald en doorgevoerd moeten worden naar andere toepassingen of mediakanalen. Dit zal in de projectbrief moeten worden aangegeven, zodat het management voldoende zicht heeft op de consequenties van het project, de samenhang met andere functionele gebieden, de omvang en de complexiteit.

Taakverdeling: wie doet wat?

De projectbrief dient te vermelden door wie welke zaken moeten worden opgeleverd. Wanneer dit van meet af aan duidelijk is, kan de benodigde capaciteit worden beoordeeld en hierop worden afgestemd.

Wanneer een project zodanig is afgebakend dat bepaalde beoogde resultaten geen deel zullen uitmaken van het betreffende project, moet dit duidelijk worden aangegeven. In de praktijk gaat het dan om activiteiten die door andere functionarissen of afdelingen (binnen de reguliere organisatie) moeten worden uitgevoerd. Denk bijvoorbeeld aan gewenste communicatie-inspanningen rondom de introductie van het designresultaat, die niet door het projectteam worden verzorgd (en waarvoor ook geen projectbudget beschikbaar is). Wanneer deze door de marketing- of communicatieafdeling moeten worden meegenomen in hun lopende activiteiten en reguliere budget, dient dit uiteraard wel van tevoren bekend te zijn.

Logistiek en planning: hoe en wanneer?

De initiële projectbrief dient te vermelden op welke wijze en wanneer, welke zaken door wie moeten worden opgeleverd. Bij de *deliverables* moeten daarom ook namen en een leveringsdatum worden vermeld. Bij voorkeur is ook opgenomen welke managers wat geleverd krijgen. Maar ook wie van hen wanneer en waarover moet beslissen. Dit dient te resulteren in een realistisch en betrouwbaar projectoverzicht. We wijzen er in dit verband op dat meestal wel het externe proces is gepland, maar niet het interne, dat vervolgens 'roet in het eten gooit'. Het is belangrijk om niet alleen afspraken te maken met externe leveranciers, maar ook met de interne leveranciers en betrokkenen.

De designbrief

De designbrief dient de ontwerper voldoende informatie en aanknopingspunten te bieden om de gewenste activiteit met succes te kunnen uitvoeren. Een goede designbrief getuigt van inzicht in het ontwerpproces en van de manier waarop ontwerpers met informatie omgaan. Een goede designbrief prikkelt, inspireert en stimuleert creativiteit; de brief vormt een creatieve uitdaging voor ontwerpers. Hij beschrijft, naast specifieke

designdoelstellingen, specifieke aanwijzingen met betrekking tot de corporate identity of het merkconcept en biedt ontwerpers aanknopingspunten voor mogelijke creatieve en communicatieve conceptrichtingen als vertaling hiervan (bijvoorbeeld door middel van een statement over de merkpersoonlijkheid). Het is raadzaam de designbrief aan te vullen met voorbeelden van de designrichting die men voor ogen staat en daarbij semantische aspecten te omschrijven (een helder vormvoorschrift in woord). Verzamelde stijlbeelden uit tijdschriften of andere media kunnen de ontwerper tevens houvast geven.
In een designbrief mogen naar onze mening de volgende zaken niet ontbreken:

- Beoogde designdoelen en effecten – en de beoordelingscriteria die daarbij horen.
- Stijl en toon: een beeldende beschrijving van de gewenste richting (formeel/informeel, hard/zacht, populair/wetenschappelijk enzovoort).
- Mate van expressiviteit: een beschrijving van het gewenste niveau (uitbundig, ingetogen, neutraal, mate van kleur- en beeldgebruik).
- Aanknopingspunten voor mogelijke ontwerprichting: een beeldende beschrijving van de merkpersoonlijkheid, een gebruikssituatie of een gebruikersgroep.
- Visuele referentie (bestaand voorbeeldmateriaal).

En uiteraard:

- Een heldere, éénduidige opdrachtomschrijving die geen ruimte laat voor verschillende interpretatie; inclusief de gewenste deliverables en een heldere afbakening.
- Duidelijkheid over de beperkende randvoorwaarden (bijvoorbeeld merkrechtelijk, financieel of merkstrategisch).
- Taakverdeling, logistieke planning en tijdsplanning.
- Verwachtingen ten aanzien van samenwerking en te leveren materialen.

12.3 Evaluatie-issues en instrumenten

Ten opzichte van de vorige paragraaf, waarin we maar liefst vier uiteenlopende planningsactiviteiten hebben behandeld, is het aantal evaluatie-issues en instrumenten beperkt. De evaluatieactiviteiten hebben vooral betrekking op het selecteren, doorontwikkelen en testen van concepten en prototypes. Het gaat daarnaast voornamelijk om het aansturen van het ontwerp- of ontwikkelteam, het uitzetten en analyseren van onderzoek en het afstemmen met het eindverantwoordelijk management.
Wanneer sprake is van New Product Development kan in deze fase sprake zijn van kostenanalyse-onderzoek door financieel specialisten. Het gaat dan bijvoorbeeld om de vraag tegen welke kosten per eenheid/product een ontwerp gerealiseerd kan worden en welke investeringen in productiefaciliteiten dit met zich meebrengt. Dergelijke analyses kunnen van invloed zijn op de besluitvorming. Het maken van dergelijke analyses valt doorgaans buiten de competentie van designmanagers en daarom gaan we hier niet nader op in. We beperken ons in deze paragraaf tot het onderwerp consumentenonderzoek.

12.3.1 Consumentenonderzoek (concept screening, concepttesten, prototyping)

Wanneer ideegeneratie heeft geleid tot een groot aantal (ruwe) concepten, kan men ook de input van consumenten gebruiken bij het selecteren van de meest interessante. Zeker wanneer de waardering van consumenten moeilijk ingeschat kan worden door interne specialisten. Een logische vervolgstap is immers om niet alle ideeën verder te ontwikkelen, maar de meest kansrijke concepten hiervoor te selecteren. Dit wordt wel aangeduid als 'concept screening'. De interesse van consumenten in het idee geldt als een criterium hiervoor, maar er zijn ook andere criteria, zoals passendheid bij de organisatie (aansluiting op imago) en verwachte marktgrootte (Creusen & Stokmans, 2004). Bij verdere conceptontwikkeling gaat het erom voorstellen voor verdere verbetering te verzamelen. Daarnaast is het ook van belang om *consumer insights* succesvol te verbinden met de bedrijfsfilosofie, de identiteit, de ondernemingsdoelstellingen en de strategische positionering. En met de beschikbare middelen, competenties en faciliteiten binnen de onderneming; niet ieder idee is exploitabel.
In een later stadium kan men feedback van consumenten meenemen in de keuze tussen een klein aantal meer uitgewerkte concepten. Daarnaast kan men input van consumenten gebruiken om deze concepten te optimaliseren om nog meer aan hun wensen te voldoen. Het gaat in dit stadium niet meer om ruwe schetsen of *mock-ups*, maar om een uitgewerkt proefmodel of een werkend prototype. Wanneer het gaat om productontwikkeling, moet in dit stadium uiteindelijk ook beslist worden, het productconcept wel of niet door te ontwikkelen en op de markt te brengen. Door een productconcept aan consumenten voor te leggen kan men kijken hoe groot het marktpotentieel is en beoordelen in welke mate het winstgevend kan worden geëxploiteerd.

Het verzamelen van reacties op bepaalde concepten bij consumenten of gebruikers wordt een *concepttest* genoemd. Een concepttest is bedoeld om in het ontwerpstadium waardevolle informatie boven tafel te krijgen of eventuele alternatieven te overwegen. Deze vorm van onderzoek kan worden gezien als een dialoog met toekomstige betrokkenen (bijvoorbeeld medewerkers of afnemers).
Concepttests fungeren voornamelijk als *pre-test* – voor het moment van marktintroductie – in de vorm van kwalitatief onderzoek. Bij een dergelijk onderzoek gaat het er niet om cijfermatige informatie boven tafel te krijgen, maar veel eerder om evaluaties en inhoudelijke uitspraken van consumenten te achterhalen. Bedoeld om inzicht te krijgen in het begrip, de perceptie, de interesse en reacties van consumenten die binnen een beoogd profiel vallen.
Een concepttest kan worden uitgevoerd door middel van vragenlijsten, persoonlijke interviews of groepsdiscussies. Een veel gekozen methode is een tiental individuele diepte-interviews binnen de doelgroep, of een interviewsessie met een zogenaamde focusgroep. Dit is groep van acht tot twaalf deelnemers, samengesteld uit verschillende belangengroepen (bijvoorbeeld consumenten, gebruikers, invloedrijke personen en deskundigen). Bij focusgroepen dient men er wel op toe te zien dat het groepsproces goed verloopt. De interactie binnen een focusgroep kan een eigen dynamiek krijgen; deelnemers kunnen elkaar beïnvloeden en hierdoor kan een versterkend effect optreden.

Bij individuele respondenten kunnen concepten getest worden op basis van directe of ervaringsgebaseerde beoordeling. In het laatste geval gaat het om een productconcept dat gedurende enige tijd thuis wordt gebruikt, waarbij respondenten wordt gevraagd hun productervaring in een soort dagboek bij te houden. Ervaringsgebaseerde beoordeling zal informatie over de duurzaamheid en gebruiksvriendelijkheid opleveren, of over de interesse in een herhalingsaankoop (Creusen & Stokmans, 2004). Met een directe beoordeling kan dit niet worden achterhaald, maar wel de initiële aankoopfrequentie (het aantal mensen dat een eerste aankoop zegt te zullen doen).
Het ontwikkelen van een prototype is vaak veel kostbaarder dan het genereren van ideeën en ontwikkelen van concepten, alhoewel hiervoor wel veel tijd en aandacht van managers vereist is. Het betekent in de praktijk dat pas een prototype wordt gemaakt, wanneer een gekozen concept min of meer uitontwikkeld is. Ervaringsgebaseerde testen zijn vaak gebaseerd op een werkend prototype. Dit is het product (meestal in een of enkele stuks vervaardigd) conform de beoogde productiespecificaties. Het testen van prototypes kan een bijzonder tijdrovend en kostbaar proces worden, wanneer meerdere prototypes elkaar opvolgen. Van de Dyson-stofzuiger is bekend dat enkele honderden verschillende prototypes de revue zijn gepasseerd voordat het uiteindelijke product in productie ging.

Onderzoeksinstrumenten

Voor concepttesten zijn verschillende specifieke onderzoeksinstrumenten beschikbaar zoals de designeffect-methode (die we in hoofdstuk drie hebben behandeld), *eye-tracking*, tachoscopisch onderzoek of het PreMo-meetinstrument. Deze laatste drie instrumenten kunnen worden ingezet om de reactie van respondenten te meten op een primair niveau. Zoals in hoofdstuk één is uiteengezet, spelen emotionele reacties zich vaak op een onderbewust niveau af maar kunnen deze een sterke invloed hebben op consumentengedrag. Voor het achterhalen van betrouwbare reacties op dit niveau heeft het dus weinig zin, mensen vragen te stellen over hun waarneming, interpretatie en oordeelsvorming.
Eye-tracking is een technologisch geavanceerde methode waarbij de oogbewegingen van respondenten (proefpersonen) in een laboratium-achtige setting wordt geregistreerd. Door het plotten van de oogbeweging wordt duidelijk hoe respondenten een bepaalde stimulus 'aflezen' en op welke details hun oog hoelang blijft hangen. Deze techniek is vooral bekend van het pre-testen van advertenties. Aan de hand van deze techniek kan worden achterhaald in hoeverre het aflezen van een object moeiteloos verloopt.
Bij tachoscopisch onderzoek wordt de herkenningssnelheid onderzocht. Respondenten worden telkens een fractie van een seconde aan een stimulus blootgesteld. Iedere keer wordt deze tijd iets verlengd tot het moment waarop herkenning plaatsvindt. Respondenten weten echter niet dat het om de herkenningssnelheid gaat. Voor het onderzoek is de snelheid bepalend; het moment waarop herkenning optreedt in vergelijking tot andere metingen.
Met het PreMo-instrument (Desmet, 2002) kunnen emotionele responsen worden gemeten. De methode onderscheidt veertien verschillende types emotie die producten bij consumenten kunnen opwekken. Zeven plezierige emoties (verlangen, fascinatie, aangename verassing, tevredenheid, bewondering, inspiratie en amusement) en zeven onaangename emoties (verveling, minachting, ontevredenheid, verontwaardiging, te-

leurstelling, afschuw en onaangename verrassing). Om te achterhalen welke emotie een stimulus oproept, kunnen respondenten kiezen uit een serie cartoonfiguurtjes die deze emotie verbeeldt. Daarbij kunnen ze aangeven in welke mate die emotie bij hun wordt opgeroepen: heel erg, middelmatig of niet.

12.4 Implementatie-issues en instrumenten

Deze fase in het designmanagementproces is vaak van groot belang voor het succes van het eindresultaat. Door de implementatie wordt een design werkelijkheid. Niet alleen door het reproduceren van het design, maar ook door alle activiteiten daaromheen. Bij de implementatie van design gaat het doorgaans om een aantal uiteenlopende activiteiten:

- Productie (het vermenigvuldigen van het goedgekeurde prototype conform de vastgestelde specificaties).
- Documentatie (handleiding, gebruiksrichtlijnen en -instructies)
- Levering (logistiek: distributie en uitlevering).
- Installatie (montage, installatie en instructie).
- Introductie (aan medewerkers, partners/leveranciers en klanten).
- Helpdesk (voor medewerkers, partners/leveranciers en klanten).
- Opzetten beheer & onderhoud (inclusief kwaliteitssysteem).

Het onderwerp implementatie is bijzonder breed en veelzijdig en het voert te ver om hier al deze activiteiten te behandelen. Er zijn drie onderwerpen die we in deze paragraaf nader toelichten: implementatieplan, introductiestrategie en beheer & onderhoud. Het onderwerp consumentenonderzoek speelt geen rol bij implementatieactiviteiten.

12.4.1 Implementatieplan

Wanneer duidelijk is wat de gekozen ontwerpoplossing behelst, zal moeten worden bepaald hoe de implementatie gestructureerd en planmatig kan worden aangepakt. Zeker bij grootschalige en complexe projecten, waarbij meerdere afdelingen en actoren zijn betrokken, zal hierover duidelijkheid moeten zijn. De implementatie raakt meestal de primaire en ondersteunende bedrijfsprocessen en daarmee is het noodzakelijk eventuele risico's beheersbaar te maken. Daarbij gaat het ook om het financiële risico dat in deze fase exponentieel toeneemt. (De kosten van productie en introductie bedragen doorgaans het tien- tot twintigvoudige van de ontwikkelingskosten!) Zoals uit het overzicht in de inleiding van deze paragraaf blijkt, gaat het om veel verschillende aspecten waarbij vaak externe leveranciers betrokken zijn. In de implementatiefase zullen daarom met name inkopers een belangrijke rol vervullen. Maar deze moeten wel met goede informatie aan de slag kunnen en begrijpen wat precies de bedoeling is. Wanneer er geen goed plan beschikbaar is, zal de implementatie in de praktijk een nauwelijks beheersbaar, tijd-, energie- en geldrovend traject blijken.
Hoewel we het stadium van planning allang zijn gepasseerd, ontstaat opnieuw een planningsactiviteit. We gaan er van uit dat de designmanager in de planningsfase (in de ini-

tiële projectbrief) al wel de verschillende aspecten met betrekking tot de implementatie naar voren heeft gehaald. Het is immers een risico als de planning ten aanzien van de implementatie te ver naar achter wordt geschoven. Stel dat dan blijkt dat de implementatie van het ontwerp niet haalbaar is... Waarschijnlijk is daarom een aantal uitgangspunten en randvoorwaarden al beschreven in het projectplan, het plan van aanpak en/of het programma van eisen. Maar waarom dan nog een implementatieplan?
Vaak wordt pas tijdens de evaluatiefase duidelijk wat de uitkomst van het creatieproces is. Pas dan ontstaat zicht op alle aspecten die aan de uitvoering van het ontwerp verbonden zijn en kunnen nadere afspraken worden gemaakt met betrokken partijen. Pas dan is het mogelijk om alle details te beschrijven, nauwkeurig kosten te begroten en een gedetailleerde tijdplanning op te stellen. Hoewel de implementatieaspecten in grote lijnen in de planningsfase behoren te zijn geadresseerd, fungeert het implementatieplan als een meer nauwkeurige uitwerking van het projectplan.

12.4.2 Introductiestrategie

De introductiefase is de laatste fase in het productontwikkelingsproces. Een goede lancering in de markt is één van de factoren die het succes van een nieuw product bepaalt (Hultink *et al.*, 1998). Dergelijke beslissingen hebben bijvoorbeeld betrekking op de keuze van de centrale doelgroep tijdens de introductie, de timing, prijsstelling, marktbenadering, wijze van promotie en het distributiekanaal. Het kiezen van een trendsettende doelgroep, het benadrukken van een zekere exclusiviteit of het op een vernieuwende wijze benaderen van de markt, kan er bijvoorbeeld toe leiden dat de aandacht van consumenten en media wordt getrokken en dat de belangstelling voor het product toeneemt. Introductiebeslissingen hebben uiteraard ook invloed op de hoogte van het introductiebudget. Het lanceren zelf kan een kostbare aangelegenheid zijn wanneer wordt geïnvesteerd in grootschalige massamediale promotie (zoals reclame of direct marketing). Een uitgekiende introductiestrategie met gebruikmaking van PR als instrument, kan ook bijzonder effectief zijn bij een veel lager kostenniveau.
Hoewel introductiebeslissingen in de eerste plaats de verantwoordelijkheid van marketing zijn, kunnen designmanagers een belangrijke bijdrage leveren. Wanneer het gaat om nieuwe producten, zal niet pas aan het eind een introductieplan door marketing worden opgesteld, maar zullen de introductiebeslissingen al meegenomen worden in het designproces. Bijvoorbeeld een beslissing over hoe het product gepositioneerd zal worden of over de prijs waartegen het verkrijgbaar zal zijn, zal van invloed zijn op het productuiterlijk. Wanneer belangrijke introductiebeslissingen tot het laatst worden uitgesteld, dan heeft dit volgens Hart & Hultink (2004) zelfs een negatief effect op het succes van het nieuwe product in de markt. Bijvoorbeeld omdat men er vlak voor introductie achter komt dat het product nauwelijks voordelen bezit.
Of een doelgroep openstaat voor een nieuw product heeft vooral te maken met de wijze waarop deze bepaalde producteigenschappen waarneemt en interpreteert. Deze acceptatie wordt bepaald door vijf factoren die van belang zijn voor designbeleid (Rogers, 1983 in: Hart & Hultink, 2004):

- *Relatief voordeel*: de mate waarin een nieuw product beter is dan bestaande alternatieven (in esthetische, technische of economische zin).
- *Compatibiliteit*: de mate waarin de voordelen en het gebruik van een nieuw product in overeenstemming zijn met het normen-, waarden- en gedragspatroon van consumenten.
- *Complexiteit*: de mate waarin klanten denken dat een nieuw product ingewikkeld is of moeilijk te begrijpen.
- *Deelbaarheid*: de mate waarin het mogelijk is een innovatie uit te proberen tegen geen of geringe kosten.
- *Communiceerbaarheid*: de mate waarin de voordelen van het (gebruik van het) product goed zichtbaar zijn. Deze zichtbaarheid wordt vaak beïnvloed door de andere vier factoren.

Hart & Hultink maken een onderscheid tussen strategische en tactische introductiebeslissingen. Strategische beslissingen kunnen doorgaans alleen tegen hoge kosten worden bijgesteld. Tactische beslissingen daarentegen kunnen in een later stadium nog vrij gemakkelijk worden bijgesteld. *Strategische* introductiebeslissingen hebben betrekking op het product als zodanig; de functionele en mentale eigenschappen en voordelen die het consumenten biedt. Het zijn in feite ontwerpbeslissingen die in de productontwikkeling verankerd zitten en die bij voorkeur al genomen moeten worden tijdens het planningsproces, voordat het feitelijke creatieproces van start gaat. Deze zijn terug te voeren op de bedrijfsstrategie; bijvoorbeeld de mate waarin een onderneming productleiderschap (technologisch leiderschap), imitatie of kostenleiderschap nastreeft. *Tactische* introductiebeslissingen gaan over productstyling, productvarianten of over verpakking. Maar ook promotie en mediumkeuze vallen hieronder. Hoewel de mediumkeuze sterk bepalend is voor de vormgeving van de boodschap (ieder medium heeft eigen mogelijkheden en beperkingen), kan deze beslissing in een later stadium worden genomen en is deze minder van invloed op de productontwikkeling. Figuur 12.5 biedt een overzicht van de beide grootheden.

12.4.3 Beheer & Onderhoud

Om een designinvestering veilig te stellen moet tijdens de implementatie aandacht besteed worden aan het opzetten van een beheer & onderhoudsprogramma en -organisatie. Als niet van meet af aan duidelijk is wie verantwoordelijk is voor het bewaken van de kwaliteit, ontstaat het risico van verwatering en verlies. Zeker als het gaat om designprogramma's of om toepassingen die een langere gebruiksduur hebben. Wie adviseert en controleert communicatie- of productmanagers op een juiste toepassing van richtlijnen die bedoeld zijn om eenheid en zeggingskracht te realiseren? Hoe kunnen facility managers beoordelen welke presentatiekwaliteit en uitstraling gewenst is? En waar en hoe kunnen bijvoorbeeld nieuwe lichtbakken of balies worden besteld als er sprake is van beschadiging of veroudering?

Strategische introductiebeslissingen
Bedrijfsstrategie
• Imago en positie in de markt • Technologische strategie
Marktstrategie
• Marktrijpheid • Timing van de introductie • Doelgroepkeuze
Productstrategie (en in verlengde hiervan designstrategie)
• Productnieuwheid • Productvoordeel
Merkstrategie (en in verlengde hiervan designstrategie)
• Merkidentiteit en -imago • Merkpositionering
Concurrentiestrategie
• Concurrentiereacties
Tactische introductiebeslissingen
Product
• Productpositionering • Toepassing merk (merkkeuze) • Breedte van de productlijn (productvarianten)
Prijs
• Prijsniveau • Dynamische prijsstrategie
Distributie
• Keuze van distributiekanalen • Kwaliteit van distributiekanalen
Reclame en promotie
• Mediumkeuze • Boodschap (inhoud en vorm)

Figuur 12.5 Introductiebeslissingen (naar: Hart & Hultink, 2004)

Designprogramma's hebben meestal tot doel om over een middellange-termijn te functioneren. In de praktijk ontstaat voortdurend nieuwe informatie als gevolg van gewijzigde inzichten en strategieën, organisatieveranderingen en technologische vernieuwingen, die leiden tot nieuwe toepassingen. Als gevolg hiervan moet het programma steeds geactualiseerd worden.

Bij beheer & onderhoud speelt de kwaliteit van de informatievoorziening of documentatiesystemen een belangrijke rol. Vaak vindt de implementatie van een designprogramma zelfs plaats op grond van toepassingsnormen en -richtlijnen. Informatie over een juiste toepassing zal daarom actueel, beschikbaar en toegankelijk (begrijpelijk) dienen te zijn.

Zonder een goed versiebeheer of goede verspreiding van toepassings- of onderhoudsrichtlijnen zal in de praktijk een afbreukrisico ontstaan. Meestal wordt een handboek geproduceerd waarin de uitvoeringsnormen en toepassingsrichtlijnen zijn gedocumenteerd. Tegenwoordig wordt deze documentatie vaak digitaal gepubliceerd binnen een internet of extranet-omgeving. Hiermee worden veel nadelen van klassieke analoge huisstijlhandboeken ondervangen, zoals de hoge kosten van uitgave en de problemen van actueel versiebeheer en verspreiding binnen en buiten de organisatie. Ook het distribueren van databestanden (zoals logo's of basisstramienen) is hiermee geen probleem meer. Er ontstaat als het ware een dynamisch beheerplatform waarop informatie uitgewisseld kan worden. Maar waarop ook digitale hulpmiddelen kunnen worden verspreid voor de vervaardiging van eenvoudige toepassingen, zoals advertenties, prijskaarten of foldermateriaal. Wat blijft, is de noodzaak om de inhoudelijke kwaliteit van dergelijke documentatiesystemen te managen, en tijdig te voorzien in mutaties of nieuwe informatie. Deze taak en verantwoordelijkheid zal in de regel opgedragen worden aan een designmanager.

12.5 Monitoringsissues en instrumenten

In deze paragraaf zijn er drie uiteenlopende monitoringsactiviteiten die we de revue willen laten passeren: consumentenonderzoek, monitoring van de bureaurelatie en auditing. De term monitoring heeft betrekking op het uitoefenen van controle van bijvoorbeeld budgetten, planningen of projectresultaten. Het betreft controleactiviteiten om te achterhalen in hoeverre geplande resultaten gerealiseerd zijn, maar ook welke verbeteringen en bijstellingen nodig zijn om alsnog deze resultaten te kunnen behalen. Het monitoren van resultaten kan leiden tot het opnieuw starten van planningsactiviteiten wanneer duidelijk wordt dat nieuwe verbeterdoelen gesteld dienen te worden.

12.5.1 Consumentenonderzoek (markttesten, tracking)

Na implementatie, kan door middel van markttesten worden vastgesteld welke concrete resultaten er zijn. Eerdere vormen van consumentenonderzoek speelden zich af in een (kunstmatige) testomgeving, maar nu is het product werkelijkheid geworden en moet het zich in de markt bewijzen.

Het kan voor organisaties interessant zijn om in dit stadium achter het verhaal van de verkoopcijfers te kijken, en te achterhalen hoe consumenten een bepaald product (of een dienst of beleving) percipiëren en beoordelen. Uit deze informatie kunnen gewenste bijstellingen, nieuwe productvarianten of plannen voor verbetering worden afgeleid. Deze percepties en oordelen kunnen worden onderzocht in relatie tot uiteenlopende aspecten, zoals het productuiterlijk, de prijsstelling, de toegevoegde waarde van het merk waarmee het product is gelabeld, de communicatie rondom het product et cetera.

Om de waardering in de tijd te meten kan ook tracking-onderzoek worden gedaan. Hiermee kan worden achterhaald in hoeverre percepties veranderen en het productuiterlijk te maken krijgt met wear-out verschijnselen. Consumentenoordelen kunnen veranderen als gevolg van nieuwe marktintroducties door concurrenten of omdat er een effect van gewenning of verveling optreedt. Met betrekking tot design is perceptieonderzoek gericht op het achterhalen van associaties en oordelen over het productuiterlijk (de productvorm, -presentatie of -communicatie). We hebben deze methode van onderzoek in hoofdstuk drie uitgebreid behandeld.

12.5.2 Monitoring van de bureaurelatie

Om het optimale resultaat uit de relatie met een designbureau te halen, is het nodig tijd en aandacht te besteden aan het onderhoud van de bureaurelatie. Daarvoor is het niet toereikend om af en toe eens bij te praten of samen een leuk evenement te organiseren. Ook het controleren van de over en weer geleverde prestaties en het onderzoeken van mogelijkheden tot verbetering, maken deel uit van het managementproces. De investering kan zeer de moeite lonen als dit tot resultaat heeft dat mensen meer gemotiveerd en beter werken. Of dat inefficiënties in het werkproces worden opgespoord (zowel in de interne procesvoering van beide partijen als de procesvoering tussen partijen). Andere resultaten kunnen zijn: een doelmatiger opdrachtverlening, een betere creatieve output of een betere besteding van het budget.

In een goede relatie sluiten verwachtingen van twee partijen voldoende op elkaar aan. Er dient daarom over en weer duidelijkheid te zijn ten aanzien van de gewenste taak en rol van het bureau en over het gewenste ambitieniveau. Verder is het belangrijk dat beide partijen elkaar wederzijds in een open sfeer beoordelen: de kwaliteit van de samenwerking bepaalt in sterke mate de kwaliteit van het resultaat. Aan de kant van de opdrachtgever kan het gaan om de wijze van opdrachtverlening, de wijze waarop het bureau wordt aangestuurd, de kwaliteit van het briefingsproces, het niveau van betrokken medewerkers (o.a. hun vakinhoudelijke kennis) en de procesvoering. Aan de kant van het bureau kan het gaan om de kwaliteit en toegevoegde waarde van adviezen en creatief werk, de kwaliteit van accountbehandeling en projectmanagement, markt- of productkennis, het kostenniveau, honoreringsstructuur, procesvoering, feedback van de opdrachtgever en aandacht voor onderzoek (BVA, 1998).

Een belangrijk aspect voor de geleverde kwaliteit is de aantrekkelijkheid van het account voor het bureau. De aansturing en motivatie (enthousiasmering) van het bureau door de opdrachtgever zal in de praktijk een aanzienlijke invloed hebben op de geleverde kwaliteit. Creatieven laten zich zelden sturen door druk op hen uit te oefenen. Aanmoediging, begrip en respect zijn veel effectiever, als het erom gaat een optimaal rendement uit de bureaurelatie te halen.

Wanneer een relatie in verval is geraakt en de creatieve prestaties niet naar tevredenheid zijn, kan het beëindigen van de bureaurelatie een optie zijn. Men dient er echter wel voor te zorgen dat problemen niet meeverhuizen naar een nieuw te selecteren bureau. Wanneer problemen in de samenwerking het gevolg zijn van de eigen opstelling of een gebrekkige aansturing van het bureau, is het van belang om dit tijdig te onderkennen en te zorgen voor verbetering op deze punten.

12.5.3 Auditing

De audit voorziet in waardevolle informatie van waaruit een beleid voor design en designmanagement kan worden opgebouwd. In deze paragraaf introduceren we eerst het onderwerp auditing in meer algemene zin, om vervolgens specifiek de designmanagement-audit te beschrijven.
Wanneer er behoefte bestaat aan het maken van een objectieve analyse van de huidige positie binnen de organisatie, ten aanzien van een bepaald onderwerp, kan een audit worden uitgevoerd. Door middel van een audit wordt het management voorzien van betrouwbare informatie, zodat deze de juiste investerings- en efficiencybeslissingen kan nemen. Het einddoel van een audit is om bedrijven te helpen hun business te ontwikkelen, hun innovatieve vermogen te verbeteren en vooral hun concurrentiekracht te vergroten. Concreet gaat het dan om:

- Een review van de opbrengst of de potentiële return on investment (ROI) die wordt bereikt met de aangewende middelen.
- Controle of het niveau van de middelen adequaat is voor de taken die dit met zich meebrengt.
- Het belichten van relatieve successen en missers en het aangeven waar mogelijke risico's liggen die het succes in de weg kunnen staan.
- Input voor toekomstige (strategische) planning.

Mogelijke andere doelstellingen van een audit kunnen zijn:

- Advies en richting voor strategische vernieuwing (bijvoorbeeld herpositionering en daaraan gekoppelde designstrategie en corporate identity-verandering).
- Verbetering van standaarden voor productdesign in vergelijking met concurrenten.
- Ontwikkeling van designbeleid (met een daaraan gekoppeld designprogramma).
- Het monitoren van beleidsimplementatie.
- Verbeteren van designstandaarden, methoden voor verbetering vinden.
- Het aangeven van kostenbesparingen of het elimineren van verspilling.

Audits creëren geen verandering; de audit is het begin van een proces. Een audit-project moet daarom een proces bevatten om de bevindingen en hun implicaties voor de organisatie te overwegen en te vertalen naar de middelen en producten. Managers moeten vervolgens verantwoordelijk gesteld worden voor het opvolgen van aanbevelingen. Het is uiteraard aan de organisatie om de verbeteringen en veranderingen die noodzakelijk zijn, te realiseren door goed management.
De waarde van een audit neemt toe wanneer deze niet een te nauw geformuleerd of te specifiek doel heeft. Het auditresultaat moet vooral kunnen fungeren als referentie voor het management in uiteenlopende omstandigheden. De omvang en complexiteit van de audit is afhankelijk van de organisatie en haar doelstellingen. Het definiëren van de grenzen van de audit, het vaststellen van de beoordelingscriteria en van de wijze waarop implementatie kan plaatsvinden, is elementair voor het succes ervan.
Zoals in het vorige hoofdstuk naar voren is gebracht, bieden de Balanced Scorecard en het EFQM-model een veel gebruikte basis voor auditing. Een aanpak op basis van deze

instrumenten is breed en relatief complex. Het is ook mogelijk de audit wat kleinschaliger op te zetten, al naar gelang de beschikbare tijd en het budget.
Er zijn grofweg vier niveaus waarop een audit kan worden uitgevoerd (zie figuur 12.6):

- Niveau één: omgevingsfactoren die van invloed zijn op de designstrategie, zoals bijvoorbeeld nieuwe wetgeving, markttrends en veranderende concurrentieverhoudingen.
- Niveau twee: interne factoren die van invloed zijn, zoals bijvoorbeeld de organisatiecultuur, de niveaus van design awareness in de organisatie (in verband met silent design), inclusief waarden en visie, de designstrategie (impliciet of andersoortig) en de besluitvorming.
- Niveau drie: het management van designprogramma's en -projecten, de designprocessen en de competenties en -budgetten die beschikbaar zijn.
- Niveau vier: de fysieke manifestatie van design; de producten of diensten, de plaats en communicatie in alle organisatieactiviteiten en de verschillende omgevingen van waaruit wordt geproduceerd, onder de aandacht wordt gebracht, verkocht, geleverd en service wordt verleend.

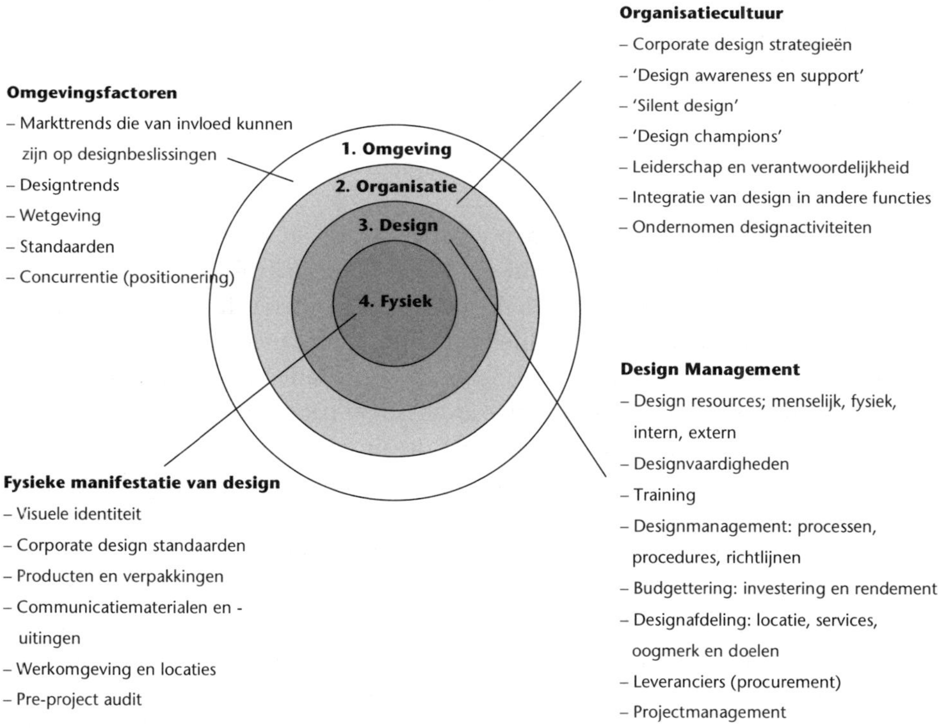

Figuur 12.6 De niveaus die een designmanagement-audit kan behandelen (naar: Cooper & Press, 1995)

Het is mogelijk een incrementele aanpak te kiezen (een stap-voor-stap-benadering), door te beginnen bij het meest concrete niveau vier: het 'fysiek'. Met dit begrip wordt gedoeld op de designkwaliteit zoals deze tot uitdrukking komt in de output (producten, communicatie en omgeving) en op de kwaliteit van de onderliggende designprogramma's. Ons uitgangspunt is dat de outputkwaliteit niet iets is dat op zichzelf staat of dat verklaard kan worden aan de hand van de programmakwaliteit, maar dat ook het resultaat is van het designmanagementproces. We adviseren daarom ook niveau drie bij een (eerste) kleinschalige audit te betrekken. Voor tactisch designmanagement kan de audit zich beperken tot deze twee niveaus. Wanneer de audit bedoeld is om input te geven aan strategisch designmanagement, volstaat dit niet en moet op alle vier niveaus onderzoek worden gedaan. De mate waarin en de wijze waarop ingespeeld wordt op omgevingsfactoren bepalen in hoge mate het succes van een designstrategie.

Aanpak en samenstelling van audit-team

Alvorens aan de slag te gaan, dient er een werkplan en tijdschema te worden opgesteld. Hierin staat aangegeven welke werkzaamheden moeten worden uitgevoerd, welke onderwerpen aan de orde zijn en welke tijd beschikbaar is.

Technieken die kunnen worden gebruikt zijn:

- Deskresearch:
  A. Het verzamelen en onderzoeken van beschikbare (gepubliceerde) data. Denk aan gegevens van eerdere onderzoeken, externe onderzoeken (eventueel te koop via onderzoeksbureaus), elders in de organisatie gedane metingen of registraties, bedrijfsplannen, beleidsplannen, verkoop- of omzetstatistieken et cetera.
  B. Bronnenonderzoek (literatuuronderzoek) met oog op state-of-the-art kennis van zaken, nieuwe inzichten, technieken, instrumenten, trends, maatschappelijke- en marktontwikkelingen.
- Inventarisatie: het verzamelen, ordenen en analyseren van designuitingen. Eventueel in vergelijking met de concurrentie. Waarbij de belangrijkste parameters zijn: consistentie (beoogde kwaliteit in de loop van de tijd), coherentie (beoogde kwaliteit in onderlinge samenhang) en flexibiliteit (kwaliteit in het incorporeren van nieuwe ontwikkelingen). Deze worden in relatie met de organisatie-, management- en marketingdoelstellingen bekeken. Belangrijke kwalitatieve beoordelingsaspecten kunnen zijn: het onderscheidend vermogen van het design, de bijdrage aan associatievorming (met het oog op het merkimago), de mate van waardering van het design door stakeholders, het inspirerend en motiverend karakter van de uitingen et cetera.
- Interne en externe interviews. Bij voorkeur halfgestructureerde interviews in de vorm van half open vragen, zodat respondenten ruimte hebben hun mening te formuleren. De selectie van respondenten dient in overeenstemming te zijn met de doelstellingen van de audit. Eventueel kunnen focusgroepen worden ingezet. Gericht consumentenonderzoek kan eveneens deel uitmaken van de audit.

Audits kunnen intern worden uitgevoerd, maar het is wenselijk dat tenminste één auditor nieuw in de organisatie is. Bij de samenstelling van het team dat de audit uitvoert – bij voorkeur een klein team van drie tot vier personen – is het van belang dat dit over voldoende ervaring, expertise en autoriteit beschikt, geloofwaardig is en voldoende objectief is. De teamleden dienen met voldoende distantie te kunnen waarnemen en geen persoonlijk belang te hebben bij een bepaalde uitkomst. In veel gevallen is het zinvol de audit onder leiding van een externe consultant uit te voeren. Ten slotte is het van belang vooraf te bepalen wie het audit-team zal leiden en aan wie gerapporteerd moet worden.

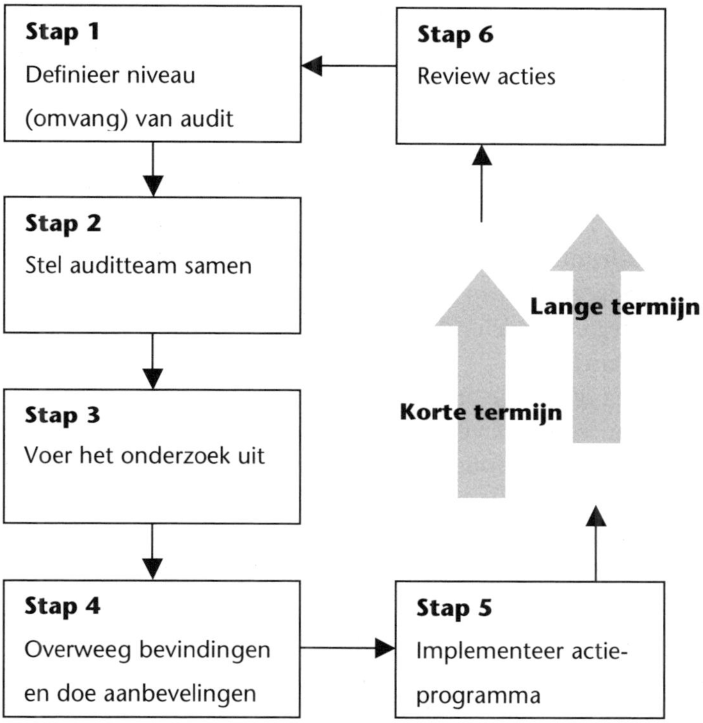

Figuur 12.7 Het auditproces (naar: Bruce & Bessant, 2002)

Designmanagement-audit

De designmanagement-audit is een onderzoek waarin de doelmatigheid van designmanagement binnen een onderneming wordt geëvalueerd. De audit kan worden opgevat als het maken van een objectieve analyse van de huidige situatie in de onderneming of organisatie met betrekking tot het management van haar designactiviteiten. De auditor of het audit-team beoordeelt de huidige documentatie, systemen en procedures met als doel een review van de huidige performance op het terrein van designmanagement te verkrijgen. Maar ook de kwaliteit van de design-output moet worden beoordeeld, evenals de mate waarin het niveau van de middelen (mensen, budgetten en materialen) adequaat is voor de taken die gesteld zijn. De organisatiedoelen en -uitgangspunten (bedrijfsfilosofie en strategie) vormen daarbij de parameters, maar eventueel ook *best practices* of een benchmark.

Voor de beoordeling van de design-output zijn verschillende denkbeeldige criteria te hanteren, zoals de waardering door medewerkers en klanten, verkoopcijfers, brutomarge-ontwikkeling, design equity (economische waarde van design gekoppeld aan de merkwaarde), of de onderlinge samenhang en consistentie tussen merkuitingen, gewonnen prijzen en erkenningen, de aandacht en waardering in de pers enzovoort. Voor wat betreft het winnen van prijzen heeft de onderzoekster Gerda Gemser vastgesteld dat: 'er een positief verband is tussen het aantal designprijzen en eervolle vermeldingen van een bedrijf en de gemiddelde winstmarge van dit bedrijf. Dit verband is statistisch significant. Bedrijven met een groot aantal eervolle vermeldingen op designgebied exporteren een significant groter deel van hun producten dan de concurrenten zonder deze 'Goed Design'-kwalificaties' (Gemser, 1997).

Designmanagement-audits kunnen zowel strategische, management- als vaardigheidsfactoren omvatten, gerelateerd aan het gebruik van design door organisaties. Maar ook de zintuiglijke, esthetische en functionele resultaten van designbeslissingen. Voor de auditor of het audit-team is het van belang om te begrijpen welke rol design speelt in de onderneming en de markt waarin deze opereert. Daarbij komen aan de orde:

- Filosofie en strategie van de onderneming (lezen van documentatie, interviews met senior management).
- Begrijpen hoe de organisatie opereert (idem).
- Hoe het communiceert en met wie (verzamelen van uitingen, inventarisatie met het oog op toepassing, consistentie, boodschap/waarden die door het merk gerepresenteerd worden, interpretatie et cetera).
- Condities in de markt en de *overall* zakelijke omgeving.
- Plannen en toekomstige ontwikkeling; prognoses en dergelijke.

Het is uiteraard ook wenselijk, te kijken naar de merkwaarden die horen bij het merk en de wijze waarop deze in de praktijk tot uitdrukking worden gebracht en vorm krijgen. Zoals we op verschillende plaatsen in de tekst naar voren hebben gebracht is de inzet van design meer effectief waneer deze is gekoppeld aan de merkidentiteit of corporate identity. Een specifiek onderwerp dat tevens belicht dient te worden is de onderlinge samenhang tussen de visuele merktekens, zoals deze worden gevoerd door de organisatie en haar onderdelen; de wijze waarop de merkstructuur (merkarchitectuur) tot op heden vorm heeft gekregen.

Bij aanvang dient zeker gesteld te worden dat een dergelijke audit zal worden opgevolgd door het bijstellen of ontwikkelen van een strategie, en de vorming van beleid ten aanzien van het management en gebruik van design. Vervolgens dient dit beleid op tactisch niveau te worden geïmplementeerd in de organisatie.

Philip Kotler ontwikkelde in samenwerking met Mike Rath (1990) twee audits, ieder bestaand uit vijf vragen: de Design Sensitivity Audit en de Design Management Effectiveness Audit. In vervolg hierop ontwikkelde het Britse Design Council in 1999 een generiek audit-instrument dat door iedere organisatie gebruikt worden om haar designcapaciteit te onderzoeken. Dit instrument – Design Atlas genoemd – behelst vijftien termen (figuur 12.8) over vijf verschillende gebieden:

- *Designplanning*: het bestaan van strategische plannen, het niveau van communicatie hierover, het begrip voor de aansluiting van design binnen bedrijfsplannen, de planningstermijn (horizon) en de wijze waarop designplannen tot stand komen.

- *Designprocessen*: de mate van procesgerichtheid, het begrip voor de aansluiting van design binnen bedrijfsprocessen, het begrip voor de wijze waarop design gemanaged kan worden en de wijze waarop designactiviteiten worden ondernomen.
- *Design resources*: het begrip voor allocatie van bedrijfsmiddelen en voor budgettering, de capaciteit om het potentieel van designinvesteringen te begrijpen en de bereidheid om de benodigde middelen voor designactiviteiten toe te kennen.
- *Designvaardigheden*: de beschikbaarheid van kennis en vaardigheden om de designactiviteiten te kunnen beheersen, het begrip voor het multi-disciplinaire karakter van designactiviteiten.
- *Designcultuur*: de mate waarin het senior management is gecommitteerd aan design, de houding tegenover design.

Iedere vraag leidt tot een score op vier aangegeven niveaus. Op basis van het totale scoreplaatje kunnen verdere analyses worden gemaakt en aanbevelingen voor verbetering worden gedaan.

Planning for design
- General planning awareness
- General planning communication
- Design planning awareness
- Design planning thinking
- Design planning horizons

Processes for design
- General process awareness
- Design process awareness
- Design process management
- Design process tools

Resources for design
- General resource allocation
- Design resource allocation

People for design
- Design skills
- Design organisation

Culture for design
- Design commitment
- Design attitudes

Figuur 12.8 Het Design Atlas-raamwerk
(bron: UK Design Council, www.designinbusiness.org)

12.6 Conclusie – professionalisering vraagt om procesgerichte aanpak

Voor het optimaal benutten van het potentieel van design is het van belang dat organisaties van de gangbare projectgerichte aanpak, overschakelen naar een procesgerichte aanpak, met de inzet van professioneel designmanagement. De projectgerichte aanpak gaat uit van individuele projecten en losse initiatieven die in de praktijk vaak onvoldoende opvolging krijgen. Op dit niveau zal het potentieel van design als bedrijfsinstrument logischerwijs niet optimaal benut kunnen worden. De procesgerichte aanpak is daarentegen gericht op integratie en systematische ontwikkeling, waarbij de aandacht uitgaat naar designplanning, het designproces in de organisatie, de resources voor design en de cultuur voor design. De procesgerichte aanpak dient ertoe te leiden dat de organisatie haar designcapaciteit vergroot (doordat designactiviteiten beter beheerst worden). Het ligt in de lijn der verwachting dat organisaties door deze benadering kunnen excelleren in hun designbeleid.

Kritisch voor een procesgerichte aanpak zijn de plannings- en monitoringsactiviteiten. Voor veel organisaties ontstaan er belangrijke kansen wanneer ze erin slagen deze te ontwikkelen. En zoals uit de tekst blijkt, zijn er goede mogelijkheden en instrumenten beschikbaar om het plannings- en monitoringsproces handen en voeten te geven. Het vergt echter wel een inspanning om deze te ontwikkelen en te implementeren binnen organisaties. Dat lijkt ons een eervolle en uitdagende opgave voor designmanagers.

Slotwoord

Er zijn sterke indicaties – gebaseerd op maatschappelijke en economische ontwikkelingen en recente onderzoeken – dat het belang van design als strategisch bedrijfsmiddel verder zal toenemen. Het is onze verwachting dat design de komende jaren verder zal uitgroeien tot een belangrijk bedrijfsinstrument en dat daarmee de behoefte aan professioneel designmanagement ook zal toenemen.
Steeds meer managers worden zich ervan bewust dat design een veelzijdige krachtbron voor productvernieuwing en innovatie is, hoewel lang niet alle sectoren lijken te beschikken over evenveel designbewustzijn en er dus nog verdere groeimogelijkheden voor de designbranche zijn. Roerdinkholder (in: Van Kuijk, 2004) wijst erop dat de betrokkenheid van ontwerpers in het Nederlandse midden- en kleinbedrijf nog beperkt is: *'ondanks het groeiende besef dat de professionele productontwikkelaars kunnen zorgen voor een goede vertaling van beschikbare technologische kennis naar economisch aantrekkelijke producten'*.

Ook andere onderzoekers signaleren belangrijke kansen en wijzen erop dat investeringen in design kunnen leiden tot betere bedrijfsprestaties, in het bijzonder wanneer design wordt gebruikt op een innovatieve wijze – en wanneer de in design investerende bedrijven opereren in sectoren waarin design nog een relatief weinig gebruikt strategisch instrument is (Gemser, 1997; Gemser & Leenders, 2001; Jacobs *et al.*, 2004).
Dit inzicht heeft inmiddels gelukkig ook onze overheid bereikt, die design tot voor kort als een culturele activiteit opvatte en niet als onderwerp van economisch beleid. (Ondanks het feit dat in veel landen overheden al sinds jaar en dag door middel stimuleringsinitiatieven, zoals Design Councils, juist de economische activiteit benadrukken.) Het InnovatiePlatform heeft inmiddels de creatieve industrie en met name de designsector aangewezen als één van de pijlers van innovatiebeleid. We kunnen daarom verdere initiatieven van de overheid verwachten om het gebruik van design door het bedrijfsleven en met name het MKB te stimuleren. Het leggen van een relatie tussen innovatie- en designbeleid is echter nog nieuw en het is voor velen nog niet duidelijk hoe dit precies vorm kan krijgen. Dit is een kritisch punt; deze inzichten zullen snel beschikbaar moeten komen.

Wat ons ook boeit is het afnemende verschil tussen economie en cultuur, dat ertoe leidt dat traditionele tegenstellingen tussen 'kunst' en 'commercie' vervagen. In veel productcategorieën is design vrijwel het enige middel waarmee nog duurzaam onderscheidend vermogen gecreëerd kan worden. Het bewustzijn neemt daarom toe dat design een waardevol onderdeel vormt van succesvolle communicatie- of productstrategieën. Dit wordt tevens gevoed door het besef dat de behoefte van consumenten aan steeds nieuwe vormen, waarmee zij uitdrukking kunnen geven aan hun identiteit, in onze rijke, seculiere en sterk geïndividualiseerde samenleving eerder zal toenemen dan afnemen. In dit verband wordt het begrip *consumentencultuur* gebruikt, dat verwijst naar het verschijnsel dat economie en cultuur steeds meer verweven raken. Consumptie is niet alleen een drijvende kracht voor economische groei, maar ook een bron voor betekenis en identiteit. Consumptie speelt een centrale rol in het sociale leven en in culturele waarden: met (vormgegeven) objecten om hen heen geven mensen uitdrukking aan wie ze zijn en wat ze belangrijk vinden in het leven. Mensen hebben een grote behoefte aan emotionele, sensuele en expressieve ervaringen – waarbij de producten en diensten die ze gebruiken een belangrijke rol spelen (Pine & Gilmore, 2000). De mate waarin producten en diensten gebruikt kunnen worden voor dit doel, bepaalt in aanzienlijke mate het succes ervan. Cooper & Press (2003) wijzen op dit fenomeen: *'Designers, as cultural intermediaries, play a vital role in helping people find meaning, identity and sense in a highly confusing world.'* Voor het succes van ondernemingen is het cruciaal dat met name deze ontwikkeling en rol van design goed wordt begrepen, maar het is evenzeer duidelijk dat dit nog ver afstaat van de huidige managementpraktijk.

Om design als veelzijdige krachtbron op een verantwoorde wijze in te kunnen zetten, zal de inzet van designmanagers in veel gevallen nodig blijken te zijn. Een belangrijke voorwaarde is echter dat bedrijven een klimaat scheppen waarin creativiteit de kans krijgt om te bewijzen welke krachtige bijdrage het kan leveren aan het succes van organisaties. Hiermee doelen we op een klimaat waarin het doorbreken van de status quo en de acceptatie van onzekerheid als een normale conditie in markten worden gestimuleerd. Veel organisaties vertonen risicomijdend gedrag en wensen bij voorkeur de status quo te accepteren en vast te houden aan veronderstelde zekerheden. Door daarnaast vast te houden aan traditionele managementopvattingen, lopen ze het risico belangrijke kansen te missen.

We verwachten dat designmanagement van instrument-gedreven, naar meer strategisch-gedreven zal gaan. Eenzelfde ontwikkeling deed zich in de jaren negentig voor ten aanzien van merkenmanagement. Bedrijven werden zich bewust van de betekenis en waarde van hun merken in het economisch verkeer. Als gevolg daarvan werd merkenmanagement – van een instrumenteel onderdeel van marketing – geherwaardeerd tot een centraal instrument voor bedrijfsvoering. In de *slipstream* van deze ontwikkeling zien we de toenemende belangstelling voor design als strategisch merkinstrument.
Eén van de wereldwijde top-3 van merkenexperts, Jean-Noël Kapferer, stelt dat design een hoofdzaak wordt voor merken. Hij is ervan overtuigd dat merken meer moeten inzetten op design om hun merkwaarden uit te dragen. Design is in zijn optiek het belangrijkste instrument om weg te komen uit de prijsoriëntatie (en daarmee samenhangende prijserosie). Design is volgens hem hét nieuwe internationale terrein van competitie. Kapferer wijst in dit verband op het succes van Japanse en Koreaanse merken zoals Samsung die design steeds nadrukkelijker inzetten. Hij voorspelt dat de Chinese merken sneller de Europese markt zullen veroveren, omdat zij nu al bezig zijn met design.

Organisaties die actief en strategisch gebruik maken van design, zullen de concurrentieslag kunnen winnen. Maar die bedrijven zullen design dan wel als strategische competentie moeten ontwikkelen. Een toenemende aandacht voor design als strategisch bedrijfsmiddel brengt de behoefte aan kennis en professionalisering met zich mee en schept een belangrijke kans voor designmanagement als specialistische managementfunctie. Hoewel we niet ontkennen dat er ook reden is tot enige voorzichtigheid, vanwege het nog relatief prille karakter, menen we dat er goede perspectieven zijn voor dit vakgebied. Daarbij is een aantal aspecten van belang:

- Erkenning van de mogelijkheden en het specialistische karakter (en de meestal onverwachte complexiteit) van design als bedrijfsmiddel.
- Inzicht in de wijze waarop een *strategische* visie en planning kunnen worden ontwikkeld ten aanzien van de inzet van design, ook al ontwikkelt men die binnen een *bottom-up* traject.
- Inzicht in de wijze waarop design effectief kan worden gemanaged als instrument om producten, merken en organisaties te onderscheiden en toegevoegde waarde te realiseren.
- Een heldere plaatsbepaling (en afbakening) van designmanagement binnen de organisatie.
- Een transparante beoordeling van de toegevoegde waarde die designmanagers bieden, te meten in financiële en reputationele termen.

Door bij de inrichting van de designmanagementfunctie hier rekening mee te houden, kunnen organisaties, die overwegen te investeren in designmanagement, het succes in belangrijke mate zelf mede bepalen.

Om goede beslissingen te kunnen nemen over designbeleid, hebben ondernemingen behoefte aan meer kennis over de mogelijkheden en effecten van design (bron: 'Dossier Designmanagement', *NieuwsTribune* 2004). Ook vanuit de designbranche is een forse inspanning nodig om hierover meer duidelijkheid te verschaffen. De designbranche is tot op heden in onze visie echter te weinig kennisgericht en blijft zich voorstaan op ambachtelijke vaardigheden en creativiteit. Alleszins belangrijk, maar creativiteit is in de eerste plaats een instrument in het steeds scherper gespeelde economische spel, waarin organisaties hun continuïteit moeten waarborgen. Kennis over de werking, de organisatie en de effectiviteit van design is daarom een kritische succesfactor geworden, waarnaar groeiende vraag zal zijn. Het is te hopen dat de designbranche zelf een verhoogde inspanning zal leveren om hierin te voorzien.

In het verlengde van kennisontwikkeling dient ook de designonderzoekspraktijk meer vorm te krijgen. Een belangrijke voorwaarde voor het succes van designmanagement is, dat het als kennis- en vakgebied een voldoende wetenschappelijk niveau bereikt. Hiermee bedoelen we dat er op korte termijn meer 'proven knowledge' beschikbaar komt om het een stevige basis te bieden. Omdat het in de eerste plaats een praktisch vak is, moet vooral heil worden verwacht van toegepaste wetenschap, waarin échte kennis gekoppeld wordt aan ervaringsdeskundigheid en aan relevante organisatiebehoeften. Een andere voorwaarde is dat de kennis ten aanzien van de inzet van design als strategisch instrument de organisaties daadwerkelijk en tijdig bereikt.

Bijlage Competentieprofielen

Competentieprofiel Design Strategy Manager

Vakinhoud: designkennis

- Concept van geïntegreerd design:
  - de mogelijkheden kennen om vanuit een visie op design tot een samenhangend, strategisch en geïntegreerd designbeleid op corporate/concernniveau te komen;
  - de consequenties kennen van actuele ontwikkelingen voor de organisatie en deze weten te verbinden aan mogelijk tegengestelde eisen van continuïteit en innovatie op het gebied van designbeleid.

- Designtheorieën:
  - Weten welke rollen design in relatie tot beleidsprocessen op strategisch niveau kan spelen.
  - Profilerings- en positioneringstheoriën kennen.
  - Weten in complexe situaties gangbare theorieën te vertalen naar het eigen handelen.
  - Weten hoe men organisatiemodellen voor de designfunctie binnen de organisatie ontwikkelt en implementeert.

- Designprocessen: weten welke interventie- en beïnvloedingstechnieken in welke situatie effectief zijn met het oog op het strategisch organisatiebeleid.

- Designdomeinen: kennis van methoden en technieken om de designdomeinen (product design, information design, environmental design en corporate identity design) vanuit een geïntegreerde aanpak aan te sturen.

- Toepassingsgebieden: weten hoe vanuit een geïntegreerde visie leiding en sturing kan worden gegeven aan de invulling van de diverse toepassingsgebieden.

- Designonderzoek: weten hoe men een onderzoeksprogramma opstelt. Kennis van monitoring en positioneringsonderzoek en van de beoordeling daarvan.

- Trends en ontwikkelingen in design:
  - Goed ingevoerd zijn in stand van zaken van het beroep, visies op het vakgebied en internationale ontwikkelingen.
  - Kennis van trends op het gebied van maatschappelijke, technologische, economische, esthetische en milieu-aspecten.

- Designbranche: kennen van branche en te onderscheiden specialismen; kennen van belangrijkste spelers.

Vakinhoud: Designbeleid ontwikkelen

- Organisatorische uitgangspunten en randvoorwaarden:
  - Een zelfstandige inbreng hebben in onderdelen van het organisatiebeleid vanuit de optiek van design.

- Analyseren en evalueren:
  - Relevante ontwikkelingen en issues in relatie tot de eigen organisatie kunnen herkennen en interpreteren.
  - Een strategische analyse kunnen maken van de organisatie en haar maatschappelijke en economische omgeving.
  - De consequenties hiervan kunnen formuleren voor beleid en strategie van de organisatie.
  - Onderzoeksresultaten kunnen hanteren als input voor beleidsaanpassing in strategische designplanning.

- Designstrategische uitgangspunten en randvoorwaarden formuleren:
  - Kunnen ontwikkelen van een visie op design, inclusief een visie op de positionering en profilering van de organisatie.
  - Kunnen bewaken van de aansluiting van het designbeleid op het strategisch beleid van de organisatie.
  - De financiële structuur kunnen ontwikkelen voor het managementveld design.

- Strategie ontwikkelen:
  - Een corporate designstrategie en strategisch designbeleid kunnen ontwerpen (nationaal/internationaal).
  - Vanuit het corporate designbeleid strategieën op de deeldomeinen kunnen (doen) ontwikkelen, toetsen en bijsturen.

- Uitvoeringsplannen opstellen:
  - Een visie hebben op de inzet van middelen (de designmix) en de bijbehorende budgetten kunnen alloceren.
  - Een meerjarenplanning kunnen opstellen, inclusief de budgettering.
  - Door senior medewerkers opgestelde uitvoeringsplannen kunnen toetsen en beoordelen.

- Design-infrastructuur ontwikkelen:
  - Voor de organisatie als geheel een passende design-infrastructuur kunnen ontwikkelen, inrichten en onderhouden.
  - De professionele designfunctie binnen de organisatie kunnen ontwikkelen en inrichten.

Context: relevante gebieden

- Strategisch management: concepten kennen op het terrein van het strategieproces, strategie-inhoud ('corporate, network, en business level strategy') en strategiecontext.

- Organisatiekunde: kennen van actuele theorieën en strategieën van organisatie-, bedrijfs- en bestuurskunde (met name met betrekking tot organisatieveranderingsprocessen, bestuurlijke processen en beleidsprocessen).

- Economie: economische kennis en inzichten kunnen verwerken in besluitvorming over designvraagstukken.

- Recht: kennen van relevante onderdelen uit het Nederlands en Europees recht (ondernemingsrecht, bestuursrecht, industriële en eigendomsrechten zoals het auteursrecht) (Competentie: juridische vragen met betrekking tot design helder kunnen verwoorden en vertalen naar juridische specialisten).

- Financieel management: kennen van financiële kengetallen en begrotingssystematieken en kennis hebben van managementrapportages en jaarrekeningen.

- ICT: kennen van strategische mogelijkheden van ICT, zowel in relatie tot design als tot andere organisatiefuncties.

- Sociale wetenschappen: kennen van ontwikkelingen op sociaal-maatschappelijk, sociaal-economisch, technologisch en politiek-bestuurlijk terrein, zowel nationaal als internationaal.

- R&D: kennen van productontwikkelingsmethoden en -technieken (New Product Development en New Product Marketing).

- Marketing: kennen van belangrijkste concepten van strategische marketing en strategisch merkenmanagement.

- Communicatie: kennen van belangrijkste concepten van strategische communicatie (managementcommunicatie, marketingcommunicatie en organisatiecommunicatie).

Context: in- en externe omgeving

- Kennis van eigen organisatie:
  - Zicht hebben op bestuurlijke en managementvraagstukken en diverse beleidsterreinen, in het bijzonder in relatie tot de mogelijke consequenties daarvan voor het design(beleids-)proces.
  - Kennen van bedrijfsinterne situaties en weten welke strategische mogelijkheden en beperkingen die opleveren voor de organisatie en haar designbeleid.
  - Kennen van de verschillende portfolio's (de product-, merk- en bedrijfsportfolio).

- Kennis branche: door en door kennen van de branche waarin de organisatie opereert en deze kennis weten te vertalen naar kansen en bedreigingen voor de organisatie en haar designbeleid.

- Kennis van relevante omgeving: grondig kennen van het maatschappelijk krachtenveld waarin de organisatie opereert en de invloeden hiervan op de organisatiedoelstellingen en het concurrentievermogen.

- Trends en issues: de belangrijkste trends (nationaal en internationaal) kennen die voor de eigen organisatie spelen en daaraan gewicht toekennen.

Vaardigheden: persoonsgebonden

- Communiceren, interacteren:
  - Als gesprekspartner/teamlid in het directieteam kunnen functioneren.
  - Strategische besluitvormingsprocessen kunnen hanteren en beïnvloeden.

- Reflecteren:
  - Kunnen reflecteren op de eigen positie, rollen en taken en in staat zijn hier consequenties aan te verbinden.
  - Verbanden kunnen leggen, relaties onderkennen.

- Leidinggeven:
  - Vanuit de optiek van geïntegreerd designbeleid sturing kunnen geven aan een multidisciplinair team waarin alle professionele niveaus vertegenwoordigd zijn.
  - Randvoorwaarden kunnen scheppen voor goede samenwerking binnen het team en met andere delen van de organisatie.
  - Zelfbewust kunnen handelen en overwicht hebben bij het nemen van beslissingen en daardoor de volledige verantwoordelijkheid nemen.
  - Taken en beslissingsbevoegdheden op een duidelijke wijze kunnen toedelen aan de juiste medewerkers en toezien op effectuering.
  - Medewerkers kunnen stimuleren, motiveren en uitdagen om mee te denken over gewenste ontwikkelingen.
  - Strategische keuzen kunnen maken en zorgen voor voldoende draagvlak bij medewerkers.
  - Daadkrachtig zijn bij onzekere situaties en actuele ontwikkelingen.

- Adviseren:
  - Gevoel kunnen ontwikkelen voor de verschillende standpunten en politieke processen.
  - Afhankelijk van het vraagstuk, het moment, de context en de gesprekspartner, de juiste toon, stijl en argumenten kunnen kiezen.

Vaardigheden: ambachtelijk

- Ontwerpen:
  - Concepten kunnen ontwerpen (bijv. in schrift of beeld).
  - Samenhangende designprogramma's kunnen ontwikkelen en implementeren.

- Schrijven:
  - Gestructureerde, toegankelijke en effectieve voorstellen en beleidsnotities kunnen schrijven (eventueel in meerdere talen).
  - Beleidsitems zodanig kunnen verwoorden dat recht wordt gedaan aan de strategische belangen van de organisatie.
  - Creatieve briefings kunnen schrijven.

- Organiseren en plannen:
  - Werkzaamheden kunnen coördineren die inhoudelijk veel van elkaar verschillen en die een lange doorlooptijd of gevolgen op lange termijn hebben.
  - Op elk moment en op elk niveau het overzicht hebben om projecten of andersoortige designactiviteiten, indien nodig, bij te sturen of te beëindigen.
  - Effectiviteit van planning en activiteiten kunnen toetsen en wanneer nodig bijsturen.

- Adviezen opstellen: zich goed kunnen inleven in de vraag en verwachtingen van de opdrachtgever en op basis daarvan een effectief beleidsadvies uitbrengen met strategische implicaties voor de hele organisatie.

Competentieprofiel Design Resources Manager

Vakinhoud: designkennis

- Designtheorieën:
  - De historie van het designvak en de theorievorming daarin kennen.
  - Inzicht hebben in de toepassing van (wetenschappelijke) theorieën en modellen in diverse situaties en contexten.
  - Gangbare theorieën kunnen vertalen naar eigen handelen.
  - Op de hoogte zijn van actuele theorieën en ontwikkelingen op het gebied van theorievorming.
  - (Management)modellen voor de organisatie van de designfunctie kennen (binnen een complexe omgeving).
  - Kennis van en uitgesproken visie op de visuele identiteitsproblematiek.
  - Kennis en visie ten aanzien van design als tactisch bedrijfsmiddel en merkinstrument.

- Designprocessen:
  - Actuele ontwikkelingen kennen en wat de consequenties (in termen van organisatie en beheer) daarvan zijn voor het designproces in de organisatie.

- Interventiemethoden en beïnvloedingstechnieken kennen in relatie tot beleids- en designprocessen.
- Weten welke initiërende, faciliterende en adviserende rol de designprofessional in relatie tot beleids- en designprocessen kan vervullen.

• Designdomeinen:
  - De inhoud, reikwijdte en de onderlinge samenhang van de deeldomeinen kennen (productdesign, grafisch design en omgevingsdesign).
  - Weten op welke wijze inhoud gegeven kan worden aan de initiërende, faciliterende en adviserende rol van design met betrekking tot de deeldomeinen.

• Toepassingsgebieden:
  - Weten hoe vorm en inhoud kan worden gegeven aan alle relevante toepassingsgebieden (onderscheiden naar mediumtype, de verschillende functies, toepassingen en specialismen).
  - Eigenschappen en toepassingsmogelijkheden grondig kennen, inclusief het instrumentarium dat daarvoor ingezet kan worden.
  - De praktische implicaties kennen.

• Designonderzoek:
  - Soorten, methoden en technieken, mogelijkheden en beperkingen kennen (perceptie-onderzoek, 'consumer-centered research', trend en lifestyle-onderzoek, auditing-technieken).
  - Weten waarom en wanneer een onderzoek in eigen beheer kan worden uitgevoerd, danwel moet worden uitbesteed.
  - Weten aan welke aspecten in een onderzoeksopdracht aandacht moet worden besteed (ondermeer adequate briefing, begeleiding en beoordeling).
  - Kennis om onderzoeksresultaten te interpreteren en te hanteren als input voor beleidsaanpassing op tactische planningsniveau.

• Trends en ontwikkelingen in design:
  - Op de hoogte zijn van het actuele 'discours' in het vakgebied.
  - Kennis van designtrends en trendstijlen en de relatie met onderliggende stromingen.

• Designbranche:
  - Kennis van de ontwerpbranche (nationaal/internationaal).
  - Te onderscheiden specialismen van aanbieders kennen en een goed overzicht van de designmarkt hebben.
  - Weten hoe men binnen de designbranche zelf invloed kan uitoefenen.

Vakinhoud: designbeleid ontwikkelen

- Organisatorische uitgangspunten en randvoorwaarden:
  - Vanuit de optiek van design een bijdrage kunnen leveren om voor de verschillende functionele beleidsterreinen uitgangspunten en randvoorwaarden te ontwikkelen.
  - Designdoelstellingen kunnen herleiden uit organisatiedoelstellingen.

- Analyseren en evalueren:
  - Een knelpuntenanalyse kunnen maken en de onderzoeksbehoefte kunnen vaststellen in complexe designvraagstukken en -projecten.
  - Onderzoeksvragen kunnen formuleren en vertalen in onderzoeksopdrachten
  - Zelfstandig een eenvoudig intern/extern onderzoek kunnen opzetten en uitvoeren.
  - Onderzoeks- en evaluatiegegevens kunnen interpreteren, analyseren en benutten.
  - Onderzoeksresultaten kunnen hanteren als input voor beleidsaanpassing in tactische designplanning.

- Designstrategische uitgangspunten en randvoorwaarden formuleren:
  - Een bijdrage kunnen leveren aan de visie op design, inclusief een visie op de positionering en profilering (identiteit/imago) van de organisatie, inclusief de rol van design in het beleidsproces.

- Strategie ontwikkelen:
  - Het gegeven corporate designbeleidskader (de corporate designstrategie) verder kunnen uitwerken in onderling samenhangende designplannen voor een deeldomein of bepaald deelgebied (bijv. een product/marktcombinatie), waarin meetbare doelstellingen zijn verwerkt.
  - Deelbeleid kunnen ontwikkelen voor onderdelen van het corporate designbeleid
  - Een adequate en realistische strategie kunnen bepalen om de vastgestelde doelen te bereiken op business- en productniveau (designstrategieën op het niveau van individuele producten of merken).

- Uitvoeringsplannen opstellen:
  - Een doelmatige mix van middelen kunnen vaststellen om de strategie uit te voeren.
  - Effectieve plannen kunnen ontwikkelen voor de aanpak van complexe designvraagstukken en designprojecten, inclusief projectbegroting.
  - Een jaarplan op kunnen opstellen, inclusief budgetallocatie.
  - Door medewerkers opgestelde uitvoeringsplannen kunnen beoordelen.

- Design-infrastructuur ontwikkelen:
  - Binnen gegeven kaders de design-infrastructuur kunnen ontwikkelen en inrichten.

Context: relevante vakgebieden

- Organisatiekunde:
  - Actuele theorieën en strategieën kennen van organisatie-, bedrijfs- en bestuurskunde (met name met betrekking tot beleidsprocessen, organisatieveranderingsprocessen en innovatieprocessen).
  - Kennis en inzicht van verschillende managementstijlen en -technieken.
  - De belangrijkste concepten van kwaliteits-, innovatie- en verandermanagement kennen.
  - Kennis van organisatietheorie en -ontwikkeling.

- Economie: economische kennis en inzichten kunnen verwerken in besluitvorming over designvraagstukken.

- Recht: kennen van relevante onderdelen uit het Nederlands en Europees recht (met name industriële en eigendomsrechten zoals het auteursrecht) (Competentie: juridische vragen met betrekking tot design helder kunnen verwoorden en vertalen naar juridische specialisten.).

- Financieel management: kennen van financiële kengetallen en begrotingssystematieken en kennis hebben van managementrapportages en jaarrekeningen.

- ICT: kennis van de economische, communicatieve en financiële mogelijkheden en beperking van ICT.

- Sociale wetenschappen: kennis van de voor design relvante onderdelen uit de algemene sociale wetenschappen (psychologie, sociologie, culturele antropologie) en de filosofie (met name ethiek).

- R&D: kennen van productontwikkelingsmethoden en -technieken (New Product Development en New Product Marketing).

- Marketing: kennen van belangrijkste concepten van marketing en merkenmanagement (met name positionering en merkarchitectuur).

- Communicatie: kennen van belangrijkste concepten van communicatie (managementcommunicatie, marketingcommunicatie en organisatiecommunicatie).

Vaardigheden: persoonsgebonden

- Communiceren, interacteren:
  - Gevoel kunnen ontwikkelen voor de verschillende standpunten, behoeften en belangen.
  - Besluitvormingsprocessen kunnen begeleiden.
  - Kunnen presenteren en netwerken.

- Reflecteren:
  - Kunnen reflecteren op de eigen positie, rollen en taken en in staat zijn hier consequenties aan te verbinden.
  - Verbanden kunnen leggen, relaties onderkennen.

- Leidinggeven:
  - Binnen het gegeven corporate designbeleidskader sturing geven aan een afdeling of (project-)teams.
  - Binnen afdeling of (project-)teams een goede sfeer en samenwerking tot stand brengen en mensen kunnen motiveren.
  - Zelfbewust kunnen handelen, overwicht hebben bij het nemen van beslissingen, en de daaruit voortvloeiende verantwoordelijkheid kunnen nemen.
  - De effectiviteit van de uitgevoerde werkzaamheden kunnen toetsen en waar nodig bijsturen.
  - Op bedachtzame en consistente wijze in onheldere situaties besluiten kunnen nemen en richting geven.

- Adviseren:
  - Bewust kunnen omgaan met belang, invloed, bevoegdheden, waarden en normen van anderen (intern/extern).
  - Afhankelijk van het vraagstuk, het moment, de context en de gesprekspartner, de juiste toon, stijl en argumenten kunnen kiezen.
  - Binnen het eigen specialisme professionele autoriteit kunnen uitstralen en in contacten met opdrachtgevers op inspirerende wijze standpunten en ideeën kunnen toelichten en beargumenteren.

Vaardigheden: ambachtelijk

- Ontwerpen:
  - Concepten kunnen ontwerpen (bijv. in schrift of beeld).
  - Designconcepten kunnen beoordelen.
  - Samenhangende designprogramma's kunnen ontwikkelen en implementeren.
  - Effecten van design kunnen interpreteren.

- Schrijven:
  - Gestructureerde, toegankelijke en effectieve beleidsvoorstellen en -notities kunnen schrijven (eventueel in meerdere talen).
  - Creatieve briefings kunnen schrijven.

- Organiseren en plannen:
  - Zaken planmatig kunnen opzetten en aanpakken.
  - Procedures kunnen opstellen en bewaken.
  - Samenhangende activiteiten- en designprogramma's kunnen ontwikkelen.
  - Budgetten kunnen opstellen en bewaken.
  - Meerdere projecten tegelijkertijd kunnen coördineren.

- Verschillende werkzaamheden die door verschillende mensen worden uitgevoerd, kunnen coördineren.
- Complexe besluitvormingsprocessen kunnen begeleiden.
- Doelen en prioriteiten voor zichzelf en anderen kunnen stellen.
- Relaties tussen werkzaamheden binnen de organisatie kunnen leggen en de planning van de eigen werkzaamheden hierop af kunnen stemmen.

- Presenteren, representeren:
  - Als gesprekspartner/teamlid van het MT kunnen functioneren.
  - Voorstellen, plannen en rapporten kunnen presenteren en verdedigen.
  - Kunnen overtuigen (de juiste beslissingen laten nemen).
  - De belangen van de organisatie kunnen behartigen in overlegsituaties en onderhandelingen.
  - Voor verschillende groepen een ontvangergerichte, aansprekende presentatie kunnen verzorgen.
  - Relaties met media (pers) en opinieleiders kunnen opbouwen en onderhouden.
  - Op een verantwoorde wijze de organisatie kunnen vertegenwoordigen.
  - Kennis kunnen overdragen (educatieve capaciteiten).
  - Zich in (meerdere) andere talen goed kunnen uitdrukken.

- Informeren: over complexe onderwerpen begrijpelijke informatie kunnen verstrekken.

- Adviezen opstellen: zich goed kunnen inleven in de vraag en verwachtingen van de opdrachtgever en op basis daarvan een effectief beleidsadvies uitbrengen.

Competentieprofiel Design Project Manager

Vakinhoud: designkennis

- Designtheorieën: de in het vak meest gangbare modellen en theorieën kennen.

- Designprocessen: de onderdelen van het ontwerpproces en ontwerp-methodologie(ën) kennen.

- Designdomeinen: de karakteristieken kennen van de deeldomeinen (product design, information design, environmental design en corporate identity design).

- Toepassingsgebieden:
  - De verschillende soorten design kennen (onderscheiden naar mediumtype, de verschillende functies, toepassingen en specialismen).
  - De grafisch-technische en andersoortige productieprocessen kennen.

- Designonderzoek:
  - Weten wat designonderzoek is en de relevantie ervan begrijpen voor de professie.
  - Designonderzoeksmethoden en -technieken kennen (kwalitatief en kwantitatief).

- Trends en ontwikkelingen in design: kennis van actuele trends en ontwikkelingen in het vakgebied.

- Designbranche:
  - Weten hoe de branche is gestructureerd (waaronder vakopleidingen, vakbladen, brancheverenigingen en beroepsniveaus).
  - Te onderscheiden specialismen van aanbieders kennen en een goed overzicht van de designmarkt hebben.

Context: relevante vakgebieden

- Organisatieleer:
  - Het organogram van de organisatie kunnen lezen (de organisatiestructuur begrijpen).
  - De reikwijdte van implementatieprocessen begrijpen.

- Recht: de juridische designaspecten kennen (auteurs- en merkrechtelijk).

- Financieel management: de basisbeginselen van budgettering kennen.

- ICT: het belang van ICT begrijpen en de belangrijkste toepassingen kennen.

- Sociale wetenschappen: begrijpen waarom de sociale wetenschappen voor design relevant zijn (invloed van design op consumentengedrag, verloop van het keuzeproces en het concept van cultuur).

- R&D: productontwikkeling als multi-disciplinair proces begrijpen.

- Marketing: de basisbeginselen van marketing en merkenleer kennen en de invloed van design op merkontwikkeling begrijpen.

- Communicatie: de basisbeginselen van communicatie kennen (managementcommunicatie, marketingcommunicatie en organisatiecommunicatie).

- Taalbeheersing: zich correct kunnen uitdrukken in woord en geschrift (in de Nederlandse taal en eventueel in vreemde talen).

Context: in- en externe omgeving

- Kennis van eigen organisatie: de structuur, hoofdlijnen van beleid, manier waarop het primaire proces is georganiseerd en het product-/dienstenaanbod.

- Kennis branche: hoofdlijnen van de branche waarin de organisatie opereert en de relatieve positie van de organisatie binnen de branche begrijpen.

- Kennis van relevante omgeving: maatschappelijk krachtenveld en de belangrijkste doel- en relatiegroepen begrijpen.

- Trends en issues: de belangrijkste trends kennen die voor de eigen organisatie spelen.

Vaardigheden: persoonsgebonden

- Communiceren, interacteren:
  - Gevoel kunnen ontwikkelen voor de verschillende standpunten, behoeften en belangen.
  - Besluitvormingsprocessen kunnen begeleiden.
  - Kunnen functioneren in een (grote/complexe) organisatie.

- Reflecteren: kunnen leren van eigen fouten.

- Leidinggeven:
  - Zichzelf kunnen aansturen.
  - Prioriteiten kunnen stellen binnen eigen werkzaamheden.
  - Projectmedewerkers kunnen instrueren en begeleiden waar nodig.
  - Doel- en resultaatgericht kunnen werken binnen de gestelde projectkaders.

- Adviseren: afhankelijk van het vraagstuk, het moment, de context en de gesprekspartner, de juiste toon, stijl en argumenten kunnen kiezen.

Vaardigheden: ambachtelijk

- Ontwerpen:
  - Doelstellingen formuleren en vertalen naar concrete designconcepten; het concept kunnen ontwerpen (richtinggevend; bijv. in schrift of beeld).
  - Ontwerpvoorstellen kunnen beoordelen en binnen de budgetruimte alternatieven kunnen aandragen.
  - Processen m.b.t. grafische vormgeving, productdesign en omgevingsdesign kunnen begeleiden.

- Schrijven:
  - Een projectplan of uitvoeringsplan kunnen schrijven.
  - Een initiële projectbrief en creatieve (design)brief kunnen schrijven.
  - Ontwerpconcepten helder en begrijpelijk kunnen beschrijven.

- Redigeren:
  - De uitvoering van design kunnen evalueren en kunnen aanpassen wanneer nodig.

- Organiseren en plannen:
  - Een goede analyse kunnen maken m.b.t. de designactiviteiten die gerealiseerd moeten worden en doelen kunnen vaststellen.
  - Een projectplan kunnen opstellen.
  - Een kostencalculatie kunnen maken en bewaken.
  - Op resultaatgerichte wijze een project kunnen beheersen.
  - De voortgang en kwaliteit bewaken en prioriteiten kunnen stellen.

- Presenteren, representeren:
  - Kunnen (door)presenteren en kunnen overtuigen (de juiste beslissingen laten nemen).
  - In staat zijn draagvlak te creëren.

- Informeren:
  - Open staan voor klantvragen, kunnen doorvragen en de juiste informatie selecteren en verstrekken.
  - Derden kunnen briefen (schriftelijk en mondeling).

Verklarende begrippenlijst

Accountability
Het kunnen verantwoorden van bepaalde activiteiten, door het leggen van een relatie tussen een bepaalde inspanning die met deze activiteiten samenhangt en het effect daarvan.

Accountplanner
Degene die bij een designbureau de link probeert te leggen tussen de briefing enerzijds en het werk van de creatieven anderzijds. Hierbij wordt gebruik gemaakt van de kennis die deze functionaris heeft op gebieden zoals designtheorie, -werking en -onderzoek.

Affect
Effect van een marketingcommunicatie-uiting op de 'gemoedstoestand' van een ontvanger.

AIDA-model
Klassiek hiërarchisch model over de werking van communicatie, waarbij een afnemer een aantal stadia in dwingende volgorde doorloopt, alvorens tot een aankoop over te gaan. De stadia zijn aandacht (*attention*), belangstelling (*interest*), verlangen (*desire*) en actie (*action*).

A-merk
(Fabrikanten) merkartikel dat met name voorkomt bij frequent gekochte consumptiegoederen met een (constant) hoog gepercipieerd prijs- en kwaliteitsniveau, een grote naamsbekendheid, een brede reclameondersteuning en een relatief groot marktaandeel in een bepaald geografisch gebied.

Attribuut
Kenmerk of eigenschap van product. Een term die vaak wordt gebruikt om productkenmerken aan te duiden die kunnen dienen als evaluatiecriteria in het besluitvormingsproces van consumenten/afnemers.

Artefact
Een door mensenhand gecreëerde vorm die als zodanig niet in de natuur voorkomt.

Associëren
Proces waarbij iemand een object of merk in verband brengt met iets anders.

Awareness-model
Werkingsmodel dat zich baseert op een sterke samenhang tussen merkbekendheid ('awareness') en koopgedrag. Uitgangspunt is dat merken(uitingen) vooral beogen te prikkelen, op te vallen en aanleiding te zijn tot gespreksstof. Dit model leent zich goed voor het beschrijven en verklaren van de designwerking van impulsproducten en nieuwe productintroducties.

Beleidsplan
Plan dat aangeeft op welke wijze, in welk tijdsbestek en met welke middelen doelstellingen bereikt zullen moeten worden.

Business unit
Een organisatorische eenheid waarbinnen de activiteiten zijn gegroepeerd inzake een bepaalde markt of activiteit.

Brand equity (ook wel: merkwaarde)
De mate waarin een merk waarde heeft voor de onderneming; deze kan zich manifesteren in financiële, strategische en managementvoordelen. Deze waarde kan ook worden uitgedrukt in een financieel getal.

Centralisatie
Concentratie van beslissingsbevoegdheden aan de top van de organisatie.

Cognitieve dissonantie
Twijfel, gevoel van onbehagen, dat bij een individu leeft over de juistheid van zijn beeldvorming omdat bepaalde 'cognities' niet met elkaar in overeenstemming zijn.

Communicatie
Alle activiteiten waarin informatie (gegevens, feiten, gedachten, gevoelens en wensen) wordt overgebracht naar, of ontdekt bij andere mensen.

Concurrentie-voordeel
Relatief voordeel; voorsprong van een organisatie op haar concurrenten ten aanzien van een aspect dat door (potentiële) afnemers als relevant wordt beschouwd.

Copycat
Merkartikel (veelal een private label) met het uiterlijk (verpakking, design) van een bekend A-merk.

Concept
Creatief idee dat het uitgangspunt vormt van een plan, ontwerp of uiting.

Corporate identity
Het geheel van visuele en niet visuele (nonverbale en verbale) uitdrukkingsvormen dat een organisatie hanteert om zich te profileren naar alle relevante doelgroepen. Hierin worden de componenten symboliek, communicatie en gedrag als uitingsvormen onderscheiden. Persoonlijkheid als vierde component vormt de basis hiervoor.

Corporate design strategy
De centraal vastgestelde designdoelen alsmede de uitgangspunten, werkwijze en middelen die gelden om deze te kunnen realiseren: de belangrijkste beslissingen die richting geven aan de designactiviteiten van de onderneming (ook wel aangeduid als: 'design principles').

Cues
Kenmerken van een bepaald product die aanknopingspunten bieden aan consumenten bij het vaststellen van de mate waarin dit product hun behoeften kan bevredigen. Esthetische cues zoals vorm- en kleurgebruik kunnen behulpzaam zijn bij het creëren van een aantrekkelijk en onderscheidend merk.

Cultuur
De collectieve, gedeelde opvattingen (door opvoeding, overdracht van tradities, onderwijs en opgedane ervaringen) die leden van een groep of categorie mensen onderscheiden van een andere groep.

Creativiteit
De vaardigheid om ideeën en patronen te combineren op nieuwe manieren, teneinde vraagstukken op te lossen en mogelijkheden te benutten. Hierbij hoort de bereidheid om risico's te nemen en ambiguïteit te accepteren.

Decentralisatie
Het spreiden van beslissingsbevoegdheden over meerdere personen en over meer hiërarchische lagen in de organisatie.

Designeffectiviteit
Het strategisch en doeltreffend inschakelen van design voor een beter bedrijfsresultaat, dat wordt bepaald door de mate waarin de aan het design gestelde doeleinden worden bereikt.

Designstrategie
Het proces waarbij wordt bepaald welke specifieke functies en uiterlijke kenmerken (inclusief 'designfeatures') een product of merk moet bezitten om te voldoen aan de eisen van de markt, in het verlengde van een product- of merkstrategie. Zie ook productstrategie.

Differentiatiestrategie
Een strategie die zich richt op het aanbieden van een product, dienst of beleving met unieke eigenschappen.

Divisie (Strategic Business Unit)
Een organisatorische eenheid die -binnen bepaalde grenzen – volledig zelf winstverantwoordelijkheid draagt; als zodanig kan deze weer zijn opgebouwd uit werkmaatschappijen of business units.

Doelgroep
Verzameling (potentiële) afnemers – volgens bepaalde criteria vastgesteld – waarop de organisatie zich richt en waarvoor zij specifieke activiteiten onderneemt.

Eerstelijnsmanagement
Alle leidinggevende medewerkers die in direct contact met de uitvoerende medewerkers staan.

Ergonomie
De mate waarin een product is toegesneden op de mogelijkheden en beperkingen van gebruikers.

Esthetische levensduur
De periode dat een bepaald duurzaam consumptie- of productiegoed qua vormgeving, stijl, uitstraling of beleving nog binnen een bepaald tijdsgewricht past.

Features
Differentiatiemiddelen in de vorm van kleine producttoevoegingen, die worden gebruikt om verschillen binnen een productlijn te rechtvaardigen (de goedkoopste uitvoering heeft vaak minder features dan de duurste) en de levenscyclus van een product te verlengen (door er steeds nieuwe features aan toe te voegen).

Focusgroep (groepsdiscussie)
Kwalitatief onderzoek in de vorm van een open discussie tussen acht tot twaalf personen met een gespreksleider. De interactie tussen de personen in de discussie is belangrijk en de rol van de gespreksleider beperkt zich tot het stimuleren van de discussie.

Hulpdienst, specialistische
Afdeling die op aspecten van leidinggeven en uitvoering aan overige afdelingen of functionarissen specialistieche diensten bewijst.

Identificatie
Het zich spiegelen aan individuen, groepen of organisaties die een vergelijkbaar waarden- of behoeftepatroon kennen.

Identiteit
Het totaal aan indrukken, kennis en verwachtingen dat iemand van zichzelf heeft betreffende de persoonlijkheid, de sociale omgeving waarin hij verkeert en de relaties die hij heeft. Het is gebruikelijk hierbij een onderscheid te maken tussen het actuele zelf en het ideale zelf.

Imago
Het totaal van de al dan niet denkbeeldige, subjectieve voorstellingen, ideeën, gevoelens en ervaringen door een persoon of groep personen ten aanzien van een bepaald object (product, persoon of organisatie).

Innovatie
De succesvolle praktijktoepassing van nieuwe ideeën in de vorm van nieuwe of verbeterde producten, diensten en processen.

Integratie, van organisatiefuncties
De kwaliteit van de samenwerkingsverhoudingen tussen afdelingen die, ondanks dat de eisen uit hun omgeving uiteen kunnen lopen, gelijkgericht moeten handelen ten aanzien van het proces waardoor een resultaat wordt bereikt.

Kostprijs
De kosten per eenheid product; de totale kosten gedeeld door de productieomvang.

Kwaliteit
De mate waarin het ontvangen product (goed/dienst/idee) overeenkomt met de verwachtingen (eisen en wensen) van de klant over het product.

Leefstijl (life style)
Een gedurende een bepaalde periode tamelijk consistente en kenmerkende manier van leven van een bepaald(e) (goep) individu(en) op grond van ontwikkelde opvattingen, waarden, normen en gedragingen. Op grond hiervan kan een levensstijl worden getypeerd.

Manager
Persoon die richting geeft aan processen, mensen en middelen om bepaalde doelstellingen te bereiken. Degene die het handelen van andere mensen in een organisatie op gang brengt en stuurt.

Merk
Een oproepbaar associatienetwerk in het menselijk geheugen dat van invloed is op iemands houding en gedrag in een ruilrelatie, en dat gedeeltelijk ontstaat door doelgerichte beïnvloeding door middel van betekenisgeving.

Missie
De gewenste rol en ambities van de organisatie in een door haar afgebakend werkterrein. Deze omvat de bestaansreden van de organisatie, de waarden, de (concurrentie)positie en gedragsstandaarden.

Ondersteunend proces
De processen binnen een organisatie die nodig zijn om de effectiviteit van het primaire proces te handhaven.

Perceptie
Het proces van interpreteren en verwerken van zintuiglijke indrukken, zodat aan de omgeving betekenis kan worden verleend.

Persoonlijkheid
Het totaal aan duurzame psychologische of gedragskenmerken dan een individu uniek maakt en onderscheidend van andere individuen. Dit concept wordt ook toegepast op producten, merken en organisaties.

Planning
Proces van informatieverwerking dat leidt tot beslissingen over in de toekomst te verrichten handelingen en de coördinatie daarvan, met als doel een basis te leggen voor het beheersen van die handelingen.

Primair proces
Het proces vanaf het vaststellen van de expliciete en impliciete behoeften van een klant tot aan de levering van het product of de dienst en de ontvangst van de betaling.

Procedure
Een reeks van met elkaar verbonden taken die een afgerond geheel vormen.

Proces
1. Het samenvoegen en/of bewerken van een zekere invoer van materialen, diensten of informatie teneinde een gewenst resultaat te bereiken.
2. Een aantal achtereenvolgende activiteiten of gebeurtenissen.

Product
Het geheel van materiële en immateriële eigenschappen van een goed of dienst (eventueel ook ondersteunend). Dit betreft alles wat kan worden aangeboden op een markt, voor consumptie, verbruik, gebruik of attentie, waarmee in een specifieke behoefte kan worden voorzien.

Productcategorie (productklasse)
Een verzameling producten met een of meer gemeenschappelijke kenmerken of functies en die op grond hiervan wordt opgeslagen in het menselijk geheugen. Een afnemer kan uit deze verzameling kiezen om in een bepaalde of vergelijkbare behoefte te voorzien.

Productdesign
Vormgeving van het product; van belang voor de esthetiek, de herkenbaarheid, de ergonomie, de kostprijs, de milieubelasting, de verhandelbaarheid en de uitstraling van het product.

Productdifferentiatie
1. Met betrekking tot assortimentsbeleid: het aanbieden van verschillende varianten van een product die voor verschillende afnemers(groepen) aantrekkelijk kunnen zijn.
2. Met betrekking tot positionering: het onderscheiden van het eigen product ten opzichte van de producten van concurrenten en het bewust maken van consumenten van de verschillen hiertussen.

Productontwerpen
Het esthetisch, technisch en commercieel uitdenken en vastleggen van een productconcept in de vorm, de materialen en de vervaardigingswijzen van een nieuw fysiek product.

Productstrategie
Het proces waarbij wordt bepaald welke specifieke eigenschappen en daarmee verbonden voordelen een product moet bezitten om te voldoen aan de eisen van de markt. Daarnaast wordt beschreven het moment van productintroductie (op een tijdas), de doelgroepen waarvoor het product is bestemd, de marketingdoelen en de financiële doelen.

Productuiterlijk
Alle eigenschappen van een product die visueel waarneembaar zijn, zoals de productvorm, de kleur en het materiaal waarvan het product gemaakt is.

Project
Geheel van activiteiten dat wordt uitgevoerd door meerdere specialistische groepen in een tijdelijk samenwerkingsverband en dat gericht is op een duidelijk gespecificeerd resultaat. Dit dient te worden bereikt binnen een begrensde tijd en met begrensde middelen.

Projectmanagement
Het managen van een samenstel van activiteiten die, gericht op een specifiek doel, eenmalig worden uitgevoerd binnen begrensde tijd en kosten.

Return on investment (ROI)
De (procentuele) verhouding tussen de opbrengsten van het in een organisatie geïnvesteerde eigen of vreemd vermogen en dat vermogen.

Secundaire processen
De ondersteunende processen die de primaire processen instandhouden en/of op peil houden.

Semiotiek
(Symbolische) waarde en betekenis van objecten (producten en communicatie/boodschapen) voor individuen.

Stafdienst
Afdeling die op elementen van beleid aan de directie of aan andere leidinggevende functionarissen als adviesorgaan ter beschikking staat.

Stakeholders (belanghebbers)
Groepen of individuen die invloed kunnen uitoefenen op de missie en de resultaten van een organisatie en vice-versa.

Stimulus (sensorische input)
Elke vorm en hoedanigheid van input/prikkels voor een van de zintuigen. Voorbeelden van stimuli voor afnemers zijn: productvormen, verpakkingen, merknamen en reclameboodschappen.

Strategie
Een uitspraak omtrent de doelstellingen die de organisatie moet nastreven, de wegen waarlangs of de wijze waarop dit zal geschieden en de middelen die hiervoor nodig zijn.

Strategisch management
Benadering van het strategisch probleem waarbij aandacht geschonken wordt aan de product/marktcombinatie, de implementatie van de strategie en het eventueel bijsturen van de strategie.

Synergie
Het voordeel dat kan ontstaan wanneer de organisatie nieuwe activiteiten gaat ontplooien, waarbij gebruikgemaakt kan worden van bestaande faciliteiten.

Time-to-market
Tijd die verstrijkt tussen het moment van een nieuw productidee en het moment dat dit nieuwe product uiteindelijk op de markt wordt gebracht; de tijd die nodig is om een nieuw product op de markt te brengen.

Toegevoegde waarde (ook wel: added value)
Het verschil tussen de omzet (verkoopopbrengsten) en de aan die omzet toe te rekenen kosten voor grond- en hulpstoffen. De toegevoegde waarde wordt verdeeld over de participanten in een onderneming zoals aandeelhouders, werknemers, overheid en verschaffers van vreemd vermogen. Het begrip wordt ook wel gebruikt in de motiverende sfeer, respectievelijk als een eufemisme voor winst.

Tooling
De productcomponenten en de configuratie hiervan binnen de productbehuizing; de constructieve samenstelling van een product.

Trend
Sociologische en culturele ontwikkelingen waarbij symbolen, betekenissen en waarden een grote rol spelen, zoals de nieuwe mode of heersende toon.

Waardeketen
Een begrip, afkomstig van de auteur Porter, dat de activiteiten in de primaire en secundaire processen beschouwt als een keten van waardetoevoegingen.

Wear-out
Situatie waarin een stimulus geen effect meer heeft op cognitief, affectief of conatief niveau, of als deze een negatief effect bewerkstelligt, als gevolg van veroudering, slijtage of overheersing.

Overzicht van geraadpleegde literatuur

Aaker, D.A. (1996) *Building strong brands.* NY: The Free Press.

Aaker, D.A. (1996) 'Merk(meer)waarde, het meten van brand equity'. *Tijdschrift voor Strategische Bedrijfscommunicatie 3 (4) 44-52* Alphen a/d Rijn: Samsom Bedrijfsinfo.

Ahaus, C.T.B. & F.J. Diepman (1998) *Balanced Scorecard & Model Nederlandse Kwaliteit.* Deventer: Kluwer.

Alphen, K. van (1997) *Handboek voor de ontwerppraktijk.* Amsterdam: BIS Publishers/ BNO (Beroepsorganisatie Nederlandse Ontwerpers).

Baker M.J. & J.M.T. Balmer (1997) 'Visual identity: trappings or substance?' *European Journal of Marketing 31(5/6) 366-382.* MCB University Press.

Bangle, C. (2001) 'The Ultimate Creativity Machine: How BMW Turns Art into Profit', *Harvard Business Review reprint #R0101B.*

Beek, J. van (jaartal onbekend) 'Design en organisatie-identiteit' *Design denkbeeldig deel 1.* Amsterdam: Bis Publishers.

Birkigt, K. & M.M. Stadler (1986) in: C. van Riel (1996) *Identiteit en Imago.* Schoonhoven: Academic Service.

BNO, KPMG (2000) *De ontwerppraktijk en kwaliteitsmanagement – Handboek op basis van NEN en ISO 9001.* Amsterdam: BNO (Beroepsorganisatie Nederlandse Ontwerpers).

BNO, KPMG/BEA (2001) *Vormgeving telt.* Amsterdam: BNO (Beroepsorganisatie Nederlandse Ontwerpers).

BNO (2005) *BNO DesignEffect – Meetinstrument voor design (*Eindrapport werkgroep Design & Effectiviteit*).* Amsterdam: BNO (Beroepsorganisatie Nederlandse Ontwerpers).

Bos, B. (1992) *Design, de ontworpen meerwaarde.* Amsterdam: BIS Publishers.

Boer, R. (2002) *Brand design: het vormen en vormgeven van merken.* Amsterdam/ Antwerpen: FT/Prentice Hall, Pearson Education Benelux.

Bosch, A. van den (2000) 'Huisstijlmanagement: de verankering van de huisstijl in de organisatie', *Communicatiedossier no. 16.* Alphen a/d Rijn: Samsom.

Bosch, A. van den, M. de Jong & W. Elving (2001) *Meer dan het logo, de invloed van organisatiekenmerken op de huisstijl.* Oldenzaal: NykampNyboer (uitgave in eigen beheer).

Brandmeyer, K. & A. Deichsel (1999) *De magie van het merk.* Alphen a/d Rijn: Samsom.

Brandt, H. *et al.* (2005) *De expressieve organisatie, werken met identiteit.* Den Haag: SMO (Stichting Maatschappij en Onderneming).

Bruce, M. & J. Bessant (2002) *Design in Business, strategic innovation through design.* London: FT/Prentice Hall.

Bruce, M. & R. Cooper (1997) *Marketing and Design Management.* London: International Thomson Business Press.

BVA (1998) *De keuze van een reclamebureau, handleiding bureauselectie.* Amsterdam: BVA (Associatie Nederlandse Adverteerders).

BVA (1998) *De relatie tegen het licht, handleiding bureau-evaluatie*. Amsterdam: BVA (Associatie Nederlandse Adverteerders).

Carter, M. (1995) 'How to look like a Winner', *Independent on Sunday* (21 mei 1995).

Chung, K.W. (1998) 'The Nature of Design Management: Developing a Curriculum Model'. *Design Management Journal, reprint #9893CHU66*. Boston: Design Management Institute.

Collins, J.C. & J.I. Porras (2000) *Built to Last, Successful Habits of Visionary Companies*. London: Random House.

Cooper, R. & M. Press (1995) *The Design Agenda*. Chichester: John Wiley & Sons.

Creusen M.E.H. & M.J.W. Stokmans (2004) 'Consumentenonderzoek'. In E.J. Hultink & J. Schoormans, *Productontwikkeling en marketing*, p. 125. Amsterdam/Antwerpen: Pearson Education Benelux.

Design Council (2004) *Design in Britain 2004-2005*. London: Design Council.

Desmet, P. (2002) *Designing Emotions*. Proefschrift in eigen beheer.

Dorst, K. (2003) *Understanding Design, 150 Reflections on Being a Designer*. Amsterdam: Bis Publishers.

Dumas, A. & H. Mintzberg (1989) 'Managing Design/Designing Management', *Design Management Journal, reprint #8911DUM87*. Boston: Design Management Institute (DMI).

Dumas, A. & H. Mintzberg (1991) 'Managing the Form, Function and Fit of Design', *Design Management Journal, reprint #9123DUM26*. Boston: Design Management Institute (DMI).

Floor, K. & F. van Raaij (2002) *Marketingcommunicatie-strategie*. Groningen: Stenfert Kroese.

Florida, R. (2002) *The Rise of the Creative Class*. NY: Basic Books.

Florida, R. & J. Goodnight (2005) 'Managing for Creativity', *Harvard Business Review 83 (7) reprint #R0507L*.

Fombrun, C.J. & C.B.M. van Riel (2004) *Reputatiemanagement*. Amsterdam/Antwerpen: FT/Prentice Hall, Pearson Education Benelux.

Franzen, G. & M. van den Berg (2001) *Strategisch management van merken*. Deventer: Kluwer.

Franzen, G. & M. Bouwman (1999) *De mentale wereld van merken*. Alphen a/d Rijn: Samsom.

Franzen, G. & M. Hoogerbrugge (1996) *Het merk op weg naar de 21e eeuw*. Amsterdam: SWOCC.

Funcke, J. (2005) *Merkwerken*. Amsterdam/Antwerpen: FT/Prentice Hall.

Gemser, G. (1997) *Concurreren door investeren in industrieel ontwerpen*. Amsterdam: BNO (Beroepsorganisatie Nederlandse Ontwerpers) en Ministerie van Economische Zaken.

Gemser G. & M. Leenders (2001), 'How integrating industrial design impacts on corporate performance', *Journal of Product Innovation Management, Vol. 18, No. 1, pp. 28-38*.

Gemser, G., D. Jacobs & R. ten Cate (2004), 'Vormgeving in ICT: Een exploratieve studie naar de toegevoegde waarde van vormgeving in de Nederlandse ICT sector',

Vormberichten, september, p. 20. Amsterdam: BNO (Beroepsorganisatie Nederlandse Ontwerpers).
Gommer, F. & E. Heijmans (1997) 'Design Management: functie of visie. Ontwikkeling van een vakgebied'. in *Handboek intern/extern, het integreren van communicatie in bedrijven, organisaties en instellingen, 3.1026 1-19.* Deventer: Kluwer Bedrijfinsformatie.
Gorb, P. & A. Dumas (1987) 'Silent design', *Design Studies 8(3): 150-6.* Oxford: Butterworth Heinemann.
Gorb, P. (editor) (1990) *Design Management, Papers from the London Business School.* London: Architecture Design and Technology Press.
Gorb, P. (1992) 'Design Management: A Personal Retrospective', *Design Management Journal, reprint #9233GOR19.* Boston: Design Management Institute.
Govers, P. (2004) *Product Personality.* Proefschrift uitgegeven in eigen beheer.
Govers, P.C.M. & R. Mugge (2004) 'Het productuiterlijk in de markt'. In E.J. Hultink & J. Schoormans, *Productontwikkeling en marketing,* p. 204. Amsterdam/Antwerpen: Pearson Education Benelux.
Green, L.D. *et al.*, (2004) 'Perspectives on designing design managers', *Design Management Journal, Spring 2004 p. 74-79, reprint #04152PDM74.* Boston: Design Management Institute.
Grinten, van der J. (2004) *Mind the Gap, stappenplan identiteit en imago.* Deel 1 in serie 'Merk & Reputatie', Amsterdam: Boom.
Hamel, G. & C.K. Prahalad (1994) *De strijd om de toekomst.* Schiedam: Scriptum Management (vertaling van 'Competing for the Future').
Hart S. & E.J. Hultink (2004) 'Introductiestrategie'. In E.J. Hultink & J. Schoormans, *Productontwikkeling en marketing,* p. 173. Amsterdam/Antwerpen: Pearson Education Benelux.
Have, S. ten *et al.* (1999) *Het managementmodellenboek, zestig ideeën toegankelijk gemaakt.* Den Haag: Reed Business Information.
Henderson, P.W. & J.A. Cote (1998) 'Guidelines for selecting and modifying logos', *Journal of Marketing, 62(2) 14-30.*
Henrion, F.H.K. & A. Parkin (1967) *Design Coordination and Corporate Image.* NY: Reinhold Publishing.
Hertenstein, J.H. & M.B. Platt (1997) 'Developing a Strategic Design Culture', *Design Management Journal reprint #9782HER10,* Boston: Design Management Institute.
Hertenstein, J.H., M.B. Platt & D.R. Brown (2001) 'Valuing Design: Enhancing Corporate Performance through Design Effectiveness', *Design Management Journal summer p. 10-19, reprint #01123HER10,* Boston: Design Management Institute.
Hultink E.J. & J. Schoormans (2004) *Productontwikkeling en marketing.* Amsterdam/ Antwerpen: Pearson Education Benelux.
Hultink E.J. (1998) *Productintroducties.* Reeks Marketing Wijzer. Deventer: Kluwer Bedrijfsinformatie.
Ind, N. (2001) *Living the brand.* London: Kogan Page.

Jacobs, D. (2005) *Creativiteit en de economie*. Achtergrond paper ter voorbereiding van de Innovatielezing 2005 'Concurreren met creativiteit', georganiseerd door het Ministerie van Economische Zaken.

Jensen, R. (1999) *De droommaatschappij*. Rijswijk: Uitgeverij Elmar (vertaling van The Dream Society, uitgegeven door McGraw-Hill).

Joachimsthaler, E. & D.A. Aaker (2000) 'Hoe bouwt men een merk op zonder massamedia?', *Harvard Business Review over merkenmanagement*. Zaltbommel: Thema.

Johnson, G. & K. Scholes (1993) *Exploring Corporate Strategy*. Prentice Hall Europe.

Kapferer, J.N. (1996) *Strategisch Merkmanagement*. Schoonhoven: Academic Service.

Kapferer, J.N. (2003) *Het merk opnieuw uitgevonden*. Deventer: Kluwer.

Kaplan R.S. & D.P. Norton (2004) *Strategie in kaart gebracht*. Amsterdam/Antwerpen: Uitgeverij Business Contact.

Kelley, T. (2001) *The Art of Innovation, Lessons in Creativity from IDEO, America's Leading Design Firm*. London: Profile Books.

Kersten, P. (1994) *The role of design in the communications mix*. Paper, Canon Europe.

Keuning, D. & D.J. Eppink (2004) *Management en organisatie*. Groningen: Stenfert Kroese.

Koopmans, F. (2001) *De kracht van verpakking*. Deventer: Kluwer.

Kootstra, G.L. (2002) 'The role of design in brand development.' In Riezebos, R. (2002) *Brand Management* p. 126-147. FT/Prentice Hall (In Nederlands: *Merkenmanagement*, uitgegeven door Wolters Noordhoff).

Kootstra, G.L. (2003), *Designeffectiviteit, hoe het volledig potentieel van design als strategisch merkinstrument te benutten*. Masterscriptie, uitgave Census Design Management BV.

Kotler, P. & G.A. Rath (1990) 'Design: a powerful but neglected strategic tool', *Journal of Business Strategy 5(2) 16-21*, Faulkner & Gray (reprint in: Bruce, M., Cooper, R., (1997), *Marketing and Design Management*. London: Thomson Business Press).

Kotter, J.P. (2001) 'Wat leiders echt doen', *Harvard Business Review over Leiderschap*. Zaltbommel: Thema.

Kralingen, R. van (1999) *Superbrands – Merken en markten van morgen*. Alphen a/d Rijn: Samsom.

Kralingen, R. van (2002) *BrandWorld: rethinking branding*. Deventer: Kluwer.

Kuijk, J. van (2004) *Thema's in de Nederlandse designsector*. Amsterdam: Premsela, stichting voor Nederlandse vormgeving.

Laar, G. van der & L. van den Berg-Weitzel (2001) 'Brand Perception on the Internet', *Design Management Journal, Spring 2001, p. 55-60, reprint #01122VAN55*.

Laurel, B. (ed.) (2003) *Design Research, Methods and Perspectives*. Boston: MIT.

Leadbeater, C. (2000) *Living on Thin Air, The New Economy*. London: Penguin Books.

Lester, R.K., M.J Piore & K.M. Malek (1998) 'Interpretive management: what general managers can learn from design', *Harvard Business Review March-April 1998, p. 86-96 (reprint 98207)*.

Linden, J. van der (2000) *Innoveren & excelleren*. Amersfoort: F&G Publishing.

Maathuis, O. (1999). *Corporate Branding*. Proefschrift uitgegeven in eigen beheer.

Manzini, E & M. Susani (ed.) (1995) *The Solid Side, the search for consistency in a changing world*. V+K Publishing/Philips.
Marzano, S. (1998) *Creating Value by Design, Thoughts*. Blaricum: V+K Publishing.
Michels, W. & P. van Thiel (2002) *Corporate designmanagement*. Groningen: Wolters Noordhoff.
Mintzberg, H. (1997) *The Structuring of Organizations: A Synthesis of the Research*. London: Prentice Hall.
Mintzberg, H., B. Ahlstrand & J. Lampel (1999) *Op strategie-safari, een rondleiding door de wildernis van strategisch management*, Schiedam: Scriptum.
Mintzberg, H. (2003) *Organisatiestructuren*. Schoonhoven: Academic Service.
Mintzberg, H., B. Ahlstrand & J. Lampel (2005) *Strategie slaat terug! De verbeelding aan de macht*. Amsterdam/Antwerpen: FT/Prentice Hall.
Mosmans, A. (ed.) (1999) 'Corporate reputatie'. *Marketing Wijzer*, Deventer: Kluwer.
Nijs, D. & F. Peters (2002) *Imagineering, het creëren van belevingswerelden*. Amsterdam: Boom.
Norman, D.A (2004) *Emotional design*. NY: Basic Books.
Olins, W. (1989) *Corporate Identity, bedrijfsstrategie in beeld*. Utrecht: Veen.
Olins, W. (1995) *New Guide to Identity*. London: The Design Council/Gower.
Olins, W. (2003) *On Brand*. London: Thames & Hudson.
Peelen. E., P. Waalewijn & S. Wijnia (1999). *Marketing balanced scorecard*. Deventer: Kluwer.
Peters, T. (1995) *The Pursuit of Wow!* NY: MacMillan.
Peters, T. (1998) *De innovatiecirkel*. Amsterdam/Antwerpen: Uitgeverij Contact.
Peters, T. (2005) *Design; vernieuw, differentieer, communiceer*. In reeks: Tom Peters Essentials, Amsterdam/Antwerpen: Pearson Education Benelux.
Phillips, P.L. (2004) *Creating the Perfect Design Brief*. NY: Allworth Press.
Pilditch, J. (1972) *The silent salesman*. Business Books.
Pine, B.J. & J.H. Gilmore (2000) *De beleveniseconomie*. Schoonhoven: Academic Service.
Pink, D.H. (2005) *A Whole New Mind*. London: Cyan Books.
Porter, M. (1987) *Concurrentiestrategie, Analysemethoden voor bedrijfstakken & industriële concurrentie*. Amsterdam/Antwerpen: Uitgeverij Business Contact.
Powell, E.N. (1998) 'Developing a Framework for Design Management', *Design Management Journal, 1998 (2) 9-12, reprint #9893POW09*. Boston: Design Management Institute.
Press, M. & R. Cooper (2003) *The Design Experience*. Hants: Ashgate Publishing Ltd.
Rassam, C. (1995) *Design and corporate success*. London: The Design Council/Gower.
Ravasi, D. & G. Lojacono (2005) 'Managing Design and Designers for Strategic Renewal'. *Long Range Planning Journal*, volume 38, p. 51-77.
Reichheld, F. (1996) *The loyalty effect*. Boston: Harvard Business School Press.
Rekom, J. van (1997) *Corporate Identity – Development of the concept and a measurement instrument*. Proefschrift uitgegeven in eigen beheer.
Riel, C. van & A. van den Ban (2001) 'The added value of corporate logos', *European Journal of Marketing 35(3/4) 428-440*. MCB University Press.
Riel, C. van (2003) *Identiteit en imago*. Schoonhoven: Academic Service.

Ries, A. & J. Trout (1981) *Positioning: The battle for your mind.* McGraw-Hill Inc.
Riezebos, R. (2002) *Brand Management.* London: Prentice Hall/Pearson Education (ook Nederlandse uitgave *Merkenmanagement* door Stenfert Kroese).
Riezebos, R. (2005) *Merk-, reputatie en designmanagement, van Babylonische spraakverwarring naar een geïntegreerde visie.* Rede, uitgesproken bij de aanvaarding van het ambt als lector. Rotterdam: Hogeschool INHOLLAND.
Rokeach, M. (1973) in: Kralingen, R. van (1999) *Superbrands – Merken en markten van morgen.* Alphen a/d Rijn: Samsom.
Rooseman, E. (2004) *Towards a Balanced Scorecard to Measure Design Effectiveness in Corporate Identity Design.* Masterscriptie Hogeschool INHOLLAND.
Roy, R. & S. Potter (1993) in: Bruce, M. & R. Cooper (1997) *Marketing and Design Management.* London: International Thomson Business Press.
Rutten, P. *et al.,* (2005) *Vormgeving in de Creatieve Economie.* TNO-rapport 33553 in opdracht van Premsela, stichting voor Nederlandse vormgeving en Ministerie van Economische Zaken.
Southgate, P. (1994) *Total Branding by Design.* London: Kogan Page.
Schein, E.H. (1999) *De bedrijfscultuur als ziel van de onderneming, zin en onzin over cultuurverandering.* Schiedam: Scriptum Management.
Schmitt, B. & A. Simonson (1997) *Marketing Aesthetics; Strategic Management of Brands, Identity, and Image.* New York: The Free Press.
Schmitt, B. & A. Simonson (1998) 'Nieuwe identiteit, nieuw design; designmanagement bij samenwerkingsverbanden', *Tijdschrift voor Strategische Bedrijfscommunicatie, 4(2) 4-11.*
Schultz, M. *et al,.* (2000) *The Expressive Organisation, Linking Identity, Reputation and the Corporate Brand.* Oxford University Press.
Schwartz, S. & W. Bilsky (1987) 'Toward a universal psychological structure of human values'. In: Franzen & Van den Berg, 2001.
Thackara, J. (1997) *Winners! How Today's Successful Companies Innovate by Design.* Amsterdam: BIS Publishers.
Tidd, J., J. Bessant & K. Pavitt (2001) 'Building the innovative organization'. In: *Managing Innovation; integral technological, market and organizational change (chapter 11).* Chichester: John Wiley & Sons.
Tongeren, M. van (2003) *Retail Branding, from stopping power to shopping power.* Amsterdam: BIS Publishers.
Topalian, A. (2002) 'Promoting Design Leadership through Skills Development Programs', *Design Management Journal 13(3) (reprint #02133TOP10).* Boston: Design Management Insitute.
Treacy, M. & F. Wiersema (1995) *De discipline van marktleiders.* Schiedam: Scriptum Management.
Turner, R. & A. Topalian (2002) *Core responsibilities of design leaders in commercially demanding environments,* Inaugural presentation at the Design Leadership Forum, London.
Vries, W. de & A. Goud (2003) *Strategische dienstverlening, 20 modellen ter ondersteuning.* Groningen: Stenfert Kroese.

Walton, T. (1998) 'Taking a Moment to Define Design Management', *Design Management Journal*, reprint #9893WAL05. Boston: Design Management Institute.

Weele, A.J. (2005) 'Leveranciersmanagement: vier basisstrategieën'. *Info-reeks Ontwikkelingen & Ideeën no. 28*. Holland Consulting Group.

Weggeman, M. (2003) *Provocatief adviseren, organisaties mooier maken*. Schiedam: Scriptum.

Wijk, K. van (2003) *De Media-explosie*. Schoonhoven: Academic Service.

Wijnen, G., W. Renes & P. Storm (1996) *Projectmatig werken*. Utrecht: Het Spectrum.

Wit, B. de & R. Meyer (2004) *Strategy; Process, Content, Context*. London: Thomson.

Zaleznik, A. (2000) *Managers en leiders: zijn ze anders?* Harvard Business Review over Leiderschap. Zaltbommel: Thema.

Zwaal, J. van der (1997) *Design voor opdrachtgevers*. Amsterdam: Bis Publishers.

Index

C

E

F

G

R